O PONTO DE MUTAÇÃO

FRITJOF CAPRA

O PONTO DE MUTAÇÃO

Tradução
ÁLVARO CABRAL

Editora
Cultrix

Título original: *The Turning Point*.

Copyright © 1982 Fritjof Capra.
Copyright da edição brasileira © 1986 Editora Pensamento-Cultrix Ltda.

Texto revisto segundo o novo acordo ortográfico da língua portuguesa.
1ª edição 1986 (catalogação na fonte 2006).
32ª reimpressão 2018.

Todos os direitos reservados. Nenhuma parte deste livro pode ser reproduzida ou usada de qualquer forma ou por qualquer meio, eletrônico ou mecânico, inclusive fotocópias, gravações ou sistema de armazenamento em banco de dados, sem permissão por escrito, exceto nos casos de trechos curtos citados em resenhas críticas ou artigos de revistas.

Revisão técnica da tradução: Newton Roberval Eichemberg
Coordenação editorial: Poliana Magalhães Oliveira
Diagramação: Gustavo Siquieroli Vilas Boas
Revisão: Cristiane Maruyama

Dados Internacionais de Catalogação na Publicação (CIP)
(Câmara Brasileira do Livro, SP, Brasil)

Capra, Fritjof
   O ponto de mutação / Fritjof Capra; [tradução Álvaro Cabral], – São Paulo: Cultrix, 2006.

   Título original : The turning point
   26ª reimpr.
   Bibliografia.
   ISBN 978-85-316-0309-9

   I. Ciência – Aspectos sociais. 2. Ciências sociais. 3. Cultura. I. Título

06-4016   CDD-306.45

Índice para catálogo sistemático:
1. Ciência e sociedade: Aspectos culturais:
Sociologia 306.45

Direitos de tradução para a língua portuguesa
adquiridos com exclusividade pela
EDITORA PENSAMENTO-CULTRIX LTDA.
Rua Dr. Mário Vicente, 368 – 04270-000 – São Paulo, SP
Fone: (11) 2066-9000 – Fax: (11) 2066-9008
E-mail: atendimento@editoracultrix.com.br
http://www.editoracultrix.com.br
que se reserva a propriedade literária desta tradução.
Foi feito o depósito legal.

Ao término de um período de decadência sobrevém o ponto de mutação. A luz poderosa que fora banida ressurge. Há movimento, mas este não é gerado pela força... O movimento é natural, surge espontaneamente. Por essa razão, a transformação do antigo torna-se fácil. O velho é descartado, e o novo é introduzido. Ambas as medidas se harmonizam com o tempo, não resultando daí, portanto, nenhum dano.

I Ching

*Às mulheres de minha vida,
especialmente
minha avó e minha mãe,
por seu amor, apoio e sabedoria.*

Sumário

NOTA DO AUTOR 11

AGRADECIMENTOS 13

PREFÁCIO 15

I. CRISE E TRANSFORMAÇÃO 19
    1. A inversão da situação 21

II. OS DOIS PARADIGMAS 49
    2. A máquina do mundo newtoniana 51
    3. A nova física 73

III. A INFLUÊNCIA DO PENSAMENTO
     CARTESIANO-NEWTONIANO 95
    4. A concepção mecanicista da vida 97
    5. O modelo biomédico 119
    6. A psicologia newtoniana 159
    7. O impasse da economia 183
    8. O lado sombrio do crescimento 227

IV. A NOVA VISÃO DA REALIDADE 257
    9. A concepção sistêmica da vida 259
    10. Holismo e saúde 299
    11. Jornadas para além do espaço e do tempo 351
    12. A passagem para a Idade Solar 379

NOTAS 409

BIBLIOGRAFIA 423

Nota do autor

Tenho o privilégio e o prazer de agradecer, por sua ajuda e por seus conselhos, a
Stanislav Grof,
Hazel Henderson,
Margaret Lock e
Carl Simonton.

Como assessores especiais em seus campos de especialização, escreveram ensaios de informação básica para mim, que foram incorporados ao texto do livro, e passaram muitas horas comigo em discussões que foram gravadas e transcritas com o mesmo fim. Em particular, Stanislav Grof contribuiu desse modo nos capítulos 6 e 11, Hazel Henderson nos capítulos 7 e 12, e Margaret Lock e Carl Simonton nos capítulos 5 e 10.

Antes de iniciar a redação final do livro, nós cinco nos reunimos durante quatro dias com Gregory Bateson, Antonio Dimalanta e Leonard Shlain, para discutir o conteúdo e a estrutura da obra. Essas discussões – às quais não faltaram lances dramáticos – foram extremamente estimulantes e esclarecedoras para mim, e permanecerão entre os momentos inesquecíveis de minha vida.

Sou profundamente grato a todas as pessoas acima mencionadas por me ajudarem com seus conselhos e informações durante toda a redação do livro, bem como por sua leitura crítica de várias partes do manuscrito. Agradeço especialmente a Leonard Shlain, por esclarecer muitas questões relacionadas com a medicina, e a Antonio Dimalanta, por me apresentar as conquistas recentes em terapia familiar.

Sou também especialmente grato a Robert Livingston, que, durante uma fase posterior de redação do manuscrito, me ofereceu inestimáveis conselhos a respeito das partes do livro que tratam de biologia.

Gregory Bateson exerceu importante influência sobre meu pensamento ao longo deste trabalho. Sempre que eu me deparava com uma questão que não conseguia associar a qualquer disciplina ou escola de pensamento, punha uma nota à margem do manuscrito: "Perguntar a Bateson!" Lamentavelmente, algumas dessas questões ainda estão sem resposta. Gregory Bateson faleceu antes que eu lhe pudesse mostrar qualquer parte do manuscrito. Os primeiros parágrafos do capítulo 9, fortemente influenciado por sua obra, foram escritos no dia seguinte ao seu funeral, nos penhascos da costa de Big Sur, onde suas cinzas foram espalhadas sobre o oceano. Serei sempre grato pelo privilégio de o ter conhecido.

Agradecimentos

Gostaria de expressar minha profunda gratidão às várias pessoas que me deram sua ajuda e seu apoio durante os quatro anos em que trabalhei neste livro. Seria impossível mencionar todas. Entretanto, sou especialmente grato a:
- Geoffrey Chew, pela troca permanente de ideias, minha fonte mais rica de conhecimento e inspiração, e David Bohm e Henry Stapp, por estimulantes discussões em torno de questões fundamentais da física;
- Jonathan Ashmore, Robert Edgar e Horace Judson, por valiosas discussões e pela correspondência sobre a biologia contemporânea;
- Erich Jantsch, pelas conversas estimulantes e por compartilhar generosamente comigo suas ideias e recursos;
- Virginia Reed, por abrir-me os olhos para os movimentos expressivos do corpo e por ampliar minhas ideias acerca de saúde e cura;
- Martha Rogers e seus alunos da Universidade de Nova York, com agradecimentos especiais a Gretchen Randolph, pelas discussões esclarecedoras sobre o papel da enfermagem nas artes curativas;
- Rick Chilgren e David Sobel, por seu generoso oferecimento de literatura médica;
- George Vithoulkas, por colocar-me em contato com a teoria da homeopatia e por sua generosa hospitalidade, e Dana Ullman, por seus valiosos conselhos e recursos;
- Stephen Salinger, pelas estimulantes discussões sobre as relações entre a física e a psicanálise;
- Virginia Senders, Verona Fonté e Craig Brod, por esclarecerem numerosas questões referentes à história da psicologia;
- R. D. Laing, pelas fascinantes conversas acerca da doença mental e da natureza da consciência e por desafiar meu pensamento científico até o seu âmago;
- Marie-Louise von Franz e June Singer, por elucidativas discussões acerca da psicologia junguiana;

- Frances Vaughn, Barbara Green, Frank Rubenfeld, Lynn Kahn e Mari Krieger, pelas enriquecedoras discussões sobre psicoterapia;
- Carl Rogers, por sua inspiração, apoio e generosidade;
- James Robert e Lucia Dunn, pelas conversas esclarecedoras e a correspondência sobre economia;
- E. F. Schumacher, por uma bela tarde de discussões abrangendo vasta gama de tópicos, desde economia e política até filosofia, ética e espiritualidade;
- meu professor de *tai ji quan* (*tai chi chuan*), o mestre Chiang Yun-Chung, que é também meu médico, por sua experiência em filosofia, arte e ciência chinesas, e por contribuir graciosamente com a caligrafia mostrada na p. 5;
- John Lennon, Gordon Onslow-Ford e Gary Snyder, por me inspirarem através de sua arte e de sua vida, e a Bob Dylan, por duas décadas de uma música e poesia poderosas;
- Daniel Cohn-Bendit, Angela Davis, Victor Jara, Flerbert Marcuse e Adrienne Rich, por elevarem minha consciência política;
- Charlene Spretnak e Miriam Monasch, por sua amizade e apoio e por aguçarem minha consciência feminista, na teoria e na prática;
- meu irmão, Bernt Capra, meu editor inglês, Oliver Caldecott, e minha amiga Lenore Weiss, por lerem o manuscrito na íntegra e me darem seus valiosos conselhos e orientação;
- todas as pessoas que assistiram às minhas conferências, seminários e *workshops*, por me proporcionarem o ambiente estimulante que me levou a escrever este livro;
- Comunidade Esalen e, particularmente, Rick Tarnas, por seu constante apoio e generosa hospitalidade, e por me permitirem debater muitas ideias especulativas num ambiente informal;
- Macalester College, na pessoa de seu presidente, e do corpo docente, por sua hospitalidade e por me proporcionarem a oportunidade, como professor visitante, de apresentar uma primeira versão de minha tese numa série de conferências públicas;
- Susan Corrente, Howard Kornfeld, Ken Meter e Annelies Rainer, por suas pesquisas e seus conselhos;
- minhas secretárias, Murray Lamp e Jake Walter, por me auxiliarem em numerosas tarefas com eficiência, imaginação e bom humor, e Alma Taylor, por sua impecável datilografia e revisão de provas;
- e meus editores da Simon and Schuster, Alice Mayhew e John Cox, por sua paciência, apoio e encorajamento e por me ajudarem a converter um gigantesco manuscrito num livro bem-proporcionado.

Prefácio

Meu principal interesse profissional durante a década de 1970 concentrou-se na drástica mudança de conceitos e ideias que ocorreu na física durante os primeiros trinta anos do século e que ainda está sendo elaborada nas atuais teorias da matéria. Os novos conceitos em física provocaram uma profunda mudança em nossa visão do mundo: passou-se da concepção mecanicista de Descartes e Newton para uma visão holística* e ecológica, que reputo semelhante às visões dos místicos de todas as épocas e tradições.

A nova concepção do universo físico não foi facilmente aceita, em absoluto, pelos cientistas do começo do século. A exploração do mundo atômico e subatômico colocou-os em contato com uma estranha e inesperada realidade que parecia desafiar qualquer descrição coerente. Em seu esforço de apreensão dessa nova realidade, os cientistas tornaram-se irremediavelmente conscientes de que seus conceitos básicos, sua linguagem e todo o seu modo de pensar eram inadequados para descrever fenômenos atômicos. Seus problemas não eram meramente intelectuais; remontavam ao significado de uma intensa crise emocional e, poderíamos dizer, até mesmo existencial. Foi preciso muito tempo para que superassem essa crise, mas, no final, foram recompensados por profundos *insights* sobre a natureza da matéria e sua relação com a mente humana.

Estou convicto de que, hoje, nossa sociedade como um todo se encontra numa crise análoga. Podemos ler acerca de suas numerosas manifestações todos os dias nos jornais. Temos taxas elevadas de inflação e desemprego, temos uma crise

---

* O termo "holístico", do grego *holos*, "totalidade", refere-se a uma compreensão da realidade em função de totalidades integradas cujas propriedades não podem ser reduzidas a unidades menores. (N. do T.)

energética, uma crise na assistência à saúde, poluição e outros desastres ambientais, uma onda crescente de violência e crimes, e assim por diante. A tese básica do presente livro é de que tudo isso são facetas diferentes de uma só crise, que é, essencialmente, uma crise de percepção. Tal como a crise da física na década de 1920, ela deriva do fato de estarmos tentando aplicar os conceitos de uma visão de mundo obsoleta – a visão de mundo mecanicista da ciência cartesiana-newtoniana – a uma realidade que já não pode ser entendida em função desses conceitos. Vivemos hoje num mundo globalmente interligado, no qual os fenômenos biológicos, psicológicos, sociais e ambientais são todos interdependentes. Para descrever esse mundo apropriadamente, necessitamos de uma perspectiva ecológica que a visão de mundo cartesiana não nos oferece.

Precisamos, pois, de um novo "paradigma" – uma nova visão da realidade, uma mudança fundamental em nossos pensamentos, percepções e valores. Os primórdios dessa mudança, da transferência da concepção mecanicista para a holística da realidade, já são visíveis em todos os campos e suscetíveis de dominar a década atual. As várias manifestações e implicações dessa "mudança de paradigma" constituem o tema deste livro. Os anos de 1960 e 1970 geraram uma série de movimentos sociais que parecem caminhar, todos, na mesma direção, enfatizando diferentes aspectos da nova visão da realidade. Até agora, a maioria desses movimentos ainda opera separadamente, eles ainda não reconheceram que suas intenções se inter-relacionam. A finalidade deste livro é fornecer uma estrutura conceitual coerente que ajude esses movimentos a reconhecer as características comuns de suas finalidades. Assim que isso acontecer, podemos esperar que os vários movimentos fluam juntos e formem uma poderosa força de mudança social. A gravidade e a extensão global de nossa crise atual indicam que essa mudança é suscetível de resultar numa transformação de dimensões sem precedentes, um momento decisivo para o planeta como um todo.

Meu exame da mudança de paradigma divide-se em quatro partes. A primeira introduz os principais temas do livro. A segunda descreve o desenvolvimento histórico da visão cartesiana do mundo e a drástica mudança de conceitos básicos que ocorreu na física moderna. Na terceira parte, analiso a profunda influência do pensamento cartesiano-newtoniano sobre a biologia, a medicina, a psicologia e a economia, e apresento minha crítica ao paradigma mecanicista nessas disciplinas. Enfatizo assim, especialmente, que as limitações da visão de mundo cartesiana e do sistema de valores em que se assenta estão afetando seriamente nossa saúde individual e social.

Segue-se a essa crítica, na quarta parte do livro, um exame detalhado da nova visão da realidade. Essa nova visão inclui a emergente visão sistêmica de vida, mente, consciência e evolução; a correspondente abordagem holística da saúde e da cura; a integração dos enfoques ocidental e oriental da psicologia e da psicoterapia; uma nova estrutura conceitual para a economia e a tecnologia; e uma perspectiva ecológica e feminista, que é espiritual em sua natureza essencial e acarretará profundas mudanças em nossas estruturas sociais e políticas.

Nosso exame abrange uma gama muito ampla de ideias e fenômenos, e estou perfeitamente cônscio de que a apresentação das conquistas detalhadas em vários campos será fatalmente superficial, dadas as limitações de espaço e tempo e de meus conhecimentos. Entretanto, ao escrever o livro, acabei por ficar fortemente convencido de que a visão sistêmica que nele defendo se aplica também ao próprio livro. Nenhum de seus elementos é realmente original, e muitos deles podem estar representados de um modo um tanto simplista. Mas a maneira como as várias partes estão integradas no todo é mais importante do que as próprias partes. As interconexões e interdependências entre os numerosos conceitos representam a essência de minha própria contribuição. Espero que o resultado, no seu todo, seja mais importante do que a soma de suas partes.

Este livro destina-se ao leitor comum. Todos os termos técnicos são definidos em notas de rodapé nas páginas onde aparecem pela primeira vez. Espero, contudo, que ele também possa interessar aos profissionais dos vários campos que analisei. Embora alguns possam achar minha crítica perturbadora, espero que não tomem nada disso em termos pessoais. Minha intenção nunca foi criticar determinados grupos profissionais, mas, antes, mostrar como os conceitos e atitudes dominantes em vários campos refletem a mesma visão desequilibradora do mundo, que ainda é compartilhada pela maioria de nossa cultura, mas que está agora mudando rapidamente.

Muito do que digo neste livro é um reflexo do meu desenvolvimento pessoal. Minha vida foi decisivamente influenciada pelas duas tendências revolucionárias da década de 1960, uma agindo na esfera social, a outra, no domínio espiritual. No meu primeiro livro, *O tao da física*, o que tentei foi estabelecer uma relação entre a revolução espiritual e meu trabalho como físico. Ao mesmo tempo, acreditava que a mudança de conceitos na física moderna tinha importantes implicações sociais. Com efeito, no final do livro escrevi:

Creio que a visão de mundo decorrente da Física moderna é inconsistente com a sociedade atual, que não reflete o estado de inter-relação harmoniosa que observamos na natureza. Para alcançar um tal estado de equilíbrio dinâmico, será necessária uma estrutura social e econômica radicalmente diferente, ou seja, uma revolução cultural no verdadeiro sentido da expressão. A sobrevivência de nossa civilização pode depender da efetivação ou não dessa transformação.

Nos últimos seis anos, essa declaração evoluiu até converter-se no presente livro.

FRITJOF CAPRA
Berkeley, abril de 1981.

I
Crise e transformação

1. A inversão da situação

As últimas duas décadas do século XX vêm registrando um estado de profunda crise mundial. É uma crise complexa, multidimensional, cujas facetas afetam todos os aspectos de nossa vida – a saúde e o modo de vida, a qualidade do meio ambiente e das relações sociais, da economia, tecnologia e política. É uma crise de dimensões intelectuais, morais e espirituais; uma crise de escala e premência sem precedentes em toda a história da humanidade. Pela primeira vez, temos que nos defrontar com a real ameaça de extinção da raça humana e de toda a vida no planeta.

Estocamos dezenas de milhares de armas nucleares, suficientes para destruir o mundo inteiro várias vezes, e a corrida armamentista prossegue a uma velocidade incoercível. Em novembro de 1978, quando os Estados Unidos e a União Soviética estavam completando sua segunda rodada de conversações sobre os Tratados de Limitação de Armas Estratégicas, o Pentágono lançou seu mais ambicioso programa de produção de armas nucleares em duas décadas; dois anos depois, isso culminou no maior *boom* militar da história: um orçamento quinquenal de defesa de 1 trilhão de dólares[1]. Desde então, as fábricas norte-americanas de bombas vêm funcionando a plena capacidade. Na Pantex, a fábrica do Texas onde são montadas todas as armas nucleares dos Estados Unidos, foram contratados operários extras para perfazer um segundo e um terceiro turnos diários adicionais a fim de aumentar a produção de armas cujo poder destrutivo é alarmante[2].

Os custos dessa loucura nuclear coletiva são assustadores. Em 1978, antes da mais recente escalada de custos, os gastos militares mundiais orçavam em cerca de 425 bilhões de dólares – mais de 1 bilhão de dólares por dia. Mais de uma centena de países, a maioria deles do Terceiro Mundo, dedicam-se à compra de armas, e as vendas de equipamento militar para guerras nucleares e convencionais são maiores do que a renda nacional de todas as nações do mundo, à exceção de apenas uma dezena delas[3].

Enquanto isso, mais de 15 milhões de pessoas – em sua maioria crianças – morrem anualmente de fome; outros 500 milhões de seres humanos estão gravemente subnutridos. Cerca de 40 por cento da população mundial não tem acesso a serviços profissionais de saúde; entretanto, os países em desenvolvimento gastam três vezes mais em armamentos do que em assistência à saúde da população. Trinta e cinco por cento da humanidade carecem de água potável, enquanto metade de seus cientistas e engenheiros se dedica à tecnologia da fabricação de armas.

Nos Estados Unidos, onde o complexo militar-industrial se converteu em parte integrante do governo, o Pentágono tenta persuadir a população de que construir mais e melhores armas tornará o país mais seguro. No entanto, ocorre exatamente o oposto: mais armas nucleares significam mais perigo. Nestes últimos anos, tornou-se notória uma alarmante mudança na política de defesa norte-americana, que registra uma tendência a ampliar um arsenal nuclear que tem por objetivo não a retaliação, mas a iniciativa do primeiro ataque. Existem provas crescentes de que a estratégia de desferir o primeiro ataque deixou de ser uma opção militar para se tornar o objetivo central da política de defesa norte-americana[4]. Em tal situação, cada novo míssil aumenta a probabilidade de uma guerra nuclear. As armas nucleares não nos trazem segurança, como o *establishment* militar deseja que acreditemos; elas meramente aumentam a probabilidade de uma destruição global.

A ameaça de guerra nuclear é o maior perigo com que a humanidade hoje se defronta, mas não é absolutamente o único. Enquanto as potências militares ampliam seu arsenal letal de armas nucleares, o mundo industrial atarefa-se na construção igualmente perigosa de usinas nucleares que ameaçam extinguir a vida em nosso planeta. Há 25 anos, líderes mundiais decidiram usar os chamados "átomos para a paz" e apresentaram a energia nuclear como a fonte energética do futuro: confiável, limpa e barata. Hoje estamos nos tornando, de forma irremediável, conscientes de que a energia nuclear não é segura, nem limpa e nem barata. Os 360 reatores nucleares que operam atualmente no mundo inteiro e as centenas de outros em processo de instalação converteram-se numa gravíssima ameaça ao nosso bem-estar[5]. Os elementos radiativos liberados por reatores nucleares são exatamente os mesmos que caem sobre a Terra após a explosão de bombas atômicas. Milhares de toneladas desse material tóxico já foram descarregados no meio ambiente em consequência das explosões nucleares e de vazamentos de reatores. Uma vez que continuam se acumulando no ar que respiramos, nos alimentos que comemos e na água que bebemos, nosso risco de contrair câncer e doenças genéticas continua aumentando. O mais tóxico desses venenos radiativos, o plutônio, um elemento físsil, é empregado na fabricação de bombas atômicas. Assim, a energia nuclear e as armas nucleares estão inextricavelmente ligadas, sendo apenas aspectos diferentes da mesma ameaça à humanidade. Com sua proliferação contínua, a probabilidade de extinção global da vida na Terra torna-se maior a cada dia.

Mesmo pondo de lado a ameaça de uma catástrofe nuclear, o ecossistema global e a futura evolução da vida na Terra estão correndo sério perigo e podem muito bem resultar num desastre ecológico em grande escala. A superpopulação e a tecnologia industrial têm contribuído de várias maneiras para uma grave deterioração do meio ambiente natural, do qual dependemos completamente. Por conseguinte, nossa saúde e nosso bem-estar estão seriamente ameaçados. Nossas principais cidades estão cobertas por camadas de *smog** sufocante, cor de mostarda. Aqueles dentre nós que vivem em cidades podem perceber isso todos os dias, na ardência dos olhos e na irritação dos pulmões. Em Los Angeles, de acordo com uma declaração de sessenta docentes da Escola Médica da Universidade da Califórnia[6], "a poluição atmosférica tornou-se agora um importante risco para a saúde da maioria das pessoas desta comunidade, durante a maior parte do ano". Mas o *smog* não está confinado às grandes áreas metropolitanas dos Estados Unidos. Ele é igualmente irritante, se não pior, na Cidade do México, em Atenas e Istambul. Essa contínua poluição do ar não só afeta os seres humanos, como também atinge os sistemas ecológicos. Ataca e mata plantas, e essa alteração na vida vegetal pode levar a drásticas mudanças em populações animais que dependem das plantas. No mundo de hoje, o *smog* não é encontrado apenas na vizinhança das grandes cidades, está disperso por toda a atmosfera da Terra, e pode afetar gravemente o clima global. Os meteorologistas já falam de um véu nebuloso de poluição atmosférica que envolve todo o planeta.

Além da poluição atmosférica, nossa saúde também é ameaçada pela água e pelos alimentos, uma e outros contaminados por uma grande variedade de produtos químicos tóxicos. Nos Estados Unidos, aditivos alimentares sintéticos, pesticidas, agrotóxicos, plásticos e outros produtos químicos são comercializados numa proporção atualmente avaliada em mais de mil novos compostos químicos por ano. Assim, o envenenamento químico passa a fazer parte, cada vez mais, de nossa vida. Além disso, as ameaças à nossa saúde através da poluição do ar, da água e dos alimentos constituem meros efeitos diretos e óbvios da tecnologia humana sobre o meio ambiente natural. Efeitos menos óbvios mas possivelmente muitíssimo mais perigosos só recentemente foram reconhecidos, e ainda não foram compreendidos em toda a sua extensão[7]. Contudo, tornou-se claro que nossa tecnologia está perturbando seriamente e pode até estar destruindo os sistemas ecológicos de que depende a nossa existência.

A deterioração de nosso meio ambiente natural tem sido acompanhada de um correspondente aumento nos problemas de saúde dos indivíduos. Enquanto

---

* Combinação de fumaça e nevoeiro. (N. do E.)

as doenças nutricionais e infecciosas são as maiores responsáveis pela morte no Terceiro Mundo, os países industrializados são flagelados pelas doenças crônicas e degenerativas apropriadamente chamadas "doenças da civilização", sobretudo as enfermidades cardíacas, o câncer e o derrame. Quanto ao aspecto psicológico, a depressão grave, a esquizofrenia e outros distúrbios de comportamento parecem brotar de uma deterioração paralela de nosso meio ambiente social. Existem numerosos sinais de desintegração social, incluindo o recrudescimento de crimes violentos, acidentes e suicídios; o aumento do alcoolismo e do consumo de drogas; e um número crescente de crianças com deficiência de aprendizagem e distúrbios de comportamento. O aumento de crimes violentos e de suicídios de pessoas jovens é tão elevado que foi classificado como epidemia. Ao mesmo tempo, a taxa de mortalidade de jovens devido a acidentes, sobretudo os de trânsito, é vinte vezes superior à resultante da poliomielite, quando esta se encontrava em sua pior fase. De acordo com o economista da área de saúde Victor Fuchs, "epidemia" é uma palavra suave demais para se descrever essa situação[8].

A par dessas patologias sociais, temos presenciado anomalias econômicas que parecem confundir nossos principais economistas e políticos. Inflação galopante, desemprego maciço e uma distribuição grosseiramente desigual da renda e da riqueza passaram a ser características estruturais da maioria das economias nacionais. A consternação e o desalento resultantes disso são agravados pela percepção de que a energia e nossos recursos naturais – os ingredientes básicos de toda a atividade industrial – estão sendo rapidamente exauridos.

Em face dessa tríplice ameaça de esgotamento energético, inflação e desemprego, os políticos já não sabem para onde se voltar a fim de minimizar o perigo. Eles, e os meios de comunicação de massa, argumentam a respeito de prioridades – devemos tratar primeiro da crise energética ou combater a inflação? –, sem se aperceberem de que ambos os problemas, assim como todos os outros aqui mencionados, são apenas facetas diferentes de uma só crise. Quer falemos de câncer, criminalidade, poluição, energia nuclear, inflação ou escassez de energia, a dinâmica subjacente a esses problemas é a mesma. O objetivo central deste livro é esclarecer essa dinâmica e apontar para direções que mudem a situação atual.

Um sinal impressionante do nosso tempo é o fato de as pessoas que se presume serem especialistas em vários campos já não estarem capacitadas a lidar com os problemas urgentes que surgem em suas respectivas áreas de especialização. Os economistas são incapazes de entender a inflação, os oncologistas estão totalmente confusos acerca das causas do câncer, os psiquiatras são mistificados pela esquizofrenia, a polícia vê-se impotente em face da criminalidade crescente, e a lista vai por aí afora. Nos Estados Unidos, os presidentes costumavam recorrer a pessoas do mundo acadêmico em busca de assessoria, fosse diretamente ou através dos *brain trusts* e *think tanks* criados explicitamente para aconselhar o governo em várias questões políticas. Essa elite intelectual responsável pela "tendência predominante do pensamento acadêmico" quase sempre esteve de acordo sobre o âmbito conceitual básico subentendido em seus pareceres. Hoje, no entanto, esse consenso deixou de existir. Em 1979, o *Washington Post* publicou uma história com o título "O armário de ideias está vazio", na qual pensadores preeminentes admitiam ser incapazes de resolver os mais urgentes problemas políticos da nação[9]. Segundo o *Post*, "conversas com destacados intelectuais em Cambridge, Massachusetts e Nova York, de fato, não só confirmam que a corrente principal das ideias se dividiu em dúzias de riachos, mas que, em algumas áreas, secou por completo". Um dos entrevistados, Irving Kristol, professor de urbanismo do Henry R. Luce, na Universidade de Nova York, declarou estar se demitindo de sua cátedra porque "já não tenho nada a dizer. Penso que ninguém tem. Quando um problema se torna extremamente difícil, perdemos o interesse por ele".

Como causas de sua confusão ou renúncia, os intelectuais citaram "novas circunstâncias" ou "o curso dos acontecimentos" – Vietnam, Watergate e a persistência de favelas, pobreza e criminalidade. Nenhum deles, entretanto, identificou o verdadeiro problema subjacente à nossa crise de ideias: o fato de a maioria dos intelectuais que constituem o mundo acadêmico subscrever percepções estreitas da realidade, que são inadequadas para enfrentar os principais problemas de nosso tempo. Esses problemas, como veremos em detalhe, são sistêmicos, o que significa que estão intimamente interligados e são interdependentes. Não podem ser entendidos no âmbito da metodologia fragmentada, que é característica de nossas disciplinas acadêmicas e de nossos organismos governamentais. Tal abordagem não resolverá nenhuma de nossas dificuldades, limitar-se-á a transferi-las de um lugar para outro na complexa rede de relações sociais e ecológicas. Uma resolução só poderá ser implementada se a estrutura da própria teia for mudada, o que envolverá transformações profundas em nossas instituições sociais, em nossos valores e ideias. Quando examinarmos as fontes de nossa crise cultural, ficará evidente que a maioria de nossos principais pensadores usa modelos conceituais obsoletos e variáveis irrelevantes. Ficará também evidente que um aspecto significativo do nosso impasse conceitual está em que a totalidade dos eminentes intelectuais entrevistados pelo *Washington Post* era constituída de homens.

Para entender nossa multifacetada crise cultural, precisamos adotar uma perspectiva extremamente ampla e ver a nossa situação no contexto da evolução cultural humana. Temos que transferir nossa perspectiva do final do século XX para um período de tempo que abrange milhares de anos; substituir a noção de estruturas sociais estáticas por uma percepção de padrões dinâmicos de mudança. Vista desse ângulo, a crise apresenta-se como um aspecto da transformação. Os chineses, que sempre tiveram uma visão inteiramente dinâmica do mundo e uma percepção aguda da história, parecem estar bem cientes dessa profunda conexão entre crise e mudança. O termo que eles usam para "crise", *wei-ji*, é composto dos caracteres: "perigo" e "oportunidade".

Os sociólogos ocidentais confirmaram essa intuição antiga. Estudos de períodos de transformação cultural em várias sociedades mostraram que essas transformações são tipicamente precedidas por uma variedade de indicadores sociais, muitos deles idênticos aos sintomas de nossa crise atual. Incluem uma sensação de alienação e um aumento de doenças mentais, crimes violentos e desintegração social, assim como um interesse maior na prática religiosa; tudo isso foi também observado em nossa sociedade na década passada. Em tempos de mudança cultural histórica, esses indicadores tendem a manifestar-se de uma a três décadas antes da transformação central, aumentando em frequência e intensidade à medida que a transformação se avizinha, e novamente declinando após sua ocorrência[10].

As transformações culturais desse gênero são etapas essenciais ao desenvolvimento das civilizações. As forças subjacentes a esse desenvolvimento são complexas, e os historiadores estão longe de elaborar uma teoria abrangente da dinâmica cultural; mas parece que todas as civilizações passam por processos cíclicos semelhantes de gênese, crescimento, colapso e desintegração. O gráfico a seguir mostra esse padrão nas principais civilizações em torno do Mediterrâneo[11].

Entre os mais notáveis, ainda que mais hipotéticos, estudos dessas curvas de ascensão e queda de civilizações, cumpre citar a importante obra *A study of history**[12], de Arnold Toynbee. Segundo Toynbee, a gênese de uma civilização consiste na transição de uma condição estática para a atividade dinâmica. Essa transição pode ocorrer espontaneamente, através da influência de alguma civilização já existente, ou através da desintegração de uma ou mais civilizações de uma geração mais antiga. Toynbee vê o padrão básico na gênese das civilizações como um padrão de interação a que chama "desafio e resposta". Um desafio do ambiente natural ou social provoca uma resposta criativa numa sociedade, ou num grupo social, a qual induz essa sociedade a entrar no processo de civilização.

A civilização continua a crescer quando sua resposta bem-sucedida ao desafio inicial gera um ímpeto cultural que leva a sociedade para além de um estado

---

* "Um estudo de história." (N. do T.)

de equilíbrio, que então se rompe e se apresenta como um novo desafio. Desse modo, o padrão inicial de desafio e resposta é repetido em sucessivas fases de crescimento, pois cada resposta bem-sucedida produz um desequilíbrio que requer novos ajustes criativos.

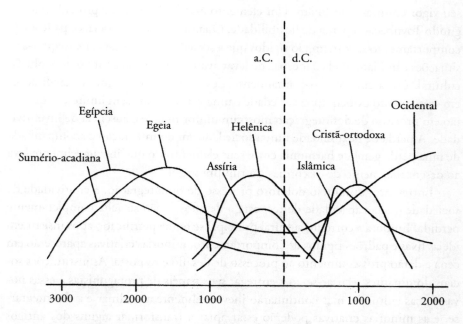

Gráfico de ascensão e queda das principais civilizações em torno do Mediterrâneo.

O ritmo recorrente no crescimento cultural parece estar relacionado com processos de flutuação que têm sido observados ao longo dos tempos e sempre foram considerados parte da dinâmica fundamental do universo. Segundo os antigos filósofos chineses, todas as manifestações da realidade são geradas pela interação dinâmica entre dois polos de força: o *yin* e o *yang*. Heráclito, na Grécia antiga, comparou a ordem do mundo a "um fogo eternamente vivo que se acende e apaga conforme a medida". Empédocles atribuiu as mudanças no universo ao fluxo e refluxo de duas forças complementares, a que chamou "amor" e "ódio".

A ideia de um ritmo universal fundamental também foi expressa por numerosos filósofos dos tempos modernos[13]. Saint-Simon via a história das civilizações como uma série de períodos "orgânicos" e "críticos" que se alternavam; Herbert Spencer considerava que o universo passa por uma série de "integrações" e "diferenciações"; e Hegel entendia a história humana como um desenvolvimento em espiral que parte de uma forma de unidade, passa por uma fase de desunião e desta para a reintegração num plano superior. Com efeito, a noção de padrões flutuantes parece ser sempre extremamente útil para o estudo da evolução cultural.

Depois de atingirem o apogeu de vitalidade, as civilizações tendem a perder seu vigor cultural e declinam. Um elemento essencial nesse colapso cultural, segundo Toynbee, é a perda de flexibilidade. Quando estruturas sociais e padrões de comportamento se tornam tão rígidos que a sociedade não pode mais adaptar-se a situações cambiantes, ela é incapaz de levar avante o processo criativo de evolução cultural. Entra em colapso e, finalmente, desintegra-se. Enquanto as civilizações em crescimento exibem uma variedade e uma versatilidade sem limites, as que estão em processo de desintegração mostram uniformidade e ausência de inventividade. A perda de flexibilidade numa sociedade em desintegração é acompanhada de uma perda geral de harmonia entre seus elementos, o que inevitavelmente leva ao desencadeamento de discórdias e à ruptura social.

Entretanto, durante o doloroso processo de desintegração, a criatividade da sociedade – sua capacidade de resposta a desafios – não se acha completamente perdida. Embora a corrente cultural principal se tenha petrificado após insistir em ideias fixas e padrões rígidos de comportamento, minorias criativas aparecerão em cena e darão prosseguimento ao processo de desafio e resposta. As instituições sociais dominantes recusar-se-ão a entregar seus papéis de protagonistas a essas novas forças culturais, mas continuarão inevitavelmente a declinar e a desintegrar-se, e as minorias criativas poderão estar aptas a transformar alguns dos antigos elementos, dando-lhes uma nova configuração. O processo de evolução cultural continuará então, mas em novas circunstâncias e com novos protagonistas.

Os padrões culturais descritos por Toynbee parecem ajustar-se muito bem à nossa situação atual. Ao observarmos a natureza dos nossos desafios – não os vários sintomas de crise, mas as mudanças subjacentes ao nosso meio ambiente natural e social –, podemos reconhecer a confluência de diversas transições[14]. Algumas delas estão relacionadas com os recursos naturais, outras com valores e ideias culturais; algumas são partes de flutuações periódicas, outras ocorrem dentro de padrões de ascensão e queda. Cada um desses processos tem uma periodicidade distinta, mas todos eles envolvem períodos de transição que estariam coincidindo no presente momento. Entre essas transições existem três que abalarão os alicerces de nossas vidas e afetarão profundamente o nosso sistema social, econômico e político.

A primeira transição, e talvez a mais profunda, deve-se ao lento, relutante, mas inevitável declínio do patriarcado[15]. A periodicidade associada ao patriarcado é de, pelo menos, três mil anos, um período tão extenso que não podemos dizer se estamos diante de um processo cíclico ou não, pois são mínimas as informações de que dispomos acerca das eras pré-patriarcais. O que sabemos é que, nestes últimos três mil anos, a civilização ocidental e suas precursoras, assim como a grande maioria das outras culturas, basearam-se em sistemas filosóficos, sociais e políticos "em que os homens – pela força, pressão direta, ou através do ritual, da tradição, lei e linguagem, costumes, etiqueta, educação e divisão do trabalho – determinam que papel as mulheres devem ou não desempenhar, e no qual a fêmea está em toda parte submetida ao macho"[16].

O poder do patriarcado tem sido extremamente difícil de entender por ser totalmente preponderante. Tem influenciado nossas ideias mais básicas acerca da natureza humana e de nossa relação com o universo – a natureza do "homem" e a relação "dele" com o universo, na linguagem patriarcal. Era o único sistema que, até data recente, nunca tinha sido abertamente desafiado em toda a história documentada, e cujas doutrinas eram tão universalmente aceitas que pareciam constituir leis da natureza; na verdade, eram usualmente apresentadas como tal. Hoje, porém, a desintegração do patriarcado tornou-se evidente. O movimento feminista é uma das mais fortes correntes culturais do nosso tempo, e terá um profundo efeito sobre a nossa futura evolução.

A segunda transição, que terá um profundo impacto sobre nossa vida, nos é imposta pelo declínio da era do combustível fóssil. Os combustíveis fósseis* – carvão, petróleo e gás natural – têm sido as principais fontes de energia da moderna era industrial e, quando se esgotarem, essa era chegará ao fim. Numa ampla perspectiva histórica da evolução cultural, a era do combustível fóssil e a era industrial são apenas um breve episódio, um pico estreito em torno do ano 2000 em nosso gráfico. Os combustíveis fósseis estarão esgotados por volta de 2300, mas os efeitos econômicos e políticos desse declínio já estão sendo sentidos. Esta década será marcada pela transição da era do combustível fóssil para uma era solar, acionada por energia renovável oriunda do Sol; essa mudança envolverá transformações radicais em nossos sistemas econômicos e políticos.

A terceira transição também está relacionada com valores culturais. Envolve o que hoje é frequentemente chamado de "mudança de paradigma"** – uma mudança profunda no pensamento, percepção e valores que formam uma determinada visão da realidade[17]. O paradigma ora em transformação dominou nos-

---

* Combustíveis fósseis são resíduos de plantas fossilizadas, ou seja, que foram enterradas na crosta da terra e chegaram a seu atual estado através de reações químicas ocorridas durante longos períodos de tempo. (N. do A.)
** Do grego *paradeigma*, "padrão". (N. do A.)

sa cultura durante muitas centenas de anos, ao longo dos quais modelou nossa moderna sociedade ocidental e influenciou significativamente o resto do mundo. Esse paradigma compreende um certo número de ideias e valores que diferem nitidamente dos da Idade Média; valores que estiveram associados a várias correntes da cultura ocidental, entre elas a revolução científica, o Iluminismo e a Revolução Industrial. Incluem a crença de que o método científico é a única abordagem válida do conhecimento; a concepção do universo como um sistema mecânico composto de unidades materiais elementares; a concepção da vida em sociedade como uma luta competitiva pela existência; e a crença do progresso material ilimitado, a ser alcançado através do crescimento econômico e tecnológico. Nas décadas mais recentes, concluiu-se que todas essas ideias e esses valores estão seriamente limitados e necessitam de uma revisão radical.

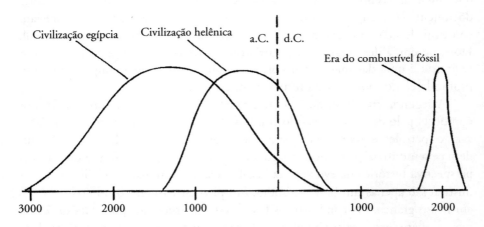

A era do combustível fóssil no contexto de evolução cultural.

A partir de nossa ampla perspectiva da evolução cultural, a atual mudança de paradigma faz parte de um processo mais vasto, uma flutuação notavelmente regular de sistemas de valores, que pode ser apontada ao longo de toda a civilização ocidental e da maioria das outras culturas. Essas mudanças flutuantes de valores e seus efeitos sobre todos os aspectos da sociedade, pelo menos no Ocidente, foram mapeados pelo sociólogo Pitirim Sorokin numa monumental obra em quatro volumes escrita entre 1937 e 1941[18]. O grandioso esquema de Sorokin para a síntese da história ocidental baseia-se na ascensão e no declínio cíclicos de três sistemas fundamentais de valores, subjacentes a todas as manifestações de uma cultura.

Sorokin denomina esses três sistemas de valores de o "sensualista", o "ideacional" e o "idealístico". O sistema sensualista de valores* sustenta que só a matéria é a realidade última e que os fenômenos espirituais nada mais são do que uma manifestação da matéria. Professa que todos os valores éticos são relativos e que a percepção sensorial é a única fonte de conhecimento e verdade. O sistema ideacional de valores é profundamente diferente. Sustenta que a verdadeira realidade se situa além do mundo material, do domínio espiritual, e que o conhecimento pode ser obtido através da experiência interior. Subscreve valores éticos absolutos e padrões sobre-humanos de justiça, verdade e beleza. As representações ocidentais do conceito ideacional de realidade espiritual incluem ideias platônicas, a alma e as imagens judaico-cristãs de Deus, mas Sorokin sublinha que ideias semelhantes são expressas no Oriente, de forma diferente, nas culturas hindu, budista e taoista.

Sorokin afirma que os ritmos cíclicos de interação entre expressões sensualistas e ideacionais de cultura humana também produzem um estágio intermédio, sintetizador – o idealístico –, o qual representa sua combinação harmoniosa. De acordo com as crenças idealísticas, a verdadeira realidade tem aspectos sensoriais e supersensoriais que coexistem numa unidade que abrange tudo. Assim, os períodos culturais idealísticos tendem a alcançar as mais elevadas e mais nobres expressões dos estilos ideacionais e sensualistas, produzindo equilíbrio, integração e plena realização estética em arte, filosofia, ciência e tecnologia. Exemplos de tais períodos idealísticos são a Grécia dos séculos V e IV a.C. e a Renascença europeia.

Esses três padrões básicos da expressão cultural humana produziram, segundo Sorokin, ciclos identificáveis na civilização ocidental, que ele plotou em dezenas de mapas de sistemas de crenças, guerras e conflitos intestinos, desenvolvimento científico e tecnológico, instituições jurídicas e várias outras instituições sociais. Ele também mapeou flutuações de estilos em arquitetura, pintura, escultura e literatura. No modelo de Sorokin, a atual mudança de paradigma e o declínio da Era Industrial constituem um outro período de maturação e declínio da cultura sensualista. A ascensão da nossa atual era sensualista foi precedida pela ascendência da cultura ideacional durante a ascensão do cristianismo e o desenrolar da Idade Média, e pelo florescimento subsequente de um estágio idealístico durante a Renascença europeia. Foi o lento declínio dessas épocas ideacional e idealística nos séculos XV e XVI que abriu caminho para um novo período sensualista nos séculos XVII, XVIII e XIX, uma era marcada pelo sistema de valores do Iluminismo, pelas concepções científicas de Descartes e Newton, e pela tecnologia

---

* Sistema empírico, baseado nas ciências naturais. (N. do T.)

da Revolução Industrial. No século XX, esses valores e ideias sensualistas estão novamente em declínio; assim, em 1937, com grande previsão, Sorokin apontou como o crepúsculo da cultura sensualista a mudança de paradigma e as convulsões sociais que hoje estamos testemunhando[19].

A análise de Sorokin sugere, de modo sumamente convincente, que a crise que estamos hoje enfrentando não é uma crise qualquer, mas uma grande fase de transição, como as que ocorreram em ciclos anteriores da história humana. Essas profundas transformações culturais não ocorrem com muita frequência. Segundo Lewis Mumford, podem ter sido menos de meia dúzia em toda a história da civilização ocidental, entre elas, o surgimento da civilização com o advento da agricultura no começo do Neolítico, a ascensão do cristianismo na época da queda do Império Romano e a transição da Idade Média para a Idade Científica[20].

A transformação que estamos vivenciando agora poderá muito bem ser mais dramática do que qualquer das precedentes, porque o ritmo de mudança em nosso tempo é mais célere do que no passado, porque as mudanças são mais amplas, envolvendo o globo inteiro, e porque várias transições importantes estão coincidindo. As recorrências rítmicas e os padrões de ascensão e declínio que parecem dominar a evolução cultural humana conspiraram, de algum modo, para atingir ao mesmo tempo seus respectivos pontos de inversão. O declínio do patriarcado, o final da era do combustível fóssil e a mudança de paradigma que ocorre no crepúsculo da cultura sensualista, tudo está contribuindo para o mesmo processo global. A crise atual, portanto, não é apenas uma crise de indivíduos, governos ou instituições sociais; é uma transição de dimensões planetárias. Como indivíduos, como sociedade, como civilização e como ecossistema planetário, estamos chegando a um momento decisivo.

Transformações culturais dessa magnitude e profundidade não podem ser evitadas. Não devem ser detidas mas, pelo contrário, bem recebidas, pois são a única saída para que se evitem a angústia, o colapso e a mumificação. Necessitamos, a fim de nos preparar para a grande transição em que estamos prestes a ingressar, de um profundo reexame das principais premissas e valores de nossa cultura, de uma rejeição daqueles modelos conceituais que duraram mais do que sua utilidade justificava, e de um novo reconhecimento de alguns dos valores descartados em períodos anteriores de nossa história cultural. Uma tão profunda e completa mudança na mentalidade da cultura ocidental deve ser naturalmente acompanhada de uma igualmente profunda alteração nas relações sociais e formas de organização social – transformações que vão muito além das medidas superficiais de reajustamento econômico e político que estão sendo consideradas pelos líderes políticos de hoje.

Durante essa fase de reavaliação e renascimento cultural, será importante minimizar as agruras, a discórdia e as rupturas que inevitavelmente ocorrem em períodos de grandes mudanças sociais, a fim de tornar a transição tão indolor quanto possível. Portanto, é essencial que se vá além dos meros ataques a determinados grupos ou instituições sociais, mostrando que suas atitudes e comportamento refletem um sistema de valores que sustenta toda a nossa cultura, mas está ficando agora obsoleto. Será necessário reconhecer e comunicar amplamente o fato de que as nossas mudanças sociais correntes são manifestações de uma transformação cultural muito mais ampla e inevitável. Somente então estaremos aptos a abordar a espécie de transição cultural harmoniosa e pacífica descrita num dos mais antigos livros de sabedoria da humanidade, o *I Ching* chinês, ou *O livro das mutações*: "O movimento é natural, surge espontaneamente. Por essa razão, a transformação do antigo torna-se fácil. O antigo é descartado, e o novo é introduzido. Ambas as medidas se harmonizam com o tempo, não resultando daí, portanto, nenhum dano"[21].

O modelo de dinâmica cultural que será usado em nosso exame da transformação social em curso se baseia em parte nas ideias de Toynbee sobre a ascensão e queda das civilizações; na antiquíssima noção de um ritmo universal fundamental, que resulta em padrões culturais flutuantes; na análise de Sorokin da flutuação dos sistemas de valores; e no ideal de transições culturais harmoniosas retratado no *I Ching*.

A principal alternativa para esse modelo – que está relacionada com ele, mas é diferente em vários aspectos – é a concepção marxista da história, conhecida como materialismo dialético ou histórico. Segundo Marx, as raízes da evolução social não se situam numa mudança de ideias ou valores, mas nos fatos econômicos e tecnológicos. A dinâmica da mudança é a de uma interação "dialética" de opostos decorrente de contradições que são intrínsecas a todas as coisas. Marx tirou essa ideia da filosofia de Hegel e adaptou-a à sua análise da mudança social, afirmando que todas as transformações que ocorrem na sociedade provêm de suas contradições internas. Considerou que os princípios contraditórios da organização social estão consubstanciados nas classes da sociedade e que a luta de classes é uma consequência de sua interação dialética.

A concepção marxista da dinâmica cultural, baseada na noção hegeliana de mudança rítmica recorrente, não difere, nesse aspecto, dos modelos de Toynbee, Sorokin e do *I Ching*[22]. Entretanto, diverge significativamente desses modelos em sua ênfase no conflito e na luta. Para Marx, a luta de classes era a força propulsora da história. Ele sustentava que todo progresso histórico importante nasce do conflito, da luta e da revolução violenta. O sofrimento e o sacrifício humanos eram um preço que tinha de ser pago para se chegar à mudança social.

A ênfase dada à luta na teoria de Marx sobre a evolução histórica é paralela à ênfase de Darwin na luta dentro da evolução biológica. De fato, diz-se que a imagem favorita de Marx sobre si mesmo era a de "o Darwin da sociologia". A ideia da vida como uma luta constante pela existência, que tanto Darwin quanto Marx ficaram devendo ao economista Thomas Malthus, foi vigorosamente promovida no século XIX pelos darwinistas sociais, que influenciaram, se não Marx, certamente muitos de seus seguidores[23]. Creio que sua visão da evolução social enfatiza exageradamente o papel da luta e do conflito, esquecendo o fato de que toda luta ocorre na natureza dentro de um contexto mais amplo de cooperação. Embora, no passado, o conflito e a luta tenham ocasionado importantes progressos sociais, e constituam, com frequência, uma parte essencial da dinâmica de mudança, isso não significa que sejam a fonte dessa dinâmica. Portanto, adotando a filosofia do *I Ching* em vez da concepção marxista, acredito que o conflito deve ser minimizado em épocas de transição social.

Em nosso estudo dos valores e atitudes culturais, ao longo deste livro, faremos extenso uso de uma estrutura que é desenvolvida em detalhes no *I Ching* e constitui a própria base do pensamento chinês. Tal como a estrutura conceitual de Sorokin, baseia-se na ideia de contínua flutuação cíclica, mas envolve a noção muito mais ampla de dois polos arquetípicos – o *yin* e o *yang* – que sustentam o ritmo fundamental do universo.

Os filósofos chineses viam a realidade, a cuja essência primária chamaram *tao*, como um processo de contínuo fluxo e mudança. Na concepção deles, todos os fenômenos que observamos participam desse processo cósmico e são, pois, intrinsecamente dinâmicos. A principal característica do *tao* é a natureza cíclica de seu movimento incessante; a natureza, em todos os seus aspectos – tanto os do mundo físico quanto os dos domínios psicológico e social – exibe padrões cíclicos. Os chineses atribuem a essa ideia de padrões cíclicos uma estrutura definida, mediante a introdução dos opostos *yin* e *yang*, os dois polos que fixam os limites para os ciclos de mudança: "Tendo *yang* atingido seu clímax, retira-se em favor do *yin*; tendo o *yin* atingido seu clímax, retira-se em favor do *yang*"[24].

Na concepção chinesa, todas as manifestações do *tao* são geradas pela interação dinâmica desses dois polos arquetípicos, os quais estão associados a numerosas imagens de opostos colhidas na natureza e na vida social. É importante, e muito difícil para nós, ocidentais, entender que esses opostos não pertencem a diferentes categorias, mas são polos extremos de um único todo. Nada é apenas *yin* ou apenas *yang*. Todos os fenômenos naturais são manifestações de uma contínua oscilação entre os dois polos; todas as transições ocorrem gradualmente e numa progressão ininterrupta. A ordem natural é de equilíbrio dinâmico entre o *yin* e o *yang*.

Os termos *yin* e *yang* tornaram-se recentemente muito populares no Ocidente, mas raramente são usados em nossa cultura na acepção chinesa. Quase sempre refletem preconceitos culturais que distorcem seriamente seu significado original. Uma das melhores interpretações é dada por Manfred Porkert, em seu estudo abrangente da medicina chinesa[25].

Segundo Porkert, o *yin* corresponde a tudo o que é contrátil, receptivo e conservador, ao passo que o *yang* implica tudo o que é expansivo, agressivo e exigente. Outras associações incluem, por exemplo:

YIN	YANG
TERRA	CÉU
LUA	SOL
NOITE	DIA
INVERNO	VERÃO
UMIDADE	SECURA
FRESCOR	CALIDEZ
INTERIOR	SUPERFÍCIE

Na cultura chinesa, o *yin* e o *yang* nunca foram associados a valores morais. O que é bom não é *yin* ou *yang*, mas o equilíbrio dinâmico entre ambos, o que é mau ou nocivo é o desequilíbrio entre os dois.

Desde os tempos mais remotos da cultura chinesa, o *yin* está associado ao feminino e o *yang*, ao masculino. Essa antiga associação é extremamente difícil de avaliar hoje, por causa de sua reinterpretação e distorção em subsequentes eras patriarcais. Em biologia humana, as características masculinas e femininas não estão nitidamente separadas, mas ocorrem, em proporções variáveis, em ambos os sexos[26]. Da mesma forma, os antigos chineses acreditavam que todas as pessoas, homens ou mulheres, passam por fases *yin* e *yang*. A personalidade de cada homem e de cada mulher não é uma entidade estática, mas um fenômeno dinâmico resultante da interação entre elementos masculinos e femininos. Essa concepção da natureza humana está em contraste flagrante com a da nossa cultura patriarcal, que estabeleceu uma ordem rígida em que se supõe que todos os homens são masculinos e todas as mulheres, femininas, e distorceu o significado desses termos ao conferir aos homens os papéis de protagonistas e a maioria dos privilégios da sociedade.

Em virtude dessa predisposição patriarcal, a frequente associação do *yin* com passividade e do *yang* com atividade é particularmente perigosa. Em nossa cultura, as mulheres têm sido tradicionalmente retratadas como passivas e receptivas, e os homens, como ativos e criativos. Essas imagens remontam à teoria da sexualidade de Aristóteles, e têm sido usadas ao longo dos séculos como explicação "científica" para manter as mulheres num papel subordinado, subserviente, em relação aos homens[27]. A associação do *yin* com passividade e do *yang* com atividade parece ser ainda uma outra expressão de estereótipos patriarcais, uma moderna interpretação ocidental que está longe de refletir o significado original dos termos chineses.

Um dos mais importantes *insights* da antiga cultura chinesa foi o reconhecimento de que a atividade – "o constante fluxo de transformação e mudança", como o chama Chuang-tsé[28] – é um aspecto essencial do universo. A mudança, segundo esse ponto de vista, não ocorre como consequência de alguma força, mas é uma tendência natural, inata em todas as coisas e situações. O universo está empenhado em um movimento e uma atividade incessantes, num contínuo processo cósmico a que os chineses chamaram *tao* – o "caminho". A noção de repouso absoluto, ou inatividade, estava quase inteiramente ausente da filosofia chinesa. De acordo com Hellmut Wilhelm, um dos principais intérpretes ocidentais do *I Ching*, "o estado de imobilidade absoluta é uma abstração tal que os chineses [...] não podiam concebê-lo"[29].

O termo *wu-wei* é frequentemente usado na filosofia taoísta e significa literalmente "não ação". No Ocidente, o termo é usualmente interpretado como referência à passividade. Isso é inteiramente errado. O que os chineses entendem por *wu-wei* não é a abstenção de atividade, mas a abstenção de uma certa *espécie* de atividade, a qual não está em harmonia com o processo cósmico em curso. O eminente sinologista Joseph Needham define *wu-wei* como "abstenção de ação contrária à natureza" e justifica sua tradução com uma citação de Chuang-tsé: "A não ação não significa nada fazer e manter o silêncio. Que se permita a todas as coisas fazerem o que elas naturalmente fazem, de modo que sua natureza fique satisfeita"[30]. Se uma pessoa se abstém de agir contra a natureza ou, como diz Needham, de "ir contra a essência das coisas", ela está em harmonia com o *tao* e, portanto, suas ações serão bem-sucedidas. Este é o significado da afirmação aparentemente desconcertante de Lao-tsé: "Pela não ação tudo pode ser feito"[31].

Na concepção chinesa, portanto, parecem existir duas espécies de atividade: uma, em harmonia com a natureza e outra, contrária ao fluxo natural das coisas. Não é alimentada a ideia de passividade, a ausência completa de qualquer ação. Logo, a frequente associação ocidental do *yin* e do *yang* com os comportamentos passivo e ativo, respectivamente, não parece compatível com o pensamento chinês. Em vista das imagens originais associadas aos dois polos arquetípicos, diríamos que o *yin* pode ser interpretado como correspondente à atividade receptiva, consolidadora, cooperativa; o *yang*, à atividade agressiva, expansiva e competitiva. A ação *yin* tem consciência do meio ambiente, a ação *yang* está consciente do eu. Em terminologia moderna, poderíamos chamar à primeira "eco-ação" e à segunda, "ego-ação".

Essas duas espécies de atividade estão intimamente relacionadas com dois tipos de conhecimento, ou dois tipos de consciência, os quais foram reconhecidos, ao longo dos tempos, como propriedades características da mente humana. São usualmente denominados de método intuitivo e método racional, e têm sido tradicionalmente associados à religião ou ao misticismo e à ciência. Embora a associação do *yin* e do *yang* com esses dois tipos de consciência não faça parte da terminologia chinesa original, ela parece ser uma extensão natural das antigas imagens, e assim a consideraremos em nosso estudo.

O racional e o intuitivo são modos complementares de funcionamento da mente humana. O pensamento racional é linear, concentrado, analítico. Pertence ao domínio do intelecto, cuja função é discriminar, medir e classificar. Assim, o conhecimento racional tende a ser fragmentado. O conhecimento intuitivo, por outro lado, baseia-se numa experiência direta, não intelectual, da realidade, em decorrência de um estado ampliado de percepção consciente. Tende a ser sintetizador, holístico e não linear. Daí ser evidente que o conhecimento racional é suscetível de gerar atividade egocêntrica, ou *yang*, ao passo que a sabedoria intuitiva constitui a base da atividade ecológica, ou *yin*.

É esta, pois, a estrutura conceitual para nossa exploração de valores e atitudes culturais. Para os nossos propósitos, serão sumamente úteis as seguintes associações de *yin* e *yang*:

YIN	*YANG*
FEMININO	MASCULINO
CONTRÁTIL	EXPANSIVO
CONSERVADOR	EXIGENTE
RECEPTIVO	AGRESSIVO
COOPERATIVO	COMPETITIVO
INTUITIVO	RACIONAL
SINTÉTICO	ANALÍTICO

Se atentarmos para esta lista de opostos, é fácil ver que nossa sociedade tem favorecido sistematicamente o *yang* em detrimento do *yin* – o conhecimento racional prevalece sobre a sabedoria intuitiva, a ciência sobre a religião, a competição sobre a cooperação, a exploração de recursos naturais em vez da conservação, e assim por diante. Essa ênfase, sustentada pelo sistema patriarcal e encorajada pelo predomínio da cultura sensualista durante os três últimos séculos, acarretou um profundo desequilíbrio cultural que está na própria raiz de nossa atual crise – um desequilíbrio em nossos pensamentos e sentimentos, em nossos valores e atitudes e em nossas estruturas sociais e políticas. Ao descrever as várias manifestações desse desequilíbrio cultural, dedicarei especial atenção aos seus efeitos sobre a saúde, e quero usar o conceito de saúde numa acepção muito ampla, incluindo nele não só a saúde individual mas também a saúde social e ecológica. Esses três níveis de saúde estão intimamente relacionados, e nossa atual crise constitui uma séria ameaça aos três. Ela ameaça a saúde dos indivíduos, da sociedade e dos ecossistemas de que somos parte integrante.

Tentarei, ao longo deste livro, mostrar como a preferência flagrantemente sistemática por valores, atitudes e padrões de comportamento *yang* resultou num sistema de instituições acadêmicas, políticas e econômicas que se apoiam mutuamente, e que acabaram praticamente cegas diante do perigoso desequilíbrio do sistema de valores que motiva suas atividades. De acordo com a sabedoria chinesa, nenhum dos valores defendidos pela nossa cultura é intrinsecamente mau; no entanto, ao isolá-los de seus opostos polares, ao focalizar o *yang* e investi-lo de virtude moral e de poder político, ocasionamos o atual e melancólico estado de coisas. Nossa cultura orgulha-se de ser científica; nossa época é apontada como a Era Científica. Ela é dominada pelo pensamento racional, e o conhecimento científico é frequentemente considerado a única espécie aceitável de conhecimento. Não se reconhece geralmente que possa existir um conhecimento (ou consciência) intuitivo, que é tão válido e seguro quanto o outro. Essa atitude, conhecida como cientificismo, é muito difundida, e impregna nosso sistema educacional e todas as outras instituições sociais e políticas. Quando o presidente Lyndon Johnson necessitou de conselhos acerca da guerra no Vietnam, seu governo recorreu a físicos teóricos – não porque eles fossem especialistas em métodos de guerra eletrônica, mas por serem considerados os sumos sacerdotes da ciência, os guardiães do conhecimento supremo. Podemos agora dizer, em retrospecto, que Johnson teria sido muito mais bem servido se procurasse os conselhos de alguns poetas. Mas isso, naturalmente, era – e ainda é – impensável.

A ênfase dada ao pensamento racional em nossa cultura está sintetizada no célebre enunciado de Descartes, *Cogito, ergo sum* – "Penso, logo existo" –, o que encorajou eficazmente os indivíduos ocidentais a equipararem sua identidade com sua mente racional e não com seu organismo total. Veremos que os efeitos dessa divisão entre mente e corpo são sentidos em toda a nossa cultura. Na medida em que nos retiramos para nossas mentes, esquecemos como "pensar" com nossos corpos, de que modo usá-los como agentes do conhecimento. Assim fazendo, também nos desligamos do nosso meio ambiente natural e esquecemos como comungar e cooperar com sua rica variedade de organismos vivos.

A divisão entre espírito e matéria levou à concepção do universo como um sistema mecânico que consiste em objetos separados, os quais, por sua vez, foram reduzidos a seus componentes materiais fundamentais cujas propriedades e interações, acredita-se, determinam completamente todos os fenômenos naturais. Essa concepção cartesiana da natureza foi, além disso, estendida aos organismos vivos, considerados máquinas constituídas de peças separadas. Veremos que tal concepção mecanicista do mundo ainda está na base da maioria de nossas ciências e continua a exercer uma enorme influência em muitos aspectos de nossa vida. Levou à bem conhecida fragmentação em nossas disciplinas acadêmicas e entidades governamentais e serviu como fundamento lógico para o tratamento do meio ambiente natural, como se ele fosse formado de peças separadas a serem exploradas por diferentes grupos de interesses.

A exploração da natureza tem andado de mãos dadas com a das mulheres, que têm sido identificadas com a natureza ao longo dos tempos. Desde as mais remotas épocas, a natureza – e especialmente a terra – tem sido vista como uma nutriente e benévola mãe, mas também como uma fêmea selvagem e incontrolável. Em eras pré-patriarcais, seus numerosos aspectos foram identificados com as múltiplas manifestações da Deusa. Sob o patriarcado, a imagem benigna da natureza converteu-se numa imagem de passividade, ao passo que a visão da natureza como selvagem e perigosa deu origem à ideia de que ela tinha de ser dominada pelo homem. Ao mesmo tempo, as mulheres foram retratadas como passivas e subservientes ao homem. Com o surgimento da ciência newtoniana, finalmente, a natureza tornou-se um sistema mecânico que podia ser manipulado e explorado, o que coincidiu com a manipulação e a exploração das mulheres. Assim, a antiga associação de mulher e natureza interliga a história das mulheres e a do meio ambiente e é a fonte de um parentesco natural entre feminismo e ecologia que está se manifestando hoje em grau crescente. Eis as palavras de Carolyn Merchant, historiadora na área das ciências na Universidade da Califórnia, Berkeley:

> Ao investigarmos as raízes de nosso atual dilema ambiental e suas conexões com a ciência, a tecnologia e a economia, cumpre-nos reexaminar a formação de uma visão do mundo e de uma ciência que, ao reconceituar a realidade mais como uma máquina do que como um

organismo vivo, sancionou a dominação da natureza e das mulheres. Têm que ser reavaliadas as contribuições de tais 'patriarcas' da ciência moderna como Francis Bacon, William Harvey, René Descartes, Thomas Hobbes e Isaac Newton[32].

A noção do homem como dominador da natureza e da mulher e a crença no papel superior da mente racional foram apoiadas e encorajadas pela tradição judaico-cristã, que adere à imagem de um deus masculino, personificação da razão suprema e fonte do poder último, que governa o mundo a partir do alto e lhe impõe sua lei divina. As leis da natureza investigadas pelos cientistas eram vistas como reflexos dessa lei divina, originada no espírito de Deus.

Hoje, está ficando cada vez mais evidente que a excessiva ênfase no método científico e no pensamento racional, analítico, levou a atitudes profundamente antiecológicas. Na verdade, a compreensão dos ecossistemas é dificultada pela própria natureza da mente racional. O pensamento racional é linear, ao passo que a consciência ecológica decorre de uma intuição de sistemas não lineares. Uma das coisas mais difíceis de serem entendidas pelas pessoas em nossa cultura é o fato de que se fazemos algo que é bom, continuar a fazê-lo não será necessariamente melhor. Essa é, em minha opinião, a essência do pensamento ecológico. Os ecossistemas sustentam-se num equilíbrio dinâmico baseado em ciclos e flutuações, que são processos não lineares. Os empreendimentos lineares, como o crescimento econômico e tecnológico indefinido – ou, para dar um exemplo mais específico, a armazenagem de lixo radiativo durante grandes períodos de tempo –, interferirão necessariamente no equilíbrio natural e, mais cedo ou mais tarde, causarão graves danos.

Portanto, a consciência ecológica somente surgirá quando aliarmos ao nosso conhecimento racional uma intuição da natureza não linear de nosso meio ambiente. Tal sabedoria intuitiva é característica das culturas tradicionais, não letradas, especialmente as culturas dos índios americanos, em que a vida foi organizada em torno de uma consciência altamente refinada do meio ambiente. Na corrente principal de nossa cultura, por outro lado, foi negligenciado o cultivo da sabedoria intuitiva. Isso pode estar relacionado com o fato de que, em nossa evolução, ocorreu uma crescente separação entre os aspectos biológicos e culturais da natureza humana. A evolução biológica da espécie humana parou há uns 50 mil anos. Daí em diante, a evolução processou-se não mais genética, mas social e culturalmente, enquanto o corpo e o cérebro humanos permaneceram essencialmente os mesmos em estrutura e tamanho[33]. Em nossa civilização, modificamos a tal ponto nosso meio ambiente durante essa evolução cultural que perdemos o contato com nossa base biológica e ecológica mais do que qualquer outra cultura e qualquer outra civilização no passado. Essa separação manifesta-se numa flagrante disparidade entre o desenvolvimento do poder intelectual, o conhecimento científico e as qualificações tecnológicas, por um lado, e a sabedoria, a espiritualidade e a ética, por outro. O conhecimento científico e tecnológico cresceu enormemente depois que os gregos se lançaram na aventura científica no século VI a.C. Mas durante estes 25 séculos não houve praticamente nenhum progresso na conduta das questões sociais. A espiritualidade e os padrões morais de Lao-tsé e Buda, que também viveram no século VI a.C., não eram claramente inferiores aos nossos.

Nosso progresso, portanto, foi uma questão predominantemente racional e intelectual, e essa evolução unilateral atingiu agora um estágio alarmante, uma situação tão paradoxal que beira a insanidade. Podemos controlar os pousos suaves de espaçonaves em planetas distantes, mas somos incapazes de controlar a fumaça poluente expelida por nossos automóveis e nossas fábricas. Propomos a instalação de comunidades utópicas em gigantescas colônias espaciais, mas não podemos administrar nossas cidades. O mundo dos negócios faz-nos acreditar que o fato de gigantescas indústrias produzirem alimentos especiais para cachorros e cosméticos é um sinal de nosso elevado padrão de vida, enquanto os economistas tentam dizer-nos que não dispomos de recursos para enfrentar os custos de uma adequada assistência à saúde, os gastos com educação ou transportes públicos. A ciência médica e a farmacologia estão pondo em perigo nossa saúde, e o Departamento de Defesa tornou-se a maior ameaça à segurança nacional. São esses os resultados da exagerada ênfase dada ao nosso lado *yang*, ou masculino – conhecimento racional, análise, expansão –, e da negligência a que ficou sujeito o nosso lado *yin*, ou feminino – sabedoria intuitiva, síntese e consciência ecológica.

A terminologia *yin/yang* é especialmente útil na análise do desequilíbrio cultural que adota um amplo ponto de vista ecológico, um ponto de vista que também poderia ser chamado de concepção sistêmica, no sentido da teoria geral dos sistemas[34]. Essa teoria considera o mundo em função da inter-relação e interdependência de todos os fenômenos; nessa estrutura, chama-se sistema um todo integrado cujas propriedades não podem ser reduzidas às de suas partes. Organismos vivos, sociedades e ecossistemas são sistemas. É fascinante perceber que a antiga ideia chinesa do *yin* e do *yang* está relacionada com uma propriedade essencial dos sistemas naturais que só recentemente começou a ser estudada pela ciência ocidental.

Os sistemas vivos são organizados de tal modo que formam estruturas de múltiplos níveis, cada nível dividido em subsistemas, sendo cada um deles um "todo" em relação a suas partes, e uma "parte" relativamente a "todos" maiores. Assim, as moléculas combinam-se para formar as organelas, as quais, por seu turno, se combinam para formar as células. As células formam tecidos e órgãos, os quais formam sistemas maiores, como o aparelho digestivo ou o sistema nervoso. Estes, finalmente, combinam-se para formar a mulher ou o homem vivos; e a "ordem estratificada"* não termina aí. As pessoas formam famílias, tribos, sociedades, nações. Todas essas entidades – das moléculas aos seres humanos e destes aos sistemas sociais – podem ser consideradas "todos" no sentido de serem estruturas integradas, e também "partes" de "todos" maiores, em níveis superiores de complexidade. De fato, veremos que "partes" e "todos", num sentido absoluto, não existem.

Arthur Koestler criou a palavra "*holons*" para designar esses subsistemas que são, simultaneamente, "todos" e "partes", e enfatizou que cada *holon* tem duas tendências opostas: uma tendência integrativa, que funciona como parte do todo maior, e uma tendência autoafirmativa, que preserva sua autonomia individual[35]. Num sistema biológico ou social, cada *holon* deve afirmar sua individualidade a fim de manter a ordem estratificada do sistema, mas também deve submeter-se às exigências do todo a fim de tornar o sistema viável. Essas duas tendências são opostas, mas complementares. Num sistema saudável – um indivíduo, uma sociedade ou um ecossistema – existe equilíbrio entre integração e autoafirmação. Esse equilíbrio não é estático, mas consiste numa interação dinâmica entre duas tendências complementares, o que torna todo o sistema flexível e aberto à mudança.

A relação entre a moderna teoria geral dos sistemas e o antigo pensamento chinês torna-se agora evidente. Os sábios chineses parecem ter reconhecido a polaridade básica característica dos sistemas vivos. A autoafirmação é conseguida através do comportamento *yang*: exigente, agressivo, competitivo, expansivo e – no tocante ao comportamento humano – através do pensamento linear, analítico. A integração é proporcionada pelo comportamento *yin*: receptivo, cooperativo, intuitivo e consciente do meio ambiente. As tendências *yin* e *yang*, integrativas e autoafirmativas, são ambas necessárias à obtenção de relações sociais e ecológicas harmoniosas.

A autoafirmação excessiva manifesta-se como poder, controle e dominação de outros pela força; e são esses, de fato, os padrões predominantes em nossa sociedade. O poder político e econômico é exercido por uma classe organizada dominante; as hierarquias sociais são mantidas de acordo com orientações racistas e sexistas, e a violação tornou-se uma metáfora central de nossa cultura – violação de mulheres, de grupos minoritários e da própria terra. Nossa ciência e nossa tec-

---

* Ver capítulo 9.

nologia baseiam-se na crença seiscentista de que uma compreensão da natureza implica sua dominação pelo homem. Combinada com o modelo mecanicista do universo, que também se originou no século XVII, e com a excessiva ênfase dada ao pensamento linear, essa atitude produziu uma tecnologia que é malsã e inumana; uma tecnologia em que o habitat natural, orgânico, de seres humanos complexos é substituído por um meio ambiente simplificado, sintético e pré-fabricado[36].

Essa tecnologia tem por meta o controle, a produção em massa e a padronização, e está sujeita, na maior parte do tempo, a uma administração centralizada que busca a ilusão de um crescimento ilimitado. Assim, a tendência autoafirmativa continua crescendo e, com ela, a exigência de submissão, que não é o complemento da autoafirmação, mas o reverso desse fenômeno. Enquanto o comportamento autoafirmativo é apresentado como o ideal para os homens, espera-se das mulheres o comportamento submisso, mas também se espera esse comportamento submisso dos empregados e executivos, de quem se exige que neguem suas identidades individuais e adotem a identidade e os padrões de comportamento do grupo. Situação semelhante existe em nosso sistema educacional, no qual a autoafirmação é recompensada no que se refere ao comportamento competitivo, mas é desencorajada quando se expressa em termos de ideias originais e questionamento da autoridade.

A promoção do comportamento competitivo em detrimento da cooperação é uma das principais manifestações da tendência autoafirmativa em nossa sociedade. Tem suas raízes na concepção errônea da natureza, defendida pelos darwinistas sociais do século XIX, que acreditavam que a vida em sociedade deve ser uma luta pela existência regida pela "sobrevivência dos mais aptos". Assim, a competição passou a ser vista como a força impulsora da economia, a "abordagem agressiva" tornou-se um ideal no mundo dos negócios, e esse comportamento combinou-se com a exploração dos recursos naturais a fim de criar padrões de consumo competitivo.

É evidente que o comportamento agressivo, competitivo, se fosse absolutamente o único, tornaria a vida impossível. Mesmo os indivíduos mais ambiciosos, mais orientados para a realização de determinadas metas, necessitam de apoio compreensivo, contato humano, e de momentos de espontaneidade e descontração. Em nossa cultura, espera-se e, com frequência, força-se a mulher a satisfazer essas necessidades. Assim, secretárias, recepcionistas, aeromoças, enfermeiras e donas de casa executam tarefas que tornam a vida mais confortável e criam a atmosfera em que os competidores podem triunfar. Elas alegram seus patrões e fazem cafezinho para eles; ajudam a apaziguar conflitos no escritório; são as primeiras a receber visitantes e a entretê-los com conversas amenas. Nos consultórios médicos e hospitais, são as mulheres que estabelecem contato humano com pacientes que iniciam o processo de cura. Nos departamentos de física, as mulheres fazem chá e servem bolinhos, em torno dos quais os homens discutem suas teorias. Todos esses serviços envolvem atividades *yin*, ou integrativas, e como têm um *status* inferior, em nosso sistema de valores, ao das atividades *yang*, ou autoafirmativas, quem as desempenha recebe salários inferiores. Na verdade, muitas dessas mulheres nem sequer são pagas, como as donas de casa e as mães.

Por esta breve panorâmica de atitudes e valores culturais, podemos ver que nossa cultura promoveu e recompensou sistematicamente os elementos *yang*, masculinos ou autoafirmativos da natureza humana, e desprezou os aspectos *yin*, femininos ou intuitivos. Hoje, porém, estamos testemunhando o começo de um grande movimento evolutivo. O momento decisivo que estamos prestes a atingir marca, entre muitas outras coisas, uma inversão na flutuação entre o *yin* e o *yang*. Como diz o texto chinês: "O *yang*, tendo atingido seu clímax, retira-se em favor do *yin*". As décadas de 1960 e 1970 geraram uma série de movimentos filosóficos, espirituais e políticos que parecem todos caminhar na mesma direção. Eles contrariam a excessiva ênfase nas atitudes e valores *yang* e tentam restabelecer um equilíbrio entre os aspectos masculino e feminino da natureza humana.

Há uma preocupação crescente com a ecologia, expressa por movimentos de cidadãos que estão se organizando em torno de questões sociais e ambientais, apontando os limites para o crescimento, advogando uma nova ética ecológica e desenvolvendo apropriadas tecnologias "brandas" (*soft*). Na arena política, o movimento antinuclear está combatendo o crescimento extremo de nossa tecnologia "machista", autoafirmativa, e, assim fazendo, é provável que se converta numa das mais poderosas forças políticas desta década. Ao mesmo tempo, observa-se o começo de uma significativa mudança de valores – passemos da valorização das empresas e instituições em grande escala para a noção de que "o negócio é ser pequeno" (*small is beautiful*), do consumo material à simplicidade voluntária, do crescimento econômico e tecnológico para o crescimento e o desenvolvimento interiores. Esses novos valores estão sendo promovidos pelo movimento do "potencial humano", pelo movimento da "saúde holística" e vários movimentos espirituais. Talvez o mais importante em tudo isso seja o fato de o antigo sistema de valores estar sendo desafiado e profundamente modificado pelo surgimento da consciência feminista que se originou no movimento das mulheres.

Esses vários movimentos formam o que o historiador cultural Theodore Roszak denominou contracultura[37]. Até agora, muitos deles vêm atuando separadamente e ainda não se deram conta de como seus objetivos se inter-relacionam.

Assim, o movimento do "potencial humano" e o movimento da "saúde holística" carecem frequentemente de uma perspectiva social, ao passo que os movimentos espirituais tendem a ser falhos em relação à consciência ecológica, com gurus orientais que ostentam símbolos ocidentais de *status* capitalistas e se dedicam à construção de seus impérios econômicos. Entretanto, alguns movimentos começaram recentemente a formar coalizões. Como era de se esperar, o movimento ecológico e o movimento feminista estão juntando forças em numerosas questões, notadamente a energia nuclear, e grupos ambientais, grupos de consumidores e movimentos de libertação étnica estão começando a estabelecer contatos. É de se prever que, uma vez reconhecido o caráter comum de seus objetivos, todos esses movimentos passem a fluir juntos e formem uma poderosa força de transformação social. Chamarei essa força de cultura nascente, de acordo com o modelo persuasivo de Toynbee de dinâmica cultural:

> Durante a desintegração de uma civilização, duas peças separadas, com diferentes enredos, são representadas simultaneamente. Enquanto uma imutável minoria dominante está perpetuamente repetindo o espetáculo de sua própria derrota, novos desafios estão constantemente suscitando novas respostas criativas das minorias recém-recrutadas, que proclamam seu próprio poder criativo mostrando-se progressivamente à altura da situação. O drama do desafio e resposta continua sendo representado, mas em novas circunstâncias e com novos atores[38].

Dessa ampla perspectiva histórica, assiste-se à chegada e partida rítmica de culturas, e a preservação de tradições culturais nem sempre constitui o objetivo mais desejável. O que temos de fazer para minimizar as agruras e provações da mudança inevitável é reconhecer o mais claramente possível as novas condições e transformar nossas vidas e nossas instituições sociais de acordo com elas. Quero salientar que os físicos podem desempenhar um importante papel nesse processo. Desde o século XVII, a física tem sido o exemplo brilhante de uma ciência "exata", servindo como modelo para todas as outras ciências. Durante dois séculos e meio, os físicos se utilizaram de uma visão mecanicista do mundo para desenvolver e refinar a estrutura conceitual do que é conhecido como física clássica. Basearam suas ideias na teoria matemática de Isaac Newton, na filosofia de René Descartes e na metodologia científica defendida por Francis Bacon, e desenvolveram-nas de acordo com a concepção geral de realidade predominante nos séculos XVII, XVIII e XIX. Pensava-se que a matéria era a base de toda a existência, e o mundo material era visto como uma profusão de objetos separados, montados numa gigantesca máquina. Tal como as máquinas construídas por seres humanos, achava-se que a máquina cósmica também consistia em peças elementares. Por conseguinte, acreditava-se que os fenômenos complexos podiam ser sempre entendidos desde que fossem reduzidos a seus componentes básicos e fossem investigados os mecanismos através dos quais esses componentes interagem. Essa atitude, conhecida como reducionismo, ficou tão profundamente arraigada em nossa cultura, que tem sido frequentemente identificada com o método científico. As outras ciências aceitaram os pontos de vista mecanicista e reducionista da física clássica como a descrição correta da realidade, adotando-os como modelos para suas próprias teorias. Os psicólogos, sociólogos e economistas, ao tentarem ser científicos, sempre se voltaram naturalmente para os conceitos básicos da física newtoniana.

No século XX, entretanto, a física passou por várias revoluções conceituais que revelam claramente as limitações da visão de mundo mecanicista e levam a uma visão orgânica, ecológica, que mostra grandes semelhanças com as visões dos místicos de todas as épocas e tradições. O universo deixou de ser visto como uma máquina, composta de uma profusão de objetos distintos, para apresentar-se agora como um todo harmonioso e indivisível, uma rede de relações dinâmicas que incluem o observador humano e sua consciência de um modo essencial. O fato de a física moderna, a manifestação de uma extrema especialização da mente racional, estar agora estabelecendo contato com o misticismo, essência da religião e manifestação de uma extrema especialização da mente intuitiva, mostra de uma bela forma a unidade e a natureza complementar dos modos racional e intuitivo de consciência, do *yang* e do *yin*. Portanto, os físicos podem fornecer o *background* científico para as mudanças de atitudes e de valores de que nossa sociedade tão urgentemente necessita. Numa cultura dominada pela ciência, será muito mais fácil convencer nossas instituições sociais da necessidade de mudanças fundamentais se pudermos apoiar nossos argumentos em uma base científica. É justamente nesse particular que os físicos podem hoje atuar. A física moderna pode mostrar às outras ciências que o pensamento científico não tem que ser necessariamente reducionista e mecanicista, que as concepções holísticas e ecológicas também são cientificamente válidas.

Uma das principais lições que os físicos tiveram que aprender neste século foi o fato de que todos os conceitos e teorias que usamos para descrever a natureza são limitados. Em virtude das limitações essenciais da mente racional, temos de aceitar o fato de que, como disse Werner Heisenberg, "toda palavra e todo conceito, por mais claros que possam parecer, têm apenas uma limitada gama de aplicabilidade"[39]. As teorias científicas não estarão nunca aptas a fornecer uma descrição completa e definitiva da realidade. Serão sempre aproximações da verdadeira natureza das coisas. Em termos claros: os cientistas não lidam com a verdade; eles lidam com descrições da realidade limitadas e aproximadas.

No início do século, quando os físicos estenderam o alcance de suas investigações aos domínios dos fenômenos atômicos e subatômicos, tomaram subitamente consciência das limitações de suas ideias clássicas e tiveram que rever radicalmente muitos de seus conceitos básicos acerca da realidade. A experiência de terem de questionar a própria base de sua estrutura conceitual e de se verem forçados a aceitar profundas modificações de suas mais caras ideias foi marcante e, frequentemente, dolorosa para esses cientistas, sobretudo durante as primeiras três décadas do século, mas foi recompensada por *insights* profundos da natureza da matéria e da mente humana.

Acredito que essa experiência pode servir como lição útil para outros cientistas, muitos dos quais chegaram agora aos limites da visão de mundo cartesiana em seus respectivos campos. Tal como os físicos, eles também terão que aceitar o fato de que devemos modificar ou mesmo abandonar alguns de nossos conceitos ao ampliarmos a esfera de nossa experiência ou de nosso campo de estudo. Os capítulos seguintes mostrarão como as ciências naturais, assim como as humanas e as sociais, tomaram por modelo a física newtoniana clássica. Agora que os físicos ultrapassaram largamente os limites desse modelo, é chegado o momento de as outras ciências ampliarem suas filosofias subjacentes.

Entre as ciências que foram influenciadas pela visão de mundo cartesiana e pela física newtoniana, e que terão de mudar para serem coerentes com as concepções da física moderna, concentrar-nos-emos naquelas que se ocupam da saúde, em sua mais ampla acepção ecológica: da biologia e da ciência médica à psicologia e psicoterapia, sociologia, economia e ciência política. Em todos esses campos, as limitações da visão de mundo cartesiana, clássica, estão ficando agora evidentes. Para transcender os modelos clássicos, os cientistas terão de ir muito além da abordagem mecanicista e reducionista, tal como se fez na física, e adotar enfoques holísticos e ecológicos. Embora suas teorias precisem ser compatíveis com as da física moderna, os conceitos da física não servirão sempre como modelos apropriados para as outras ciências. Entretanto, poderão ser muito úteis. Os cientistas não terão por que relutar em adotar uma estrutura holística, como frequentemente o fazem hoje em dia, por temor de serem anticientíficos. A física moderna pode mostrar-lhes que tal estrutura é não só científica, mas está de acordo com as mais avançadas teorias científicas sobre a realidade física.

II
Os dois paradigmas

2. A máquina do mundo newtoniana

A visão do mundo e o sistema de valores que estão na base de nossa cultura, e que têm de ser cuidadosamente reexaminados, foram formulados em suas linhas essenciais nos séculos XVI e XVII. Entre 1500 e 1700 houve uma mudança drástica na maneira como as pessoas descreviam o mundo e em todo o seu modo de pensar. A nova mentalidade e a nova percepção do cosmo propiciaram à nossa civilização ocidental aqueles aspectos que são característicos da era moderna. Eles tornaram-se a base do paradigma que dominou a nossa cultura nos últimos trezentos anos e está agora prestes a mudar.

Antes de 1500, a visão do mundo dominante na Europa, assim como na maioria das outras civilizações, era orgânica. As pessoas viviam em comunidades pequenas e coesas, e vivenciavam a natureza em termos de relações orgânicas, caracterizadas pela interdependência dos fenômenos espirituais e materiais e pela subordinação das necessidades individuais às da comunidade. A estrutura científica dessa visão de mundo orgânica assentava em duas autoridades: Aristóteles e a Igreja. No século XIII, Tomás de Aquino combinou o abrangente sistema da natureza de Aristóteles com a teologia e a ética cristãs e, assim fazendo, estabeleceu a estrutura conceitual que permaneceu inconteste durante toda a Idade Média. A natureza da ciência medieval era muito diferente daquela da ciência contemporânea. Baseava-se na razão e na fé, e sua principal finalidade era compreender o significado das coisas e não exercer a predição ou o controle. Os cientistas medievais, investigando os desígnios subjacentes nos vários fenômenos naturais, consideravam do mais alto significado as questões referentes a Deus, à alma humana e à ética.

A perspectiva medieval mudou radicalmente nos séculos XVI e XVII. A noção de um universo orgânico, vivo e espiritual foi substituída pela noção do mundo como se ele fosse uma máquina, e a máquina do mundo converteu-se na metáfora dominante da era moderna. Esse desenvolvimento foi ocasionado por mudanças revolucionárias na física e na astronomia, culminando nas realizações de Copérnico, Galileu e Newton. A ciência do século XVII baseou-se num novo método de investigação, defendido vigorosamente por Francis Bacon, o qual envolvia a descrição matemática da natureza e o método analítico de raciocínio concebido pelo gênio de Descartes. Reconhecendo o papel crucial da ciência na concretização dessas importantes mudanças, os historiadores chamaram os séculos XVI e XVII de a Idade da Revolução Científica.

A revolução científica começou com Nicolau Copérnico, que se opôs à concepção geocêntrica de Ptolomeu e da Bíblia, que tinha sido aceita como dogma por mais de mil anos. Depois de Copérnico, a Terra deixou de ser o centro do universo para tornar-se meramente um dos muitos planetas que circundam um astro secundário nas fronteiras da galáxia; e ao homem foi tirada sua orgulhosa posição de figura central da criação de Deus. Copérnico estava plenamente cônscio de que sua teoria ofenderia profundamente a consciência religiosa de seu tempo; ele retardou sua publicação até 1543, ano de sua morte, e, mesmo assim, apresentou a concepção heliocêntrica como mera hipótese.

A Copérnico seguiu-se Johannes Kepler, cientista e místico que se empenhava em descobrir a harmonia das esferas, e terminou por formular, através de um trabalho laborioso com tabelas astronômicas, suas célebres leis empíricas do movimento planetário, as quais vieram corroborar o sistema de Copérnico. Mas a verdadeira mudança na opinião científica foi provocada por Galileu Galilei, que já era famoso por ter descoberto as leis da queda dos corpos quando voltou sua atenção para a astronomia. Ao dirigir o recém-inventado telescópio para os céus e aplicar seu extraordinário talento na observação científica dos fenômenos celestes, Galileu fez com que a velha cosmologia fosse superada, sem deixar margem para dúvidas, e estabeleceu a hipótese de Copérnico como teoria científica válida.

O papel de Galileu na revolução científica supera largamente suas realizações no campo da astronomia, embora estas sejam mais conhecidas por causa de seu conflito com a Igreja. Galileu foi o primeiro a combinar a experimentação científica com o uso da linguagem matemática para formular as leis da natureza por ele descobertas; é, portanto, considerado o pai da ciência moderna. "A filosofia*", acreditava ele, "está escrita nesse grande livro que permanece sempre aberto diante de nossos olhos; mas não podemos entendê-la se não aprendermos primeiro a linguagem e os caracteres em que ela foi escrita. Essa linguagem é a matemática, e os caracteres são triângulos, círculos e outras figuras geométricas[1]." Os dois as-

---

* Da Idade Média até o século XIX, o termo "filosofia" foi usado numa acepção muito ampla e incluía o que hoje chamamos "ciência". (N. do A.)

pectos pioneiros do trabalho de Galileu – a abordagem empírica e o uso de uma descrição matemática da natureza – tornaram-se as características dominantes da ciência no século XVII e subsistiram como importantes critérios das teorias científicas até hoje.

A fim de possibilitar aos cientistas descreverem matematicamente a natureza, Galileu postulou que eles deveriam restringir-se ao estudo das propriedades essenciais dos corpos materiais – formas, quantidades e movimento –, as quais podiam ser medidas e qualificadas. Outras propriedades, como som, cor, sabor ou cheiro, eram meramente projeções mentais subjetivas que deveriam ser excluídas do domínio da ciência[2]. A estratégia de Galileu de dirigir a atenção do cientista para as propriedades quantificáveis da matéria foi extremamente bem-sucedida em toda a ciência moderna, mas também exigiu um pesado ônus, como nos recorda enfaticamente o psiquiatra R. D. Laing: "Perderam-se a visão, o som, o gosto, o tato e o olfato, e com eles foram-se também a sensibilidade estética e ética, os valores, a qualidade, a forma; todos os sentimentos, motivos, intenções, a alma, a consciência, o espírito. A experiência como tal foi expulsa do domínio do discurso científico"[3]. Segundo Laing, nada mudou mais o nosso mundo nos últimos quatrocentos anos do que a obsessão dos cientistas pela medição e pela quantificação.

Enquanto Galileu realizava engenhosos experimentos na Itália, Francis Bacon descrevia explicitamente na Inglaterra o método empírico da ciência. Bacon foi o primeiro a formular uma teoria clara do procedimento indutivo – realizar experimentos e extrair deles conclusões gerais, a serem testadas por novos experimentos –, e tornou-se extremamente influente ao defender com vigor o novo método. Atacou frontalmente as escolas tradicionais de pensamento e desenvolveu uma verdadeira paixão pela experimentação científica.

O "espírito baconiano" mudou profundamente a natureza e o objetivo da investigação científica. Desde a Antiguidade, os objetivos da ciência tinham sido a sabedoria, a compreensão da ordem natural e a vida em harmonia com ela. A ciência era realizada "para maior glória de Deus" ou, como diziam os chineses, para "acompanhar a ordem natural" e "fluir na corrente do *tao*"[4]. Esses eram propósitos *yin*, ou integrativos; a atitude básica dos cientistas era ecológica, como diríamos na linguagem de hoje. No século XVII, essa atitude inverteu-se totalmente; passou de *yin* para *yang*, da integração para a autoafirmação. A partir de Bacon, o objetivo da ciência passou a ser aquele conhecimento que pode ser usado para dominar e controlar a natureza e, hoje, ciência e tecnologia buscam sobretudo fins profundamente antiecológicos.

Os termos em que Bacon defendeu esse novo método empírico de investigação eram não só apaixonados mas, com frequência, francamente rancorosos. A natureza, na opinião dele, tinha que ser "acossada em seus descaminhos", "obrigada a servir" e "escravizada". Devia ser "reduzida à obediência", e o objetivo do cientista era "extrair da natureza, sob tortura, todos os seus segredos"[5]. Muitas dessas imagens violentas parecem ter sido inspiradas pelos julgamentos de bruxas que eram frequentemente realizados no tempo de Bacon. Como chanceler da coroa no reinado de Jaime I, Bacon estava intimamente familiarizado com tais denúncias e libelos; e, como a natureza era comumente vista como fêmea, não deve causar surpresa o fato de ele ter transferido as metáforas usadas no tribunal para os seus escritos científicos. De fato, sua ideia da natureza como uma mulher cujos segredos têm que ser arrancados mediante tortura, com a ajuda de instrumentos mecânicos, sugere fortemente a tortura generalizada de mulheres nos julgamentos de bruxas do começo do século XVII[6]. A obra de Bacon representa, pois, um notável exemplo da influência das atitudes patriarcais sobre o pensamento científico.

O antigo conceito da Terra como mãe nutriente foi radicalmente transformado nos escritos de Bacon e desapareceu por completo quando a revolução científica tratou de substituir a concepção orgânica da natureza pela metáfora do mundo como máquina. Essa mudança, que viria a ser de suprema importância para o desenvolvimento subsequente da civilização ocidental, foi iniciada e completada por duas figuras gigantescas do século XVII: Descartes e Newton.

René Descartes é usualmente considerado o fundador da filosofia moderna. Era um brilhante matemático, e sua perspectiva filosófica foi profundamente afetada pelas novas física e astronomia. Ele não aceitava qualquer conhecimento tradicional, propondo-se a construir um novo sistema de pensamento. De acordo com Bertrand Russell, "isso não acontecia desde Aristóteles, e constitui um sinal da nova autoconfiança que resultou do progresso da ciência. Há em sua obra um frescor que não se encontra em qualquer outro filósofo eminente anterior, desde Platão"[7].

Aos 23 anos de idade, Descartes teve uma visão iluminadora que iria moldar toda a sua vida[8]. Após muitas horas de intensa concentração, durante as quais reviu sistematicamente todo o conhecimento que tinha acumulado, percebeu, num súbito lampejo de intuição, os "alicerces de uma ciência maravilhosa" que prometia a unificação de todo o saber. Essa intuição tinha sido prenunciada numa carta dirigida a um amigo, na qual Descartes anunciou seu ambicioso objetivo: "E assim, para nada esconder de vós acerca da natureza de meu trabalho, gostaria de tornar público [...] uma ciência completamente nova que resolveria em geral todas as questões de quantidade, contínua ou descontínua"[9]. Em sua visão, Descartes percebeu como poderia concretizar esse plano. Visualizou um método que lhe permitiria construir uma completa ciência da natureza, acerca da qual poderia ter absoluta certeza; uma ciência baseada, como a matemática, em princípios fundamentais que dispensam demonstração. Essa revelação impressionou-o muito. Descartes sentiu ter feito a suprema descoberta de sua vida e não duvidou de que sua visão resultara de uma inspiração divina. Essa convicção foi reforçada por um sonho extraordinário na noite seguinte, no qual a nova ciência lhe foi apresentada de forma simbólica. Descartes teve certeza de que Deus lhe apontava uma missão e dedicou-se à construção de uma nova filosofia científica.

A visão de Descartes despertou nele a firme crença na certeza do conhecimento científico; sua vocação na vida passou a ser distinguir a verdade do erro em todos os campos do saber. "Toda ciência é conhecimento certo e evidente", escreveu ele. "Rejeitamos todo conhecimento que é meramente provável e consideramos que só se deve acreditar naquelas coisas que são perfeitamente conhecidas e sobre as quais não pode haver dúvidas[10]."

A crença na certeza do conhecimento científico está na própria base da filosofia cartesiana e na visão de mundo dela derivada, e foi aí, nessa premissa essencial, que Descartes errou. A física do século XX mostrou-nos de maneira convincente que não existe verdade absoluta em ciência, que todos os conceitos e teorias são limitados e aproximados. A crença cartesiana na verdade científica é, ainda hoje, muito difundida e reflete-se no cientificismo que se tornou típico de nossa cultura ocidental. Muitas pessoas em nossa sociedade, tanto cientistas como não cientistas, estão convencidas de que o método científico é o único meio válido de compreensão do universo. O método de pensamento de Descartes e sua concepção da natureza influenciaram todos os ramos da ciência moderna e podem ser ainda hoje muito úteis. Mas só o serão se suas limitações forem reconhecidas. A aceitação do ponto de vista cartesiano como verdade absoluta e do método de Descartes como o único meio válido para se chegar ao conhecimento desempenhou um importante papel na instauração de nosso atual desequilíbrio cultural.

A certeza cartesiana é matemática em sua natureza essencial. Descartes acreditava que a chave para a compreensão do universo era a sua estrutura matemática; para ele, ciência era sinônimo de matemática. Assim, ele escreveu, a respeito das propriedades dos objetos físicos: "Não admito como verdadeiro o que não possa ser deduzido, com a clareza de uma demonstração matemática, de noções comuns de cuja verdade não podemos duvidar. Como todos os fenômenos da natureza podem ser explicados desse modo, penso que não há necessidade de admitir outros princípios da física, nem que sejam desejáveis"[11].

Tal como Galileu, Descartes acreditava que a linguagem da natureza – "esse grande livro que está permanentemente aberto ante nossos olhos" – era matemática, e seu desejo de descrever a natureza em termos matemáticos levou-o à sua mais célebre descoberta. Mediante a aplicação de relações numéricas a figuras geométricas, ele pôde correlacionar álgebra e geometria e, assim fazendo, estabeleceu um novo ramo da matemática, hoje conhecido como geometria analítica. Esta incluiu a representação de curvas por meio de equações algébricas cujas soluções estudou de modo sistemático. O novo método permitiu a Descartes aplicar um tipo muito geral de análise matemática ao estudo de corpos em movimento, de acordo com o seu grandioso plano de redução de todos os fenômenos físicos a relações matemáticas exatas. Assim, ele pôde afirmar, com grande orgulho: "Toda a minha física nada mais é do que geometria"[12].

O gênio de Descartes era o de um matemático, e isso também se evidencia em sua filosofia. Para executar seu plano de construção de uma ciência natural completa e exata, ele desenvolveu um novo método de raciocínio que apresentou em seu mais famoso livro, *Discurso do método*. Embora essa obra tenha se tornado um dos grandes clássicos da filosofia, sua proposição original não era ensinar filosofia, mas sim um método que servisse de introdução à ciência. O método de Descartes tinha por finalidade apontar o caminho para se chegar à verdade científica, como fica evidente no título completo do livro, *Discurso do método para bem conduzir a razão e procurar a verdade nas ciências*.

O ponto fundamental do método de Descartes é a dúvida. Ele duvida de tudo o que pode submeter à dúvida – todo o conhecimento tradicional, as impressões de seus sentidos e até o fato de ter um corpo –, e chega a uma coisa de que não pode duvidar, a existência de si mesmo como pensador. Assim chegou à sua famosa afirmação *Cogito, ergo sum*, "Penso, logo existo". Daí deduziu Descartes que a essência da natureza humana reside no pensamento, e que todas as coisas que concebemos clara e distintamente são verdadeiras. À tal concepção clara e distinta – "a concepção da mente pura e atenta"[13] – chamou ele "intuição", afirmando que "não existem outros caminhos ao alcance do homem para o conhecimento certo da verdade, exceto a intuição evidente e a necessária dedução"[14]. O conhecimento certo, portanto, é obtido através da intuição e da dedução, e essas são as ferramentas que Descartes usa em sua tentativa de reconstrução do edifício do conhecimento sobre sólidos alicerces.

O método de Descartes é analítico. Consiste em decompor pensamentos e problemas em suas partes componentes e em dispô-las em sua ordem lógica. Esse método analítico de raciocínio é provavelmente a maior contribuição de Descartes à ciência. Tornou-se uma característica essencial do moderno pensamento científico e provou ser extremamente útil no desenvolvimento de teorias científicas e na concretização de complexos projetos tecnológicos. Foi o método de Descartes que tornou possível à NASA levar o homem à Lua. Por outro lado, a excessiva ênfase dada ao método cartesiano levou à fragmentação característica do nosso pensamento em geral e das nossas disciplinas acadêmicas, e levou à atitude generalizada de reducionismo na ciência – a crença em que todos os aspectos dos fenômenos complexos podem ser compreendidos se reduzidos às suas partes constituintes.

O *cogito* cartesiano, como passou a ser chamado, fez com que Descartes privilegiasse a mente em relação à matéria e levou-o à conclusão de que as duas eram separadas e fundamentalmente diferentes. Assim, ele afirmou que "não há nada no conceito de corpo que pertença à mente, e nada na ideia de mente que pertença ao corpo"[15]. A divisão cartesiana entre matéria e mente teve um efeito profundo sobre o pensamento ocidental. Ela nos ensinou a conhecermos a nós mesmos como egos isolados existentes "dentro" dos nossos corpos; levou-nos a atribuir ao trabalho mental um valor superior ao do trabalho manual; habilitou indústrias gigantescas a venderem produtos – especialmente para as mulheres – que nos proporcionem o "corpo ideal"; impediu os médicos de considerarem seriamente a dimensão psicológica das doenças e os psicoterapeutas de lidarem com o corpo de seus pacientes. Nas ciências humanas, a divisão cartesiana redundou em interminável confusão acerca da relação entre mente e cérebro; e, na física, tornou extremamente difícil aos fundadores da teoria quântica interpretar suas observações dos fenômenos atômicos. Segundo Heisenberg, que se debateu com o problema durante muitos anos, "essa divisão penetrou profundamente no espírito humano nos três séculos que se seguiram a Descartes, e levará muito tempo para que seja substituída por uma atitude realmente diferente em face do problema da realidade"[16].

Descartes baseou toda a sua concepção da natureza nessa divisão fundamental entre dois domínios separados e independentes: o da mente, ou *res cogitans*, a "coisa pensante", e o da matéria, ou *res extensa*, a "coisa extensa". Mente e matéria eram criações de Deus, que representava o ponto de referência comum a ambas e era a fonte da ordem natural exata e da luz da razão que habilitava a mente humana a reconhecer essa ordem. Para Descartes, a existência de Deus era essencial à sua filosofia científica, mas, em séculos subsequentes, os cientistas omitiram qualquer referência explícita a Deus e desenvolveram suas teorias de acordo com a divisão cartesiana, as ciências humanas concentrando-se na *res cogitam* e as naturais, na *res extensa*.

Para Descartes, o universo material era uma máquina, nada além de uma máquina. Não havia propósito, vida ou espiritualidade na matéria. A natureza funcionava de acordo com leis mecânicas, e tudo no mundo material podia ser explicado em função da organização e do movimento de suas partes. Esse quadro mecânico da natureza tornou-se o paradigma dominante da ciência no período que se seguiu a Descartes. Passou a orientar a observação científica e a formulação de todas as teorias dos fenômenos naturais, até que a física do século XX ocasionou uma mudança radical. Toda a elaboração da ciência mecanicista nos séculos XVII, XVIII e XIX, incluindo a grande síntese de Newton, nada mais foi do que o desenvolvimento da ideia cartesiana. Descartes deu ao pensamento científico sua estrutura geral – a concepção da natureza como uma máquina perfeita, governada por leis matemáticas exatas.

A drástica mudança na imagem da natureza, de organismo para máquina, teve um poderoso efeito sobre a atitude das pessoas em relação ao meio ambiente natural. A visão de mundo orgânica da Idade Média implicava um sistema de valores que conduzia ao comportamento ecológico. Nas palavras de Carolyn Merchant:

> A imagem da terra como organismo vivo e mãe nutriente serviu como restrição cultural, limitando as ações dos seres humanos. Não se mata facilmente uma mãe, perfurando suas entranhas em busca de ouro ou mutilando seu corpo. [...] Enquanto a terra fosse considerada viva e sensível, seria uma violação do comportamento ético humano levar a efeito atos destrutivos contra ela[17].

Essas restrições culturais desapareceram quando ocorreu a mecanização da ciência. A concepção cartesiana do universo como sistema mecânico forneceu uma sanção "científica" para a manipulação e a exploração da natureza que se tornaram típicas da cultura ocidental. De fato, o próprio Descartes compartilhava do ponto de vista de Bacon, de que o objetivo da ciência é o domínio e controle da natureza, afirmando que o conhecimento científico podia ser usado para "nos tornarmos os senhores e dominadores da natureza"[18].

Em sua tentativa de construir uma ciência natural completa, Descartes estendeu sua concepção mecanicista da matéria aos organismos vivos. Plantas e animais passaram a ser considerados simples máquinas; os seres humanos eram habitados por uma alma racional que estava ligada ao corpo através da glândula pineal, no centro do cérebro. No que dizia respeito ao corpo humano, era indistinguível de um animal-máquina. Descartes explicou em detalhe como os movimentos e as várias funções biológicas do corpo podiam ser reduzidos a operações mecânicas, a fim de mostrar que os organismos vivos nada mais eram do que *automata*. Ao fazer isso, ele foi profundamente influenciado pela preocupação do barroco seiscentista com as máquinas engenhosas, "como que dotadas de vida própria", que deliciavam as pessoas com a magia de seus movimentos aparentemente espontâneos. Como a maioria de seus contemporâneos, Descartes estava fascinado por esses autômatos, e até construiu alguns. Era inevitável que acabasse por comparar o funcionamento deles com o de organismos vivos. "Vemos relógios, fontes artificiais, moinhos e outras máquinas semelhantes que, embora meramente feitas pelo homem, têm, não obstante, o poder de se moverem por si mesmas de muitas maneiras diferentes. [...] Não reconheço qualquer diferença entre as máquinas feitas por artífices e os vários corpos que só a natureza é capaz de criar[19]."

A fabricação de relógios, em especial, atingira um alto grau de perfeição na época de Descartes; o relógio era, pois, um modelo privilegiado para outras máquinas automáticas. Descartes comparou o corpo dos animais a um "relógio [...] composto [...] de rodas e molas" e estendeu essa comparação ao corpo humano: "Considero o corpo humano uma máquina. [...] Meu pensamento [...] compara um homem doente e um relógio mal fabricado com a ideia de um homem saudável e um relógio benfeito"[20].

A concepção de Descartes sobre organismos vivos teve uma influência decisiva no desenvolvimento das ciências humanas. A cuidadosa descrição dos mecanismos que compõem os organismos vivos tem sido a principal tarefa dos biólogos, médicos e psicólogos nos últimos trezentos anos. A abordagem cartesiana foi coroada de êxito, especialmente na biologia, mas também limitou as direções da pesquisa científica. O problema é que os cientistas, encorajados por seu êxito em tratar os organismos vivos como máquinas, passaram a acreditar que estes *nada mais são* que máquinas. As consequências adversas dessa falácia reducionista tornaram-se especialmente evidentes na medicina, em que a adesão ao modelo cartesiano do corpo humano como um mecanismo de relógio impediu os médicos de compreender muitas das mais importantes enfermidades da atualidade.

Eis, pois, a "maravilhosa ciência" anunciada por Descartes. Usando seu método de pensamento analítico, ele tentou apresentar uma descrição precisa de todos os fenômenos naturais num único sistema de princípios mecânicos. Sua ciência pretendia ser completa, e o conhecimento que ofereceu tinha a intenção de fornecer uma certeza matemática absoluta. Descartes, é claro, não pôde executar esse plano ambicioso, e ele próprio reconheceu que sua ciência era incompleta. Mas seu método de raciocínio e as linhas gerais da teoria dos fenômenos naturais que forneceu embasaram o pensamento científico ocidental durante três séculos.

Hoje, embora as sérias limitações da visão de mundo cartesiana estejam ficando evidentes em todas as ciências, o método geral de Descartes de abordagem dos problemas intelectuais, assim como sua clareza de pensamento, continuam sendo imensamente valiosos. Isso me foi nitidamente lembrado após uma conferência sobre física moderna, na qual enfatizei as limitações da visão de mundo mecanicista na teoria quântica e a necessidade de superar essa visão em outros campos, quando uma ouvinte francesa me cumprimentou por minha... "clareza cartesiana". Como escreveu Montesquieu no século XVIII, "Descartes ensinou àqueles que vieram depois dele como descobrir seus próprios erros"[21].

Descartes criou a estrutura conceitual para a ciência do século XVII, mas sua concepção da natureza como uma máquina perfeita, governada por leis matemáticas exatas, permaneceu como simples visão durante sua vida. Ele não pôde fazer mais do que esboçar as linhas gerais de sua teoria dos fenômenos naturais. O homem que deu realidade ao sonho cartesiano e completou a revolução científica foi Isaac Newton, nascido na Inglaterra em 1642, ano da morte de Galileu. Newton desenvolveu uma completa formulação matemática da concepção mecanicista da natureza e, portanto, realizou uma grandiosa síntese das obras de Copérnico e Kepler, Bacon, Galileu e Descartes. A física newtoniana, a realização culminante da ciência seiscentista, forneceu uma consistente teoria matemática do mundo, que permaneceu como sólido alicerce do pensamento científico até boa parte do século XX. A apreensão matemática de Newton era bem mais poderosa do que a de seus contemporâneos. Ele criou um método completamente novo – hoje conhecido como cálculo diferencial – para descrever o movimento de corpos sólidos, um método que foi muito além das técnicas matemáticas de Galileu e Descartes. Esse enorme feito intelectual foi considerado por Einstein "talvez o maior avanço no pensamento que um único indivíduo teve alguma vez o privilégio de realizar"[22].

Kepler extraía leis empíricas do movimento planetário estudando tábuas astronômicas, e Galileu realizou engenhosos experimentos para descobrir as leis da queda dos corpos. Newton combinou essas duas descobertas formulando as leis gerais do movimento que governam todos os objetos no sistema solar, das pedras aos planetas.

Segundo a lenda, o *insight* decisivo ocorreu a Newton num súbito lampejo de inspiração quando viu uma maçã cair de uma árvore. Ele compreendeu que a maçã era atraída para a Terra pela mesma força que atraía os planetas para o Sol, e assim descobriu a chave para a sua grandiosa síntese. Empregou então seu novo método matemático para formular as leis exatas do movimento para todos os corpos, sob a influência da força da gravidade. A significação dessas leis reside em sua aplicação universal. Comprovou-se que eram válidas para todo o sistema solar; assim, pareciam confirmar a visão cartesiana da natureza. O universo newtoniano era, de fato, um gigantesco sistema mecânico que funcionava de acordo com leis matemáticas exatas.

Newton apresentou em detalhes sua teoria do mundo nos *Princípios matemáticos de filosofia natural*. Os *Principia*, como a obra é usualmente chamada por uma questão de brevidade, de acordo com o seu título latino original, compreendem um sistema abrangente de definições, proposições e provas que os cientistas consideraram a descrição correta da natureza por mais de duzentos anos. Contêm, ao mesmo tempo, uma exposição explícita do método experimental de Newton, que ele considerava um procedimento sistemático no qual a descrição matemática se baseia, passo a passo, para chegar à avaliação crítica da evidência experimental:

> Tudo o que não é deduzido dos fenômenos será chamado de hipótese; e as hipóteses, sejam elas metafísicas ou físicas, sejam elas dotadas de qualidades ocultas ou mecânicas, não têm lugar na filosofia experimental. Nesta filosofia, proposições particulares são inferidas dos fenômenos e depois tornadas gerais por indução[23].

Antes de Newton, duas tendências opostas orientavam a ciência seiscentista: o método empírico, indutivo, representado por Bacon, e o método racional, dedutivo, representado por Descartes. Newton, em seus *Principia*, introduziu a combinação apropriada de ambos os métodos, sublinhando que tanto os experimentos sem interpretação sistemática quanto a dedução a partir de princípios básicos sem evidência experimental não conduziriam a uma teoria confiável. Ultrapassando Bacon em sua experimentação sistemática e Descartes em sua análise matemática, Newton unificou as duas tendências e desenvolveu a metodologia em que a ciência natural passou a basear-se desde então.

Isaac Newton era uma personalidade muito mais complexa do que se poderá deduzir da leitura de seus escritos científicos. Notabilizou-se não só como cientista e matemático, mas também, em várias fases de sua vida, como jurista, historiador e teólogo, e estava profundamente envolvido em pesquisas sobre o oculto e o conhecimento esotérico. Via o mundo como um enigma e acreditava que as chaves para sua compreensão podiam ser encontradas não só através dos experimentos científicos como também das revelações crípticas das tradições esotéricas. Newton foi tentado a pensar, como Descartes, que sua mente poderosa seria capaz de desvendar os segredos do universo, e decidiu servir-se dela, com igual intensidade, no estudo da ciência natural tanto quanto no da ciência esotérica. Enquanto trabalhava, no Trinity College, Cambridge, nos *Principia*, acumulou, ao longo de todos esses anos, volumosas notas sobre alquimia, textos apocalípticos, teorias teológicas não ortodoxas e várias matérias ligadas ao ocultismo. A maioria de seus escritos esotéricos nunca foi publicada, mas o que deles se conhece indica que Newton, o grande gênio da revolução científica, foi também o "último dos mágicos"[24].

O palco do universo newtoniano, no qual todos os fenômenos físicos aconteciam, era o espaço tridimensional da geometria euclidiana clássica. Era um espaço absoluto, um recipiente vazio, independente dos fenômenos físicos que nele ocorriam. Nas próprias palavras de Newton, "o espaço absoluto, em sua própria natureza, sem levar em conta qualquer coisa que lhe seja externa, permanece sempre inalterado e imóvel"[25]. Todas as mudanças no mundo físico eram descritas em função de uma dimensão à parte, o tempo, também absoluto, sem ligação alguma com o mundo material, e que fluía de maneira uniforme do passado para o futuro através do presente. Escreveu Newton: "O tempo absoluto, verdadeiro e matemático, de si mesmo e por sua própria natureza, flui uniformemente, sem depender de qualquer coisa externa"[26].

Os elementos do mundo newtoniano que se movimentavam nesse espaço e nesse tempo absolutos eram partículas materiais, os objetos pequenos, sólidos e indestrutíveis de que toda matéria era feita. O modelo newtoniano de matéria era atomístico, mas diferia da moderna noção de átomos pelo fato de as partículas newtonianas serem todas da mesma substância material. Newton presumia que a matéria era homogênea; explicava a diferença entre um tipo e outro de matéria não em termos de átomos de diferentes pesos ou densidades, e sim de uma aglomeração mais ou menos densa e compacta de átomos. Os componentes básicos da matéria podiam ser de diferentes dimensões, mas consistiam na mesma "substância", e o total de substância material num objeto era dado por sua massa.

O movimento das partículas era causado pela força da gravidade, a qual, na visão de Newton, atuava instantaneamente à distância. As partículas materiais e as forças entre elas eram de uma natureza fundamentalmente diferente, sendo a constituição interna das partículas independente de sua interação mútua. Newton considerava que tanto as partículas quanto a força da gravidade eram criadas por Deus e, por conseguinte, não estavam sujeitas a uma análise ulterior. Em sua *Óptica*, Newton explicou claramente como imaginava a criação do mundo material por Deus:

> Parece-me provável que Deus, no começo, formou a matéria em partículas sólidas, compactas, duras, impenetráveis e móveis, de tais dimensões e configurações, e com outras propriedades tais, e em tais proporções com o espaço, que sejam as mais compatíveis com a finalidade para que Ele as formou; e que essas partículas primitivas, sendo sólidas, são incomparavelmente mais duras do que quaisquer corpos porosos compostos por elas; "realmente tão duras que nunca se desgastam nem se fragmentam, e não existe nenhuma força comum que seja capaz de dividir o que o próprio Deus unificou na criação original[27].

Na mecânica newtoniana, todos os fenômenos físicos estão reduzidos ao movimento de partículas materiais, causado por sua atração mútua, ou seja, pela força da gravidade. O efeito dessa força sobre uma partícula ou qualquer outro objeto material é descrito matematicamente pelas equações do movimento enunciadas por Newton, as quais formam a base da mecânica clássica. Foram estabelecidas leis fixas de acordo com as quais os objetos materiais se moviam, e acreditava-se que eles explicassem todas as mudanças observadas no mundo físico. Na concepção newtoniana, Deus criou, no princípio, as partículas materiais, as forças entre elas e as leis fundamentais do movimento. Todo o universo foi posto em movimento desse modo e continuou funcionando, desde então, como uma máquina, governado por leis imutáveis. A concepção mecanicista da natureza está, pois, intimamente relacionada com um rigoroso determinismo, em que a gigantesca máquina cósmica é completamente causal e determinada. Tudo o que aconteceu teria tido uma causa definida e dado origem a um efeito definido, e o futuro de qualquer parte do sistema podia – em princípio – ser previsto com absoluta certeza, desde que seu estado, em qualquer momento dado, fosse conhecido em todos os seus detalhes.

Esse quadro de uma perfeita máquina do mundo subentendia um criador externo; um deus monárquico que governaria o mundo a partir do alto, impondo-lhe sua lei divina. Não se pensava que os fenômenos físicos, em si, fossem divinos em qualquer sentido; assim, quando a ciência tornou cada vez mais difícil acreditar em tal deus, o divino desapareceu completamente da visão científica do mundo, deixando em sua esteira o vácuo espiritual que se tornou característico da corrente principal de nossa cultura. A base filosófica dessa secularização da natureza foi a divisão cartesiana entre espírito e matéria. Em consequência dessa divisão, acreditava-se que o mundo era um sistema mecânico suscetível de ser descrito objetivamente, sem menção alguma ao observador humano, e tal descrição objetiva da natureza tornou-se o ideal de toda a ciência.

Os séculos XVIII e XIX serviram-se da mecânica newtoniana com enorme sucesso. A teoria newtoniana foi capaz de explicar o movimento dos planetas, luas e cometas nos mínimos detalhes, assim como o fluxo das marés e vários outros fenômenos relacionados com a gravidade. O sistema matemático do mundo elaborado por Newton estabeleceu-se rapidamente como a teoria correta da realidade e gerou enorme entusiasmo entre cientistas e o público leigo. A imagem do mundo como uma máquina perfeita, que tinha sido introduzida por Descartes, era então considerada um fato comprovado, e Newton tornou-se o seu símbolo. Durante os últimos vinte anos de sua vida, Sir Isaac Newton reinou na Londres setecentista como o homem mais famoso de seu tempo, o grande sábio de cabelos brancos da revolução científica. As descrições desse período da vida de Newton soam-nos muito familiares por causa de nossas recordações e fotografias de Albert Einstein, que desempenhou um papel muito semelhante no século XX.

Encorajados pelo brilhante êxito da mecânica newtoniana na astronomia, os físicos estenderam-na ao movimento contínuo dos fluidos e às vibrações de corpos elásticos, e ela continuou a funcionar. Ao final, até mesmo a teoria do calor pôde ser reduzida à mecânica quando se percebeu que o calor era a energia gerada por um complicado movimento de "agitação" de átomos e moléculas. Assim, muitos fenômenos térmicos, como a evaporação de um líquido, ou a temperatura e pressão de um gás, puderam ser entendidos sob um ponto de vista puramente mecanicista.

O estudo do comportamento físico dos gases levou John Dalton à formulação de sua célebre hipótese atômica, provavelmente o mais importante passo em toda a história da química. Dalton possuía uma vívida imaginação pictórica, e tentou explicar as propriedades das misturas de gases com a ajuda de elaborados desenhos de modelos geométricos e mecânicos de átomos. Seus principais pressupostos eram que todos os elementos químicos se compõem de átomos e que todos os átomos de um determinado elemento são semelhantes, mas diferem dos átomos de todos os outros elementos em massa, tamanho e propriedades. Usando a hipótese de Dalton, os químicos do século XIX desenvolveram uma precisa teoria atômica da química que preparou o caminho para a unificação dos conceitos da física e da química no século XX. Assim, a mecânica newtoniana estendeu-se muito além da descrição dos corpos macroscópicos. O comportamento de sólidos, líquidos e gases, incluindo os fenômenos de calor e som, foi explicado com sucesso em termos do movimento de partículas materiais elementares. Para os cientistas dos séculos XVIII e XIX, esse enorme sucesso do modelo mecanicista confirmou sua convicção de que o universo era, de fato, um gigantesco sistema mecânico que funcionava de acordo com as leis newtonianas do movimento, e de que a mecânica de Newton era a teoria definitiva dos fenômenos naturais.

Embora as propriedades dos átomos tivessem sido estudadas mais por químicos do que por físicos durante todo o século XIX, a física clássica baseava-se na ideia newtoniana de que os átomos são os elementos básicos, duros e sólidos, da matéria. Essa imagem contribuiu, sem dúvida, para a reputação da física como uma ciência pesada* e para o desenvolvimento da tecnologia pesada** baseada naquela. O irretorquível êxito da física newtoniana e a crença cartesiana na cer-

---

* No original, *hard science*. (N . do E.)
** No original, *hard technology*. (N . do E.)

teza do conhecimento científico levaram diretamente à ênfase que foi dada, em nossa cultura, à ciência e à tecnologia pesadas. Somente em meados do século XX tomar-se-ia claro que a ideia de uma ciência pesada era parte do paradigma cartesiano-newtoniano, um paradigma que seria superado.

Com o firme estabelecimento da visão mecanicista do mundo no século XVIII, a física tornou-se naturalmente a base de todas as ciências. Se o mundo é realmente uma máquina, a melhor maneira de descobrir como ela funciona é recorrer à mecânica newtoniana. Assim, foi uma consequência inevitável da visão de mundo cartesiana que as ciências dos séculos XVIII e XIX tomassem como seu modelo a física newtoniana. De fato, Descartes estava perfeitamente cônscio do papel básico da física em sua concepção da natureza. Escreveu ele: "Toda a filosofia é como uma árvore. As raízes são a metafísica, o tronco é a física e os ramos são todas as outras ciências"[28].

O próprio Descartes esboçara as linhas gerais de uma abordagem mecanicista da física, astronomia, biologia, psicologia e medicina. Os pensadores do século XVIII levaram esse programa ainda mais longe, aplicando os princípios da mecânica newtoniana às ciências da natureza e da sociedade humanas. As recém-criadas ciências sociais geraram grande entusiasmo, e alguns de seus proponentes proclamaram terem descoberto uma "física social". A teoria newtoniana do universo e a crença na abordagem racional dos problemas humanos propagaram-se tão rapidamente entre as classes médias do século XVIII, que toda essa época recebeu o nome de Iluminismo. A figura dominante nesse período foi o filósofo John Locke, cujos escritos mais importantes foram publicados no final do século XVII. Fortemente influenciado por Descartes e Newton, a obra de Locke produziu um impacto decisivo no pensamento setecentista.

Na esteira da física newtoniana, Locke desenvolveu uma concepção atomística da sociedade, descrevendo-a em termos de seu componente básico, o ser humano. Assim como os físicos reduziram as propriedades dos gases aos movimentos de seus átomos, ou moléculas, também Locke tentou reduzir os padrões observados na sociedade ao comportamento de seus indivíduos. Assim, ele passou a estudar primeiro a natureza do ser humano individual, e depois tentou aplicar os princípios da natureza humana aos problemas econômicos e políticos. A análise de Locke da natureza humana baseou-se na de um filósofo anterior, Thomas Hobbes, que declarara ser a percepção sensorial a base de todo conhecimento. Locke adotou essa teoria do conhecimento e, numa famosa metáfora, comparou a mente humana, no nascimento, a uma *tabula rasa* em que o conhecimento é gravado, uma vez adquirido através da experiência sensorial. Essa imagem estava destinada a exercer forte influência sobre duas importantes escolas da psicologia clássica, o behaviorismo e a psicanálise, assim como sobre a filosofia política. Segundo Locke, todos os seres humanos – "todos os homens", como diria ele – são iguais ao nascer e, para seu desenvolvimento, dependem inteiramente do seu meio ambiente. Suas ações, acreditava Locke, eram sempre motivadas pelo que supunham ser seu próprio interesse.

Quando Locke aplicou sua teoria da natureza humana aos fenômenos sociais, foi guiado pela crença de que existem leis da natureza que governam a sociedade humana, leis semelhantes às que governam o universo físico. Tal como os átomos de um gás estabelecem um estado de equilíbrio, também os indivíduos humanos se estabilizariam numa sociedade num "estado de natureza". Assim, a função do governo não seria impor suas leis às pessoas, mas, antes, descobrir e fazer valer as leis naturais que existiam antes de qualquer governo ter sido formado. Segundo Locke, essas leis naturais incluíam a liberdade e a igualdade entre todos os indivíduos, assim como o direito à propriedade, que representava os frutos do trabalho de cada um.

As ideias de Locke tornaram-se a base para o sistema de valores do Iluminismo e tiveram uma forte influência sobre o desenvolvimento do moderno pensamento econômico e político. Os ideais de individualismo, direito de propriedade, mercados livres e governo representativo, que podem ser atribuídos a Locke, contribuíram significativamente para o pensamento de Thomas Jefferson, e estão refletidos na Declaração de Independência e na Constituição americanas.

Durante o século XIX, os cientistas continuaram a elaborar o modelo mecanicista do universo na física, química, biologia, psicologia e ciências sociais. Por conseguinte, a máquina do mundo newtoniana tornou-se uma estrutura muito mais complexa e sutil. Ao mesmo tempo, novas descobertas e novas formas de pensamento evidenciaram as limitações do modelo newtoniano e prepararam o caminho para as revoluções científicas do século XX.

Uma dessas conquistas do século XIX foi a descoberta e a investigação dos fenômenos elétricos e magnéticos que envolviam um novo tipo de força e não podiam ser descritos adequadamente pelo modelo mecanicista. Um passo importante foi dado por Michael Faraday e completado por Clerk Maxwell – o primeiro, um dos maiores experimentadores na história da ciência, o segundo, um brilhante teórico. Faraday e Maxwell não só estudaram os efeitos das forças elétricas e magnéticas, mas fizeram dessas forças o objeto primeiro de suas investigações. Ao substituir o conceito de força pelo conceito muito mais sutil de campo de força, eles foram os primeiros a ultrapassar a física newtoniana[29], mostrando que os campos têm sua própria realidade e podem ser estudados sem qualquer referência a corpos materiais. Essa teoria, chamada eletrodinâmica, culminou com a descoberta de que a luz é, de fato, um campo eletromagnético rapidamente alternante, que viaja através do espaço em forma de ondas.

Apesar dessas mudanças de extraordinário alcance, a mecânica newtoniana mantinha sua posição, continuava a ser a base de toda a física. O próprio Maxwell tentou explicar seus resultados em termos mecânicos, interpretando os campos como estados de tensão mecânica num meio muito leve e difundido por toda parte, chamado éter, e as ondas eletromagnéticas como ondas elásticas desse éter. Entretanto, ele usou várias interpretações mecânicas de sua teoria ao mesmo tempo e, segundo parece, não levou nenhuma delas realmente a sério, sabendo intuitivamente que as entidades fundamentais em sua teoria eram os campos e não os modelos mecânicos. Caberia a Einstein reconhecer claramente esse fato no século XX, quando declarou que o éter não existe e que os campos eletromagnéticos são entidades físicas independentes que podem viajar através do espaço vazio e não podem ser explicadas mecanicamente.

Enquanto o eletromagnetismo destronava a mecânica newtoniana como teoria fundamental dos fenômenos naturais, surgiu uma nova tendência do pensamento que suplantou a imagem da máquina do mundo newtoniana e iria dominar não só o século XIX, mas todo o pensamento científico futuro. Ela envolvia a ideia de evolução – de mudança, crescimento e desenvolvimento. A noção de evolução surgira na geologia, onde os estudos meticulosos de fósseis levaram os cientistas à conclusão de que o estado atual da Terra era o resultado de um desenvolvimento contínuo causado pela ação de forças naturais durante imensos períodos de tempo. Mas os geólogos não foram os únicos a pensar nesses termos. A teoria do sistema solar, proposta por Immanuel Kant e Pierre Laplace, baseava-se no pensamento evolucionista ou desenvolvimentista; os conceitos evolucionistas foram fundamentais para a filosofia política de Hegel e Engels; poetas e filósofos, indistintamente, durante todo o século XIX, preocuparam-se profundamente com o problema do devir.

Essas ideias constituíram o *background* intelectual para a formulação mais precisa e de mais longo alcance do pensamento evolucionista: a teoria da evolução das espécies, em biologia. Desde a Antiguidade, os filósofos naturais tinham alimentado a ideia de uma "grande cadeia do ser". Essa cadeia, entretanto, era concebida como uma hierarquia estática, que começava em Deus, no topo, e descia, através de anjos, seres humanos e animais, até as formas cada vez mais inferiores de vida. O número de espécies era fixo; não mudara desde o dia de sua criação. Como disse Lineu, o grande botânico e classificador: "Calculamos tantas espécies quantas [forem] as saídas aos pares das mãos do Criador"[30]. Essa ideia das espécies biológicas estava em completa concordância com a doutrina judaico-cristã e ajustava-se bem ao mundo newtoniano.

A mudança decisiva ocorreu com Jean-Baptiste Lamarck, no começo do século XIX; essa mudança foi tão drástica que Gregory Bateson, um dos pensadores mais esclarecidos e profundos do nosso tempo, comparou-a à revolução de Copérnico:

> Lamarck, provavelmente o maior biólogo da história, inverteu essa escala de explicação. Foi ele o homem que disse que a escala começa com os infusórios e que havia mudanças que culminavam no homem. Essa inversão completa da taxonomia é uma das mais surpreendentes façanhas de todos os tempos. Foi o equivalente, em biologia, à revolução de Copérnico em astronomia[31].

Lamarck foi o primeiro a propor uma teoria coerente da evolução, segundo a qual todos os seres vivos teriam evoluído a partir de formas mais primitivas e mais simples, sob a influência do meio ambiente. Embora os detalhes da teoria lamarckiana tivessem que ser abandonados mais tarde, ela representou, não obstante, o primeiro passo importante.

Muitas décadas depois, Charles Darwin apresentou aos cientistas uma esmagadora massa de provas em favor da evolução biológica, colocando o fenômeno acima de qualquer dúvida. Apresentou também uma explicação baseada nos conceitos de variação aleatória – hoje conhecida como mutação randômica – e seleção natural, os quais continuariam sendo as pedras angulares do moderno pensamento evolucionista. A monumental *Origem das espécies* de Darwin sintetizou as ideias de pensadores anteriores e deu forma a todo o pensamento biológico subsequente. Seu papel nas ciências humanas foi semelhante ao dos *Principia* de Newton na física e na astronomia, dois séculos antes.

A descoberta da evolução em biologia forçou os cientistas a abandonarem a concepção cartesiana segundo a qual o mundo era uma máquina inteiramente construída pelas mãos do Criador. O universo, pelo contrário, devia ser descrito como um sistema em evolução e em permanente mudança, no qual estruturas complexas se desenvolviam a partir de formas mais simples. Enquanto essa nova forma de pensamento era elaborada nas ciências humanas, conceitos evolucionistas surgiam também na física. Contudo, enquanto a evolução, em biologia, significou um movimento no sentido de uma ordem e uma complexidade crescentes, na física passou a significar justamente o oposto – um movimento no sentido de uma crescente desordem.

A aplicação da mecânica newtoniana ao estudo dos fenômenos térmicos – o que envolveu o tratamento de líquidos e gases como complicados sistemas mecânicos – levou os físicos à formulação da termodinâmica, a "ciência da complexidade". A primeira grande realização dessa nova ciência foi a descoberta de uma das leis mais fundamentais da física, a lei da conservação da energia. Diz essa lei que a energia total envolvida num processo é sempre conservada. Pode mudar de forma do modo mais complicado, mas nenhuma porção dela se perde. Os físicos descobriram essa lei em seu estudo das máquinas a vapor e outras máquinas geradoras de calor, e é também conhecida como a primeira lei da termodinâmica.

A segunda lei da termodinâmica é a da dissipação da energia. Enquanto a energia total envolvida num processo é sempre constante, a quantidade de energia útil diminui, dissipando-se em calor, fricção, etc. Esta segunda lei foi formulada pela primeira vez por Sadi Carnot, em termos da tecnologia das máquinas térmicas, mas não tardou a ser reconhecido que envolvia um significado muito mais amplo. Ela introduziu na física a ideia de processos irreversíveis, de uma "flecha do tempo". De acordo com a segunda lei, há uma certa tendência nos fenômenos físicos. A energia mecânica dissipa-se em calor e não pode ser completamente recuperada; quando se juntam água quente e água fria, resulta a água morna, e os dois líquidos não se separam. Do mesmo modo, quando se mistura um saco de areia branca com um saco de areia preta, resulta areia cinzenta, e quanto mais agitarmos a mistura mais uniforme será o cinzento; não veremos as duas espécies de areia separarem-se espontaneamente.

O que todos esses processos têm em comum é que avançam numa certa direção – da ordem para a desordem –, e esta é a formulação mais geral da segunda lei da termodinâmica: qualquer sistema físico isolado avançará espontaneamente na direção de uma desordem sempre crescente. Em meados do século, para expressar essa direção, na evolução de sistemas físicos, numa forma matemática precisa, Rudolf Clausius introduziu uma nova quantidade a que chamou "entropia". O termo representa uma combinação de "energia" e *tropos*, a palavra grega que designa transformação ou evolução. Assim, entropia é uma quantidade que mede o grau de evolução de um sistema físico. De acordo com a segunda lei, a entropia de um sistema físico isolado continuará aumentando; como essa evolução é acompanhada de crescente desordem, a entropia também pode ser vista como uma medida de desordem.

A formulação do conceito de entropia e a segunda lei da termodinâmica estão entre as mais importantes contribuições para a física no século XIX. O aumento de entropia em sistemas físicos, que marca a direção do tempo, não podia ser explicado pelas leis da mecânica newtoniana, e permaneceu um mistério até que Ludwig Boltzmann esclareceu a situação mediante a introdução de uma ideia adicional, o conceito de probabilidade. Com a ajuda da teoria das probabilidades, o comportamento de sistemas mecânicos complexos pôde ser descrito em termos de leis estatísticas, e a termodinâmica se assentou numa sólida base newtoniana, conhecida como mecânica estatística.

Boltzmann mostrou que a segunda lei da termodinâmica é uma lei estatística. Sua afirmação de que certos processos não ocorrem – por exemplo, a conversão espontânea de energia térmica em energia mecânica – não significa que eles sejam impossíveis, mas apenas que são extremamente improváveis. Em sistemas microscópicos que consistem em apenas algumas moléculas, a segunda lei é violada regularmente; mas, em sistemas macroscópicos, que consistem num grande número de moléculas*, a probabilidade de que a entropia total do sistema aumente torna-se praticamente certa. Assim, em qualquer sistema isolado, composto de um elevado número de moléculas, a entropia – ou desordem – continuará aumentando até que, finalmente, o sistema atinja um estado de máxima entropia, também conhecido como "morte térmica"; nesse estado, toda a atividade cessa, estando o material uniformemente distribuído e à mesma temperatura. De acordo com a física clássica, o universo está caminhando como um todo para tal estado de máxima entropia, no qual irão declinando gradualmente os processos espontâneos de troca energética até que finalmente cessem.

Essa imagem sombria da evolução cósmica está em nítido contraste com a ideia evolucionista sustentada pelos biólogos, os quais observam que o universo vivo evolui da desordem para a ordem, para estados de complexidade sempre crescente. O surgimento do conceito de evolução em física trouxe à luz, portanto, uma outra limitação da teoria newtoniana. A concepção mecanicista do universo como um sistema de pequenas bolas de bilhar em movimento randômico é simplista demais para explicar a evolução da vida.

No final do século XIX, a mecânica newtoniana tinha perdido seu papel de teoria fundamental dos fenômenos naturais. Os conceitos da eletrodinâmica de Maxwell e da teoria da evolução de Darwin superavam claramente o modelo newtoniano e indicavam que o universo era muitíssimo mais complexo do que Descartes e Newton haviam imaginado. Não obstante, ainda se acreditava que as ideias básicas subjacentes à física newtoniana, embora insuficientes para explicar todos os fenômenos naturais, eram corretas. As primeiras três décadas do século XX

---

* Por exemplo, cada centímetro cúbico de ar contém cerca de dez bilhões de bilhões (10^{19}) de moléculas. (N. do A.)

mudaram radicalmente essa situação. Duas descobertas no campo da física, culminando na teoria da relatividade e na teoria quântica, pulverizaram todos os principais conceitos da visão de mundo cartesiana e da mecânica newtoniana. A noção de espaço e tempo absolutos, as partículas sólidas elementares, a substância material fundamental, a natureza estritamente causal dos fenômenos físicos e a descrição objetiva da natureza – nenhum desses conceitos pôde ser estendido aos novos domínios em que a física agora penetrava.

3. A nova física

O início da física moderna foi marcado pela extraordinária proeza intelectual de um homem: Albert Einstein. Em dois artigos, ambos publicados em 1905, Einstein introduziu duas tendências revolucionárias no pensamento científico. Uma foi a teoria especial da relatividade; a outra, um novo modo de considerar a radiação eletromagnética, que se tornaria característico da teoria quântica, a teoria dos fenômenos atômicos. A teoria quântica completa foi elaborada vinte anos mais tarde por uma equipe de físicos. A teoria da relatividade, porém, foi construída em sua forma completa quase inteiramente pelo próprio Einstein. Seus ensaios científicos são monumentos intelectuais que marcam o começo do pensamento do século XX.

Einstein acreditava profundamente na harmonia inerente à natureza, e, ao longo de sua vida científica, sua maior preocupação foi descobrir um fundamento unificado para a física. Começou a perseguir esse objetivo ao construir uma estrutura comum para a eletrodinâmica e a mecânica, duas teorias isoladas dentro da física clássica. Essa estrutura é conhecida como a teoria especial da relatividade. Ela unificou e completou a estrutura da física clássica, mas, ao mesmo tempo, provocou mudanças radicais nos conceitos tradicionais de espaço e tempo, e, por conseguinte, abalou um dos alicerces da visão de mundo newtoniana. Dez anos depois, Einstein propôs sua teoria geral da relatividade, na qual a estrutura da teoria especial foi ampliada, passando a incluir também a gravidade. Isso foi realizado mediante novas e drásticas modificações nos conceitos de espaço e tempo.

Outra conquista importante em física no século XX foi uma consequência da investigação experimental dos átomos. No começo do século, os físicos descobriram vários fenômenos relacionados com a estrutura dos átomos, como os raios X e a radiatividade, os quais eram inexplicáveis em termos da física clássica. Além de serem objeto de intensos estudos, esses fenômenos foram usados, das maneiras mais engenhosas, como novas ferramentas para sondar a matéria mais profundamente do que tinha sido possível até então. Por exemplo, descobriu-se que as chamadas partículas alfa que se desprendem de substâncias radiativas eram projéteis de alta velocidade, com dimensões subatômicas, passíveis de serem usados para explorar o interior do átomo. Podiam ser empregados para bombardear átomos, e pelo modo como eram desviados, era possível extrair conclusões acerca da estrutura do átomo.

Essa exploração do mundo atômico e subatômico colocou os cientistas em contato com uma estranha e inesperada realidade que pulverizou os alicerces da sua visão de mundo e os forçou a pensar de um modo inteiramente novo. Nada parecido com isso acontecera antes na ciência. Revoluções como as de Copérnico e Darwin tinham introduzido profundas mudanças na concepção geral do universo, mudanças que haviam chocado muita gente, mas os novos conceitos, *per se*, não eram difíceis de ser apreendidos. No século XX, entretanto, os físicos enfrentavam, pela primeira vez, um sério desafio à sua capacidade de entender o universo. Todas as vezes que faziam uma pergunta à natureza, num experimento atômico, a natureza respondia com um paradoxo, e, quanto mais eles se esforçavam por esclarecer a situação, mais agudos os paradoxos se tornavam. Em sua luta para apreenderem essa nova realidade, os cientistas ficaram profundamente conscientes de que seus conceitos básicos, sua linguagem e toda a sua forma de pensar eram inadequados para descrever fenômenos atômicos. O problema deles não era apenas intelectual, mas envolvia uma intensa experiência emocional e existencial, como foi claramente descrito por Werner Heisenberg: "Recordo as discussões com Bohr que se estendiam por horas a fio, até altas horas da noite, e terminavam quase em desespero; e, quando no fim da discussão, eu saía sozinho para um passeio no parque vizinho, repetia para mim, uma e outra vez, a pergunta: Será a natureza tão absurda quanto parece nesses experimentos atômicos[1]?"

Somente depois de muito tempo esses físicos aceitaram o fato de que os paradoxos com que se deparavam constituem um aspecto essencial da física atômica, percebendo, então, que eles surgem sempre que alguém tenta descrever fenômenos atômicos em função de conceitos clássicos. Uma vez percebido isso, os físicos foram aprendendo a fazer as perguntas certas e a evitar contradições. Como diz Heisenberg: "Seja como for, eles penetraram no espírito da teoria quântica"[2] e, finalmente, encontraram a formulação matemática precisa e consistente dessa teoria. A teoria quântica, ou mecânica quântica, como também é chamada, foi formulada durante as primeiras três décadas do século XX por um grupo internacional de físicos, entre eles Max Planck, Albert Einstein, Niels Bohr, Louis De Broglie, Erwin Schrödinger, Wolfgang Pauli, Werner Heisenberg e Paul Dirac. Esses homens juntaram suas forças, a despeito de fronteiras nacionais para viver um dos mais excitantes períodos da ciência moderna, no qual ocorreram não só brilhantes intercâmbios intelectuais, mas também dramáticos conflitos humanos, assim como profundas amizades pessoais entre os cientistas.

Depois de concluída a formulação matemática da teoria quântica, sua estrutura conceitual não foi facilmente aceita. Seu efeito sobre a concepção de realidade dos físicos foi verdadeiramente dilacerante. A nova física exigia profundas mudanças nos conceitos de espaço, tempo, matéria, objeto e causa e efeito; como esses conceitos são fundamentais para o nosso modo de vivenciar o mundo, sua transformação causou um grande choque. Citando de novo Heisenberg: "A reação violenta ao recente desenvolvimento da física moderna só pode ser entendida quando se percebe que, neste ponto, os alicerces da física começaram a se mover; e que esse movimento provocou a sensação de que a ciência estava sendo separada de suas bases"[3].

Einstein sentiu o mesmo choque quando se defrontou com os novos conceitos de física, e descreveu seus sentimentos em termos muito semelhantes aos de Heisenberg: "Todas as minhas tentativas para adaptar os fundamentos teóricos da física a esse [novo tipo de] conhecimento fracassaram completamente. Era como se o chão tivesse sido retirado de baixo de meus pés, e não houvesse em qualquer outro lugar uma base sólida sobre a qual pudesse construir algo"[4].

A partir das mudanças revolucionárias em nossos conceitos de realidade ocasionadas pela física moderna, uma nova e consistente visão de mundo começa a surgir. Essa visão não é compartilhada por toda a comunidade científica, mas está sendo discutida e elaborada por muitos físicos eminentes cujo interesse em sua ciência supera os aspectos de suas pesquisas. Esses cientistas se mostram profundamente interessados nas implicações filosóficas da física moderna, e estão tentando, com espírito aberto, melhorar sua compreensão da natureza da realidade.

Em contraste com a concepção mecanicista cartesiana, a visão de mundo que está surgindo a partir da física moderna pode caracterizar-se por palavras como orgânica, holística e ecológica. Pode ser também denominada visão sistêmica, no sentido da teoria geral dos sistemas[5]. O universo deixa de ser visto como uma máquina, composta de uma infinidade de objetos, para ser descrito como um todo dinâmico, indivisível, cujas partes estão essencialmente inter-relacionadas e só podem ser entendidas como modelos de um processo cósmico.

Os conceitos básicos subjacentes a essa visão de mundo da física moderna são examinados nas páginas seguintes. Descrevi em detalhe essa visão de mundo em meu livro *O tao da física*, mostrando como ela está relacionada com as concepções defendidas em tradições místicas, especialmente as do misticismo oriental. Muitos físicos, criados – como eu – numa tradição que associa misticismo a coisas vagas, misteriosas e altamente não científicas, ficaram chocados ao ver suas ideias comparadas às dos místicos[6]. Essa atitude, felizmente, está mudando. Como o pensamento oriental começou a interessar a um número significativo de pessoas, e como a meditação deixou de ser vista como ridícula ou suspeita, o misticismo está sendo encarado seriamente, mesmo no seio da comunidade científica. Um número crescente de cientistas está consciente de que o pensamento místico fornece um coerente e importante *background* filosófico para as teorias da ciência contemporânea, uma concepção do mundo em que as descobertas científicas de homens e mulheres podem estar em perfeita harmonia com seus desígnios espirituais e crenças religiosas.

A investigação experimental dos átomos, no início do século, provocou resultados sensacionais e totalmente inesperados. Em vez de partículas duras, sólidas, como eram consideradas pela teoria consagrada pelo tempo, concluiu-se que os átomos consistem em vastas regiões de espaço onde partículas extremamente pequenas – os elétrons – se movimentam em redor do núcleo. Alguns anos depois, a teoria quântica deixou claro que mesmo as partículas subatômicas – os elétrons, prótons e nêutrons no núcleo – não se pareciam em nada com os objetos sólidos da física clássica. Essas unidades subatômicas da matéria são entidades muito abstratas e têm um aspecto dual. Dependendo do modo como as observamos, apresentam-se ora como partículas, ora como ondas; e essa natureza dual também é apresentada pela luz, que pode adotar a forma de partículas ou de ondas eletromagnéticas. As partículas de luz foram chamadas inicialmente *quanta* por Einstein – daí a origem do termo "teoria quântica" – e são hoje conhecidas como fótons.

Essa natureza dual da matéria e da luz é muito estranha. Parece impossível aceitar que alguma coisa possa ser, ao mesmo tempo, uma partícula, uma entidade confinada num volume muito pequeno, e uma onda que se espalha sobre uma vasta região do espaço. E, no entanto, era exatamente isso o que os físicos tinham que aceitar. A situação parecia irremediavelmente paradoxal, até que se percebeu que os termos "partícula" e "onda" se referem a conceitos clássicos que não são inteiramente adequados para descrever fenômenos atômicos. Um elétron não é uma partícula nem uma onda, mas pode apresentar aspectos de partícula em algumas situações e aspectos de onda em outras. Enquanto age como partícula, é capaz de desenvolver sua natureza ondulatória às custas de sua natureza de partícula, e vice-versa, sofrendo assim transformações contínuas de partícula para onda e de onda para partícula. Isso significa que nem o elétron nem qualquer outro "objeto" atômico possuem propriedades intrínsecas, independentes do seu meio ambiente. As propriedades que ele apresenta – semelhante a partícula e semelhante a onda – dependem da situação experimental, ou seja, do aparelho com que o elétron é forçado a interagir[7].

A grande realização de Heisenberg consistiu em expressar as limitações dos conceitos clássicos numa forma matemática precisa, conhecida como princípio de incerteza. Esse princípio consiste num conjunto de relações matemáticas que determinam a extensão em que conceitos clássicos podem ser aplicados a fenômenos atômicos; essas relações marcam os limites da imaginação humana no mundo atômico. Sempre que usamos termos clássicos – partícula, onda, posição, velocidade – para descrever fenômenos atômicos, descobrimos que existem pares de conceitos, ou aspectos, que estão inter-relacionados e não podem ser definidos simultaneamente de um modo preciso. Quanto mais enfatizamos um aspecto em nossa descrição, mais o outro se torna incerto, e a relação precisa entre os dois é dada pelo princípio de incerteza.

Para um melhor entendimento dessa relação entre pares de conceitos clássicos, Niels Bohr introduziu a noção de complementaridade. Segundo ele, a imagem da partícula e a imagem da onda são duas descrições complementares da mesma realidade, cada uma delas só parcialmente correta e com uma gama limitada de aplicação. Ambas as imagens são necessárias para uma descrição total da realidade atômica e ambas são aplicadas dentro das limitações fixadas pelo princípio de incerteza. A noção de complementaridade tornou-se parte essencial do modo como os físicos pensam a natureza, e Bohr sugeriu várias vezes que também pode ser um conceito útil fora do campo da física. De fato, isso parece ser verdade, e voltaremos a esse assunto quando examinarmos os fenômenos biológicos e psicológicos. A complementaridade já foi amplamente usada em nosso exame da terminologia chinesa *yin/yang*, uma vez que os opostos *yin* e *yang* estão inter-relacionados de um modo polar, ou complementar. O moderno conceito de complementaridade está claramente refletido no antigo pensamento chinês, fato que causou profunda impressão em Niels Bohr[8].

A resolução do paradoxo partícula/onda forçou os físicos a aceitarem um aspecto da realidade que contestava o próprio fundamento da visão mecanicista de mundo – o conceito de realidade da matéria. Em nível subatômico, a matéria não existe com certeza em lugares definidos; em vez disso, mostra "tendências para existir", e os eventos atômicos não ocorrem com certeza em tempos definidos e de maneiras definidas, mas antes mostram "tendências para ocorrer". No formalismo da mecânica quântica, essas tendências são expressas como probabilidades e estão associadas a quantidades que assumem a forma de ondas; são semelhantes às formas matemáticas usadas para descrever, digamos, uma corda de violão em vibração, ou uma onda sonora. É assim que as partículas podem ser ao mesmo tempo ondas. Não são ondas tridimensionais "reais", como as ondas de água ou as ondas sonoras. São "ondas de probabilidade" – quantidades matemáticas abstratas com todas as propriedades características de ondas –, que estão relacionadas com as probabilidades de se encontrarem as partículas em determinados pontos do espaço e em momentos determinados. Todas as leis da física atômica se expressam em termos dessas probabilidades. Nunca podemos predizer com certeza um evento atômico; apenas podemos prever a probabilidade de sua ocorrência.

A descoberta do aspecto dual da matéria e do papel fundamental da probabilidade demoliu a noção clássica de objetos sólidos. Em nível subatômico, os objetos materiais sólidos da física clássica dissolvem-se em padrões ondulatórios de probabilidades. Esses padrões, além disso, não representam probabilidades de coisas, mas probabilidades de interconexões. Uma análise cuidadosa do processo de observação na física atômica mostra que as partículas subatômicas carecem de significado como entidades isoladas e somente podem ser entendidas como interconexões, ou correlações, entre vários processos de observação e medição. Como escreveu Niels Bohr, "as partículas materiais isoladas são abstrações, e suas propriedades são definíveis e observáveis somente através de sua interação com outros sistemas"[9].

Portanto, as partículas subatômicas não são "coisas", mas interconexões entre "coisas", e essas "coisas", por sua vez, são interconexões entre outras "coisas", e assim por diante. Na teoria quântica, nunca lidamos com "coisas", lidamos sempre com interconexões.

É assim que a física moderna revela a unicidade básica do universo. Mostra-nos que não podemos decompor o mundo em unidades ínfimas com existência independente. Quando penetramos na matéria, a natureza não nos mostra quaisquer elementos básicos isolados, mas apresenta-se como uma teia complicada de relações entre as várias partes de um todo unificado. Heisenberg assim se expressou: "O mundo apresenta-se, pois, como um complicado tecido de eventos, no qual conexões de diferentes espécies se alternam, se sobrepõem ou se combinam e, desse modo, determinam a contextura do todo"[10].

O universo é, portanto, um todo unificado que pode, até certo ponto, ser dividido em partes separadas, em objetos feitos de moléculas e átomos, compostos, por sua vez, de partículas. Mas atingido esse ponto, no nível das partículas, a noção de partes separadas dissipa-se. As partículas subatômicas – e, portanto, em última instância, todas as partes do universo – não podem ser entendidas como entidades isoladas, mas devem ser definidas através de suas inter-relações. Henry Stapp, da Universidade da Califórnia, escreve: "Uma partícula elementar não é uma entidade não analisável que tenha existência independente. É, em essência, um conjunto de relações que se estendem a outras coisas"[11].

Essa mudança de objetos para relações tem implicações de longo alcance para a ciência como um todo. Gregory Bateson argumentou, inclusive, que as relações devem ser usadas como base para *todas* as definições, e que isso deveria ser ensinado às nossas crianças na escola primária[12]. Acreditava que qualquer coisa devia ser definida por suas relações com outras coisas e não pelo que é em si mesma.

Na teoria quântica, o fato de os fenômenos atômicos serem determinados por suas conexões com o todo está intimamente relacionado com o papel fundamental da probabilidade[13]. Na física clássica, a probabilidade é usada sempre que são desconhecidos os detalhes mecânicos envolvidos em um evento. Por exemplo, quando lançamos um dado, poderíamos – em princípio – predizer o resultado se conhecêssemos todos os detalhes dos objetos envolvidos: a composição exata do dado, da superfície em que ele cai, etc. Esses detalhes são chamados variáveis locais, porque residem dentro dos objetos envolvidos. As variáveis locais são importantes também na física atômica e subatômica. Aí, elas são representadas por conexões entre eventos, espacialmente separados, através de sinais – partículas e redes de partículas – que respeitam as leis usuais da separação espacial. Por exemplo, nenhum sinal pode ser transmitido mais rapidamente do que a velocidade da luz. Mas, além dessas conexões locais, existem outras, não locais, que são instantâneas e não podem ser previstas, atualmente, de um modo matemático preciso. Essas conexões não locais constituem a essência da realidade quântica. Cada evento é influenciado pelo universo todo, e, embora não possamos descrever essa influência em detalhe, reconhecemos uma certa ordem que pode ser expressa em termos de leis estatísticas.

Assim, a probabilidade é usada na física clássica e quântica por razões semelhantes. Em ambos os casos existem variáveis "ocultas" que nos são desconhecidas, e essa ignorância impede-nos de fazer predições exatas. Há, no entanto, uma diferença fundamental. Enquanto as variáveis "ocultas" na física clássica são mecanismos locais, na física quântica elas são não locais, são conexões instantâneas com o universo como um todo. No mundo macroscópico comum, as conexões não locais têm, relativamente, pouca importância e, assim, podemos falar de objetos separados e formular as leis da física em termos de certezas. Mas quando passamos para dimensões menores, a influência das conexões não locais torna-se mais forte; nesse caso, as leis da física só podem ser formuladas em termos de probabilidades, ficando cada vez mais difícil separar qualquer parte do universo do seu todo.

Einstein nunca pôde aceitar a existência de conexões não locais e a resultante natureza fundamental da probabilidade. Foi esse o tema do histórico debate na década de 1920 com Bohr, no qual Einstein expressou sua oposição à interpretação de Bohr da teoria quântica na famosa metáfora: "Deus não joga dados"[14]. No final do debate, Einstein teve de admitir que a teoria quântica, tal como Bohr e Heisenberg a interpretaram, formava um sistema coerente de pensamento, mas continuou convencido de que uma interpretação determinista em termos de variáveis ocultas locais seria encontrada mais cedo ou mais tarde no futuro.

A relutância de Einstein em aceitar as consequências da teoria que seu trabalho anterior ajudara a formular é um dos mais fascinantes episódios na história da ciência. A essência de sua discordância em relação a Bohr estava em sua firme crença numa realidade externa, que consistiria em elementos independentes e espacialmente separados. Isso mostra que a filosofia de Einstein era essencialmente cartesiana. Embora ele tivesse iniciado a revolução da ciência no século XX e tivesse ido muito além de Newton com sua teoria da relatividade, parece que Einstein, de algum modo, não era capaz, ele próprio, de ultrapassar Descartes. Esse parentesco entre Einstein e Descartes é ainda mais desconcertante em virtude das tentativas de Einstein, já perto do final de sua vida, de construir uma teoria do campo unificado geometrizando a física, de acordo com os princípios fundamentais de sua teoria geral da relatividade. Se essas tentativas tivessem sido bem-sucedidas, Einstein poderia muito bem ter dito, como Descartes, que toda a sua física nada mais era do que geometria.

Em sua tentativa de mostrar que a interpretação de Bohr da teoria quântica era inconsistente, Einstein imaginou um experimento de pensamento que se tornou conhecido como o experimento Einstein-Podolsky-Rosen (EPR)[15]. Três décadas depois, John Bell formulou um teorema, baseado no experimento EPR, que prova que a existência de variáveis locais ocultas é incompatível com as predições estatísticas da mecânica quântica[16]. O teorema de Bell desferiu um golpe demolidor na posição de Einstein, ao mostrar que a concepção cartesiana da realidade, por consistir em partes separadas, unidas por conexões locais, é incompatível com a teoria quântica.

O experimento EPR fornece um excelente exemplo de uma situação em que um fenômeno quântico se choca com nossa mais profunda intuição da realidade. Portanto, é idealmente adequado para mostrar a diferença entre conceitos clássicos e quânticos. Uma versão simplificada do experimento envolve dois elétrons rotatórios; e, se pretendemos apreender a essência da situação, é necessário entender algumas propriedades do *spin* (movimento rodopiante) do elétron[17]. A imagem clássica de uma bola de tênis em rotação não é inteiramente adequada para descrever uma partícula subatômica em rotação. Num certo sentido, o *spin* da partícula é um movimento de rotação em torno de seu próprio eixo, mas, como sempre ocorre na física subatômica, esse conceito clássico é limitado. No caso de um elétron, o *spin* da partícula está restrito a dois valores: a quantidade de *spin* é sempre a mesma, mas a partícula pode girar numa ou noutra direção, para um dado eixo de rotação. Os físicos denotam frequentemente esses dois valores do *spin* pelos termos "para cima" e "para baixo", supondo-se, neste caso, que o eixo de rotação do elétron seja vertical.

SPIN **PARA CIMA**   *SPIN* **PARA BAIXO**

A propriedade fundamental de um elétron em rotação, que não pode ser entendida em termos de ideias clássicas, reside no fato de que seu eixo de rotação nem sempre pode ser definido com exatidão. Assim como os elétrons mostram tendências para existir em certos lugares, eles também mostram tendências para girar em torno de certos eixos. Entretanto, sempre que se realizar uma medição para qualquer eixo de rotação, verificar-se-á que o elétron gira num ou noutro sentido em torno desse eixo. Em outras palavras, a partícula adquire um eixo definido de rotação no processo de medição, mas, antes de a medição ser feita, não se pode dizer, geralmente, se ela gira em torno de um eixo definido; a partícula possui meramente uma certa tendência, ou potencialidade, para fazê-lo.

Com essa compreensão do *spin* do elétron, podemos examinar agora o experimento EPR e o teorema de Bell. Para organizar o experimento, usa-se qualquer um dentre vários métodos para colocar dois elétrons num estado em que o seu *spin* total é zero, ou seja, em que eles estejam girando em sentidos opostos. Suponha-se agora que, por algum processo que não afeta seus *spins*, as duas partículas desse sistema de *spin* total zero sejam afastadas uma da outra. Ao se distanciarem em sentidos opostos, seu *spin* combinado ainda será zero, e, uma vez separadas por uma grande distância, são medidos os seus *spins* individuais. Um aspecto importante do experimento é o fato de que a distância entre as duas partículas no momento da medição é macroscópica. Ela pode ser arbitrariamente grande; uma partícula pode estar em Los Angeles e a outra em Nova York, ou uma na Terra e a outra na Lua.

Suponha-se agora que o *spin* da partícula 1 é medido num eixo vertical e verifica-se que é "para cima". Como o *spin* combinado das duas partículas é zero, essa medição nos indica que o *spin* da partícula 2 deve ser "para baixo". Do mesmo modo, se preferirmos medir o *spin* da partícula 1 num eixo horizontal e verificarmos que é "para a direita", sabemos que, nesse caso, o *spin* da partícula 2 deve ser "para a esquerda". A teoria quântica nos diz que num sistema de duas partículas com *spin* total zero, os *spins* das partículas em torno de qualquer eixo estarão sempre correlacionados – serão opostos –, muito embora existam somente como tendências, ou potencialidades, antes de a medição ser realizada. Essa correlação significa que a medição do *spin* da partícula 1, em qualquer eixo, fornece uma medição indireta do *spin* da partícula 2, sem perturbar de forma alguma essa partícula.

O aspecto paradoxal do experimento EPR decorre do fato de o observador ter liberdade de escolha do eixo de medição. Uma vez feita essa escolha, a medição transforma em certeza as tendências das partículas para girar em torno de vários eixos. O ponto fundamental é que podemos escolher o nosso eixo de medição no último minuto, quando as partículas já estão bastante distanciadas uma da outra. No instante em que realizarmos nossa medição na partícula 1, a partícula 2, que pode estar a milhares de quilômetros de distância, adquirirá um *spin* definido – "para cima" ou "para baixo", se escolhermos um eixo vertical; "para a esquerda" ou "para a direita", se o eixo escolhido for o horizontal. Como é que a partícula 2 sabe que eixo escolhemos? Não há tempo para ela receber essa informação através de qualquer sinal convencional.

Esse é o ponto crítico do experimento EPR, e foi aí que Einstein discordou de Bohr. Segundo Einstein, como nenhum sinal pode viajar mais rápido que a velocidade da luz, é impossível, portanto, que a medição realizada numa partícula determine instantaneamente o sentido do *spin* da outra partícula, a milhares de quilômetros de distância. De acordo com Bohr, o sistema de duas partículas é um todo indivisível, mesmo que as partículas estejam separadas por uma grande distância; o sistema não pode ser analisado em termos de partes independentes. Em outras palavras, a concepção cartesiana da realidade não pode ser aplicada aos dois elétrons. Mesmo que estejam muito separados no espaço, eles estão, não obstante, ligados por conexões instantâneas, não locais. Essas conexões não são sinais no sentido einsteiniano; elas transcendem nossas noções convencionais de transferência de informação. O teorema de Bell corrobora a interpretação de Bohr das duas partículas como um todo indivisível e prova rigorosamente que o ponto de vista cartesiano de Einstein é incompatível com as leis da teoria quântica. Stapp assim resumiu a situação: "O teorema de Bell prova, com efeito, a profunda verdade de que o mundo ou é fundamentalmente desprovido de leis ou fundamentalmente inseparável"[18].

O papel fundamental das conexões não locais e da probabilidade na física atômica implica uma nova noção de causalidade, suscetível de ter profundas implicações em todos os campos da ciência. A ciência clássica foi construída segundo o método cartesiano, que analisa o mundo em partes e organiza essas partes de acordo com leis causais. O quadro determinista do universo resultante disso estava intimamente relacionado com a imagem da natureza como um mecanismo de relógio. Na física atômica, tal quadro mecânico e determinista deixou de ser possível. A teoria quântica mostrou-nos que o mundo não pode ser analisado a partir de elementos isolados, independentes. A noção de partes separadas – como átomos, ou partículas subatômicas – é uma idealização com validade somente aproximada; essas partes não estão ligadas por leis causais na acepção clássica.

Na teoria quântica, eventos individuais nem sempre têm uma causa bem definida. Por exemplo, o salto de um elétron de uma órbita atômica para outra ou a desintegração de uma partícula subatômica podem ocorrer espontaneamente sem terem sido causados por qualquer evento. Nunca podemos predizer quando e como tal fenômeno vai acontecer; apenas podemos predizer sua probabilidade. Isso não significa que eventos atômicos aconteçam de um modo completamente arbitrário; significa apenas que não são devidos a causas locais. O comportamento de qualquer parte é determinado por suas conexões não locais com o todo, e como não conhecemos precisamente essas conexões, temos que substituir a estreita noção clássica de causa e efeito por um conceito mais amplo, o de causalidade estatística. As leis da física atômica são leis estatísticas, de acordo com as quais as probabilidades de eventos atômicos são determinadas pela dinâmica de todo o sistema. Enquanto, na mecânica clássica, as propriedades e o comportamento das partes determinam as propriedades e o comportamento do todo, a situação na mecânica quântica é inversa: é o todo que determina o comportamento das partes.

Os conceitos de não localidade e causalidade estatística implicam muito claramente que a estrutura da matéria não é mecânica. Por isso, a expressão "mecânica quântica" é uma denominação imprópria, como David Bohm sublinhou[19]. Em seu compêndio de 1951 sobre a teoria quântica, Bohm ofereceu algumas interessantes especulações sobre as analogias entre processos quânticos e processos de pensamento[20], levando, assim, mais longe a célebre declaração feita por James Jeans duas décadas antes: "Hoje, existe uma ampla medida de concordância [...] em que a corrente do conhecimento avança na direção de uma realidade não mecânica; o universo começa a se parecer mais com um grande pensamento do que com uma grande máquina"[21].

As semelhanças evidentes entre a estrutura da matéria e a estrutura da mente não nos devem surpreender muito, uma vez que a consciência humana desempenha um papel fundamental no processo de observação e, na física atômica, ela determina, em grande medida, as propriedades dos fenômenos observados. Esse é outro importante *insight* da teoria quântica, suscetível de ter consequências de longo alcance. Na física atômica, os fenômenos observados só podem ser entendidos como correlações entre vários processos de observação e medição, e o fim dessa cadeia de processos reside sempre na consciência do observador humano. A característica fundamental da teoria quântica é que o observador é imprescindível não só para que as propriedades de um fenômeno atômico sejam observadas, mas também para ocasionar essas propriedades. Minha decisão consciente acerca de como observar, digamos, um elétron determinará, em certa medida, as propriedades do elétron. Se formulo uma pergunta sobre a partícula, ele me dá uma resposta sobre a partícula; se faço uma pergunta sobre a onda, ele me dá uma resposta sobre a onda. O elétron *não possui* propriedades objetivas independentes da minha mente. Na física atômica, não pode mais ser mantida a nítida divisão cartesiana entre matéria e mente, entre o observado e o observador. Nunca podemos falar da natureza sem, ao mesmo tempo, falarmos sobre nós mesmos.

Ao transcender a divisão cartesiana, a física moderna não só invalidou o ideal clássico de uma descrição objetiva da natureza, mas também desafiou o mito da ciência isenta de valores. Os modelos que os cientistas observam na natureza estão intimamente relacionados com os modelos de sua mente – com seus conceitos, pensamentos e valores. Assim, os resultados científicos que eles obtêm e as aplicações tecnológicas que investigam serão condicionados por sua estrutura mental. Embora muitas de suas detalhadas pesquisas não dependam explicitamente do seu sistema de valores, o paradigma maior dentro do qual essas pesquisas são levadas a efeito nunca está isento de valores. Portanto, os cientistas são responsáveis por suas pesquisas, intelectual e moralmente. Essa responsabilidade tornou-se uma importante questão em muitas das ciências de hoje, mas especialmente na física, na qual os resultados da mecânica quântica e da teoria da relatividade abriram dois caminhos muito diferentes para serem explorados pelos físicos. Eles podem levar-nos – para expressá-lo em termos extremos – a Buda ou à Bomba, e cabe a cada um de nós escolher o caminho a seguir.

A concepção do universo como uma rede interligada de relações é um dos dois temas tratados com maior frequência na física moderna. O outro tema é a compreensão de que a rede cósmica é intrinsecamente dinâmica. O aspecto dinâmico da matéria manifesta-se na teoria quântica como consequência da natureza ondulatória das partículas subatômicas, e é ainda mais central na teoria da relatividade, a qual nos mostrou que o ser da matéria não pode ser separado de sua atividade. As propriedades de seus modelos básicos, as partículas subatômicas, só podem ser entendidas num contexto dinâmico, em termos de movimento, interação e transformação.

Pelo fato de as partículas não serem entidades isoladas, mas modelos de probabilidade semelhantes a ondas, elas se comportam de um modo muito peculiar. Sempre que uma partícula subatômica está confinada a uma pequena região do espaço, ela reage a esse confinamento, movendo-se por toda a região. Quanto menor for a região de confinamento, mais rapidamente a partícula se "agitará" nela. Esse comportamento é um típico "efeito quântico", uma característica do mundo subatômico que não tem analogia na física macroscópica: quanto mais confinada estiver uma partícula, mais rapidamente ela se movimentará[22]. Essa tendência das partículas a reagirem ao confinamento com movimento implica um "estado de agitação" fundamental da matéria que é característico do mundo subatômico. Nesse mundo, a maioria das partículas materiais *está* confinada; elas estão presas às estruturas molecular, atômica e nuclear; não estão, portanto, em repouso, mas possuem uma tendência inerente para se movimentar. De acordo com a teoria quântica, a matéria está sempre se agitando, nunca está imóvel. Na medida em que as coisas podem ser descritas como sendo feitas de componentes menores – moléculas, átomos e partículas –, esses componentes encontram-se em um estado de contínuo movimento. Macroscopicamente, os objetos materiais que nos cercam podem parecer passivos e inertes; porém, quando ampliamos um pedaço "morto" de pedra ou metal, podemos ver que nele há grande atividade. Quanto mais de perto o observarmos, mais vivo se apresenta. Todos os objetos materiais em nosso meio ambiente são feitos de átomos que se interligam de várias maneiras para formar uma enorme variedade de estruturas moleculares, as quais não são rígidas e inertes, mas vibram de acordo com sua temperatura e em harmonia com as vibrações térmicas de seu meio ambiente. Dentro dos átomos vibrantes, os elétrons estão ligados aos núcleos atômicos por forças elétricas que tentam mantê-los, tanto quanto possível, próximos uns dos outros, e eles respondem a esse confinamento turbilhonando de forma extremamente rápida. Nos núcleos, finalmente, os prótons e os nêutrons são comprimidos pelas poderosas forças nucleares até constituírem um minúsculo volume, correndo, por conseguinte, de um lado para outro a velocidades inimagináveis.

Assim, a física moderna representa a matéria não como inerte e passiva, mas num estado de contínuo movimento dançante e vibratório, cujos modelos rítmicos são determinados pelas configurações moleculares, atômicas e nucleares. Acabamos por compreender que não existem estruturas estáticas na natureza. Existe estabilidade, mas essa estabilidade é a do equilíbrio dinâmico, e quanto mais penetramos na matéria, mais precisamos entender sua natureza dinâmica, a fim de compreender seus modelos.

Nessa penetração no mundo de dimensões submicroscópicas, um ponto decisivo é atingido no estudo de núcleos atômicos, nos quais as velocidades de prótons e nêutrons são frequentemente tão altas que se aproximam da velocidade da luz. Esse fato é crucial para a descrição de suas interações, pois qualquer descrição de fenômenos naturais que envolvem essas altas velocidades deve levar em conta a teoria da relatividade. A fim de compreender as propriedades e interações de partículas subatômicas, necessitamos de uma estrutura conceitual que incorpore não só a teoria quântica, mas também a teoria da relatividade; e é a teoria da relatividade que revela a natureza dinâmica da matéria em toda a sua extensão.

A teoria da relatividade de Einstein provocou uma drástica mudança em nossos conceitos de espaço e tempo. Obrigou-nos a abandonar as ideias clássicas de um espaço absoluto como palco dos fenômenos físicos e de um tempo absoluto como dimensão separada do espaço. De acordo com a teoria de Einstein, espaço e tempo são conceitos relativos, reduzidos ao papel subjetivo de elementos da linguagem que um determinado observador usa para descrever fenômenos naturais. Para fornecer uma descrição precisa de fenômenos que envolvem velocidades próximas da velocidade da luz, temos que recorrer a uma estrutura "relativística" que incorpore o tempo às três coordenadas espaciais, fazendo dele uma quarta coordenada a ser especificada em relação ao observador. Em tal estrutura, espaço e tempo estão íntima e inseparavelmente ligados e formam um *continuum* quadridimensional chamado "espaço-tempo". Na física relativística, nunca se pode falar de espaço sem falar de tempo, e vice-versa.

Os físicos de hoje vêm convivendo já há muitos anos com a teoria da relatividade e estão inteiramente familiarizados com seu formalismo matemático. Não obstante, isso não veio contribuir para nossa intuição. Não temos uma experiência sensorial direta do espaço-tempo quadridimensional, e sempre que essa realidade relativística se manifesta – isto é, em todas as situações em que altas velocidades estão envolvidas – temos grande dificuldade em lidar com ela no nível da intuição e da linguagem comum. Um exemplo extremo de tal situação ocorre na eletrodinâmica quântica, uma das mais bem-sucedidas teorias relativísticas da física das partículas, em que as antipartículas podem ser interpretadas como partículas que retrocedem no tempo. De acordo com essa teoria, a mesma expressão matemática descreve um pósitron – a antipartícula do elétron – movendo-se do passado para o futuro, ou um elétron movendo-se do futuro para o passado. As interações das partículas podem estender-se em qualquer direção do espaço-tempo quadridimensional, deslocando-se para trás e para a frente no tempo, tal como se movimentam para a esquerda e para a direita no espaço. Para descrever essas interações necessitamos de mapas quadridimensionais que abranjam toda a extensão do tempo, assim como toda a região do espaço. Esses mapas, conhecidos como diagramas espaço-tempo, não incluem uma direção definida do tempo. Por conseguinte, não há "antes" e "depois" nos processos que descrevem e, assim, nenhuma relação linear de causa e efeito. Todos os eventos estão interligados, mas as conexões não são causais no sentido clássico.

Matematicamente não existem problemas nessa interpretação das interações de partículas, mas quando queremos expressá-la em linguagem comum, defrontamo-nos com sérias dificuldades, uma vez que todas as nossas palavras se referem às noções convencionais de tempo e são inadequadas para descrever fenômenos relativísticos. Assim, a teoria da relatividade ensinou-nos a mesma lição que a mecânica quântica. Mostrou-nos que nossas noções comuns de realidade estão limitadas à nossa experiência comum do mundo físico e que elas têm de ser abandonadas sempre que ampliamos essa experiência.

Os conceitos de espaço e tempo são tão básicos para nossa descrição dos fenômenos naturais que sua modificação radical na teoria da relatividade acarretou uma modificação de todos os conceitos que usamos em física para descrever a natureza. A mais importante consequência da nova estrutura relativística foi a compreensão de que a massa nada mais é senão uma forma de energia. Mesmo um objeto em repouso tem energia armazenada em sua massa, e a relação entre as duas é dada pela famosa equação de Einstein, $E = mc^2$, sendo "c" a velocidade da luz.

Uma vez aceita como uma forma de energia, deixa de se requerer que a massa seja indestrutível, já que pode ser transformada em outras formas de energia. Isso acontece continuamente nos processos de colisão de alta energia, em física, nos quais partículas materiais são criadas e destruídas, sendo suas massas transformadas em energia de movimento e vice-versa. As colisões de partículas subatômicas constituem nosso principal instrumento para estudar suas propriedades, e a relação entre massa e energia é essencial para sua descrição. A equivalência de massa e energia tem sido verificada inúmeras vezes, e os físicos estão completamente familiarizados com ela – tão familiarizados, de fato, que eles medem a massa das partículas nas unidades correspondentes de energia.

A descoberta de que a massa é uma forma de energia teve uma profunda influência em nossa representação da matéria e forçou-nos a modificar nosso conceito de partícula de um modo essencial. Na física moderna, a massa deixou de estar associada a uma substância material; por conseguinte, não se considera que as partículas consistam em qualquer "substância" básica; elas são vistas como feixes de energia. Entretanto, a energia está associada à atividade, a processos, o que implica que a natureza das partículas subatômicas é intrinsecamente dinâmica. Para entender isso melhor, cumpre recordar que essas partículas só podem ser concebidas em termos relativísticos, isto é, em termos de uma estrutura conceitual em que espaço e tempo estão fundidos num *continuum* quadridimensional. Nessa estrutura, as partículas já não podem ser representadas como pequenas bolas de bilhar ou pequenos grãos de areia. Tais imagens são inadequadas, não só porque representam as partículas como objetos separados, mas também porque são imagens estáticas, tridimensionais. As partículas subatômicas devem ser concebidas como entidades quadridimensionais no espaço-tempo. Suas formas têm que ser entendidas dinamicamente, como formas no espaço e no tempo. As partículas são padrões dinâmicos, padrões de atividade que possuem um aspecto espacial e um aspecto temporal. O aspecto espacial faz com que elas se apresentem como objetos com uma certa massa, o aspecto temporal, como processos que envolvem a energia equivalente. Assim, o ser da matéria e sua atividade não podem ser separados; são apenas aspectos diferentes da mesma realidade espaço-tempo.

A concepção relativística da matéria afetou drasticamente tanto nossa concepção de partículas como nossa representação das forças entre essas partículas. Numa descrição relativística de interações de partículas, as forças entre elas – sua mútua atração ou repulsão – são apresentadas como a troca de outras partículas. Esse conceito é muito difícil de visualizar, mas é necessário para se entender os fenômenos subatômicos. Liga as forças entre constituintes da matéria às propriedades de outros constituintes da matéria e, assim, unifica os dois conceitos, força e matéria, que pareciam tão fundamentalmente diferentes na física newtoniana. Força e matéria são vistas agora como tendo sua origem comum nos modelos dinâmicos a que chamamos partículas. Esses modelos de energia do mundo subatômico formam as estruturas nucleares, atômicas e moleculares estáveis que constroem a matéria e lhe conferem seu sólido aspecto macroscópico, fazendo-nos por isso acreditar que ela é feita de alguma substância material. Em nível macroscópico, essa noção de substância é uma útil aproximação, mas no nível atômico deixa de ter qualquer sentido. Os átomos consistem em partículas, e essas partículas não são feitas de qualquer substância material. Quando as observamos, nunca vemos qualquer substância; o que vemos são modelos dinâmicos que se convertem continuamente uns nos outros – a contínua dança da energia.

As duas teorias básicas da física moderna transcenderam, pois, os principais aspectos da visão de mundo cartesiana e da física newtoniana. A teoria quântica mostrou que as partículas subatômicas não são grãos isolados de matéria, mas modelos de probabilidade, interconexões numa inseparável teia cósmica que inclui o observador humano e sua* consciência. A teoria da relatividade fez com que a teia cósmica adquirisse vida, por assim dizer, ao revelar seu caráter intrinsecamente dinâmico, ao mostrar que sua atividade é a própria essência de seu ser. Na física moderna, a imagem do universo como uma máquina foi transcendida por uma visão dele como um todo dinâmico e indivisível, cujas partes estão essencialmente inter-relacionadas e só podem ser entendidas como modelos de um processo cósmico. No nível subatômico, as inter-relações e interações entre as partes do todo são mais fundamentais do que as próprias partes. Há movimento, mas não existem, em última análise, objetos moventes; há atividade, mas não existem atores; não há dançarinos, somente a dança.

A atual pesquisa em física almeja unificar a mecânica quântica e a teoria da relatividade, para que formem uma teoria completa das partículas subatômicas. Embora ainda não tenhamos sido capazes de formular essa teoria completa, possuímos numerosas teorias parciais, ou modelos, que descrevem muito bem certos aspectos dos fenômenos subatômicos. Existem atualmente duas diferentes espécies de teorias "quântico-relativísticas" na física das partículas, que foram bem-sucedidas em diferentes áreas. A primeira espécie é constituída por um grupo de teorias quânticas de campo que se aplicam às interações eletromagnéticas e fracas; a segunda é conhecida como a teoria da matriz S, que tem sido bem-sucedida na descrição das interações fortes[23]. Dessas duas abordagens, a teoria da matriz S é mais importante para o tema deste livro, uma vez que se reveste de profundas implicações para a ciência como um todo[24].

A base filosófica da teoria da matriz S é conhecida como abordagem *bootstrap***. Geoffrey Chew a propôs no começo da década de 1960, e ele e outros

---

* O pronome feminino [em inglês, *"her" consciousness*] é usado aqui como referência geral a uma pessoa que tanto pode ser mulher como homem. Do mesmo modo, usarei ocasionalmente o pronome masculino como referência geral, incluindo homens e mulheres. Penso ser essa a melhor maneira de evitar ser sexista ou deselegante. (N. do A.)

** Usado metaforicamente, como na expressão *"lift oneself by one's own bootstraps"* (levantar-se puxando pelas alças das próprias botas), ou seja, usando de seus próprios recursos. (N. do E.)

físicos usaram-na para desenvolver uma teoria abrangente das partículas em interação forte, em conjunto com uma filosofia mais geral da natureza. Segundo essa filosofia *bootstrap*, a natureza não pode ser reduzida a entidades fundamentais, como elementos fundamentais da matéria, mas tem de ser inteiramente entendida através da autocoerência. A física tem que submeter-se, toda ela, unicamente à exigência de que todos os seus componentes sejam mutuamente coerentes – e coerentes consigo mesmos. Essa ideia constitui um afastamento radical do espírito tradicional da pesquisa básica em física, que sempre esteve inclinada a tentar descobrir os componentes fundamentais da matéria. Ao mesmo tempo, é a culminação da concepção do mundo material como uma teia interligada de relações, que resultou da teoria quântica. A filosofia *bootstrap* não só abandona a ideia de constituintes fundamentais da matéria, como também não aceita quaisquer espécies de entidades fundamentais – nenhuma constante, lei ou equação fundamental. O universo é visto como uma teia dinâmica de eventos inter-relacionados. Nenhuma das propriedades de qualquer parte dessa teia é fundamental; todas elas decorrem das propriedades das outras partes do todo, e a coerência total de suas inter-relações determina a estrutura da teia.

O fato de a abordagem *bootstrap* não aceitar quaisquer entidades fundamentais torna-a, em minha opinião, um dos mais profundos sistemas de pensamento ocidental, o que a eleva ao nível da filosofia budista ou taoista[25]. Ao mesmo tempo, é uma abordagem muito difícil para a física, e tem sido explorada apenas por uma pequena minoria de físicos. A filosofia *bootstrap* é estranha demais para o pensamento tradicional; por isso, não pode, por enquanto, ser seriamente apreciada, como acontece, também, com a teoria da matriz S. É curioso que nem um só prêmio Nobel tenha sido, até hoje, conferido a qualquer um dos notáveis físicos que contribuíram para o desenvolvimento da teoria da matriz S nas duas últimas décadas, já que os conceitos básicos da teoria são usados por todos os físicos de partículas, sempre que analisam os resultados de colisões de partículas e os comparam com suas predições teóricas.

No âmbito da teoria da matriz S, a abordagem *bootstrap* tenta derivar todas as propriedades das partículas e suas interações unicamente do requisito de autocoerência. As únicas leis "fundamentais" aceitas são uns poucos princípios muito gerais requeridos pelos métodos de observação e que são partes essenciais da estrutura científica. Espera-se que todos os outros aspectos da física das partículas surjam como consequência necessária da autocoerência. Se esta abordagem puder ser levada adiante com sucesso, as implicações filosóficas serão profundas. O fato de que todas as propriedades das partículas sejam determinadas por princípios estreitamente relacionados com os métodos de observação significaria que as estruturas básicas do mundo material são determinadas, em última instância, pelo modo como observamos esse mundo; e que os modelos da matéria são reflexos de modelos da mente.

Os fenômenos do mundo subatômico são tão complexos que não se pode ter certeza de que ainda venha a ser construída uma teoria completa e consistente, mas podemos considerar uma série de modelos parcialmente bem-sucedidos de menor âmbito. Cada um deles teria a finalidade de cobrir apenas uma parte dos fenômenos observados e conteria alguns aspectos, ou parâmetros, inexplicados, mas os parâmetros de um modelo poderiam ser explicados por um outro. Assim, um número cada vez maior de fenômenos poderia ser gradualmente coberto, com crescente precisão, por um mosaico de modelos engrenados entre si cujo número efetivo de parâmetros inexplicados desceria continuamente. O termo "*bootstrap*" não é, pois, apropriado para qualquer modelo individual, podendo ser aplicado apenas a uma combinação de modelos mutuamente coerentes, nenhum dos quais é mais fundamental do que os outros. Chew explica sucintamente: "Um físico que seja capaz de considerar qualquer número de diferentes modelos parcialmente bem-sucedidos sem favoritismo é automaticamente um *bootstrapper*"[26].

O progresso na teoria da matriz S foi constante, mas lento, até que várias conquistas importantes em anos recentes resultaram num avanço de grande envergadura, que tornou muito provável que o programa *bootstrap* para as interações fortes venha a ser completado em futuro próximo, e que possa também ser estendido com êxito às interações eletromagnéticas e fracas[27]. Esses resultados geraram grande entusiasmo entre os teóricos da matriz S, e é possível que forcem o resto da comunidade dos físicos a reavaliar suas atitudes em relação à abordagem *bootstrap*.

O elemento-chave da nova teoria *bootstrap* das partículas subatômicas é a noção de ordem como um novo e importante aspecto da física das partículas. Ordem, neste contexto, significa ordem no estado de interligação dos processos subatômicos. Como os eventos subatômicos podem interligar-se de várias maneiras, é possível definir várias categorias de ordem. A linguagem da topologia – bem conhecida pelos matemáticos, mas nunca aplicada antes à física das partículas – é usada para classificar essas categorias de ordem. Quando esse conceito de ordem é incorporado ao quadro matemático da teoria da matriz S, resulta que apenas algumas categorias especiais de relações ordenadas são consistentes. Os modelos de interações de partículas resultantes são precisamente os observados na natureza.

O quadro de partículas subatômicas que resulta da teoria *bootstrap* pode ser resumido nesta provocante frase: "Cada partícula consiste em todas as outras partículas". Não se deve imaginar, porém, que cada uma delas contenha todas as outras num sentido clássico, estático. As partículas subatômicas não são entidades separadas, são padrões interligados de energia num contínuo processo dinâmico. Esses padrões não se "contêm" uns aos outros; em vez disso "envolvem-se mutuamente de um modo a que pode ser dado um significado matemático preciso, mas que não pode ser facilmente expresso em palavras.

O surgimento da ordem como um conceito novo e central na física das partículas levou a um importante avanço na teoria da matriz S, e poderá revestir-se de grandes implicações para a ciência como um todo. O significado de ordem na física subatômica ainda é obscuro, e ainda não se sabe exatamente até que ponto poderá ser incorporado ao âmbito da matriz S, mas é curioso o fato de nos recordar que a noção de ordem desempenha um papel básico no enfoque científico da realidade e constitui um aspecto fundamental de todos os métodos de observação. A capacidade de reconhecimento da ordem parece ser um aspecto essencial da mente; toda e qualquer percepção de um modelo é, num certo sentido, uma percepção de ordem. O esclarecimento do conceito de ordem promete abrir fascinantes fronteiras de conhecimento num campo de pesquisa em que os modelos de matéria e os da mente estão sendo cada vez mais reconhecidos como reflexos recíprocos.

Novas extensões da abordagem *bootstrap* na física subatômica terão finalmente que ir além do atual âmbito da teoria da matriz S, desenvolvida especificamente para descrever as interações fortes. Para ampliar o programa *bootstrap* terá que ser encontrada uma estrutura mais geral, na qual alguns dos conceitos que são hoje aceitos sem explicação terão que ser "*bootstrapped*", derivados da autocoerência geral. Neles podemos incluir nossa concepção de espaço-tempo macroscópico e, talvez, até nossa concepção de consciência humana. O uso crescente da abordagem *bootstrap* abre a possibilidade sem precedentes de sermos forçados a incluir o estudo da consciência humana, explicitamente, em futuras teorias da matéria. A questão da consciência já foi suscitada na teoria quântica em relação ao problema da observação e medição, mas a formulação pragmática da teoria que os cientistas usam em suas pesquisas não se refere explicitamente à consciência. Alguns físicos argumentam que a consciência pode ser um aspecto essencial do universo e que poderá haver obstáculos a um conhecimento mais amplo dos fenômenos naturais, se insistirmos em excluí-la.

Existem hoje, em física, duas abordagens, que se avizinham muito de um tratamento explícito da consciência. Uma envolve a noção de ordem na teoria da matriz S de Chew; a outra é uma teoria desenvolvida por David Bohm, que propõe uma abordagem muito mais geral e ambiciosa[28]. O ponto de partida de Bohm é a noção de "totalidade ininterrupta", e seu objetivo é explorar a ordem que ele acredita ser inerente à teia cósmica de relações em um nível mais profundo, "não manifesto". Ele chama essa ordem de "implicada" ou "envolvida", e descreve-a em analogia com um holograma, em que cada parte, num certo sentido, contém o todo[29]. Se qualquer parte de um holograma é iluminada, toda a imagem será reconstruída, embora mostre menos detalhes do que a imagem obtida do holograma completo. Na opinião de Bohm, o mundo real está estruturado de acordo com os mesmos princípios gerais, estando o todo "envolvido" em cada uma de suas partes.

Bohm está cônscio de que o holograma é demasiado estático para ser usado como modelo científico para a ordem implicada no nível subatômico. Para expressar a natureza essencialmente dinâmica da realidade nesse nível, ele criou o termo "holomovimento". De acordo com seu ponto de vista, o holomovimento é um fenômeno dinâmico do qual fluem todas as formas do universo material. A finalidade dessa abordagem é estudar a ordem envolvida nesse holomovimento, lidando não com a estrutura dos objetos, mas com a estrutura do movimento, levando assim em consideração tanto a unidade quanto a natureza dinâmica do universo. A fim de se entender a ordem "implicada", Bohm achou necessário considerar a consciência uma característica essencial do holomovimento e levá-la explicitamente em conta na sua teoria. Ele vê a mente e a matéria como sendo interdependentes e correlacionadas, mas não causalmente ligadas. São projeções mutuamente envolventes de uma realidade superior que não é matéria nem consciência.

A teoria de Bohm ainda é conjectural, mas parece haver um intrigante parentesco, mesmo nesse estágio preliminar, entre a sua teoria da ordem implicada e a teoria da matriz de Chew. Ambas as abordagens se baseiam numa visão do mundo como uma teia dinâmica de relações; ambas atribuem um papel central à noção de ordem; ambas usam matrizes para representar mudança e transformação, e a topologia para classificar categorias de ordem. Finalmente, ambas as teorias reconhecem que a consciência pode muito bem ser um aspecto essencial do universo que terá de ser incluído numa futura teoria dos fenômenos físicos. Essa futura teoria poderá surgir da fusão das teorias de Bohm e Chew, as quais representam duas das mais imaginativas e filosoficamente profundas abordagens contemporâneas da realidade física.

A apresentação da física moderna neste capítulo foi influenciada por minhas convicções e escolhas pessoais. Enfatizei certos conceitos e teorias que ainda não são aceitos pela maioria dos físicos, mas que considero filosoficamente significativos, de grande importância para as outras ciências e para nossa cultura como um todo. Entretanto, todos os físicos contemporâneos aceitarão o tema principal dessa apresentação: o de que a física moderna transcendeu a visão cartesiana mecanicista do mundo e está nos conduzindo para uma concepção holística e intrinsecamente dinâmica do universo.

Essa visão de mundo da física moderna é uma visão sistêmica, e é compatível com as abordagens sistêmicas que estão agora surgindo em outros campos, embora os fenômenos estudados por essas disciplinas sejam, de modo geral, de uma natureza diferente e requeiram conceitos diferentes. Ao transcendermos a metáfora do mundo como uma máquina, também abandonamos a ideia de que a física é a base de toda a ciência. De acordo com as visões sistêmicas ou *bootstrap* do mundo, conceitos diferentes, mas mutuamente coerentes, podem ser usados para descrever diferentes, aspectos e níveis da realidade, sem que seja necessário reduzir os fenômenos de qualquer nível ao de um outro.

Antes de descrevermos a estrutura conceitual para tal abordagem holística, multidisciplinar, da realidade, talvez seja proveitoso vermos como as outras ciências adotaram a visão cartesiana de mundo e tomaram a física clássica como modelo ao formular seus conceitos e teorias. Podemos também trazer à luz as limitações do paradigma cartesiano nas ciências naturais e sociais; essa exposição visa ajudar cientistas e não cientistas a mudarem sua filosofia, a fim de participarem da atual transformação cultural.

III
A influência do pensamento cartesiano-newtoniano

4. A concepção mecanicista da vida

Enquanto a nova física se desenvolvia no século XX, a visão de mundo cartesiana e os princípios da física newtoniana mantinham sua forte influência sobre o pensamento científico ocidental, e ainda hoje muitos cientistas aderem ao paradigma mecanicista, embora os próprios físicos o tenham superado.

Entretanto, a nova concepção do universo que emergiu da física moderna não significa que a física newtoniana esteja errada ou que a teoria quântica ou a teoria da relatividade estejam certas. A ciência moderna tomou consciência de que todas as teorias científicas são aproximações da verdadeira natureza da realidade, e de que cada teoria é válida em relação a uma certa gama de fenômenos. Para além dessa gama, ela deixa de fornecer uma descrição satisfatória da natureza, e novas teorias têm que ser encontradas para substituir a antiga ou, melhor dizendo, para ampliá-la, aperfeiçoando a abordagem. Assim, os cientistas constroem uma sequência de teorias limitadas e aproximadas, ou "modelos", cada uma mais precisa que a anterior, embora nenhuma represente uma descrição completa e final dos fenômenos naturais. Louis Pasteur expressou-se maravilhosamente a esse respeito: "A ciência avança através de respostas provisórias, conjeturais, em direção a uma série cada vez mais sutil de perguntas que penetram cada vez mais fundo na essência dos fenômenos naturais"[1].

Coloca-se, portanto, a seguinte pergunta: Até que ponto o modelo newtoniano é uma boa abordagem, que sirva de base para as várias ciências, e onde estão os limites da visão de mundo cartesiana nesses campos? Na física, o paradigma mecanicista teve que ser abandonado no nível do muito pequeno (na física atômica e subatômica) e no nível do muito grande (na astrofísica e na cosmologia). Em outros campos, as limitações podem ser de diferentes espécies; elas não precisam estar ligadas às dimensões dos fenômenos a serem descritos. Preocupamo-nos menos com a aplicação da física newtoniana a outros fenômenos que com a aplicação da visão de mundo mecanicista em que se baseia a física newtoniana. Cada ciência terá que descobrir necessariamente as limitações dessa visão de mundo no respectivo contexto.

Em biologia, a concepção cartesiana dos organismos vivos como se fossem máquinas, constituídas de partes separadas, ainda é a base da estrutura conceitual dominante. Embora a biologia mecanicista de Descartes não tenha ido muito longe, por ser bastante simples, tendo por isso sofrido consideráveis modificações nos últimos trezentos anos, a crença no fato de que todos os aspectos dos organismos vivos podem ser entendidos se reduzidos aos seus menores constituintes, e estudando-se os mecanismos através dos quais eles interagem, está na própria base do pensamento biológico contemporâneo. Este trecho de um compêndio corrente de biologia moderna é uma clara expressão do credo reducionista: "Um dos testes decisivos da compreensão de um objeto é a possibilidade de reuni-lo a partir de suas partes componentes. Em última instância, os biólogos moleculares, ao sintetizarem uma célula, tentarão submeter sua compreensão da estrutura e da função da célula a esse tipo de prova"[2].

Embora a abordagem reducionista tenha sido extremamente bem-sucedida no campo da biologia, culminando na compreensão da natureza química dos genes, nas unidades básicas da hereditariedade, e na revelação do código genético, ela tem, não obstante, sérias limitações. O eminente biólogo Paul Weiss observou:

> Podemos afirmar definitivamente... com base em investigações estritamente empíricas, que a pura e simples inversão de nossa anterior dissecação analítica do universo, procedendo-se à reunião de todas as suas peças, seja na realidade ou apenas em nossa mente, não pode levar a uma explicação completa do comportamento nem sequer do mais elementar sistema vivo[3].

Isso é o que a maioria dos biólogos contemporâneos acha difícil admitir. Empolgados pelos êxitos do método reducionista, com especial destaque, recentemente, no campo da engenharia genética, eles tendem a acreditar que esse é o único enfoque válido, e organizaram a pesquisa biológica de acordo com ele. Os estudantes não são encorajados a desenvolver conceitos integrativos, e as instituições de pesquisa dirigem suas verbas quase exclusivamente para a solução de problemas formulados no âmbito dos conceitos cartesianos. Os fenômenos biológicos que não podem ser explicados em termos reducionistas são considerados indignos de investigação científica. Por conseguinte, os biólogos desenvolveram métodos muito curiosos para lidar com os organismos vivos. Como sublinhou o eminente biólogo e ecologista humano René Dubos, eles usualmente se sentem muito à vontade quando a coisa que estão estudando já não vive[4].

Não é fácil determinar as limitações precisas da abordagem cartesiana no estudo de organismos vivos. A maioria dos biólogos, sendo fervorosos reducionistas, não está sequer interessada em discutir essa questão; só depois de muito tempo e de considerável esforço descobri onde é que o modelo cartesiano falha[5]. Os problemas que os biólogos não podem resolver hoje, ao que parece em virtude de sua abordagem estreita e fragmentada, estão todos relacionados com a função dos sistemas vivos como totalidade e com suas interações com o meio ambiente. Por exemplo, a ação integrativa do sistema nervoso continua sendo um profundo mistério. Embora os neurocientistas tenham podido esclarecer muitos aspectos do funcionamento do cérebro, eles ainda não entendem como os neurônios* operam conjuntamente – como eles se integram ao funcionamento de todo o sistema. De fato, tal pergunta dificilmente terá sido alguma vez formulada. Os biólogos se empenham na dissecação do corpo humano até seus componentes mais íntimos; ao fazê-lo, reúnem uma quantidade impressionante de conhecimentos acerca de seus mecanismos celulares e moleculares, mas ainda não sabem como respiramos, como regulamos a temperatura de nosso corpo, digerimos ou concentramos a atenção. Eles conhecem algo sobre os circuitos nervosos, mas a maioria das ações integrativas ainda está para ser entendida. O mesmo acontece com respeito à cura de ferimentos, e a natureza e os percursos da dor também permanecem, em grande parte, misteriosos.

Um caso marcante de atividade integrativa que tem fascinado os cientistas ao longo dos tempos, mas que até agora tem frustrado todas as explicações, é o fenômeno da embriogênese – a formação e o desenvolvimento do embrião –; ela envolve uma série ordenada de processos através dos quais as células se especializam para formar os diferentes tecidos e órgãos do corpo humano. A interação de cada célula com seu meio ambiente é fundamental nesses processos, sendo o fenômeno um resultado da atividade coordenadora integral do organismo todo – um processo excessivamente complexo para prestar-se à análise reducionista. Assim, a embriogênese é considerada um tópico sumamente interessante, mas desestimulante, para a pesquisa biológica. Um tópico que não compensa.

A razão pela qual a maioria dos biólogos não se preocupa com as limitações da abordagem reducionista é compreensível. O método cartesiano produziu progressos espetaculares em certas áreas e continua gerando resultados excitantes. O fato de ser inadequado para resolver outros problemas fez com que estes fossem

---

* Os neurônios são células nervosas capazes de receber e transmitir impulsos nervosos. (N. do A.)

negligenciados, quando não francamente rechaçados, muito embora as proporções do campo como um todo estejam, por isso, seriamente distorcidas.

De que modo, portanto, essa situação poderá mudar? Acredito que a mudança virá através da medicina. As funções de um organismo vivo que não se prestam a uma descrição reducionista – aquelas que representam as atividades integrativas do organismo e suas interações com o meio ambiente – são precisamente as funções fundamentais para a saúde do organismo. Como a medicina ocidental adotou a abordagem reducionista da biologia moderna, aderindo à divisão cartesiana e negligenciando o tratamento do paciente como uma pessoa total, os médicos acham-se hoje incapazes de entender, ou de curar, muitas das mais importantes doenças atuais. Há um consenso crescente entre eles de que muitos dos problemas com que nosso sistema médico se defronta provêm do modelo reducionista do organismo humano em que esse sistema se baseia. Isso é reconhecido por médicos e, sobretudo, por enfermeiras e outros profissionais da saúde, e pelo público em geral. Já se exerce considerável pressão sobre os médicos para que ultrapassem os exíguos conceitos mecanicistas da medicina contemporânea e desenvolvam um enfoque mais amplo, holístico, da saúde.

Transcender o modelo cartesiano corresponderá a uma importante revolução na ciência médica, e, como a pesquisa médica corrente está intimamente ligada à pesquisa em biologia – tanto conceitualmente quanto em sua organização –, tal revolução está fadada a ter um forte impacto no desenvolvimento futuro da biologia. Para sabermos aonde esse desenvolvimento pode levar, é útil recapitular a evolução do modelo cartesiano na história da biologia. Tal perspectiva histórica também mostra que a associação da biologia com a medicina não é algo novo, mas remonta aos tempos antigos e foi um importante fator ao longo de toda a sua história[6].

Dois notáveis médicos gregos, Hipócrates e Galeno, contribuíram decisivamente para o conhecimento biológico na Antiguidade, e sua autoridade no campo da medicina e da biologia estendeu-se por toda a Idade Média. Na era medieval, quando os árabes se tornaram os guardiães da ciência ocidental e dominaram todas as suas disciplinas, a biologia progrediu de novo pela mão dos médicos, sendo os mais famosos Rhazés [Abu Bakr Muhammad al-Razi], Avicena [Abu'Ali al-Hussein ibn Sina] e Averróis [Abu al-Walid Muhammad ibn Rushd], todos igualmente notáveis filósofos. Durante esse período, os alquimistas árabes, cuja ciência estava tradicionalmente associada à medicina, foram os primeiros a tentar análises químicas de matéria viva, tornando-se, assim, os precursores da bioquímica moderna.

A estreita associação entre biologia e medicina continuou durante o Renascimento e penetrou na era moderna, onde vários avanços decisivos nas ciências humanas foram realizados por cientistas de formação médica. Assim, Lineu, o grande classificador do século XVIII, foi botânico, zoólogo e também médico; de fato, a própria botânica desenvolveu-se a partir do estudo de plantas com poderes curativos. Pasteur, embora não fosse médico, lançou os alicerces da microbiologia que iria revolucionar a ciência médica. Claude Bernard, o fundador da fisiologia moderna, era médico; Matthias Schleiden e Theodor Schwann, os iniciadores da teoria celular, tinham diploma de médicos, tal como Rudolf Virchow, que formulou a teoria celular em sua forma moderna. Lamarck tinha formação médica e Darwin também estudou medicina, embora com pouco êxito. Estes são apenas alguns exemplos da constante interação entre biologia e medicina, a qual prossegue em nosso tempo, quando uma significativa proporção das verbas para pesquisas biológicas é fornecida por instituições médicas. Portanto, é muito provável que tanto a medicina como a biologia passem por uma nova transformação, juntas, quando os pesquisadores biomédicos reconhecerem a necessidade de suplantar o paradigma cartesiano a fim de realizarem novos avanços na compreensão da saúde e da doença.

O modelo cartesiano de biologia tem sofrido muitos fracassos e muitos êxitos desde o século XVII. Descartes criou uma imagem inflexível dos organismos vivos como sistemas mecânicos e, assim, estabeleceu uma rígida estrutura conceitual para subsequentes pesquisas em fisiologia; porém, ele não dedicou muito tempo à observação ou aos experimentos fisiológicos, deixando para seus seguidores a tarefa de elaborar os detalhes da concepção mecanicista da vida. O primeiro a obter êxito nessa tentativa foi Giovanni Borello, um discípulo de Galileu, que conseguiu explicar alguns aspectos básicos da ação muscular em termos mecanicistas. Mas o grande triunfo da fisiologia seiscentista ocorreu quando William Harvey aplicou o modelo mecanicista ao fenômeno da circulação do sangue e resolveu o que tinha sido o problema mais fundamental e difícil da fisiologia desde os tempos antigos. Seu tratado, *On the movement of the heart**, fornece uma descrição lúcida de tudo o que podia ser conhecido acerca do sistema sanguíneo em termos de anatomia e hidráulica, sem a ajuda do microscópio. Essa obra representa a realização culminante da fisiologia mecanicista e foi saudada como tal, com grande entusiasmo, pelo próprio Descartes.

---

* "Sobre o movimento do coração." (N. do T.)

Inspirados no êxito de Harvey, os fisiologistas de seu tempo tentaram aplicar o método mecanicista à descrição de outras funções corporais, como a digestão e o metabolismo, mas todas as suas tentativas redundaram em constrangedores fracassos. Os fenômenos que os fisiologistas tentaram explicar – frequentemente com a ajuda de grotescas analogias mecânicas – envolviam processos químicos e elétricos que eram desconhecidos na época e não podiam ser descritos em termos mecânicos. Embora a química não tenha avançado muito no século XVII, houve uma escola de pensamento, com raízes na tradição alquímica, que tentou explicar o funcionamento de organismos vivos em termos de processos químicos. O criador dessa escola foi Paracelso von Hohenheim, pioneiro da medicina no século XVI e terapeuta extremamente bem-sucedido, meio feiticeiro e meio cientista, e uma das mais extraordinárias figuras da história da medicina e da biologia. Paracelso, que praticou sua medicina como arte e como ciência oculta baseada em conceitos alquímicos, acreditava que a vida é um processo químico e que a doença é o resultado de um desequilíbrio na química do corpo. Tal noção de doença era por demais revolucionária para a ciência de seu tempo, e teve que esperar muitas centenas de anos para obter ampla aceitação.

No século XVII, a fisiologia estava dividida em dois campos opostos. De um lado estavam os seguidores de Paracelso, que se autodenominavam "iatroquímicos"* e acreditavam que as funções fisiológicas podiam ser explicadas em termos químicos. Do outro lado estavam os chamados "iatromecânicos", que adotavam a abordagem cartesiana e sustentavam que os princípios mecânicos eram a base de todas as funções corporais. Os iatromecânicos, é claro, eram a maioria e continuaram construindo elaborados modelos mecânicos que, com frequência, eram flagrantemente falsos, mas aderiam ao paradigma dominante do pensamento científico seiscentista.

Essa situação mudou consideravelmente no século XVIII, que assistiu a uma série de importantes descobertas na química, incluindo a descoberta do oxigênio e a formulação, por Antoine Lavoisier, da moderna teoria da combustão. O "pai da química moderna" também demonstrou que a respiração é uma forma especial de oxidação e, assim, confirmou a importância dos processos químicos para o funcionamento dos organismos vivos. No final do século XVIII, uma nova dimensão foi dada à fisiologia quando Luigi Galvani demonstrou que a transmissão de impulsos nervosos estava associada a uma corrente elétrica. Essa descoberta

---

* Do grego *iatros*, "médico". (N. do A.)

levou Alessandro Volta ao estudo da eletricidade, tornando-se pois a fonte de duas novas ciências, a neurofisiologia e a eletrodinâmica.

Todos esses progressos elevaram a fisiologia a um novo nível de refinamento. Os modelos mecânicos simplistas dos organismos vivos foram abandonados; porém, a essência da ideia cartesiana sobreviveu. Os animais continuavam a ser considerados máquinas, embora muito mais complicados do que relógios mecânicos, uma vez que envolviam fenômenos químicos e elétricos. Assim, a biologia deixou de ser cartesiana no sentido da imagem estritamente mecânica dos organismos vivos, mas permaneceu cartesiana na acepção mais ampla de tentar reduzir todos os aspectos dos organismos vivos às interações físicas e químicas de seus menores constituintes. Ao mesmo tempo, a estrita fisiologia mecanicista encontrou sua vigorosa e elaborada expressão no polêmico tratado *L'homme- machine**, de Julien de La Mettrie, famoso mesmo depois do século XVIII. La Mettrie abandonou o dualismo mente-corpo de Descartes, negando que os seres humanos fossem essencialmente diferentes dos animais e comparando o organismo humano, inclusive sua mente, a um intrincado mecanismo de relojoaria:

> Será preciso mais [...] para provar que o Homem nada mais é do que um Animal, ou uma montagem de molas que se engatam umas nas outras de tal modo que não é possível dizer em que ponto do círculo humano a Natureza começou?... Na verdade, não estou equivocado; o corpo humano é um relógio, mas imenso e construído com tanto engenho e habilidade que, se a roda denteada, cuja função é marcar os segundos, para, a dos minutos continua girando em seu curso[7].

O materialismo extremo de La Mettrie gerou muitos debates e controvérsias, alguns dos quais chegaram até o século XX. O jovem biólogo Joseph Needham escreveu um ensaio em defesa de La Mettrie, publicado em 1928 e intitulado, como o original de La Mettrie, *O homem-máquina*[8]. Needham deixou claro que, para ele – pelo menos nessa época –, a ciência tinha que identificar-se com a abordagem mecanicista cartesiana. Escreveu ele: "O mecanicismo e o materialismo estão na base do pensamento científico"[9], incluindo explicitamente o estudo dos fenômenos mentais em tal ciência: "Não aceito, em absoluto, a opinião de que os fenômenos da mente não são passíveis de descrição físico-química. Tudo o que nos for cientificamente dado a conhecer sobre eles será mecanicista..."[10].

---

* "O homem-máquina." (N. do T.)

Quase no final de seu ensaio, Needham resumiu sua posição sobre a concepção científica da natureza humana com uma veemente declaração: "Em ciência, o homem é uma máquina; ou, se não é, então não é absolutamente nada"[11]. Não obstante, Needham abandonou mais tarde o campo da biologia para tornar-se um dos mais destacados historiadores da ciência chinesa e, como tal, um ardoroso defensor da visão de mundo organicista que constitui a base do pensamento chinês.

Seria insensato negar categoricamente a afirmação de Needham de que os cientistas serão capazes, algum dia, de descrever todos os fenômenos biológicos em termos de leis da física e da química, ou melhor, como diríamos hoje, em termos de biofísica e bioquímica. Mas isso não significa que essas leis se baseiem na noção dos organismos vivos como máquinas. Admitir isso seria nos restringirmos à ciência newtoniana. Para entender a essência dos sistemas vivos, os cientistas – seja na biofísica, bioquímica ou qualquer outra disciplina interessada no estudo da vida – terão que abandonar a crença reducionista, em que organismos complexos podem ser completamente descritos como máquinas, em função das propriedades e do comportamento de seus constituintes. Levar a termo tal tarefa deve ser mais fácil hoje do que na década de 1920, uma vez que a abordagem reducionista teve que ser abandonada até no estudo da matéria inorgânica.

Na história do modelo cartesiano associado às ciências humanas, ocorreram no século XIX novas e impressionantes conquistas, devido aos notáveis progressos em muitas áreas da biologia. O século XIX é mais conhecido pelo estabelecimento da teoria da evolução, mas também viu a formulação da teoria celular, o começo da moderna embriologia, o desenvolvimento da microbiologia e a descoberta das leis da hereditariedade. A biologia já estava firmemente assente na física e na química, e os cientistas dedicaram todos os seus esforços à busca de explicações físico-químicas da vida.

Uma das mais poderosas generalizações em toda a biologia foi o reconhecimento de que todos os animais e plantas são compostos de células. Isso representou uma guinada decisiva para que os biólogos compreendessem a estrutura do corpo, hereditariedade, fertilização, desenvolvimento e diferenciação, evolução e muitas outras características da vida. O termo "célula" foi criado por Robert Hooke no século XVII para descrever várias estruturas minúsculas por ele vistas através do recém-inventado microscópio, mas o desenvolvimento de uma teoria celular propriamente dita foi um processo lento e gradual que envolveu o trabalho de muitos pesquisadores e culminou no século XIX, quando os biólogos pensaram ter descoberto definitivamente as unidades fundamentais da vida. Essa crença deu ao paradigma cartesiano um novo significado. Daí em diante, todas as funções dos organismos vivos tinham que ser entendidas a partir de suas células. Em vez de refletirem a organização do organismo como um todo, as funções biológicas passaram a ser vistas como o resultado das interações entre os componentes celulares básicos.

Entender a estrutura e o funcionamento das células envolve um problema que se tornou característico de toda a moderna biologia. A organização de uma célula tem sido frequentemente comparada à de uma fábrica, onde diferentes peças são manufaturadas em diferentes locais, armazenadas em instalações intermediárias e transportadas para linhas de montagem, a fim de serem combinadas em produtos acabados, que são consumidos pela própria célula ou exportados para outras células. A biologia celular realizou enormes progressos no sentido da compreensão das estruturas e funções de muitas das subunidades da célula, mas continuou ignorante acerca das atividades coordenadoras que integram essas operações no funcionamento da célula como um todo. A complexidade desse problema é consideravelmente aumentada pelo fato de o equipamento e a maquinaria de uma célula não serem itens permanentes — ao contrário dos artigos de uma fábrica construída pelo homem —, mas serem periodicamente desmontados e reconstruídos, sempre segundo padrões específicos e em harmonia com a dinâmica global do funcionamento celular. Os biólogos vieram a compreender que as células são organismos *per se* e estão cada vez mais conscientes de que as atividades integrativas desses sistemas vivos — especialmente o equilíbrio de seus percursos e ciclos metabólicos* interdependentes — não podem ser entendidas no âmbito reducionista.

A invenção do microscópio no século XVII abrira uma nova dimensão para a biologia, mas o instrumento só seria inteiramente explorado no século XIX, quando vários problemas técnicos com o antigo sistema de lentes foram finalmente resolvidos. O microscópio recentemente aperfeiçoado gerou todo um novo campo de pesquisa, a microbiologia, o qual revelou a insuspeitada riqueza e complexidade dos organismos vivos de dimensões microscópicas. A pesquisa nesse campo foi dominada pelo gênio de Louis Pasteur, cuja aguda intuição e claras formulações tiveram um duradouro impacto na química, na biologia e na medicina.

Com o uso de engenhosas técnicas experimentais, Pasteur pôde esclarecer uma questão que vinha preocupando os biólogos ao longo do século XVIII: a questão da origem da vida. Desde os tempos antigos, tinha sido crença comum

---

* Metabolismo, do grego *metabolé*, "mudança", denota a soma de mudanças químicas que ocorrem em organismos vivos e, em especial, nas células, e que são necessárias à manutenção da vida. (N. do A.)

que a vida, pelo menos em suas formas inferiores, podia surgir espontaneamente da matéria inanimada. Nos séculos XVII e XVIII, essa ideia – conhecida como "geração espontânea" – foi questionada, mas a discussão só pôde ser resolvida quando Pasteur demonstrou, de forma concludente, com uma série de experimentos claramente planejados e rigorosos, que quaisquer microrganismos que se desenvolvem em condições adequadas provêm de outros microrganismos. Foi Pasteur quem trouxe à luz a imensa variedade do mundo orgânico no nível daquilo que é muito pequeno. Em especial, ele pôde estabelecer o papel das bactérias em certos processos químicos, como a fermentação, ajudando assim a lançar os alicerces da nova ciência da bioquímica.

Após vinte anos de pesquisas sobre bactérias, Pasteur voltou-se para o estudo de doenças em animais superiores e realizou um outro notável avanço: a demonstração de uma correlação definida entre germes* e doença. Embora essa descoberta tenha ocasionado enorme impacto no desenvolvimento da medicina, a natureza exata da correlação entre bactéria e doença ainda hoje é, em grande parte, mal compreendida. Com a "teoria microbiana da doença", de Pasteur, em sua interpretação simplista e reducionista, os pesquisadores biomédicos tenderam a considerar as bactérias a causa única das doenças. Por conseguinte, ficaram obcecados com a identificação de micróbios e com o ilusório objetivo de inventar "balas mágicas", drogas que destruiriam bactérias específicas sem acarretar danos para o resto do organismo.

A concepção reducionista de doença eclipsou uma teoria alternativa que fora ensinada algumas décadas antes por Claude Bernard, um célebre médico, considerado o fundador da fisiologia moderna. Embora Bernard, aderindo ao paradigma do seu tempo, visse o organismo vivo como "uma máquina que funciona necessariamente em virtude das propriedades físico-químicas de seus elementos constituintes"[12], sua concepção das funções fisiológicas era muito mais sutil do que a de seus contemporâneos. Ele insistiu na relação íntima entre um organismo e seu meio ambiente, e foi o primeiro a assinalar que também existe um *milieu intérieur*, um meio ambiente interno no qual vivem os órgãos e tecidos do organismo. Bernard observou que num organismo saudável esse *milieu intérieur* permanece essencialmente constante, mesmo quando o meio ambiente externo flutua con-

---

* "Germe" e "micróbio" são sinônimos primitivos do termo que hoje é geralmente usado, "microrganismo"; "bactéria" denota um vasto grupo de microrganismos, e "bacilo" refere-se a uma espécie particular de bactéria. (N. do A.)

sideravelmente. Essa descoberta levou-o a formular a famosa sentença: "A constância do meio ambiente interno é a condição essencial da vida independente"[13].

A forte ênfase de Claude Bernard no equilíbrio interno como condição para a saúde não pôde sustentar-se contra a rápida propagação da ideia reducionista de doença entre biólogos e médicos. A importância de sua teoria somente foi redescoberta no século XX, quando os pesquisadores adquiriram maior consciência do papel fundamental do meio ambiente nos fenômenos biológicos. O conceito de Bernard de constância do meio ambiente interno foi mais elaborado subsequentemente e culminou na importante noção de homeostase, uma palavra criada pelo neurologista Walter Cannon para designar a tendência dos organismos vivos a manterem um estado de equilíbrio interno[14].

A teoria da evolução foi a principal contribuição da biologia para a história das ideias no século XIX. Ela obrigou os cientistas a abandonarem a imagem newtoniana do mundo como uma máquina que saiu totalmente construída das mãos do Criador e a substituírem-na pelo conceito de um sistema evolutivo e em constante mudança. Entretanto, isso não levou os biólogos a modificarem o paradigma reducionista; pelo contrário, eles se concentraram na tarefa de adaptar a teoria darwiniana à estrutura cartesiana. Foram extremamente bem-sucedidos na explicação de muitos dos mecanismos físicos e químicos da hereditariedade, mas não conseguiram compreender a natureza essencial do desenvolvimento e da evolução[15].

A primeira teoria da evolução foi formulada por Jean-Baptiste Lamarck, um cientista autodidata que inventou a palavra "biologia" e se voltou para o estudo das espécies animais quase aos cinquenta anos de idade. Lamarck observou que os animais mudavam sob a influência ambiental, e acreditou que eles podiam transmitir essas mudanças à sua descendência. Essa transmissão de características adquiridas foi, para ele, o principal mecanismo da evolução. Embora viesse a ser comprovado que Lamarck estava errado a esse respeito[16], seu reconhecimento do fenômeno da evolução – o surgimento de novas estruturas biológicas na história das espécies – foi um *insight* revolucionário que afetou profundamente todo o pensamento científico subsequente.

Em particular, Lamarck exerceu forte influência em Charles Darwin, que iniciou sua carreira científica como geólogo, mas passou a interessar-se pela biologia durante uma expedição às ilhas Galápagos, onde observou a grande riqueza e variedade da fauna insular. Essas observações estimularam Darwin a especular sobre o efeito do isolamento geográfico na formação das espécies, levando-o finalmente à formulação de sua teoria da evolução. Outras influências importantes sobre o pensamento de Darwin foram as ideias evolucionistas do geólogo

Charles Lyell e a ideia do economista Thomas Malthus de uma luta competitiva pela sobrevivência. Dessas observações e estudos surgiu o duplo conceito em que Darwin baseou sua teoria – o conceito de variação aleatória, que mais tarde seria chamado de mutação randômica, e a ideia de seleção natural através da "sobrevivência dos mais aptos".

Darwin publicou sua teoria da evolução em 1859, em seu monumental *A origem das espécies*, e completou-a doze anos depois com *A origem do homem*, em que o conceito de transformação evolucionista de uma espécie em outra é ampliado, passando a incluir os seres humanos. Darwin mostrou que suas ideias acerca dos traços humanos estavam fortemente impregnadas do preconceito patriarcal de seu tempo, apesar da natureza revolucionária de sua teoria. Ele viu o macho típico como forte, bravo e inteligente, e a fêmea típica como passiva, frágil de corpo e deficiente de cérebro. Ele escreveu: "O homem é mais corajoso, combativo e enérgico do que a mulher, e tem um gênio mais inventivo"[17].

Embora os conceitos de Darwin sobre a variação aleatória e a seleção natural representem as pedras angulares de toda a teoria evolucionista moderna, logo ficou claro que as variações aleatórias, tal como postuladas por Darwin, nunca poderiam explicar o surgimento de novas características na evolução das espécies. As noções sobre a hereditariedade no século XIX baseavam-se no pressuposto de que as características biológicas de um indivíduo representavam uma "mistura" das de seus pais, contribuindo ambos os genitores com partes mais ou menos iguais para a mistura. Isso significava que o filho de um genitor com uma variação aleatória útil herdaria apenas 50 por cento da nova característica e estaria apto a transmitir apenas 25 por cento dela à geração seguinte. Assim, a nova característica seria rapidamente diluída, com muito pouca probabilidade de se estabelecer através da seleção natural. O próprio Darwin reconheceu ser essa uma séria lacuna em sua teoria, para a qual ele não tinha solução.

É irônico que a solução para o problema de Darwin tenha sido descoberta por Gregor Mendel apenas alguns anos depois da publicação da teoria darwiniana, tendo, porém, permanecido ignorada até a redescoberta da obra de Mendel, já na virada do século. Apoiado em seus meticulosos experimentos com ervilhas, Mendel deduziu a existência de "unidades de hereditariedade" – a que mais tarde se daria o nome de genes –, as quais não se misturavam no processo de reprodução e, portanto, não acabavam diluídas, mas, pelo contrário, eram transmitidas de geração para geração sem mudar sua identidade. Com essa descoberta, pôde-se supor que as mutações randômicas não desapareceriam dentro de algumas gerações, mas seriam preservadas, para serem reforçadas ou eliminadas através da seleção natural.

A descoberta de Mendel desempenhou um papel decisivo no estabelecimento da teoria darwiniana da evolução e inaugurou um novo campo de pesquisa – o estudo da hereditariedade através da investigação da natureza química e física dos genes. No começo do século, William Bateson, um fervoroso defensor e divulgador da obra de Mendel, deu a esse novo campo o nome de "genética" e introduziu muitos dos termos hoje usados pelos geneticistas. Deu também a seu filho caçula o nome de Gregory, em homenagem a Mendel.

No século XX, a genética tornou-se a área mais ativa na pesquisa biológica e proporcionou um forte reforço à abordagem cartesiana dos organismos vivos. Não tardou a ficar claro que o material de hereditariedade estava contido nos cromossomos, corpos filiformes presentes no núcleo de toda célula. Foi reconhecido pouco depois que os genes ocupavam posições especiais dentro dos cromossomos; para sermos precisos, eles estão dispostos ao longo dos cromossomos em ordem linear. Com essas descobertas, os geneticistas acreditavam ter fixado os "átomos de hereditariedade", e passaram a explicar as características biológicas dos organismos vivos em termos de suas unidades elementares, os genes, cada gene correspondendo a um traço hereditário definido. Em breve, porém, novas pesquisas mostraram que um único gene pode afetar uma vasta gama de traços e que, inversamente, muitos genes separados combinam-se frequentemente para produzir um só traço. Obviamente, o estudo da cooperação e da atividade integrativa dos genes se revestiu de importância primordial, mas também neste caso a estrutura cartesiana tornou difícil lidar com essas questões. Quando os cientistas reduzem um todo a seus constituintes fundamentais – sejam eles células, genes ou partículas elementares – e tentam explicar todos os fenômenos em função desses elementos, eles perdem a capacidade de entender as atividades coordenadoras do sistema como um todo.

Uma outra falácia da abordagem reducionista em genética é a crença de que os traços de caráter de um organismo são determinados unicamente por sua composição genética. Esse "determinismo genético" é uma consequência direta do fato de se considerar os organismos vivos como máquinas controladas por cadeias lineares de causa e efeito. Ele ignora o fato de que os organismos são sistemas de múltiplos níveis, estando os genes implantados nos cromossomos, funcionando os cromossomos dentro dos núcleos de suas células, as células embutidas nos tecidos, e assim por diante. Todos esses níveis estão envolvidos em interações mútuas que influenciam o desenvolvimento do organismo e resultam em amplas variações da "cópia genética".

Argumentos análogos aplicam-se à evolução de uma espécie. Os conceitos darwinianos de variação aleatória e seleção natural são apenas dois aspectos de um fenômeno complexo que pode ser mais bem entendido dentro de uma estrutura holística ou sistêmica[18]. Tal quadro é muito mais sutil e útil do que a posição dogmática da chamada teoria neodarwiniana, vigorosamente expressa pelo geneticista e laureado Nobel Jacques Monod:

> O acaso e unicamente o acaso está na origem de toda inovação, de toda criação na biosfera. O puro acaso, absolutamente livre mas cego, na própria raiz do estupendo edifício da evolução: esse conceito central da biologia moderna já deixou de ser uma entre várias outras hipóteses concebíveis. É hoje a *única* hipótese concebível, a única que se enquadra no fato observado e testado. E nada justifica a suposição – ou a esperança – de que, a esse respeito, nossa posição seja suscetível de revisão[19].

Mais recentemente, a falácia do determinismo genético deu origem a uma teoria amplamente discutida, conhecida como sociobiologia, na qual todo comportamento social é visto como predeterminado pela estrutura genética[20]. Numerosos críticos assinalaram que essa teoria, além de cientificamente infundada, é também muito perigosa. Ela encoraja as justificações pseudocientíficas para o racismo e o sexismo, ao interpretar as diferenças no comportamento humano como geneticamente pré-programadas e imutáveis[21].

Embora a genética tenha sido muito bem-sucedida no esclarecimento de muitos aspectos da hereditariedade durante a primeira metade do século XX, a natureza química e física exata de seu conceito central, o gene, permaneceu um mistério. A complicada química do cromossomo só veio a ser compreendida nas décadas de 1950 e 1960, um século inteiro depois de Darwin e Mendel.

Nesse meio tempo, a nova ciência da bioquímica progrediu continuamente, estabelecendo a firme crença entre os biólogos de que todas as propriedades e funções dos organismos vivos seriam finalmente explicadas em termos químicos e físicos. Essa crença foi expressa com enorme clareza por Jacques Loeb em *The mechanistic conception of life**, que teve uma profunda influência sobre o pensamento biológico de seu tempo. Loeb escreveu: "Os organismos vivos são máquinas químicas que possuem a peculiaridade de se preservar e reproduzir"[22]. Explicar o funcionamento dessas máquinas completamente em termos de seus constituintes

---

* "A concepção mecanicista da vida." (N. do T.)

básicos era, para Loeb, como para todos os reducionistas, a essência da abordagem científica: "O objetivo fundamental das ciências físicas é a visualização de todos os fenômenos em termos de agrupamentos e deslocamentos de partículas básicas, e, como não há descontinuidade entre a matéria que constitui o mundo vivo e o não vivo, a meta da biologia pode expressar-se do mesmo modo"[23].

Uma consequência extremamente lamentável da concepção de coisas vivas como máquinas foi o uso excessivo da vivissecção* na pesquisa biomédica e comportamental[24]. O próprio Descartes defendeu a vivissecção, acreditando que os animais não sofrem e afirmando que seus gritos não significam nada além do chiado de uma roda; hoje, a prática desumana de torturar sistematicamente animais ainda persiste nas ciências humanas.

No século XX, ocorreu uma significativa mudança na pesquisa biológica que pode muito bem ser o último passo na abordagem reducionista dos fenômenos da vida, levando-a ao seu maior triunfo e, ao mesmo tempo, ao seu fim. Enquanto as células eram consideradas os componentes básicos dos organismos vivos durante o século XIX, a atenção transferiu-se das células para as moléculas em meados do nosso século, quando os geneticistas começaram a explorar a estrutura molecular do gene. Suas pesquisas culminaram na elucidação da estrutura física do ADN – a base molecular dos cromossomos –, que se situa entre as maiores realizações da ciência do século XX. Esse triunfo da biologia molecular levou os biólogos a acreditarem que todas as funções biológicas podem ser explicadas em termos de estruturas e mecanismos moleculares, o que levou à distorção considerável no campo da pesquisa dentro das ciências humanas.

Num sentido geral, a expressão "biologia molecular" refere-se ao estudo de qualquer fenômeno biológico em termos das estruturas moleculares e interações nele envolvidas. Mais especificamente, passou a significar o estudo das moléculas biológicas muito grandes, conhecidas como macromoléculas. Durante a primeira metade do século, tornou-se claro que os constituintes essenciais de todas as células vivas – as proteínas e os ácidos nucleicos** – eram estruturas altamente complexas, formando cadeias helicoidais e contendo milhares de átomos. A investigação das propriedades químicas e da forma tridimensional exata dessas grandes moléculas em cadeia tornou-se a principal tarefa da biologia molecular[25].

---

* A vivissecção, num sentido amplo, inclui todos os tipos de experimentos com animais vivos, quer se façam ou não cortes, e especialmente aqueles passíveis de causar dor ao sujeito da experiência. (N. do A.)
** Os ácidos nucleicos – os ácidos encontrados nos núcleos das células – são de duas espécies basicamente diferentes, conhecidas como ADN (ácido desoxirribonucleico) e ARN (ácido ribonucleico). (N. do A.)

O mais significativo passo para uma genética molecular ocorreu com a descoberta de que as células contêm agentes, chamados enzimas, que podem provocar reações químicas específicas. Durante a primeira metade do século, os bioquímicos conseguiram especificar a maioria das reações químicas que ocorrem nas células e apuraram que as mais importantes são essencialmente as mesmas em todos os organismos vivos. Cada uma delas depende, fundamentalmente, da presença de uma enzima específica; assim, o estudo das enzimas tornou-se de primordial importância.

Na década de 1940, os geneticistas tiveram um outro e decisivo *insight* quando descobriram que a função primária dos genes era controlar a síntese das enzimas. Com essa descoberta surgiram as linhas gerais do processo hereditário: os genes determinam os traços hereditários na medida em que dirigem a síntese das enzimas, o que, por sua vez, provoca as reações químicas correspondentes a esses traços. Embora essas descobertas representassem importantes avanços no entendimento da hereditariedade, a natureza do gene permaneceu desconhecida durante esse período. Os geneticistas ignoravam sua estrutura química e eram incapazes de explicar como o gene conseguia executar suas funções essenciais: a síntese das enzimas, sua própria reprodução fiel no processo de divisão celular e as mudanças súbitas e permanentes conhecidas como mutações. No que diz respeito às enzimas, sabia-se que eram proteínas, mas sua estrutura química precisa era desconhecida, não se sabendo, por conseguinte, através de que processo as enzimas promovem reações químicas.

Essa situação mudou drasticamente nas duas décadas seguintes, as quais assistiram a um avanço decisivo na genética moderna, frequentemente referido como decifração do código genético: a descoberta da estrutura química exata dos genes enzimas, dos mecanismos moleculares da síntese proteica e dos mecanismos de reprodução e mutação dos genes[26]. Essa realização revolucionária envolveu enorme luta e acirrada competição, assim como estimulante colaboração, entre um grupo de homens e mulheres notáveis e eminentemente originais, sendo os principais protagonistas Francis Crick, James Watson, Maurice Wilkins, Rosalind Franklin, Linus Pauling, Salvador Luria e Max Delbrück.

Um elemento fundamental na decifração do código genético foi o fato de os físicos terem entrado no campo da biologia. Max Delbrück, Francis Crick, Maurice Wilkins e muitos outros tinham *background* em física antes de se juntarem aos bioquímicos e geneticistas em seu estudo da hereditariedade. Esses cientistas levaram com eles um novo vigor, uma nova perspectiva e novos métodos que transformaram radicalmente a pesquisa genética. O interesse dos físicos pela biologia começara na década de 1930, quando Niels Bohr especulou sobre a importância do princípio de incerteza e do conceito de complementaridade para a pesquisa biológica[27]. As especulações de Bohr foram depois desenvolvidas por Delbrück, cujas ideias acerca da natureza física dos genes levaram Erwin Schrödinger a escrever um pequeno livro intitulado *What is life?** Esse livro exerceu uma importante influência sobre o pensamento biológico na década de 1940 e foi a principal razão de muitos cientistas deixarem a física e voltarem-se para a genética.

O fascínio de *What is life?* decorreu do modo claro e convincente como Schrödinger tratou o gene, não como uma unidade abstrata, mas como uma substância física concreta, propondo hipóteses definidas acerca de sua estrutura molecular que estimularam os cientistas a pensar a genética de uma nova maneira. Ele foi o primeiro a sugerir que o gene pode ser visto como um portador de informação cuja estrutura física corresponde a uma sucessão de elementos no texto original de um código hereditário. O entusiasmo de Schrödinger convenceu físicos, bioquímicos e geneticistas de que uma nova fronteira da ciência tinha sido aberta, onde grandes descobertas eram iminentes. Daí em diante, esses cientistas começaram a intitular-se "biólogos moleculares".

A estrutura básica das moléculas biológicas foi descoberta no começo da década de 1950, graças à confluência de três poderosos métodos de observação: a análise química, a microscopia eletrônica e a cristalografia de raios X**. O primeiro avanço importante ocorreu quando Linus Pauling determinou a estrutura da molécula da proteína. Sabia-se que as proteínas são longas moléculas encadeadas, consistindo numa sequência de diferentes compostos químicos, conhecidos como aminoácidos, ligados longitudinalmente, ponta com ponta. Pauling demonstrou que a espinha dorsal da estrutura da proteína é espiralada numa hélice de passo ajustável para a esquerda ou para a direita, e que o resto da estrutura é determinado pela exata sequência linear dos aminoácidos ao longo desse curso helicoidal. Estudos subsequentes da molécula de proteína mostraram como a estrutura específica das enzimas lhes permite ligar as moléculas cujas reações químicas elas promovem.

O grande êxito de Pauling inspirou James Watson e Francis Crick a concentrarem todos os seus esforços na elucidação da estrutura do ADN, que já era então reconhecido como o material genético dos cromossomos. Após dois anos de estrênuo esforço, de muitas pistas falsas e de grandes desapontamentos, Watson e

---

* "O que é a vida?" (N. do T.)
** A cristalografia de raios X, inventada em 1912 por Lawrence Bragg, é o método para determinar a disposição ordenada de átomos em estruturas moleculares – originalmente cristais – pela análise dos modos como os raios X são espalhados por essas estruturas (difração dos raios X). (N. do A.)

Crick foram finalmente recompensados com o êxito. Usando dados de raios X de Rosalind Franklin e Maurice Wilkins, eles puderam determinar a arquitetura precisa do ADN, denominada estrutura Watson-Crick. É uma hélice dupla composta de duas cadeias entrelaçadas e estruturalmente complementares. Os compostos arrumados nessas cadeias em ordem linear são estruturas complexas, conhecidas como nucleotídeos, dos quais existem quatro espécies diferentes.

Foi necessária mais uma década para se entender o mecanismo básico através do qual o ADN executa suas principais funções: a autorreprodução e a síntese proteica. Essa pesquisa, uma vez mais liderada por Watson e Crick, revelou explicitamente como a informação genética é codificada nos cromossomos. Em termos extremamente simplificados, os cromossomos são feitos de moléculas de ADN que exibem a estrutura Watson-Crick. Um gene é o comprimento de uma hélice dupla de ADN que especifica a estrutura de uma determinada enzima. A síntese dessa enzima ocorre através de um complicado processo em duas etapas que envolve o ARN, o segundo ácido nucleico. Os elementos do texto do código hereditário são os quatro nucleotídeos que encerram a informação genética em sua sequência aperiódica ao longo da cadeia. Essa sequência linear de nucleotídeo no gene determina a sequência linear de aminoácidos na enzima correspondente. No processo de divisão do cromossomo, as duas cadeias da hélice dupla separam-se e cada uma delas serve como modelo para a construção de uma nova cadeia complementar. A mutação genética é causada por um erro aleatório nesse processo de duplicação pelo qual um nucleotídeo é substituído por um outro, resultando em mudança permanente na informação transportada pelo gene.

São esses, pois, os elementos básicos do que foi saudado como a maior descoberta em biologia desde a teoria da evolução de Darwin. Avançando para níveis cada vez menores em sua exploração dos fenômenos da vida, os biólogos descobriram que as características de todos os organismos vivos – das bactérias aos seres humanos – estão codificadas em seus cromossomos na mesma substância química, usando a mesma linguagem do código. Após duas décadas de intensas pesquisas, os detalhes precisos desse código foram revelados. Os biólogos haviam descoberto o alfabeto de uma linguagem verdadeiramente universal da vida.

O êxito espetacular da biologia molecular no campo da genética levou os cientistas a aplicar seus métodos em todas as áreas da biologia, numa tentativa de solução de todos os problemas ao reduzirem-nos aos seus respectivos níveis moleculares. Assim, os biólogos, na maioria, tornaram-se fervorosos reducionistas, interessados nos detalhes moleculares. A biologia molecular, originalmente um pequeno ramo das ciências humanas, tornou-se uma maneira de pensar geral – e exclusiva – que acarretou uma séria distorção na área da pesquisa biológica. Verbas são destinadas à obtenção de soluções rápidas e estudos de tópicos em voga, enquanto os importantes problemas teóricos que não se prestam à abordagem reducionista são ignorados. Sidney Brenner, um dos mais destacados pesquisadores nesse campo, assinalou: "Ninguém publica teoria em biologia – com poucas e raras exceções. Em vez disso, anunciam a estrutura de mais uma proteína"[28].

Os problemas que resistiram à abordagem reducionista da biologia molecular tornaram-se evidentes por volta de 1970, quando a estrutura do ADN e os mecanismos moleculares da hereditariedade de simples organismos unicelulares, como as bactérias, eram perfeitamente conhecidos, mas ainda tinham de ser elaborados os dos organismos multicelulares. Isso colocou os biólogos face a face com os problemas de desenvolvimento e diferenciação celulares que tinham sido eclipsados durante a decifração do código genético. Nos estágios iniciais do desenvolvimento de organismos superiores, o número de suas células passa de uma para duas, para quatro, oito, dezesseis, e assim por diante. Uma vez que se pensa ser a informação genética idêntica em cada célula, como pode acontecer que as células se especializem de maneiras diferentes, tornando-se células musculares, sanguíneas, ósseas, nervosas, etc.? Esse problema básico do desenvolvimento, o qual se apresenta em muitas variações em toda a biologia, mostra claramente as limitações da abordagem reducionista. Os biólogos de hoje conhecem a estrutura precisa de uma série de genes, mas sabem muito pouco dos processos pelos quais os genes se comunicam e cooperam no desenvolvimento de um organismo – como eles interagem, como se agrupam, quando são ligados e desligados e em que ordem. Embora os biólogos conheçam o alfabeto do código genético, não possuem quase nenhuma ideia de sua sintaxe. Hoje é evidente que apenas uma pequena percentagem do ADN – menos de 5 por cento – é usada para especificar proteínas; todo o restante pode muito bem ser usado para atividades integrativas sobre as quais é possível que os biólogos continuem ignorantes enquanto aderirem a seus modelos reducionistas.

A outra área em que as limitações da abordagem reducionista são muito evidentes é a da neurobiologia. O sistema nervoso superior é um sistema holístico por excelência, cujas atividades integrativas não podem ser entendidas se reduzidas a mecanismos moleculares. Ao mesmo tempo, as células nervosas são as maiores e, assim, as mais fáceis de estudar. Os neurocientistas podem ser, portanto, os primeiros a propor modelos holísticos do funcionamento cerebral para explicar fenômenos tais como a percepção, a memória e a dor, as quais não podem ser compreendidas no âmbito da atual estrutura reducionista. Veremos que algumas tentativas nesse sentido já foram feitas e prometem novas e excitantes perspectivas.

Para suplantarem a abordagem reducionista corrente, os biólogos precisarão reconhecer, como disse Paul Weiss, que "não existe nenhum fenômeno num sistema vivo que *não* seja molecular, mas tampouco existe um que seja *unicamente* molecular"[29]. Isso exigirá uma estrutura conceitual muito mais ampla do que a usada hoje pela biologia. Os espetaculares avanços dos biólogos não ampliaram sua filosofia; o paradigma cartesiano ainda domina as ciências humanas.

Uma comparação entre biologia e física é apropriada neste ponto. No estudo da hereditariedade, o período anterior a 1940 é frequentemente chamado de período da "genética clássica", para distingui-lo do da "genética moderna" das décadas subsequentes. Esses termos derivam provavelmente de uma analogia com a transição da física clássica para a moderna no início do século[30]. Assim como o átomo era uma unidade indivisível de estrutura desconhecida na física clássica, o mesmo ocorria com o gene na genética clássica. Mas essa analogia desfaz-se num aspecto significativo. A exploração do átomo forçou os físicos a rever seus conceitos básicos acerca da natureza da realidade física de um modo radical. O resultado dessa revisão foi uma teoria dinâmica coerente, a mecânica quântica, a qual transcende os principais conceitos da ciência cartesiana-newtoniana. Em biologia, por outro lado, a exploração do gene não levou a uma revisão comparável de conceitos básicos, nem resultou numa teoria dinâmica universal. Não há uma estrutura unificada que habilite os biólogos a superar a fragmentação de sua ciência mediante a avaliação da importância relativa dos problemas de pesquisa e o reconhecimento de como se inter-relacionam. A única estrutura usada para tal avaliação ainda é a cartesiana, na qual os organismos vivos são vistos como máquinas físicas e bioquímicas, a serem completamente explicadas em termos de seus mecanismos moleculares.

Entretanto, alguns biólogos eminentes de nosso tempo expressaram a opinião de que a biologia molecular pode estar deixando, afinal, de ter qualquer utilidade. Francis Crick, que dominou o campo desde seu começo, reconhece as sérias limitações da abordagem molecular quando se procuram entender fenômenos biológicos básicos:

> De certo modo, poderíamos dizer que todo o trabalho biológico genético e molecular dos últimos sessenta anos pode ser considerado um longo interlúdio. [...] Agora que esse programa foi completado, temos de voltar ao princípio – de voltar aos problemas [...] deixados para trás sem solução. Como um organismo ferido se regenera de modo a chegar exatamente à mesma estrutura que tinha antes? Como é que o ovo forma o organismo[31]?

Para resolver esses problemas precisamos de um novo paradigma, uma nova dimensão de conceitos que transcenda a concepção cartesiana. É provável que a concepção sistêmica da vida venha a formar o *background* conceitual dessa nova biologia, como Sidney Brenner parece indicar, sem que o diga explicitamente, em algumas especulações recentes acerca do futuro de sua ciência:

> Penso que nos próximos 25 anos vamos ter que ensinar aos biólogos uma outra linguagem. [...] Ainda não sei como ela se chama; ninguém sabe. Mas o que se almeja, penso eu, é resolver o problema fundamental da teoria de sistemas elaborados. [...] E aí nos deparamos com um grave problema de níveis: talvez seja um erro acreditar que toda a lógica está no nível molecular. Talvez seja preciso ir além dos mecanismos de relógio[32].

5. O modelo biomédico

No decorrer de toda a história da ciência ocidental, o desenvolvimento da biologia caminhou de mãos dadas com o da medicina. Por conseguinte, é natural que, uma vez estabelecida firmemente em biologia a concepção mecanicista da vida, ela dominasse também as atitudes dos médicos em relação à saúde e à doença. A influência do paradigma cartesiano sobre o pensamento médico resultou no chamado modelo biomédico*, que constitui o alicerce conceitual da moderna medicina científica. O corpo humano é considerado uma máquina que pode ser analisada em termos de suas peças; a doença é vista como um mau funcionamento dos mecanismos biológicos, que são estudados do ponto de vista da biologia celular e molecular; o papel dos médicos é intervir, física ou quimicamente, para consertar o defeito no funcionamento de um específico mecanismo enguiçado. Três séculos depois de Descartes, a medicina ainda se baseia, como escreveu George Engel, "nas noções do corpo como uma máquina, da doença como consequência de uma avaria na máquina, e da tarefa do médico como conserto dessa máquina"[1].

Ao concentrar-se em partes cada vez menores do corpo, a medicina moderna perde frequentemente de vista o paciente como ser humano, e, ao reduzir a saúde a um funcionamento mecânico, não pode mais ocupar-se com o fenômeno da cura. Essa é talvez a mais séria deficiência da abordagem biomédica. Embora todo médico praticante saiba que a cura é um aspecto essencial de toda a medicina, o fenômeno é considerado fora do âmbito científico; o termo "curar" é encarado com desconfiança, e os conceitos de saúde e cura não são geralmente discutidos nas escolas de medicina.

---

* O modelo biomédico é, com frequência, chamado simplesmente de modelo médico. Entretanto, usarei o termo "biomédico" para distingui-lo dos modelos conceituais de outros sistemas médicos, como o chinês. (N. do A.)

O motivo da exclusão do fenômeno da cura da ciência biomédica é evidente. É um fenômeno que não pode ser entendido em termos reducionistas. Isso se aplica à cura de ferimentos e, sobretudo, à cura de doenças, o que geralmente envolve uma complexa interação entre os aspectos físicos, psicológicos, sociais e ambientais da condição humana. Reincorporar a noção de cura à teoria e à prática da medicina, significa que a ciência médica terá que transcender sua estreita concepção de saúde e doença. Isso não quer dizer que ela tenha de ser menos científica. Pelo contrário, ao ampliar sua base conceitual, pode tornar-se mais coerente com as recentes conquistas da ciência moderna.

A saúde e o fenômeno da cura têm tido significados diferentes conforme a época. O conceito de saúde, tal como o conceito de vida, não pode ser definido com precisão; os dois estão, de fato, intimamente relacionados. O que se entende por saúde depende da concepção que se possua do organismo vivo e de sua relação com o meio ambiente. Como essa concepção muda de uma cultura para outra, e de uma era para outra, as noções de saúde também mudam. O amplo conceito de saúde necessário à nossa transformação cultural – um conceito que inclui dimensões individuais, sociais e ecológicas – exige uma visão sistêmica dos organismos vivos e, correspondentemente, uma visão sistêmica de saúde[2]. Para começar, a definição de saúde dada pela Organização Mundial de Saúde no preâmbulo de seu estatuto poderá ser útil: "A saúde é um estado de completo bem-estar físico, mental e social, e não meramente a ausência de doenças ou enfermidades".

Embora a definição da OMS seja algo irrealista – pois descreve a saúde como um estado estático de perfeito bem-estar, em vez de um processo em constante mudança e evolução –, ela revela, não obstante, a natureza holística da saúde, que terá de ser apreendida se quisermos entender o fenômeno da cura. Ao longo dos tempos, a cura foi praticada por curandeiros populares, guiados pela sabedoria tradicional, que concebia a doença como um distúrbio da pessoa como um todo, envolvendo não só seu corpo como também sua mente, a imagem que tem de si mesma, sua dependência do meio ambiente físico e social, assim como sua relação com o cosmo e as divindades. Esses curandeiros, que ainda tratam a maioria dos pacientes no mundo inteiro, adotam muitas abordagens diferentes, as quais são holísticas em diferentes graus, e usam uma ampla variedade de técnicas terapêuticas. O que eles têm em comum é que nunca se restringem a fenômenos puramente físicos, como ocorre no modelo biomédico. Através de rituais e cerimônias, tentam influenciar a mente do paciente, aliviando a apreensão, que é sempre um componente significativo da doença, ajudando-o a estimular os poderes curativos naturais que todos os organismos vivos possuem. Essas cerimônias de cura envolvem usualmente uma intensa relação entre o curandeiro e o paciente, e são frequentemente interpretadas em termos de forças sobrenaturais canalizadas através do primeiro.

Em termos científicos modernos, poderíamos dizer que o processo de cura representa a resposta coordenada do organismo integrado às influências ambientais causadoras de tensão. Essa concepção de cura envolve um certo número de conceitos que transcendem a divisão cartesiana e que não podem ser formulados de acordo com a estrutura da ciência médica atual. Por isso os pesquisadores biomédicos tendem a desprezar as práticas dos curandeiros populares, relutando em admitir sua eficácia. Tal "cientificismo médico" faz com que se esqueça que a arte de curar é um aspecto essencial de toda a medicina, e que mesmo a nossa medicina científica teve que se apoiar quase exclusivamente nela até algumas décadas atrás, pois tinha pouco mais a oferecer em termos de métodos específicos de tratamento[3].

A medicina ocidental emergiu de um vasto reservatório de curas tradicionais e populares, e propagou-se subsequentemente ao resto do mundo; acabou por transformar-se em vários graus, mas conservou sua abordagem biomédica básica. Com a extensão global do sistema biomédico, vários autores abandonaram os termos "ocidental", "científica" ou "moderna" e referem-se agora, simplesmente, à "medicina cosmopolita"[4]. Mas o sistema médico "cosmopolita" é apenas um entre muitos. A maioria das sociedades apresenta um pluralismo de sistemas e crenças médicos sem nítidas linhas divisórias entre um sistema e outro. Além da medicina cosmopolita e da medicina popular, ou curandeirismo, muitas culturas desenvolveram sua própria medicina, algumas de elevada tradição. À semelhança da medicina cosmopolita, esses sistemas – indiano, chinês, persa e outros – baseiam-se numa tradição escrita, usando conhecimentos empíricos, e são praticados por uma elite profissional. Sua abordagem é holística, se não efetivamente na prática, pelo menos na teoria. Além desses sistemas, todas as sociedades desenvolveram um sistema de medicina popular – crenças e práticas usadas no seio de uma família, ou de uma comunidade, que são transmitidas oralmente e não requerem curandeiros profissionais.

A prática da medicina popular tem sido tradicionalmente uma prerrogativa das mulheres, uma vez que a arte de curar, na família, está usualmente associada às tarefas e ao espírito da maternidade. Os curandeiros, por sua vez, são mulheres ou homens, em proporções que variam de cultura para cultura. Não têm uma profissão organizada; sua autoridade deriva de seus poderes de cura – frequentemente interpretados como o acesso deles ao mundo do espírito – e não de um diploma. Com o surgimento da medicina organizada, de longa tradição, entretanto, os padrões patriarcais se impuseram e a medicina passou a ser dominada pelo homem.

Isso é verdadeiro tanto para a medicina chinesa ou grega clássica quanto para a medicina europeia medieval, ou a moderna medicina cosmopolita.

Na história da medicina ocidental, a conquista do poder por uma elite profissional masculina envolveu uma longa luta que acompanhou o surgimento da abordagem racional e científica da saúde e da cura. O resultado dessa luta foi o estabelecimento de uma elite médica quase exclusivamente masculina e a intrusão da medicina em setores que eram tradicionalmente atendidos por mulheres, como o parto. Essa tendência está sendo agora invertida pelo movimento das mulheres: elas reconhecem nos aspectos patriarcais da medicina mais uma das manifestações do controle do corpo das mulheres pelos homens, e estabeleceram como um de seus objetivos centrais a plena participação das mulheres na assistência à sua própria saúde[5].

A maior mudança na história da medicina ocidental ocorreu com a revolução cartesiana. Antes de Descartes, a maioria dos terapeutas atentava para a interação de corpo e alma, e tratava seus pacientes no contexto de seu meio ambiente social e espiritual. Assim como sua visão de mundo mudou com o correr do tempo, o mesmo aconteceu com suas concepções de doença e seus métodos de tratamento, mas eles costumavam considerar o paciente como um todo. A filosofia de Descartes alterou profundamente essa situação. Sua rigorosa divisão entre corpo e mente levou os médicos a se concentrarem na máquina corporal e a negligenciarem os aspectos psicológicos, sociais e ambientais da doença. Do século XVII em diante, o progresso na medicina acompanhou de perto o desenvolvimento ocorrido na biologia e nas outras ciências sociais. Quando a perspectiva da ciência biomédica se transferiu do estudo dos órgãos corporais e suas funções para o das células e, finalmente, para o das moléculas, o estudo do fenômeno da cura foi progressivamente negligenciado, e os médicos passaram a achar cada vez mais difícil lidar com a interdependência de corpo e mente.

O próprio Descartes, embora introduzisse a separação de corpo e mente, considerou, não obstante, a interação entre ambos um aspecto essencial da natureza humana, e estava perfeitamente ciente de suas implicações na medicina. A união de corpo e alma foi o principal tema de sua correspondência com um de seus mais brilhantes discípulos, a princesa Elizabeth, da Boêmia. Descartes considerava-se professor e amigo íntimo da princesa, além de seu médico; e quando Elizabeth não estava bem de saúde e descrevia seus sintomas físicos a Descartes, este não hesitava em diagnosticar que seu mal era devido, predominantemente, à tensão emocional, ou estresse emocional, como diríamos hoje; receitava-lhe, então, relaxamento e meditação, além dos tratamentos físicos[6]. Assim, Descartes mostrou-se muito menos "cartesiano" do que a maioria dos médicos atuais.

No século XVII, William Harvey explicou o fenômeno da circulação sanguínea em termos puramente mecanicistas, mas outras tentativas de construção de modelos mecanicistas para as funções fisiológicas foram muitíssimo menos felizes. No final do século era evidente que uma aplicação direta da abordagem cartesiana não levaria a novos progressos médicos, e surgiram numerosos contramovimentos no século XVIII, tendo sido o sistema da homeopatia o mais difundido e mais bem-sucedido[7].

O avanço da moderna medicina científica principiou no século XIX com os grandes progressos feitos em biologia. No começo do século, a estrutura do corpo humano, em seus mínimos detalhes, era quase completamente conhecida. Além disso, um rápido progresso estava sendo feito na compreensão dos processos fisiológicos, graças, em grande parte, aos cuidadosos experimentos realizados por Claude Bernard. Assim, biólogos e médicos, fiéis à abordagem reducionista, voltaram suas atenções para entidades menores. Essa tendência desenvolveu-se em duas direções. Uma foi instigada por Rudolf Virchow, ao postular que todas as doenças envolviam mudanças estruturais no nível celular, estabelecendo assim a biologia celular como a base da ciência médica. A outra direção da pesquisa teve como pioneiro Louis Pasteur, iniciador do estudo intensivo de microrganismos, que passou a ocupar desde então os pesquisadores biomédicos.

A clara demonstração, por Pasteur, da correlação entre bactéria e doença teve um impacto decisivo. Ao longo de toda a história da medicina, os médicos vinham debatendo a questão sobre se uma doença específica era causada por um único fator ou era o resultado de uma constelação de fatores agindo simultaneamente. No século XIX, esses dois pontos de vista foram enfatizados, respectivamente, por Pasteur e Bernard. Bernard concentrou-se em fatores ambientais, externos e internos, e sublinhou a concepção de doença como o resultado de uma perda de equilíbrio interno envolvendo, em geral, a concorrência de uma variedade de fatores. Por seu lado, Pasteur concentrou seus esforços na elucidação do papel das bactérias na eclosão da doença, associando tipos específicos de doenças a micróbios específicos.

Pasteur e seus seguidores venceram triunfantemente o debate e, em consequência, a teoria microbiana da doença – a doutrina de que doenças específicas são causadas por micróbios específicos – foi rapidamente aceita pelos médicos. O conceito de etiologia* específica foi formulado com precisão pelo médico Robert Koch, que postulou um conjunto de critérios necessários para provar, de maneira

---

* Etiologia, do grego *aitia*, "causa", é um termo médico que significa "causa (ou causas) de doença". (N. do A.)

conclusiva, que um certo micróbio é o causador de uma doença específica. Esses critérios, conhecidos como "postulados de Koch", são ensinados desde então nas escolas de medicina.

Havia muitas razões para uma tão completa e exclusiva aceitação do ponto de vista de Pasteur. Uma delas foi o grande gênio de Louis Pasteur, que era não só um notável cientista, mas também um habilidoso e vigoroso polemista, com um talento especial para as demonstrações espetaculares. Uma outra razão foi a eclosão de várias epidemias na Europa nessa época, as quais propiciaram modelos ideais para demonstrar o conceito de causação específica. A razão mais importante, entretanto, foi o fato de que a doutrina da causação específica de doenças se ajustava perfeitamente à estrutura da biologia oitocentista.

A classificação lineana das formas vivas estava ganhando aceitação geral no começo do século, e parecia natural estendê-la a outros fenômenos biológicos. A identificação de micróbios com doenças forneceu um método para isolar e definir entidades patológicas; foi estabelecida, assim, uma taxonomia de doenças que não diferia muito da taxonomia de plantas e animais. Além disso, a ideia de uma doença ser causada por um único fator estava em perfeita concordância com a concepção cartesiana dos organismos vivos como sendo máquinas cujo desarranjo pode ser imputado ao mau funcionamento de um único mecanismo.

Na medida em que a concepção reducionista de doença se estabeleceu como princípio fundamental da moderna ciência médica, os médicos deram pouca importância ao fato de as opiniões do próprio Pasteur sobre a questão da causação de doenças serem muito mais sutis do que a interpretação simplista dada por seus seguidores. René Dubos demonstrou de maneira convincente, com a ajuda de muitas citações, que a visão de mundo de Pasteur era fundamentalmente ecológica[8]. Ele tinha consciência do efeito dos fatores ambientais sobre o funcionamento dos organismos vivos, embora não dispusesse de tempo para investigá-los experimentalmente. O objetivo primordial de suas pesquisas sobre doenças era o estabelecimento do papel causativo dos micróbios, mas ele também estava intensamente interessado no que chamava o "terreno", que era como se referia ao meio ambiente interno e externo do organismo. Em seu estudo das doenças do bicho-da-seda, que o levou à teoria microbiana, Pasteur reconheceu que essas doenças resultavam de uma interação complexa entre o hospedeiro, os micróbios e o meio ambiente, e escreveu, ao completar a pesquisa: "Se eu tivesse que empreender novos estudos sobre doenças do bicho-da-seda, dirigiria meus esforços para as condições ambientais que aumentam seu vigor e sua resistência".

Na sua concepção das doenças humanas, Pasteur mostrava a mesma consciência ecológica. Ele tomou por certo que o corpo saudável exibe uma forte resistência a muitos tipos de micróbios. Ele sabia muito bem que todo e qualquer organismo humano atua como hospedeiro para uma multidão de bactérias, e assinalou que estas só podem causar danos quando o corpo está debilitado. Assim, na opinião de Pasteur, a terapia bem-sucedida depende frequentemente da habilidade do médico para restabelecer as condições fisiológicas favoráveis à resistência natural. Escreveu Pasteur: "Esse é um princípio que deve estar sempre presente na mente do médico ou do cirurgião, porque pode tornar-se, com frequência, um dos alicerces da arte de curar". Ainda mais corajosamente, Pasteur sugeriu que os estados mentais afetam a resistência à infecção: "Muitas vezes ocorre que a condição do paciente – sua debilidade, sua atitude mental... – forma uma barreira insuficiente contra a invasão dos seres infinitamente pequenos". O fundador da microbiologia possuía uma visão de doença suficientemente ampla para antever intuitivamente abordagens corpo-mente da terapia que só muito recentemente foram desenvolvidas e ainda são alvo de suspeitas por parte dos círculos institucionais médicos.

A doutrina da etiologia específica influenciou muito o desenvolvimento da medicina, dos dias de Pasteur e Koch até hoje, ao transferir o foco da pesquisa biomédica do hospedeiro e do meio ambiente para o estudo dos microrganismos. A concepção estreita de doença resultante disso representa uma séria lacuna da medicina moderna, fato que está se tornando cada vez mais evidente. Por outro lado, o conhecimento de que os microrganismos, além de afetarem o desenvolvimento da doença, podem também causar a infecção de ferimentos cirúrgicos revolucionou a prática da cirurgia. Levou primeiro ao desenvolvimento do sistema antisséptico – no qual os instrumentos e o vestuário cirúrgicos eram esterilizados – e, subsequentemente, ao método asséptico – no qual tudo o que entra em contato com o ferimento tem que estar completamente livre de bactérias. Juntamente com a técnica da anestesia geral, esses avanços colocaram a cirurgia numa base inteiramente nova, criando os principais elementos do intrincado ritual que se tornou característico da cirurgia moderna.

Os progressos em biologia durante o século XIX foram acompanhados pelo avanço da tecnologia médica. Foram inventados novos instrumentos de diagnóstico, como o estetoscópio e aparelhos para a tomada da pressão sanguínea; e a tecnologia cirúrgica tornou-se mais sofisticada. Ao mesmo tempo, a atenção dos médicos transferiu-se gradualmente do paciente para a doença. Patologias foram localizadas, diagnosticadas e rotuladas de acordo com um sistema definido de classificação, e estudadas em hospitais transformados, das medievais "casas de misericórdia", em centros de diagnóstico, terapia e ensino. Assim começou a tendência para a especialização, que iria atingir seu auge no século XX.

A ênfase na definição e localização precisa de patologias também foi aplicada ao estudo médico de perturbações mentais, para as quais foi criada a palavra "psiquiatria"*. Em vez de tentarem compreender as dimensões psicológicas da doença mental, os psiquiatras concentraram seus esforços na descoberta de causas orgânicas – infecções, deficiências alimentares, lesões cerebrais – para todas as perturbações mentais. Essa "orientação orgânica" em psiquiatria foi incentivada pelo fato de que, em numerosos casos, os pesquisadores puderam, de fato, identificar origens orgânicas de distúrbios mentais e desenvolver métodos bem-sucedidos de tratamento. Embora esses êxitos fossem parciais e isolados, estabeleceram firmemente a psiquiatria como um ramo da medicina comprometido com o modelo biomédico. Isso resultou num desenvolvimento um tanto problemático no século XX. De fato, mesmo no século XIX, o limitado êxito da abordagem biomédica na área da doença mental inspirou um movimento alternativo – a abordagem psicológica – que levou à fundação da psiquiatria dinâmica e da psicoterapia de Sigmund Freud[9], situando a psiquiatria muito mais perto das ciências sociais e da filosofia.

No século XX, a tendência reducionista persistiu na ciência biomédica. Houve notáveis realizações, mas alguns desses triunfos demonstraram os problemas inerentes a seus métodos, visíveis desde o início do século, mas que se tornaram então evidentes para um grande número de pessoas, dentro e fora do campo da medicina. Isso conduziu a prática da medicina e a organização da assistência à saúde ao centro do debate público e evidenciou a muitos que seus problemas estão profundamente interligados com as outras manifestações da nossa crise cultural[10].

A medicina do século XX caracteriza-se pela progressão da biologia até o nível molecular e pela compreensão de vários fenômenos biológicos nesse nível. Com esse progresso, como vimos, a biologia molecular como forma de pensamento impôs-se às ciências humanas e, por conseguinte, passou a ser a base científica da medicina. Todos os grandes êxitos da ciência médica em nosso século basearam-se num conhecimento detalhado dos mecanismos celular e molecular.

O primeiro avanço de envergadura, que realmente resultou de novas aplicações e elaborações de conceitos do século XIX, foi o desenvolvimento de uma grande série de medicamentos e vacinas para o combate às doenças infecciosas. Primeiro foram descobertas vacinas contra doenças bacterianas – febre tifoide, té-

---

* Do grego *psyche*, "mente", e *iatreia*, "cura". (N. do A.)

tano, difteria e muitas outras –, depois, contra doenças provocadas por vírus. Na medicina tropical, o uso combinado de imunização e inseticidas (para controlar os mosquitos transmissores de doenças) resultou na vitória contra três importantes doenças dos trópicos: malária, febre amarela e lepra. Ao mesmo tempo, muitos anos de experiência nesses programas ensinaram aos cientistas que o controle de doenças tropicais envolve muito mais do que vacinações e pulverização com produtos químicos. Como todos os inseticidas são tóxicos para os seres humanos, e como eles se acumulam nas plantas e nos tecidos animais, devem ser usados muito judiciosamente. Além disso, é necessária uma detalhada pesquisa ecológica para entender as interdependências dos organismos e ciclos vitais envolvidos na transmissão e no desenvolvimento de cada doença. As complexidades são tais que nenhuma dessas doenças pode ser completamente erradicada; elas podem, porém, ser efetivamente controladas pela habilidosa manipulação das condições ecológicas[11].

A descoberta da penicilina em 1928 precipitou a era dos antibióticos, um dos períodos mais espetaculares da medicina moderna; ela culminou na década de 1950 com a descoberta de uma profusão de agentes antibacterianos capazes de enfrentar uma grande variedade de microrganismos. Outra importante novidade farmacológica, também da década de 1950, foi uma ampla gama de medicamentos psicoativos, sobretudo tranquilizantes e antidepressivos. Com esses novos medicamentos, os psiquiatras estavam aptos a controlar uma variedade de sintomas e padrões de comportamento de pacientes psicóticos sem causar-lhes uma profunda obnubilação da consciência. Isso ocasionou uma importante transformação na assistência aos doentes mentais. As técnicas de coerção externa foram substituídas pelos sutis grilhões internos do moderno arsenal farmacológico, o que reduziu substancialmente o tempo de hospitalização e tornou possível tratar muitas pessoas como pacientes ambulatoriais. O entusiasmo por esses êxitos iniciais obscureceu por algum tempo o fato de que os medicamentos psicoativos apresentam uma série de perigosos efeitos colaterais; e embora controlem sintomas, não têm, sem dúvida, efeito algum sobre os distúrbios subjacentes. Os psiquiatras estão cada vez mais conscientes disso, e opiniões críticas começam a superar as entusiásticas virtudes terapêuticas tão apregoadas.

Um importante triunfo da medicina moderna ocorreu na endocrinologia, o estudo das glândulas endócrinas* e suas secreções, conhecidas como hormônios, os quais circulam na corrente sanguínea e regulam uma grande variedade

---

* As glândulas do sistema endócrino são a pituitária ou hipófise (no cérebro), a tireoide (na garganta), as suprarrenais (nos rins), as ilhotas de Langerhans (no pâncreas) e as gônadas (genitais). (N. do A.)

de funções corporais. O evento mais notável nesses estudos foi a descoberta da insulina*. O isolamento desse hormônio, somado ao reconhecimento de que a diabetes estava associada à insuficiência insulínica, tornou possível evitar a morte quase certa de um número incontável de diabéticos, permitindo-lhes levar uma vida normal, com o auxílio de injeções regulares de insulina. Um outro avanço importante no estudo dos hormônios ocorreu com a descoberta da cortisona, uma substância isolada do córtex da glândula suprarrenal, e que constitui um potente agente anti-inflamatório. Finalmente, a endocrinologia propiciou maior conhecimento e compreensão dos hormônios sexuais, culminando no desenvolvimento da pílula anticoncepcional.

Todos esses exemplos ilustram tanto os êxitos quanto as deficiências da abordagem biomédica. Em todos os casos, os problemas médicos são reduzidos a fenômenos moleculares com o objetivo de se encontrar um mecanismo central para o problema. Uma vez entendido esse mecanismo, ele é contra-atacado por um medicamento que, com frequência, é isolado a partir de um outro processo orgânico cujo "princípio ativo" se diz que ele representa. Ao reduzir desse modo as funções biológicas a mecanismos moleculares e princípios ativos, os pesquisadores biomédicos ficam inevitavelmente limitados a aspectos parciais dos fenômenos que estudam. Por conseguinte, eles só podem obter uma visão estreita dos distúrbios que investigam e dos remédios que desenvolvem. Todos os aspectos que vão além dessa visão limitada são considerados irrelevantes, no que se refere aos distúrbios, e são enumerados como "efeitos colaterais", no caso dos remédios. A cortisona, por exemplo, ficou conhecida por seus muitos e perigosos efeitos colaterais, e a descoberta da insulina, embora extremamente útil, concentrou a atenção de clínicos e pesquisadores nos sintomas da diabetes, impedindo-os de investigar suas causas subjacentes. Em vista desse estado de coisas, a descoberta das vitaminas talvez possa ser considerada o maior êxito da ciência biomédica. Uma vez reconhecida a importância desses "fatores alimentares acessórios", e estabelecida sua identidade química, muitas doenças da nutrição causadas por deficiência vitamínica, como o raquitismo e o escorbuto, puderam ser curadas com extrema facilidade por mudanças dietéticas adequadas.

O conhecimento detalhado das funções biológicas em níveis celulares e moleculares permitiu o desenvolvimento em larga escala de farmacoterapias e ofereceu enorme contribuição à cirurgia, possibilitando aos cirurgiões aprimorar sua arte em níveis de sofisticação além de toda expectativa. Para começar, foram des-

---

* A insulina é um hormônio secretado pelas glândulas pancreáticas, conhecidas como ilhotas de Langerhans. (N. do A.)

cobertos os três grupos sanguíneos, as transfusões de sangue tornaram-se possíveis e desenvolveu-se uma substância que impede a formação de coágulos sanguíneos. Esses progressos, juntamente com grandes avanços em matéria de anestesia, deram aos cirurgiões muito mais liberdade e tornaram possível que eles se aventurassem muitíssimo mais. Com o aparecimento dos antibióticos, a proteção contra infecções tornou-se muito mais eficiente e possibilitou a substituição de ossos e tecidos danificados por outros materiais, sobretudo plásticos. Ao mesmo tempo, os cirurgiões desenvolveram grande habilidade e destreza no tratamento dos tecidos e no controle das reações do organismo. A nova tecnologia médica permitiu-lhes manter processos fisiológicos normais, mesmo durante prolongadas intervenções cirúrgicas. Na década de 1960, Christiaan Barnard transplantou um coração humano, e outros transplantes de órgãos se seguiram com graus variáveis de sucesso. Com essas conquistas, a tecnologia médica atingiu um grau de sofisticação sem precedentes e se tornou onipresente a moderna assistência médica. Ao mesmo tempo, a crescente dependência da medicina em relação à alta tecnologia suscitou um certo número de problemas que não são apenas de natureza médica ou técnica, mas envolvem questões sociais, econômicas e morais muito mais amplas[12].

Na longa ascensão da medicina científica, os médicos tiveram fascinantes *insights* dos mecanismos íntimos do corpo humano e desenvolveram tecnologias num impressionante grau de complexidade e sofisticação. Entretanto, apesar desses grandes avanços da ciência médica, estamos assistindo hoje a uma profunda crise da assistência médica na Europa e na América do Norte. Muitas razões são apontadas para o descontentamento generalizado com as instituições médicas – inacessibilidade de serviços, ausência de simpatia e solicitude, imperícia ou negligência –, mas o tema central de todas as críticas é a impressionante desproporção entre o custo e a eficácia da medicina moderna. Apesar do considerável aumento nos gastos com saúde nas últimas três décadas, e em meio aos pronunciamentos dos médicos acerca do valor da ciência e da tecnologia, a saúde da população não parece ter apresentado uma melhora significativa.

A relação entre medicina e saúde é difícil de ser avaliada porque a maioria das estatísticas sobre saúde usa o limitado conceito biomédico de saúde, definindo-a como ausência de doença. Uma avaliação significativa envolveria a saúde do indivíduo e a saúde da sociedade; teria que incluir doenças mentais e patologias sociais. Tal concepção abrangente mostraria que, embora a medicina tenha contribuído para a eliminação de certas doenças, isso não restabeleceu necessariamente a saúde. Na concepção holística de doença, a enfermidade física é apenas uma das numerosas manifestações de um desequilíbrio básico do organismo[13]. Outras manifestações podem assumir a forma de patologias psicológicas e sociais; e quando os sintomas de uma enfermidade física são efetivamente suprimidos por intervenção médica, uma doença pode muito bem expressar-se de algum outro modo.

Com efeito, as psicopatias e sociopatias tornaram-se agora importantes problemas de saúde pública. De acordo com algumas pesquisas, cerca de 25 por cento da população norte-americana é psicologicamente perturbada e pode ser considerada seriamente deficiente e carente de atenção terapêutica[14]. Ao mesmo tempo, verifica-se um aumento alarmante do alcoolismo, dos crimes violentos, dos acidentes e suicídios, todos sintomas de saúde social precária. Analogamente, os sérios problemas de saúde infantil atuais têm sido vistos como indicadores de doença social[15], a par do aumento da criminalidade e do terrorismo político.

Por outro lado, houve um grande aumento na expectativa de vida nos países desenvolvidos durante os últimos duzentos anos, e isso é frequentemente citado como uma indicação dos efeitos benéficos da medicina moderna. Contudo, esse argumento é falacioso. A saúde tem muitas dimensões, todas decorrentes da complexa interação entre os aspectos físicos, psicológicos e sociais da natureza humana. Em suas várias facetas, ela reflete todo o sistema social e cultural, e nunca pode ser representada por um único parâmetro, como a taxa de mortalidade ou a duração média de vida. A expectativa de vida é uma estatística útil, mas não suficiente para medir a saúde de uma sociedade. Para se obter um quadro mais exato, temos de transferir nossa atenção da quantidade para a qualidade. O aumento registrado na expectativa de vida resultou primordialmente de um declínio da taxa de mortalidade infantil, o que, por sua vez, está relacionado com o nível de pobreza, o acesso a uma alimentação adequada e muitos outros fatores sociais, econômicos e culturais. Sabemos ainda muito pouco a respeito de como essas múltiplas forças se combinam para afetar a mortalidade infantil, mas é evidente que a assistência médica pouco contribuiu para seu declínio[16].

Qual é, pois, a relação entre medicina e saúde? Em que medida a moderna medicina ocidental foi bem-sucedida na cura de doenças e no alívio da dor e do sofrimento? As opiniões tendem a variar consideravelmente e levam a um certo número de afirmações conflitantes. Por exemplo, as seguintes declarações podem ser encontradas num recente estudo sobre saúde realizado nos Estados Unidos, patrocinado pela Fundação Johnson e a Fundação Rockefeller:

> Desenvolvemos o mais refinado esforço de pesquisa biomédica no mundo, e nossa tecnologia médica é insuperável.
>
> John H. Knowles, presidente,
> Fundação Rockefeller

Na maioria dos casos, somos relativamente ineficientes na prevenção de doenças ou na preservação da saúde por intervenção médica.
David E. Rogers, presidente,
Fundação Robert Wood Johnson

[...] o extraordinário, quase inconcebível progresso que a medicina realizou, de fato, em décadas recentes [...]
Daniel Callahan, diretor,
Institute of Society, Ethics and the Life Sciences,
Hastings-on-Hudson, Nova York

Estamos, aproximadamente, com a mesma lista das principais doenças mais comuns com que o país se defrontou em 1950, e, embora tenhamos acumulado um notável acervo de informações acerca de algumas delas neste meio tempo, tal acumulação ainda é insuficiente para permitir a prevenção ou a cura completa de qualquer uma delas.
Lewis Thomas, presidente,
Memorial Sloan-Kettering Cancer Center

As melhores estimativas são de que o sistema médico (médicos, remédios, hospitais) afeta cerca de 10 por cento dos índices usuais para a medição da saúde.
Aaron Wildavsky, decano,
Graduate School of Public Policy,
Universidade da Califórnia, Berkeley[17]

Estas declarações aparentemente contraditórias se tornam inteligíveis quando nos apercebemos de que diferentes pessoas se referem a diferentes fenômenos ao falar a respeito do progresso da medicina. Aqueles que afirmam ter havido progresso aludem aos avanços científicos na descoberta de mecanismos biológicos, associando-os a doenças específicas e ao desenvolvimento de tecnologias que agirão sobre elas. Com efeito, a ciência biomédica tem realizado considerável progresso nesse sentido nas últimas décadas. Entretanto, como os mecanismos biológicos só muito raramente são as causas exclusivas de uma doença, compreendê-los não significa necessariamente que se fez algum progresso na assistência à saúde. Logo, aqueles que dizem que a medicina fez poucos progressos nos últimos vinte anos também estão certos. Eles estão falando de cura e não de conhecimento científico. As duas espécies de progresso não são, é claro, incompatíveis. A pesquisa biomédica continuará sendo uma parte importante da futura assistência à saúde, ainda que integrada numa abordagem mais ampla, holística.

Ao examinar-se a relação entre medicina e saúde, também é necessário entender que existe um vasto espectro de medicina, da clínica geral à medicina de emergência, da cirurgia à psiquiatria. Em algumas dessas áreas, a abordagem biomédica tem sido extremamente bem-sucedida, ao passo que em outras se mostrou um tanto ineficaz. O grande êxito da medicina de emergência ao lidar com acidentes, infecções agudas e nascimentos prematuros é bem conhecido. Quase todas as pessoas conhecem alguém cuja vida foi salva, ou cuja dor e aflição foram extraordinariamente reduzidas, graças à intervenção médica. De fato, nossa moderna tecnologia médica é soberba ao lidar com essas emergências. Mas, embora tal assistência médica possa ser decisiva em casos individuais, parece não fazer uma diferença significativa para a saúde das populações como um todo[18]. A grande publicidade dada a procedimentos médicos tão espetaculares quanto a cirurgia de coração aberto e os transplantes de órgãos tende a fazer-nos esquecer que muitos desses pacientes não teriam sido hospitalizados se medidas preventivas não tivessem sido gravemente negligenciadas.

Uma conquista extraordinária na história da saúde pública, que tem sido usualmente creditada à medicina moderna, foi o acentuado declínio das doenças infecciosas no final do século XIX e começo do século XX. Cem anos atrás, doenças como a tuberculose, a cólera e a febre tifoide eram uma constante ameaça. Qualquer pessoa podia contraí-las, e cada família receava perder pelo menos um de seus filhos. Hoje, a maioria dessas doenças desapareceu quase completamente nos países desenvolvidos, e as ocorrências, muito raras, podem ser facilmente controladas com antibióticos. O fato de essa mudança extraordinária ter ocorrido mais ou menos simultaneamente ao avanço da moderna medicina científica levou à crença generalizada de que ela foi ocasionada pelas realizações da ciência médica. Essa crença, embora compartilhada pela maioria dos médicos, está inteiramente errada. Estudos da história dos tipos de doença mostraram de forma concludente que a contribuição da intervenção médica para o declínio das doenças infecciosas foi muito menor do que geralmente se acredita. Thomas McKeown, uma destacada autoridade no campo da saúde pública e da medicina social, realizou um dos mais detalhados estudos da história das infecções[19]. Seu trabalho fornece provas conclusivas de que o declínio impressionante na mortalidade a partir do século XVIII foi devido principalmente a três fatores. A mais antiga e duradoura influência foi a da considerável melhoria na nutrição. Desde o fim do século XVII, a produção de alimentos aumentou rapidamente no mundo ocidental; houve grandes avanços na agricultura, e a resultante expansão de suprimentos alimentares tornou as pessoas mais resistentes às infecções. O papel crítico da nutrição no fortalecimento da reação do organismo às doenças infecciosas está agora bem estabelecido, e é compatível com a experiência dos países do Terceiro Mundo, onde a desnutrição é reconhecida como a causa predominante da saúde precária[20]. A segunda razão principal para o declínio das doenças infecciosas pode ser atribuída à melhoria das condições de higiene e saneamento a partir da segunda metade do século XIX. O século XIX não só nos trouxe a descoberta de microrganismos e a teoria microbiana das doenças, mas foi também a era em que a influência do meio ambiente sobre a vida humana se tornou um ponto focal do pensamento científico e da consciência pública. Lamarck e Darwin viram a evolução dos organismos vivos como o resultado da influência ambiental; Bernard enfatizou a importância do *milieu intérieur*, e Pasteur mostrou-se interessado no "terreno" em que os micróbios agem. No domínio social, uma preocupação análoga com o meio ambiente produziu os movimentos populares e as cruzadas sanitárias em prol da saúde e da higiene públicas.

A grande maioria dos reformadores da saúde pública do século XIX não acreditava na teoria microbiana das doenças, mas supunha que a má saúde tinha origem na pobreza, na desnutrição e na sujeira, e organizaram vigorosas campanhas de saúde pública para combater essa situação. Isso levou à melhoria das condições de higiene pessoal e da nutrição, e à introdução de novas medidas sanitárias – purificação da água, eficiente rede de esgotos, fornecimento de leite pasteurizado e melhor higiene dos alimentos –, todas elas extremamente eficazes no controle de doenças infecciosas. Houve também um significativo declínio nas taxas de natalidade, relacionado à melhoria geral das condições de vida[21]. Isso reduziu a taxa de crescimento da população e garantiu que o progresso na saúde não seria comprometido pelos números crescentes.

A análise de McKeown dos vários fatores que influenciaram a mortalidade causada por infecções mostra muito claramente que a intervenção médica foi um fator muito menos importante do que outros. Todas as principais doenças infecciosas tinham atingido seu auge e declinado muito antes de serem introduzidos os primeiros antibióticos eficazes e as técnicas de imunização. Essa ausência de correlação entre a mudança de tipos de doença e a intervenção médica também encontrou impressionante confirmação em numerosos experimentos em que as modernas tecnologias médicas foram usadas sem êxito para melhorar a saúde de várias populações "subdesenvolvidas" nos Estados Unidos e alhures[22]. Esses experimentos parecem indicar que a tecnologia médica, por si só, é incapaz de provocar mudanças significativas nos tipos básicos de doença.

A conclusão a ser extraída desses estudos da relação entre medicina e saúde parece ser que as intervenções biomédicas, embora extremamente úteis em emergências individuais, têm muito pouco efeito sobre a saúde de populações inteiras. A saúde dos seres humanos é predominantemente determinada, não por intervenção médica, mas pelo comportamento, pela alimentação e pela natureza de seu meio ambiente. Como essas variáveis diferem de cultura para cultura, cada uma tem suas próprias enfermidades características, e, à medida que mudam gradualmente a alimentação, o comportamento e as situações ambientais, mudam também os tipos de doença. Assim, as doenças infecciosas agudas que afligiram a Europa e a América do Norte no século XIX, e que ainda hoje são as maiores responsáveis pela morte no Terceiro Mundo, foram substituídas nos países industrializados por doenças que já não estão associadas à pobreza e a precárias condições de vida, mas, pelo contrário, à prosperidade e à complexidade tecnológica. São as doenças crônicas e degenerativas – cardiopatias, câncer, diabetes – às quais se deu adequadamente o nome de "doenças da civilização", porquanto estão intimamente relacionadas a atitudes estressantes, dietas muito ricas, abuso de drogas, vida sedentária e poluição ambiental, características da vida moderna.

Em virtude de suas dificuldades em lidar com doenças degenerativas dentro da estrutura conceitual biomédica, os médicos, em vez de ampliarem essa estrutura, parecem frequentemente resignar-se à aceitação dessas doenças como consequências inevitáveis do "desgaste" geral, para o qual não existe cura. Em contrapartida, o público está cada vez mais insatisfeito com o atual sistema de assistência médica, dando-se conta de que ele, infelizmente, gerou custos exorbitantes sem melhorar de modo significativo a saúde do povo, e queixando-se de que os médicos tratam as doenças, mas não estão interessados nos pacientes.

As causas de nossa crise na área da saúde são múltiplas; elas podem ser encontradas dentro e fora da ciência médica e estão inextricavelmente ligadas à crise mais ampla, de natureza social e cultural. No entanto, um número crescente de pessoas, dentro e fora do campo médico, percebe as deficiências do atual sistema de assistência à saúde e aponta suas raízes na estrutura conceitual que serve de suporte à teoria e à prática médicas; elas passaram a acreditar que a crise persistirá se essa estrutura não for modificada[23]. Assim, é útil estudar com algum detalhe a base conceitual da medicina científica moderna, o modelo biomédico, para ver de que modo ele afeta a prática da medicina e a organização da assistência à saúde[24].

A medicina é praticada de várias maneiras por homens e mulheres com diferentes personalidades, atitudes e crenças. Portanto, a seguinte caracterização não se aplica a todos os médicos, pesquisadores médicos ou instituições. Há uma grande variedade no âmbito da moderna medicina científica; alguns médicos de família são muito solícitos e desvelados, e outros preocupam-se muito pouco; existem cirurgiões mais espiritualizados e que praticam sua arte com uma profunda reverência pela condição humana, enquanto outros são cínicos e motivados pelo lucro; embora ocorram experiências muito humanas em hospitais, outras há que são desumanas e degradantes. Apesar dessa grande variedade, entretanto, um sistema geral de crenças inspira a atual educação médica, a pesquisa e a assistência institucional à saúde. Esse sistema de crenças baseia-se no modelo conceitual que descrevemos historicamente.

O modelo biomédico está firmemente assente no pensamento cartesiano. Descartes introduziu a rigorosa separação de mente e corpo, a par da ideia de que o corpo é uma máquina que pode ser completamente entendida em termos da organização e do funcionamento de suas peças. Uma pessoa saudável seria como um relógio bem construído e em perfeitas condições mecânicas; uma pessoa doente, um relógio cujas peças não estão funcionando apropriadamente. As principais características do modelo biomédico, assim como muitos aspectos da prática médica atual, podem ter sua causa primeira nessa metáfora cartesiana.

Obedecendo à abordagem cartesiana, a ciência médica limitou-se à tentativa de compreender os mecanismos biológicos envolvidos numa lesão em alguma das várias partes do corpo. Esses mecanismos são estudados do ponto de vista da biologia celular e molecular, deixando de fora todas as influências de circunstâncias não biológicas sobre os processos biológicos. Em meio à enorme rede de fenômenos que influenciam a saúde, a abordagem biomédica estuda apenas alguns aspectos fisiológicos. O conhecimento desses aspectos é, evidentemente, muito útil, mas eles representam apenas uma pequena parte da história. A prática médica, baseada em tão limitada abordagem, não é muito eficaz na promoção e manutenção da boa saúde. De fato, essa prática, hoje em dia, causa frequentemente mais sofrimento e doença, segundo alguns críticos, do que cura[25]. Isso não mudará enquanto a ciência médica não relacionar seu estudo dos aspectos biológicos da doença com as condições físicas e psicológicas gerais do organismo humano e o seu meio ambiente.

Tal como os físicos em seu estudo da matéria, os médicos tentaram compreender o corpo humano reduzindo-o aos seus componentes básicos e às suas funções fundamentais. Como disse Donald Fredrikson, diretor dos National Institutes of Health, "a redução da vida em todas as suas complicadas formas a certos elementos fundamentais, que podem então ser sintetizados de novo para uma melhor compreensão do homem e seus males, é a preocupação básica da pesquisa biomédica"[26]. Dentro desse espírito reducionista, os problemas médicos são analisados passando-se ao estudo de fragmentos cada vez menores – de órgãos e tecidos para células, depois para fragmentos celulares e, finalmente, para moléculas isoladas – e, com excessiva frequência, o próprio fenômeno original acaba sendo deixado de lado. A história da moderna ciência médica mostrou repetidamente que a redução da vida a fenômenos moleculares não é suficiente para se compreender a condição humana, seja na saúde seja na doença.

Em face de problemas ambientais ou sociais, os pesquisadores médicos argumentam frequentemente que tais ocorrências estão fora das fronteiras da medicina. A educação médica, assim dizem eles, deve estar dissociada, por definição, das preocupações sociais, uma vez que estas são causadas por forças sobre as quais os médicos não têm controle[27]. Mas os médicos desempenharam um papel importante na criação desse dilema, ao insistirem que só eles estão qualificados para determinar o que constitui doença e selecionar a terapia apropriada. Enquanto mantiverem sua posição no topo da hierarquia do poder, dentro do sistema de assistência à saúde, eles terão a responsabilidade de ser sensíveis a todos os aspectos da saúde.

Os interesses da saúde pública estão geralmente isolados da educação e da prática médicas, as quais são severamente desequilibradas pela excessiva ênfase dada aos mecanismos biológicos. Muitas questões que são fundamentais para a saúde – como nutrição, emprego, densidade populacional e habitação – não são suficientemente discutidas nas escolas de medicina; por conseguinte, há pouco espaço para a assistência preventiva à saúde na medicina contemporânea. Quando os médicos falam de prevenção de doenças, fazem-no frequentemente considerando a estrutura mecanicista do modelo biomédico, mas as medidas preventivas, nesse âmbito tão limitado, não podem, é claro, ir muito longe. John Knowles, presidente da Fundação Rockefeller, diz francamente: "Os mecanismos biológicos básicos da maioria das doenças comuns ainda não são suficientemente conhecidos para que se tomem medidas preventivas e acertadas"[28].

O que é verdadeiro para a prevenção da doença também vale para a arte de curar os enfermos. Em ambos os casos, os médicos têm de lidar com o indivíduo como um todo e com sua relação com o meio ambiente físico e social. Embora a arte de curar ainda seja largamente praticada, dentro e fora da medicina, isso não é explicitamente reconhecido em nossas instituições médicas. O fenômeno da cura estará excluído da ciência médica enquanto os pesquisadores se limitarem a uma estrutura conceitual que não lhes permite lidar significativamente com a interação de corpo, mente e meio ambiente.

A divisão cartesiana influenciou a prática da assistência à saúde em vários e importantes aspectos. Em primeiro lugar, dividiu a profissão em dois campos distintos, com muito pouca comunicação entre si. Os médicos ocupam-se do tratamento do corpo, os psiquiatras e psicólogos, da cura da mente. O hiato entre os dois grupos tem sido uma séria desvantagem para a compreensão da maioria das doenças importantes, porque impediu os pesquisadores médicos de estudarem os papéis do estresse e dos estados emocionais no curso das doenças. Só muito recentemente o estresse foi reconhecido como a fonte significativa de uma vasta gama de enfermidades e distúrbios, e o vínculo entre estados emocionais e doença, embora conhecido através dos tempos, ainda recebe pouca atenção por parte da classe médica.

Como resultado da divisão cartesiana, existem hoje dois corpos distintos de literatura na pesquisa de saúde. Na literatura psicológica, a importância dos estados emocionais para a doença é amplamente debatida e bem documentada. Essas pesquisas são realizadas por psicólogos experimentais e relatadas em revistas de psicologia que os cientistas biomédicos raramente leem. Por sua vez, a literatura médica está bem fundamentada na fisiologia, mas jamais se ocupa dos aspectos psicológicos da doença. Os estudos do câncer são típicos. A ligação entre estados emocionais e câncer é perfeitamente conhecida desde o final do século XIX, e as provas relatadas na literatura psicológica são substanciais. Mas raríssimos médicos estão a par desses trabalhos, e os pesquisadores médicos não incorporaram os dados psicológicos a suas pesquisas[29].

Um outro fenômeno que é pouco entendido devido à incapacidade dos cientistas biomédicos para integrar elementos físicos e psicológicos é o fenômeno da dor[30]. Os pesquisadores médicos ainda não sabem precisamente o que causa a dor, nem entendem totalmente as vias de comunicação entre corpo e mente. Assim como a doença, como um todo, tem aspectos físicos e psicológicos, o mesmo ocorre com a dor, que frequentemente está associada a ela. Na prática, é quase sempre impossível saber quais são as fontes de dor e quais as psicológicas; de dois pacientes com idênticos sintomas físicos, um pode estar sofrendo dores excruciantes, enquanto o outro nada sente. Para entendermos a dor e sermos capazes de aliviá-la no processo da cura, devemos considerá-la em seu contexto mais amplo, que inclui as atitudes e expectativas mentais do paciente, seu sistema de crenças, o apoio emocional da família e dos amigos, e muitas outras circunstâncias. Em vez de lidar com a dor desse modo abrangente, a atual prática médica, atuando dentro de uma limitada estrutura biomédica, tenta reduzir a dor a um indicador de algum distúrbio fisiológico específico. Na maioria das vezes, a dor é tratada por meio da negação e suprimida com analgésicos.

O estado psicológico de uma pessoa, evidentemente, não só é importante na geração da doença, mas também crucial para o processo de cura. A reação psicológica do paciente ao médico é uma parte importante, talvez a mais importante, de toda e qualquer terapia. Induzir a paz de espírito e a confiança no processo de cura sempre foi uma finalidade primordial do encontro terapêutico entre médico e paciente, e é bem conhecido dos médicos que isso é usualmente feito de maneira intuitiva, nada tendo a ver com a habilidade técnica. Como observou Leonard Shlain, um notável cirurgião, "alguns médicos parecem fazer bem às pessoas, enquanto outros, independentemente de todas as suas qualificações de especialistas, apresentam elevados índices de complicações. A arte de curar não pode ser quantificada"[31].

Na medicina moderna, os problemas psicológicos e os problemas de comportamento são estudados e tratados por psiquiatras. Embora sejam médicos com treinamento formal, saídos das mesmas escolas de medicina, existe pouca comunicação entre eles e seus colegas de outras áreas, ou seja, entre os profissionais da saúde mental e os profissionais da saúde física. Muitos médicos chegam a olhar com sobranceria os psiquiatras, considerando-os médicos de segunda classe. Isso mostra, uma vez mais, o poder do dogma biomédico. Os mecanismos biológicos são vistos como a base da vida; os eventos mentais, como fenômenos secundários. Os médicos que se ocupam da doença mental são considerados menos importantes.

Em muitos casos, os psiquiatras reagiram a essa atitude aderindo rigorosamente ao modelo biomédico e tentando compreender a doença mental em termos de uma perturbação nos mecanismos físicos subjacentes ao cérebro. De acordo com esse ponto de vista, a doença mental é basicamente a mesma que a doença física; a única diferença é que ela afeta mais o cérebro do que qualquer outro órgão do corpo, manifestando-se através de sintomas mentais e não físicos. Esse desenvolvimento conceitual levou a uma situação algo curiosa. Enquanto os curandeiros, ao longo dos tempos, tentaram tratar a doença física por meios psicológicos, os psiquiatras modernos tentam agora tratar a doença psicológica por meios físicos, tendo-se convencido de que os problemas mentais são doenças do corpo.

A orientação orgânica em psiquiatria resultou na transferência de conceitos e métodos que foram considerados úteis no tratamento de doenças físicas para o campo dos distúrbios emocionais e comportamentais. Como se acredita que esses distúrbios se baseiam em mecanismos biológicos específicos, dá-se grande ênfase ao estabelecimento do diagnóstico correto usando-se um sistema reducionista de classificação. Embora essa abordagem tenha fracassado para a maioria dos distúrbios mentais, ainda é amplamente adotada na esperança de que se encontrem, enfim, os mecanismos específicos de causação da doença e os correspondentes métodos específicos de tratamento para todos os distúrbios mentais.

Quanto ao tratamento, o método preferido consiste em tratar as doenças mentais com medicação, que controla os sintomas do distúrbio, mas não o cura. E está ficando cada vez mais evidente que esse tipo de tratamento é contraterapêutico. De uma perspectiva holística de saúde, a doença mental pode ser vista como resultante de uma falha na avaliação e na integração da experiência. De acordo com esse ponto de vista, os sintomas de um distúrbio mental refletem a tentativa do organismo de curar-se e atingir um novo nível de integração[32]. A prática psiquiátrica corrente interfere nesse processo de cura espontânea ao suprimir os sintomas. A verdadeira terapia consistiria em facilitar a cura, fornecendo ao paciente uma atmosfera de apoio emocional. Em vez de ser suprimido, permitir-se-ia que o processo que constitui um sintoma fosse intensificado em tal atmosfera, e a autoanálise contínua culminaria em sua plena experiência e consciente integração, completando assim o processo de cura.

Para praticar essa terapia, é essencial que se possua considerável conhecimento do espectro total da consciência humana. Os psiquiatras carecem frequentemente desse conhecimento e, no entanto, são legalmente responsáveis pelo tratamento de doenças mentais. Assim, os doentes mentais são tratados em instituições médicas onde psicólogos clínicos, que frequentemente possuem um conhecimento muito mais completo dos fenômenos psicológicos, atuam meramente como auxiliares subordinados aos psiquiatras.

A extensão do modelo biomédico ao tratamento de distúrbios mentais tem sido, em seu todo, muito lamentável. Embora a abordagem biológica tenha sido útil para o tratamento de alguns distúrbios com uma nítida origem orgânica, ela é inteiramente inadequada para muitos outros, para os quais os modelos psicológicos são de fundamental significado. Consideráveis esforços têm sido empregados na tentativa de se chegar a um sistema de diagnóstico dos distúrbios mentais preciso e organicamente fundamentado, sem a compreensão de que a busca de diagnósticos objetivos e acurados não trará, em última instância, qualquer resultado na maioria dos casos psiquiátricos. A desvantagem prática dessa abordagem tem sido a de que muitos indivíduos sem disfunções orgânicas são tratados em estabelecimentos médicos onde são submetidos a terapias de valor duvidoso, a custos extremamente elevados.

As limitações da abordagem biomédica em psiquiatria estão ficando agora evidentes para um número crescente de profissionais da saúde, os quais estão empenhados num vigoroso debate sobre a natureza da doença mental. Thomas Szasz, que considera a doença mental puro mito, assume talvez a posição mais extrema[33]. Szasz condena a noção de doença como algo que ataca pessoas sem qualquer relação com sua personalidade, estilo de vida, sistema de crenças ou ambiente social. Nesse sentido, toda doença, mental ou física, é um mito. Se o termo é usado numa acepção holística, levando-se em conta o organismo e a personalidade do paciente, como um todo, assim como o meio ambiente físico e social, os distúrbios mentais são tão reais quanto as doenças físicas. Mas tal compreensão da doença mental transcende a estrutura conceitual da atual ciência médica.

Evitar as questões filosóficas e existenciais que são suscitadas com relação a toda e qualquer enfermidade séria é um aspecto característico da medicina contemporânea. É uma outra consequência da divisão cartesiana que levou os pesquisadores médicos a concentrarem-se exclusivamente nos aspectos físicos da saúde. De fato, a questão "O que é saúde?" geralmente não é sequer formulada nas escolas de medicina, nem há qualquer discussão sobre atitudes e estilos de vida saudáveis. Essas coisas são consideradas questões filosóficas que pertencem ao domínio espiritual, fora da esfera da medicina. Além disso, pressupõe-se que a medicina seja uma ciência objetiva, que não deve se preocupar com juízos morais.

Essa concepção seiscentista da ciência médica impede frequentemente os médicos de verem os aspectos benéficos e o significado potencial da doença. A doença é vista como um inimigo a ser derrotado, e os pesquisadores médicos perseguem o ideal utópico de eliminar, finalmente, todas as doenças, através da aplicação da pesquisa biomédica. Um tão limitado ponto de vista desconsidera os sutis aspectos psicológicos e espirituais da doença e impede que os pesquisadores médicos tomem consciência, como assinalou Dubos, de que "libertar-se completamente da doença e da luta é quase totalmente incompatível com o processo de vida"[34].

O resultado existencial último é, evidentemente, a morte – e, como todas as outras questões filosóficas e existenciais, a questão da morte é, tanto quanto possível, evitada. A falta de espiritualidade, que se tornou característica da nossa moderna sociedade tecnológica, reflete-se no fato de a profissão médica, à semelhança da sociedade como um todo, negar a morte. Dentro do âmbito mecanicista de nossa ciência médica, a morte não pode ser qualificada. A distinção entre uma boa morte e uma morte infeliz não tem sentido; a morte consiste, simplesmente, na paralisação total da máquina-corpo.

A antiquíssima arte de morrer deixou de ser praticada em nossa cultura, e o fato de ser possível morrer com boa saúde parece ter sido esquecido pela classe médica. Enquanto no passado um dos mais importantes papéis de um bom médico era proporcionar conforto e apoio aos pacientes moribundos e a suas famílias, os médicos e outros profissionais da saúde deixaram hoje de ser treinados para lidar com pacientes agonizantes e acham extremamente difícil enfrentar o fenômeno da morte. Eles tendem a ver a morte como um fracasso; os corpos são retirados dos hospitais secretamente, na calada da noite, e os médicos parecem significativamente mais temerosos da morte do que as outras pessoas, doentes ou saudáveis[35]. Embora as atitudes gerais em relação à morte e à agonia tenham recentemente começado a mudar de maneira considerável[36], na esteira do renascimento espiritual das décadas de 1960 e 1970, as novas atitudes ainda não foram incorporadas ao nosso sistema de assistência à saúde. Para tanto, é essencial uma profunda mudança conceitual na visão médica de saúde e doença.

Tendo examinado algumas das consequências da divisão cartesiana na medicina contemporânea, observemos agora mais de perto a imagem do corpo como máquina e seu impacto na teoria e na prática médica atuais. A concepção mecanicista do organismo humano levou a uma abordagem técnica da saúde, na qual a doença é reduzida a uma avaria mecânica e a terapia médica, à manipulação técnica[37]. Em muitos casos, essa abordagem foi bem-sucedida. A ciência e a tecnologia médicas desenvolveram métodos altamente sofisticados para remover ou consertar várias partes do corpo, e até para substituí-las por dispositivos artificiais. Isso tem aliviado o sofrimento e o desconforto de inúmeras vítimas de doenças e acidentes, contribuindo, porém, para distorcer as concepções de saúde e de assistência à saúde entre a classe médica e o grande público.

A imagem pública do organismo humano – imposta à força pelo conteúdo dos programas de televisão e, especialmente, pela publicidade – é a de uma máquina propensa a constantes avarias, se não for supervisionada por médicos e tratada com medicamentos. A noção do poder de cura inerente ao organismo e da tendência para manter-se saudável não é comunicada, não sendo valorizada a confiança do indivíduo em seu próprio organismo. Tampouco é enfatizada a relação entre saúde e hábitos de vida; somos encorajados a pressupor que os médicos podem consertar tudo, independentemente de nosso estilo de vida.

É desconcertante e deveras irônico que os próprios médicos sejam os que mais sofrem em decorrência da concepção mecanicista de saúde por desprezarem circunstâncias estressantes próprias de sua vida. Enquanto se esperava que os curandeiros tradicionais fossem pessoas saudáveis, mantendo o corpo e a alma em harmonia e afinados com seu meio ambiente, as atitudes e os hábitos típicos dos médicos de hoje são muito pouco saudáveis e levam a consideráveis doenças. Hoje, a expectativa de vida entre os médicos é de dez a quinze anos menos que a da média da população, e eles apresentam elevadas taxas de doença física, além de altos índices de alcoolismo, abuso de drogas, suicídio e outras patologias sociais[38].

A maioria dos médicos adota essas atitudes não saudáveis logo no início do curso de medicina, onde seu treinamento foi planejado para ser uma experiência extremamente estressante. O mórbido sistema de valores que domina nossa sociedade encontrou algumas de suas expressões extremas na educação médica. As escolas de medicina, especialmente nos Estados Unidos, são as mais competitivas de todas. À semelhança do mundo dos negócios, elas apresentam a alta competitividade como uma virtude e realçam uma "abordagem agressiva" da assistência ao paciente. De fato, a postura agressiva da assistência médica é, com frequência, tão extrema que as metáforas usadas para descrever doença e terapia são extraídas da linguagem bélica. Por exemplo, diz-se que um tumor maligno "invade" o corpo, a terapia de radiação "bombardeia" os tecidos para "matar" as células cancerígenas, sendo a quimioterapia frequentemente comparada a uma guerra química. Assim, a educação e a prática médicas perpetuam as atitudes e os padrões de comportamento de um sistema de valores que desempenha um importante papel na causa de muitas das enfermidades que a medicina pretende curar.

Embora provoquem o estresse, as escolas de medicina não se preocupam em ensinar a seus estudantes como enfrentá-lo. A essência do atual treinamento médico consiste em inculcar a noção de que as preocupações do paciente estão em primeiro lugar e o bem-estar do médico é secundário. Pensa-se que isso é necessário a fim de suscitar a noção de compromisso e responsabilidade; e, para promover tal atitude, o treinamento médico consiste em horários extremamente longos com pouquíssimas pausas. Muitos médicos dão prosseguimento a essa prática em sua vida profissional. Não é incomum um médico trabalhar o ano inteiro sem tirar férias. Essa carga de estresse é agravada pelo fato de que os médicos têm que lidar continuamente com pessoas em estado de grande ansiedade ou profunda depressão, o que aumenta a intensidade de seu trabalho cotidiano. Como eles são treinados para usar um modelo de saúde e de doença em que as forças emocionais não desempenham papel algum, são propensos a ignorá-las em sua própria vida.

A concepção mecanicista do organismo humano e a resultante abordagem técnica da saúde levaram a uma excessiva ênfase na tecnologia médica, que é considerada o único caminho para melhorar a saúde. Lewis Thomas, por exemplo, é muito explícito a esse respeito em seu artigo "On the science and technology of medicine"*. Após sua observação de que a medicina foi incapaz de impedir ou curar qualquer das mais importantes doenças nas últimas três décadas, prossegue dizendo: "Nós estamos, num certo sentido, atrelados à tecnologia de hoje, e continuaremos assim até que tenhamos um conhecimento científico ao trabalhar"[39].

---

* "Sobre a ciência e a tecnologia da medicina." (N. do E.)

A tecnologia pesada assumiu um papel central na moderna assistência médica. No início do século XX, a proporção de pessoal auxiliar era de cerca de um para cada dois médicos; hoje pode chegar a quinze para um. O instrumental de diagnóstico e terapêutica operado por esse exército de técnicos é o resultado de avanços recentes em física, química, eletrônica, informática e outros campos afins. Tais equipamentos incluem analisadores sanguíneos e tomógrafos computadorizados*, máquinas para diálise renal**, marca-passos cardíacos, equipamento para terapia de radiação e muitas outras máquinas altamente sofisticadas, além de extremamente dispendiosas, algumas delas custando cerca de 1 milhão de dólares[40]. Tal como em outras áreas, o uso dessa alta tecnologia em medicina é frequentemente injustificado. A crescente dependência da assistência médica de uma tecnologia complexa acelerou a tendência para a especialização e reforçou a propensão dos médicos de tratar partes específicas do corpo, esquecendo-se de cuidar do paciente como um ser total.

Ao mesmo tempo, a prática da medicina transferiu-se do consultório do clínico-geral para o hospital, onde se tornou progressivamente despersonalizada, quando não desumanizada. Os hospitais converteram-se em amplas instituições profissionais, enfatizando mais a tecnologia e a competência científicas do que o contato com o paciente. Nesses modernos centros médicos, que mais parecem aeroportos do que ambientes terapêuticos, os pacientes tendem a sentir-se impotentes e assustados, o que frequentemente os impede de apresentar melhoras. De 30 a 50 por cento dos casos de hospitalização atuais são clinicamente desnecessários; por outro lado, serviços alternativos que poderiam ser, do ponto de vista terapêutico, mais eficazes e economicamente mais eficientes desapareceram quase por completo[41].

Os custos da assistência médica aumentaram num ritmo assustador nas últimas três décadas do século XX. Nos Estados Unidos, subiram de 12 bilhões de dólares em 1950 para 160 bilhões de dólares em 1977, elevando-se quase duas vezes mais rapidamente que o custo de vida de 1974 a 1977[42]. Tendências semelhantes foram observadas na maioria dos outros países, incluindo aqueles que possuem sistemas médicos socializados. O desenvolvimento e o uso generalizado

---

* O tomógrafo computadorizado, ou CAT *scanner*, é uma máquina usada para diagnosticar, através de raios X, anormalidades dentro do crânio. Consiste numa unidade de raios X que conduz os feixes, através do crânio, em múltiplas direções; é acoplada a um computador que analisa a informação dos raios X e constrói imagens visuais que não poderiam ser obtidas por meio de técnicas convencionais. (N. do A.)

** Uma máquina de diálise renal filtra ou "dialisa" o sangue de pacientes com deficiência renal, substituindo os rins. (N. do A.)

de uma dispendiosa tecnologia médica estão entre as principais razões que levaram a esse aumento acentuado dos custos da saúde. Por exemplo, a diálise realizada num paciente com deficiência renal pode custar até 10 mil dólares por ano, e uma cirurgia de coronária, que ainda não se provou se prolonga a vida, está sendo realizada milhares de vezes a um custo de 10 mil a 25 mil dólares por operação[43].

O excessivo uso de alta tecnologia na assistência médica, além de antieconômico, causa dor e sofrimento desnecessários. Acidentes em hospitais ocorrem mais frequentemente do que em quaisquer outras indústrias, exceto as de mineração e construção civil de prédios altos. Foi estimado que um em cada cinco pacientes admitidos em um típico hospital de pesquisa adquire uma doença iatrogênica*, e metade dos casos é o resultado de complicações da farmacoterapia, enquanto somente 10 por cento resultam dos procedimentos de diagnóstico[44].

Os elevados riscos da moderna tecnologia médica levaram a outro significativo aumento nos custos da saúde através do crescente número de processos judiciais por imperícia ou negligência contra médicos e hospitais. Verifica-se hoje um medo quase paranoico de ação judicial entre os médicos americanos, que tentam proteger-se da instauração de processos mediante a prática da "medicina defensiva", servindo-se cada vez mais de tecnologia diagnóstica, o que provoca novos aumentos nos custos da assistência médica e expõe os pacientes a riscos adicionais[45]. Essa crise na prática médica tem várias causas: excessivo uso de alta tecnologia dentro de um modelo mecanicista de doença, no qual toda a responsabilidade é delegada ao médico; considerável pressão por parte de um grande número de advogados motivados pelo lucro; e uma sociedade que se orgulha de ser democrática, mas não possui um sistema médico socializado.

O problema central da assistência contemporânea à saúde é o conceito biomédico de doença, de acordo com o qual as doenças são entidades bem definidas que envolvem mudanças estruturais em nível celular e têm raízes causais únicas. O modelo biomédico deixa margem a várias espécies de fatores causativos, mas a tendência dos pesquisadores é aderir à doutrina de "uma doença, uma causa". A teoria microbiana foi o primeiro exemplo de causação específica de doença. As bactérias e, mais tarde, os vírus passaram a ser a causa provável de praticamente toda e qualquer doença de origem desconhecida. Depois, o avanço da biologia

---

* Doenças iatrogênicas – do grego *iatros*, "médico", e *genesis*, "origem" – são doenças geradas pelo próprio processo de assistência médica. (N. do A.)

molecular trouxe o conceito de lesão* única, incluindo as anomalias genéticas; e, mais recentemente, passaram a ser estudadas as causas ambientais das doenças. Em todos esses casos, os pesquisadores médicos tentaram alcançar três objetivos: a definição precisa da doença em estudo; a identificação de sua causa específica; e o desenvolvimento do tratamento apropriado – usualmente alguma manipulação técnica que elimine a raiz causal da doença.

A teoria da causação específica da doença foi bem-sucedida em alguns casos especiais, como os processos infecciosos agudos e as deficiências nutricionais, mas a esmagadora maioria das enfermidades não pode ser entendida em termos dos conceitos reducionistas de entidades patológicas e causas únicas bem definidas. O principal erro da abordagem biomédica é a confusão entre processos patológicos e origens das doenças. Em vez de perguntarem por que ocorre uma doença e tentarem eliminar as condições que levaram a ela, os pesquisadores médicos tentam entender os mecanismos biológicos através dos quais a doença age, para poderem interferir neles. Entre os pesquisadores contemporâneos mais eminentes, Thomas expressou sua crença em tal abordagem com invulgar clareza: "Para cada doença existe um único mecanismo-chave que domina todos os outros. Se pudermos descobri-lo e depois encontrar uma forma de contorná-lo, poderemos controlar o distúrbio. [...] Em suma, acredito que as principais doenças dos seres humanos se tornaram quebra-cabeças biológicos abordáveis e, em última instância, solucionáveis"[46].

Esses mecanismos, em vez de verdadeiras origens, são vistos como as causas da doença no pensamento médico atual, e essa confusão está no próprio centro dos problemas conceituais da medicina contemporânea. Thomas McKeown enfatizou: "Deve-se reconhecer que a questão fundamental na medicina é por que a doença ocorre e não como ela funciona depois que ocorreu; quer dizer, conceitualmente as origens da doença devem ter precedência sobre a natureza do processo patológico"[47].

As origens da doença serão geralmente encontradas em muitos fatores causativos que devem concorrer para tornar a saúde precária[48]. Além disso, seus efeitos diferem profundamente de pessoa para pessoa, uma vez que dependem das reações emocionais do indivíduo às situações estressantes e próprias do ambiente social em que elas ocorrem. O resfriado comum é um bom exemplo. Ele só pode se desenvolver se uma pessoa estiver exposta a um determinado vírus, mas nem todas as pessoas expostas a esse vírus serão contaminadas. A exposição resulta em doença somente quando o indivíduo exposto se encontra num estado receptivo, e isso depende das

---

* Lesão é um termo técnico para dano físico; designa uma mudança anormal na estrutura de um órgão ou outra parte do corpo. (N. do A.)

condições climáticas, da fadiga, do estresse e de uma série de outras circunstâncias que influenciam a resistência da pessoa à infecção. Para entender por que determinada pessoa contrai um resfriado, muitos desses fatores têm que ser avaliados e ponderados. Só então estará resolvido o "quebra-cabeça do resfriado comum".

Essa situação tem sua contrapartida em quase todas as doenças, a maioria delas muitíssimo mais sérias do que o resfriado comum. Um caso extremo, em complexidade e gravidade, é o câncer. Nas últimas décadas, gigantescas somas em dinheiro foram aplicadas na pesquisa do câncer com o objetivo de identificar o vírus causador dessa doença. Quando essa linha de pesquisa resultou infrutífera, a atenção foi transferida para causas ambientais, que também foram investigadas dentro de uma estrutura reducionista. Hoje, muitos pesquisadores ainda afirmam que a exposição a uma substância cancerígena é a causa única e exclusiva do câncer. Mas se atentarmos para o número de pessoas que são expostas, por exemplo, ao amianto, e indagarmos quantas delas contraem câncer pulmonar, descobriremos que a incidência se situa em torno de algo como um em mil. Como se explica que só uma pessoa em mil contraia a doença? A resposta é que qualquer influência nociva do meio ambiente envolve o organismo como um todo, incluindo o estado psicológico e o condicionamento social e cultural da pessoa. Todos esses fatores são significativos no desenvolvimento do câncer e têm que ser levados em conta para se entender a doença.

O conceito de doença como entidade bem definida levou a uma classificação das doenças que adotou como modelo a taxonomia de plantas e animais. Tal sistema classificatório se justifica no caso das doenças com sintomas predominantemente físicos, mas não no das doenças mentais, às quais foi estendido. O diagnóstico psiquiátrico é notório por sua falta de critérios objetivos. Dado que o comportamento do paciente em face do psiquiatra é parte integrante do quadro clínico em que o diagnóstico se baseia, e como esse comportamento é influenciado pela personalidade, atitudes e expectativas do médico, o diagnóstico será necessariamente subjetivo. Assim, o ideal de uma classificação precisa de "doença mental" continua sendo predominantemente ilusório. Não obstante, os psiquiatras se empenharam em estabelecer sistemas objetivos de diagnósticos para distúrbios emocionais e comportamentais que lhes permitissem incluir a doença mental na definição biomédica de doença.

No processo de redução da enfermidade à doença, a atenção dos médicos desviou-se do paciente como pessoa total. Enquanto a enfermidade é uma condição do ser humano total, a doença é a condição de uma determinada parte do corpo; e em vez de tratarem pacientes que estão enfermos, os médicos concentraram-se no tratamento de suas doenças[49]. Perderam de vista a importante distinção entre os dois conceitos. De acordo com o ponto de vista biomédico, não existe enfermidade, não havendo, assim, nenhuma justificação para o cuidado médico, quando não são encontradas alterações estruturais ou bioquímicas características de uma doença específica. Mas a experiência clínica tem demonstrado que uma pessoa pode estar enferma mesmo sem apresentar qualquer doença. Metade das consultas ao médico é de pessoas com queixas que não podem ser associadas a qualquer distúrbio fisiológico[50].

Em virtude da definição biomédica de doença como base da enfermidade, o tratamento médico é dirigido exclusivamente para a anormalidade biológica. Mas isso não restabelece necessariamente a saúde do paciente, mesmo que o tratamento seja bem-sucedido. Por exemplo, a terapia médica do câncer pode resultar na completa regressão de um tumor sem que, no entanto, o paciente esteja bem. Os problemas emocionais podem continuar afetando a saúde do paciente e, se não forem superados, poderão produzir uma recorrência da malignidade[51]. Por outro lado, pode acontecer que um paciente não apresente evidência de qualquer doença, mas sinta-se muito enfermo. Devido às limitações da abordagem biomédica, os médicos são frequentemente incapazes de ajudar esses pacientes, que foram apelidados de "hipocondríacos".

Embora o modelo biomédico distinga os sintomas das doenças, cada doença, numa acepção mais ampla, pode ser vista meramente como o sintoma de uma enfermidade subjacente, cujas origens raramente são investigadas. Tal conduta exigiria que a saúde precária fosse considerada dentro do amplo contexto da condição humana, reconhecendo-se que qualquer enfermidade, ou distúrbio comportamental, de um determinado indivíduo só pode ser compreendida em relação à rede de interações em que essa pessoa está inserida.

Talvez o mais impressionante exemplo da maior ênfase dada aos sintomas em detrimento das causas subjacentes seja a questão dos medicamentos dentro da medicina contemporânea. Ela tem suas raízes na ideia errônea de que as bactérias são as causas primárias das doenças e não manifestações sintomáticas do distúrbio fisiológico subjacente. Durante muitas décadas, depois de Pasteur ter apresentado sua teoria microbiana, a pesquisa médica concentrou-se nas bactérias e negligenciou o estudo do organismo hospedeiro e de seu meio ambiente. Por causa dessa ênfase unilateral, que só começou a mudar na segunda metade do nosso século, com o avanço da imunologia, os médicos tendiam a se concentrar na destruição das bactérias em vez de procurar descobrir as raízes causais dos distúrbios. Eles tiveram êxito na supressão ou no alívio dos sintomas, mas passaram a provocar, com frequência, novos danos ao organismo.

A excessiva ênfase nas bactérias criou a ideia de que a doença é a consequência de um ataque vindo do exterior, em vez de um distúrbio do próprio organismo. Lewis Thomas, em seu popular *Lives of a cell**, fez uma vigorosa descrição dessa concepção errônea e tão difundida:

> Ao ver televisão, temos a impressão de vivermos acuados, sob um risco total, cercados por todos os lados de micróbios sedentos de seres humanos, escudados contra a infecção e a morte graças unicamente a uma tecnologia química que nos permite continuar a matá-los antes que nos invadam. Somos convencidos a pulverizar desinfetantes por toda parte. [...] Aplicamos antibióticos potentes em arranhões leves e vedamo-los com tirinhas de plástico. O plástico é o novo protetor; embrulhamos os copos já de plástico dos hotéis em mais plástico e selamos os assentos dos sanitários como se fossem segredos de Estado, depois de esparzi-los com luz ultravioleta. Vivemos num mundo onde os micróbios estão tentando sempre atingir-nos, despedaçar-nos célula por célula, e só continuamos vivos às custas da diligência e do medo[52].

Essas atitudes um tanto grotescas, mais notórias nos Estados Unidos do que em qualquer outra parte do mundo, são incentivadas, é claro, pela ciência médica, mas também, de um modo ainda mais poderoso e eficaz, pela indústria química. Porém, seja qual for sua motivação, dificilmente encontrarão uma justificação biológica. É mais do que sabido que muitos tipos de bactérias e vírus associados a doenças estão comumente presentes nos tecidos de indivíduos saudáveis sem causar-lhes qualquer dano. Somente em circunstâncias especiais, que diminuem a resistência geral do organismo hospedeiro, é que eles produzem sintomas patológicos. Em nossa sociedade, é muito difícil acreditar nisso, mas a verdade é que o funcionamento de vários órgãos essenciais requer a presença de bactérias. Já está demonstrado que animais criados em condições totalmente livres de micróbios desenvolvem sérias anomalias anatômicas e fisiológicas[53].

Da gigantesca população de bactérias da Terra, apenas um pequeno número delas é capaz de gerar doenças em organismos humanos, e mesmo estas são usualmente destruídas no devido momento pelos mecanismos de imunização do próprio organismo. Eis o que diz Thomas: "O homem que apanha

---

* "Vidas de uma célula." (N. do E.)

um meningococo* corre consideravelmente menos perigo de vida, mesmo sem quimioterapia, do que os meningococos que tiveram o azar de apanhar um homem"[54]. Por outro lado, bactérias relativamente inofensivas para um determinado grupo de pessoas que adquiriram resistência a elas podem ser extremamente virulentas para outras que nunca estiveram expostas antes a esses micróbios. As catastróficas epidemias que flagelaram polinésios, índios americanos e esquimós, em seus primeiros contatos com os exploradores europeus, são um exemplo disso[55].

Na verdade, o desenvolvimento de doenças infecciosas depende tanto da resposta do hospedeiro quanto das características específicas da bactéria. Esse ponto de vista é corroborado pelo estudo meticuloso do mecanismo detalhado da infecção. Parece haver muito poucas doenças infecciosas em que as bactérias causam um dano real e direto às células ou aos tecidos do organismo hospedeiro. Existem algumas, mas na maioria dos casos o dano é causado por uma reação excessiva do organismo, uma espécie de pânico em que um grande número de poderosos mecanismos de defesa, sem relação entre si, é acionado simultaneamente[56]. As doenças infecciosas, portanto, surgem, na maioria das vezes, de uma falta de coordenação dentro do organismo, e não de danos causados por bactérias invasoras.

Diante de tais fatos, seria extremamente útil, assim como intelectualmente estimulante, estudar as complexas interações entre mente, corpo e meio ambiente que afetam a resistência às bactérias. Entretanto, muito poucas pesquisas desse tipo foram até agora realizadas. As pesquisas, no século XX, visaram principalmente à identificação de microrganismos específicos e ao desenvolvimento de medicamentos para matá-los. Esse esforço foi extremamente bem-sucedido, dotando os médicos de um arsenal de medicamentos de grande eficácia no tratamento de infecções bacterianas agudas. Mas ainda que o uso adequado de antibióticos em situações de emergência continue sendo justificado, também será essencial estudar e reforçar a resistência natural dos organismos humanos às bactérias.

Os antibióticos, é claro, não são o único tipo de medicamento usado na medicina moderna. Os remédios tornaram-se a chave de toda a terapia médica. Eles são usados para regular uma grande variedade de funções fisiológicas através de seus efeitos sobre os nervos, músculos e outros tecidos, assim como sobre o sangue

---

* O meningococo é a bactéria associada à meningite, uma inflamação das membranas que cobrem o cérebro e a medula espinhal. (N. do A.)

e outros fluidos corporais. Podem melhorar o funcionamento do coração e corrigir as irregularidades dos batimentos cardíacos; podem elevar ou diminuir a pressão sanguínea, impedir a formação de coágulos sanguíneos ou controlar a hemorragia excessiva, induzir a descontração muscular, afetar a secreção de várias glândulas e regular numerosos processos digestivos. Agindo sobre o sistema nervoso central, podem aliviar ou eliminar temporariamente a dor, reduzir a tensão e a ansiedade, induzir o sono ou estimular a atividade vígil. Os medicamentos podem afetar uma vasta gama de funções reguladoras, desde a acomodação visual do olho até a destruição de células cancerosas. Muitas dessas funções envolvem sutis processos bioquímicos só vagamente entendidos, quando não completamente desconhecidos.

O grande desenvolvimento da quimioterapia* na medicina moderna permitiu que os médicos salvassem inúmeras vidas e aliviassem muito sofrimento, mas, lamentavelmente, levou também ao bem conhecido uso inadequado e abusivo de medicamentos, tanto por parte dos médicos, através de receitas, quanto por parte das pessoas em geral, através da automedicação. Até recentemente, os efeitos colaterais tóxicos dos remédios, embora por vezes sérios, eram tão raros que passavam geralmente por insignificantes. Mas isso era um grave erro de julgamento. Nas duas últimas décadas, as reações adversas a remédios tornaram-se um problema de saúde pública de alarmantes proporções, produzindo considerável sofrimento e desconforto para milhões de pessoas durante todos esses anos[57]. Alguns desses efeitos são inevitáveis, e muitos deles podem ser atribuídos aos próprios pacientes, embora grande parte resulte de prescrições descuidadas e impróprias feitas por médicos que aderem rigidamente à abordagem biomédica. Já se afirmou que uma medicina de alta qualidade pode ser praticada sem o uso de qualquer dos vinte medicamentos mais comumente receitados[58].

O papel central dos medicamentos na assistência contemporânea à saúde é frequentemente justificado com a observação de que os mais eficazes remédios de hoje – incluindo a digitalina, a penicilina e a morfina – provêm de plantas, muitas delas usadas como medicamento desde eras remotas. A prescrição de remédios, de acordo com esse argumento, seria meramente a continuação de um costume que provavelmente é tão antigo quanto a própria humanidade. Embora isso seja provavelmente verdadeiro, há uma diferença fundamental entre o uso de medicamentos herbáceos e os preparados químicos. Os remédios dos modernos laboratórios farmacêuticos são amostras purificadas e altamente concentradas de substâncias que existem naturalmente nas plantas. Acontece que esses produtos purificados

---

* Quimioterapia é o tratamento de doenças com substâncias químicas, isto é, com medicamentos. (N. do A.)

são menos eficientes e provocam mais riscos do que os remédios originais, não purificados. Experimentos recentes com medicamentos herbáceos indicam que o princípio ativo purificado é menos eficaz como remédio do que o extrato natural da planta, porque este último contém elementos residuais e moléculas que foram considerados sem importância, mas que desempenham um papel vital para limitar o efeito do principal ingrediente ativo. São eles que mantêm a reação do corpo dentro de limites em que não ocorrem efeitos colaterais indesejáveis. Os extratos naturais de misturas herbáceas possuem também propriedades antibacterianas muito especiais. Eles não destroem as bactérias, mas impedem-nas de se multiplicar; em consequência disso, as mutações não podem ocorrer, tendo as linhagens de bactérias resistentes à medicação pouquíssimas probabilidades de se desenvolver[59]. Além disso, a dosagem dos remédios herbáceos é muito menos problemática do que a de preparados químicos. As misturas herbáceas que têm sido usadas empiricamente há milhares de anos não precisam ser quantificadas com precisão por causa de seus efeitos moderados intrínsecos. São suficientes as dosagens aproximadas, de acordo com a idade, o peso e a altura do paciente. Assim, a ciência moderna está validando agora o conhecimento empírico que tem sido transmitido de geração a geração por curandeiros populares em todas as culturas e tradições.

Um importante aspecto da concepção mecanicista dos organismos vivos, com seu resultante enfoque técnico da saúde, consiste na crença de que a cura da doença requer alguma intervenção externa, como a do médico, a qual tanto pode ser física – através de cirurgia ou radiação – quanto química – através de medicamentos. A atual terapia baseia-se nesse princípio de intervenção médica, confiando em forças externas para a cura ou, pelo menos, para o alívio do sofrimento e do desconforto, sem levar em consideração o potencial curativo do próprio paciente. Essa atitude deriva diretamente da visão cartesiana do corpo como uma máquina que requer alguém para consertá-la quando sofre uma avaria. Assim, a intervenção médica é efetuada com o objetivo de corrigir um mecanismo biológico específico numa determinada parte do corpo, com partes diferentes tratadas por especialistas diferentes.

Associar uma certa doença a uma parte definida do corpo é, evidentemente, muito útil em diversos casos. Mas a moderna medicina científica tem enfatizado excessivamente a abordagem reducionista e desenvolveu suas disciplinas especializadas a um ponto tal que os médicos, com frequência, já não são capazes de ver a enfermidade como uma perturbação do organismo todo, nem tratá-la como tal. A tendência, nesses casos, é tratar um determinado órgão ou tecido, e isso é geralmente feito sem levar em conta o resto do corpo e muito menos considerar os aspectos psicológicos e sociais da enfermidade do paciente.

Embora a intervenção médica fragmentária possa ser bem-sucedida no alívio da dor e do sofrimento, isso nem sempre é suficiente, por si só, para justificá-la. De um ponto de vista mais amplo, nem tudo o que alivia temporariamente o sofrimento é necessariamente bom. Se a intervenção for realizada sem levar em conta outros aspectos da enfermidade, o resultado a longo prazo será quase sempre prejudicial à saúde do paciente. Por exemplo, uma pessoa pode contrair arteriosclerose, um estreitamento e endurecimento das artérias, como resultado de uma vida pouco saudável – alimentação pesada, falta de exercício, excesso de fumo. O tratamento cirúrgico de uma artéria bloqueada pode aliviar temporariamente a dor, mas não fará a pessoa ficar bem. A intervenção cirúrgica trata meramente o efeito local de um distúrbio sistêmico, que continuará a existir até que os problemas subjacentes sejam identificados e resolvidos.

A terapia médica, é claro, sempre se baseará em alguma forma de intervenção. Não é necessário, porém, que seja tão excessiva e fragmentária como tem acontecido na assistência contemporânea à saúde. Poderia ser a espécie de terapia praticada por médicos criteriosos e curandeiros, há milênios, uma sutil interferência no organismo para estimulá-lo de um modo específico, de modo que ele, por si mesmo, complete o processo de cura. As terapias desse tipo baseiam-se num profundo respeito pela autocura, na noção de que o paciente, como indivíduo responsável, pode iniciar ele próprio o processo que o leve a ficar bem. Tal atitude é contrária ao enfoque biomédico, que delega toda a autoridade e responsabilidade ao médico.

De acordo com o modelo biomédico, somente o médico sabe o que é importante para a saúde do indivíduo, e só ele pode fazer qualquer coisa a respeito disso, porque todo o conhecimento acerca da saúde é racional, científico, baseado na observação objetiva de dados clínicos. Assim, os testes de laboratório e a medição de parâmetros físicos na sala de exames são geralmente considerados mais importantes para o diagnóstico do que a avaliação do estado emocional, da história familiar ou da situação social do paciente.

A autoridade do médico e sua responsabilidade pela saúde do paciente fazem-no assumir um papel paternal. Ele pode ser um pai benévolo ou um pai ditatorial, mas sua posição *é* claramente superior à do paciente. Além disso, como a grande maioria dos médicos é de homens, o papel paternal do médico encoraja e perpetua as atitudes sexistas em medicina, tanto no que se refere a pacientes do sexo feminino quanto a médicas[60]. Essas atitudes incluem algumas das mais perigosas manifestações de sexismo, não provocadas pela medicina como tal, mas como reflexo da propensão patriarcal da sociedade como um todo e especialmente da ciência.

No sistema atual de assistência à saúde, os médicos desempenham um papel ímpar e decisivo nas equipes que se encarregam das tarefas de assistência aos pacientes[61]. É o médico quem encaminha os pacientes para o hospital e os manda de volta para casa, é ele quem solicita as análises e radiografias, quem recomenda uma cirurgia e receita medicamentos. O pessoal de enfermagem, embora seja com frequência altamente qualificado, como os terapeutas e os sanitaristas, é considerado mero auxiliar dos médicos e raramente pode usar todo o seu potencial. Em virtude da estreita concepção biomédica de doença e dos padrões patriarcais de poder no sistema de assistência à saúde, o importante papel que as enfermeiras desempenham no processo de cura, através do contato com os pacientes, não é plenamente reconhecido. Graças a esse contato, as enfermeiras adquirem frequentemente um conhecimento muito mais amplo do estado físico e psicológico dos pacientes do que os médicos, mas esse conhecimento é considerado menos importante do que a avaliação "científica" do médico, baseada em testes de laboratório. Fascinada pela mística que cerca a profissão médica, nossa sociedade conferiu aos médicos o direito exclusivo de determinarem o que constitui a doença, quem está doente e quem não está, e os procedimentos com relação ao indivíduo enfermo. Muitos outros profissionais, como os homeopatas, os quiropráticos e os herbanários, cujas técnicas terapêuticas são baseadas em modelos conceituais diferentes, mas igualmente coerentes, foram legalmente excluídos do ramo principal da assistência à saúde.

Embora os médicos disponham de considerável poder para influenciar o sistema de assistência à saúde, eles também estão muito condicionados por esse sistema. Como seu treinamento é substancialmente orientado para a assistência hospitalar, eles se sentem mais à vontade, em casos duvidosos, quando seus pacientes estão no hospital, e, como recebem muito pouca informação idônea acerca de medicamentos de fontes não comerciais, tendem a ser excessivamente influenciados pela indústria farmacêutica. Entretanto, os aspectos essenciais da assistência contemporânea à saúde são determinados pela natureza da educação médica. Tanto a ênfase na tecnologia de equipamentos como o uso excessivo de medicamentos e a prática da assistência médica centralizada e altamente especializada têm sua origem nas escolas de medicina e nos centros médicos acadêmicos. Qualquer tentativa de mudar o sistema atual de assistência à saúde terá de começar, portanto, pela mudança no ensino da medicina.

O ensino da medicina nos Estados Unidos foi moldado, em sua forma atual, no começo do século, quando a American Medical Association encomendou uma pesquisa nacional sobre as escolas de medicina com o objetivo de dar a esse ensino uma sólida base científica. Um objetivo paralelo da pesquisa foi canalizar as gigantescas verbas de fundações recém-estabelecidas – especialmente as concedidas pelas fundações Carnegie e Rockefeller – para algumas instituições médicas cuidadosamente selecionadas[62]. Isso estabeleceu o vínculo entre a medicina e o *big business*, que passou a dominar até hoje todo o sistema de assistência à saúde.

O resultado dessa pesquisa foi o *Relatório Flexner*, publicado em 1910, que serviu de embasamento decisivo para o ensino de medicina nos EUA, fixando rigorosas diretrizes que ainda hoje são obedecidas[63]. A moderna escola de medicina tinha que fazer parte de uma universidade, com um corpo docente permanente, dedicado ao ensino e à pesquisa. Seu objetivo primordial era a formação dos estudantes e o estudo das doenças, não a assistência aos enfermos. Assim, o diploma de doutor em medicina que a escola conferia certificava o completo domínio da ciência médica, não a capacidade para cuidar dos pacientes. A ciência a ser ensinada e a pesquisa a ser desenvolvida estavam firmemente inseridas no contexto biomédico reducionista; em especial, tinham que ser dissociadas de preocupações sociais, consideradas fora das fronteiras da medicina.

O *Relatório Flexner* apurou que apenas cerca de 20 por cento de todas as escolas de medicina norte-americanas estavam dentro dos padrões "científicos". As outras foram declaradas de "segunda classe" e viram-se forçadas a fechar, através de pressões legais e financeiras. Embora muitas dessas escolas fossem, de fato, inadequadas, coincidentemente se tratava de instituições que tinham admitido estudantes negros, pobres e do sexo feminino, que tiveram seu acesso efetivamente impedido a esse ensino. Em especial, a instituição médica opunha-se veementemente à admissão de mulheres, originando-se daí uma série de obstáculos contra o treinamento e a prática das médicas.

Sob o impacto do *Relatório Flexner*, a medicina científica voltou-se cada vez mais para a biologia, tornando-se mais especializada e concentrada nos hospitais[64]. Os especialistas passaram a substituir os clínicos-gerais, como professores, tornando-se os modelos para os aspirantes a médicos. Em fins da década de 1940, os estudantes de medicina dos centros médicos universitários não tinham quase nenhum contato com médicos que exerciam a clínica geral; e, como seu treinamento tinha lugar, cada vez mais, dentro de hospitais, eles estavam efetivamente afastados do contato com a maioria das enfermidades com que as pessoas se defrontam em sua vida cotidiana. Tal situação persiste até hoje. Enquanto dois terços das queixas registradas na prática médica cotidiana envolvem enfermidades menos importantes e de breve duração, que usualmente têm cura, e menos de 5 por cento das doenças graves envolvem uma ameaça à vida, essa proporção é invertida nos hospitais universitários[65]. Assim, os estudantes de medicina têm uma visão distorcida da enfermidade. Sua principal experiência envolve apenas uma porção minúscula dos problemas comuns de saúde, e esses problemas não são estudados no seio da comunidade, onde seu contexto mais amplo poderia ser avaliado, mas nos hospitais, onde os estudantes se concentram exclusivamente nos aspectos biológicos das doenças. Por conseguinte, internos e residentes adquirem um notório desdém pelo paciente ambulatorial – a pessoa que os procura andando com suas próprias pernas e lhes apresenta queixas que usualmente envolvem problemas tanto emocionais quanto físicos –, e eles acabam por considerar o hospital um lugar ideal para a prática da medicina especializada e tecnologicamente orientada.

Uma geração atrás, mais de metade de todos os médicos eram clínicos-gerais; agora, mais de 75 por cento são especialistas, limitando sua atenção a um grupo etário, uma doença ou uma parte do corpo bem determinados. Segundo David Rogers[66], isso resultou na "evidente incapacidade da medicina norte-americana para lidar com os casos simples de atendimento médico de nossa população". Por outro lado, há um "excedente" de cirurgiões nos Estados Unidos, que, de acordo com alguns críticos, é responsável por consideráveis abusos nos procedimentos cirúrgicos[67]. Estas são algumas das razões por que tantas pessoas enfatizam a necessidade de assistência primária à saúde – a vasta gama de assistência geral tradicionalmente prestada por médicos em clínicas comunitárias –, considerando-a o problema central com que a medicina norte-americana se defronta.

Quanto à assistência primária, o problema não é só o reduzido número de clínicos-gerais, mas também a abordagem da assistência ao paciente, frequentemente restringida pelo treinamento fortemente tendencioso nas escolas de medicina. A tarefa do clínico-geral requer, além do conhecimento científico e da habilidade técnica, bom-senso, compaixão e paciência, o dom de dispensar conforto humano e devolver a confiança e a tranquilidade ao paciente, sensibilidade no trato dos problemas emocionais do paciente e habilidades terapêuticas na condução dos aspectos psicológicos da enfermidade. Essas atitudes e habilidades não são geralmente enfatizadas nos atuais programas de treinamento médico, nos quais a identificação e o tratamento de uma doença específica se apresentam como a essência da assistência médica. Além disso, as escolas de medicina promovem vigorosamente um sistema de valores "machista", desequilibrado, desprezando qualidades como a intuição, a sensibilidade e a solicitude, em favor de uma abordagem racional, agressiva e competitiva. Eis o que disse Scott May, um estudante da Escola de Medicina da Universidade da Califórnia em São Francisco, em seu discurso de graduação: "A escola de medicina é como uma família em que a mãe foi embora e só ficou em casa um pai durão"[68]. Por causa desse desequilíbrio, os médicos consideram amiúde uma discussão empática de questões pessoais inteiramente desnecessária; os pacientes, por sua vez, tendem a vê-los como indivíduos frios e hostis, queixando-se de que o médico não entende as preocupações que os afligem.

Nossos centros médicos universitários têm como finalidade não só o treinamento, mas a pesquisa. Tal como no caso do ensino da medicina, a orientação biológica também é substancialmente favorecida no patrocínio e na concessão de verbas para projetos de pesquisa. Embora as pesquisas epidemiológicas, sociais e ambientais sejam, frequentemente, muito mais úteis e eficientes na melhoria da saúde humana do que a estrita abordagem biomédica[69], projetos dessa espécie são pouco incentivados e sofrivelmente financiados. A razão dessa resistência não é meramente o forte atrativo conceitual do modelo biomédico para a maioria dos pesquisadores, mas também sua vigorosa promoção pelos vários grupos de interesses na indústria da saúde[70].

Embora exista um descontentamento generalizado em relação à medicina e aos médicos, a maioria das pessoas não se apercebe de que uma das principais razões do atual estado de coisas é a exígua base conceitual da medicina. Pelo contrário, o modelo biomédico é geralmente aceito, estando seus princípios básicos tão enraizados em nossa cultura que ele se tornou até o modelo popular dominante de doença. A maioria dos pacientes não entende muito bem a complexidade de seu organismo, pois foram condicionados a acreditar que só o médico sabe o que os deixou doentes e que a intervenção tecnológica é a única coisa que os deixará bons de novo.

Essa atitude pública torna muito difícil para os médicos progressistas mudarem os modelos atuais de assistência à saúde. Conheço vários que tentam explicar aos pacientes seus sintomas, relacionando a enfermidade com seus hábitos de vida, mas que acabam por perceber que tal abordagem não satisfaz a nenhum dos seus pacientes. Eles querem alguma outra coisa, e, com frequência, não se contentam enquanto não saem do consultório médico com uma receita na mão. Muitos médicos fazem grandes esforços para mudar a atitude das pessoas a respeito da saúde, para que elas não insistam em que lhes seja receitado um antibiótico quando estão com um resfriado, mas o poder do sistema de crenças dos pacientes faz com que esses esforços sejam frequentemente baldados. Contou-me um clínico-geral: "Apresentou-se a mim uma mãe trazendo uma criança com febre e disse: 'Doutor, dê-lhe uma injeção de penicilina'. Então eu lhe disse: 'A senhora não entende que a penicilina não pode ajudar nesse caso?' E ela respondeu: 'Que espécie de médico é o senhor? Se não quiser dar a injeção, procuro outro médico'".

Hoje em dia, o modelo biomédico é muito mais do que um modelo. Na profissão médica, adquiriu o *status* de um dogma, e para o grande público está inextricavelmente vinculado ao sistema comum de crenças culturais. Para suplantá-lo será necessário nada menos que uma profunda revolução cultural. E tal revolução é imprescindível se quisermos melhorar, ou mesmo manter, nossa saúde. As deficiências de nosso sistema atual de assistência à saúde – em termos de custos, eficácia e satisfação das necessidades humanas – estão ficando cada vez mais notórias e são cada vez mais reconhecidas como decorrentes da natureza restritiva do modelo conceitual em que se baseia. A abordagem biomédica da saúde ainda será extremamente útil, tal como a estrutura cartesiana-newtoniana continua sendo útil em muitas áreas da ciência clássica, desde que suas limitações sejam reconhecidas. Os pesquisadores médicos precisam entender que a análise reducionista do corpo-máquina não pode fornecer-lhes uma compreensão completa e profunda dos problemas humanos. A pesquisa biomédica terá que ser integrada num sistema mais amplo de assistência à saúde, em que as manifestações de todas as enfermidades humanas sejam vistas como resultantes da interação de corpo, mente e meio ambiente, e sejam estudadas e tratadas nessa perspectiva abrangente.

A adoção de um conceito holístico e ecológico de saúde, na teoria e na prática, exigirá não só uma mudança radical conceitual na ciência médica, mas também uma reeducação maciça do público. Muitas pessoas aderem obstinadamente ao modelo biomédico porque receiam ter seu estilo de vida examinado e ver-se confrontadas com seu comportamento doentio. Em vez de enfrentarem tal situação embaraçosa e frequentemente penosa, insistem em delegar toda a responsabilidade por sua saúde ao médico e aos medicamentos. Além disso, como sociedade, somos propensos a usar o diagnóstico médico como cobertura para problemas sociais. Preferimos falar sobre a "hiperatividade" ou a "incapacidade de aprendizagem" de nossos filhos, em lugar de examinarmos a inadequação de nossas escolas; preferimos dizer que sofremos de "hipertensão" a mudar nosso mundo supercompetitivo dos negócios; aceitamos as taxas sempre crescentes de câncer em vez de investigarmos como a indústria química envenena nossos alimentos para aumentar seus lucros. Esses problemas de saúde extrapolam os limites das preocupações da profissão médica, mas são colocados em foco, inevitavelmente, assim que procuramos seriamente ir além da assistência médica atual. Ora, só será possível transcender o modelo biomédico se estivermos dispostos a mudar também outras coisas; isso estará ligado, em última instância, a uma completa transformação social e cultural.

6. A psicologia newtoniana

À semelhança da biologia e da medicina, a psicologia foi moldada pelo paradigma cartesiano. Os psicólogos, na esteira de Descartes, adotaram a divisão estrita entre a *res cogitans* e a *res extensa*, o que lhes dificultou extremamente entender como a mente e o corpo interagem mutuamente. A atual confusão acerca do papel e da natureza da mente, na medida em que se distinguem das funções e da natureza do cérebro, é uma consequência manifesta da divisão cartesiana.

Descartes, além de estabelecer uma distinção nítida entre o corpo humano perecível e a alma indestrutível, sugeriu diferentes métodos para estudá-los. A alma, ou mente, deve ser estudada por introspecção; o corpo, pelos métodos da ciência natural. Entretanto, os psicólogos nos séculos subsequentes não seguiram a sugestão de Descartes; eles adotaram ambos os métodos para o estudo da psique humana, criando, assim, as duas principais escolas de psicologia. Os estruturalistas estudaram a mente através da introspecção e tentaram analisar a consciência em seus elementos básicos, ao passo que os behavioristas se concentraram exclusivamente no estudo do comportamento e assim foram levados a ignorar ou negar a existência pura e simples da mente. Essas duas escolas surgiram numa época em que o pensamento científico era dominado pelo modelo newtoniano de realidade. Assim, ambas adotaram por modelo a física clássica, incorporando os conceitos básicos da mecânica newtoniana em sua estrutura teórica.

Nesse meio tempo, trabalhando mais na clínica e no consultório do que no laboratório, Sigmund Freud usou o método da livre associação para desenvolver a psicanálise. Embora isso fosse uma teoria muito diferente, revolucionária mesmo, da mente humana, seus conceitos básicos eram também de natureza newtoniana. Assim, as três principais correntes do pensamento psicológico nas primeiras décadas do século XX – duas no mundo acadêmico e uma no clínico – basearam-se no paradigma cartesiano e em conceitos especificamente newtonianos de realidade.

Acredita-se comumente que a psicologia como ciência data do século XIX, sendo suas raízes históricas usualmente atribuídas às filosofias da Antiguidade grega[1].

A crença ocidental em que essa tradição produziu as únicas teorias psicológicas sérias está sendo agora reconhecida como uma concepção estreita e culturalmente condicionada. Conquistas recentes em pesquisa da consciência, psicoterapia e psicologia transpessoal estimularam o interesse em sistemas orientais de pensamento, especialmente os da Índia, que expõem uma variedade de abordagens profundas e refinadas da psicologia. A rica tradição da filosofia indiana gerou um espectro de escolas filosóficas, do extremo materialismo ao extremo idealismo, do monismo absoluto ao completo pluralismo, passando pelo dualismo. Assim, essas escolas desenvolveram numerosas e amiúde conflitantes teorias acerca do comportamento humano, a natureza da consciência e a relação entre a mente e a matéria.

Além dessa vasta gama de escolas filosóficas, a cultura indiana e outras culturas orientais também desenvolveram tradições espirituais que se baseiam no conhecimento empírico e, assim, apresentam mais afinidades com a abordagem da ciência moderna[2]. Essas tradições fundamentam-se em experiências místicas que levaram à criação de elaborados e extremamente refinados modelos de consciência que não podem ser entendidos dentro da estrutura cartesiana, mas que estão em surpreendente concordância com recentes conquistas científicas[3]. As tradições místicas orientais, entretanto, não estão primordialmente interessadas na formulação de conceitos teóricos. Elas são, sobretudo, caminhos de libertação, buscam a transformação da consciência. Durante sua longa história, elas desenvolveram técnicas sutis para mudar, em seus adeptos, a percepção consciente de sua própria existência e de sua relação com a sociedade humana e o mundo natural. Assim, tradições como o vedanta, a ioga, o budismo e o taoismo assemelham-se muito mais a psicoterapias do que a filosofias ou religiões; portanto, não surpreende que alguns psicoterapeutas ocidentais tenham manifestado recentemente um profundo interesse pelo misticismo oriental[4].

As especulações psicológicas dos antigos filósofos gregos também revelam fortes influências de ideias orientais, que os gregos assimilaram, segundo a história e a lenda, durante extensos estudos no Egito. Essa primitiva psicologia filosófica ocidental flutua entre concepções idealistas e materialistas da alma. Entre os pré-socráticos, Empédocles ensinou uma teoria materialista da psique, segundo a qual todo pensamento e toda percepção dependiam de alterações corporais. Pitágoras, por outro lado, expôs concepções fortemente místicas que incluíam a crença na transmigração das almas. Sócrates introduziu um novo conceito de alma na filosofia grega. Enquanto a alma era descrita antes como uma força vital – o "sopro de vida" – ou como um princípio transcendental na acepção mística, Sócrates usou a palavra "psique" no sentido que lhe é dado pela psicologia moderna, como a sede da inteligência e do caráter.

Platão foi o primeiro a ocupar-se explicitamente do problema da consciência, e Aristóteles escreveu o primeiro tratado sistemático a esse respeito, *Sobre a alma*, no qual desenvolveu um enfoque biológico e materialista da psicologia. Essa abordagem materialista, que foi subsequentemente elaborada pelos estoicos, encontrou seu mais eloquente adversário em Plotino, o fundador do neoplatonismo e o último dos grandes filósofos da Antiguidade, cujos ensinamentos se assemelham em muitos aspectos aos da filosofia vedanta indiana e tiveram uma poderosa influência na doutrina cristã primitiva. Segundo Plotino, a alma é imaterial e imortal; a consciência é a imagem da Divindade e, como tal, está presente em todos os níveis da realidade.

Uma das mais poderosas e influentes imagens da psique encontra-se na filosofia de Platão. No *Fedro*, a alma é descrita como um auriga conduzindo dois cavalos: um representa as paixões do corpo e o outro, as emoções superiores. Essa metáfora engloba as duas abordagens da consciência – a biológica e a espiritual –, as quais têm sido exploradas, sem se reconciliar, ao longo de toda a filosofia e a ciência ocidental. Esse conflito gerou o problema "mente-corpo", que se refletiu em muitas escolas de psicologia, com especial destaque para o conflito entre as psicologias de Freud e Jung.

No século XVII, o problema mente-corpo foi vazado na forma que moldou o subsequente desenvolvimento da psicologia científica ocidental. Segundo Descartes, mente e corpo pertenciam a dois domínios paralelos, mas fundamentalmente diferentes, cada um dos quais podia ser estudado sem referência ao outro. O corpo era governado por leis mecânicas, mas a mente – ou alma – era livre e imortal. A alma era clara e especificamente identificada com a consciência e podia afetar o corpo interagindo com ele através da glândula pineal do cérebro. As emoções humanas eram vistas como combinações de seis "paixões" elementares e descritas de um modo semimecânico. No que se refere ao conhecimento e à percepção, Descartes acreditava que o conhecimento era uma função primária da razão humana, isto é, da alma, tendo lugar independentemente do cérebro. A clareza de conceitos, que desempenharam um papel tão importante na filosofia e na ciência de Descartes[5], não podia ser derivada do confuso desempenho dos sentidos, mas era o resultado de uma disposição cognitiva inata. Aprendizagem e experiência propiciavam meramente as ocasiões para a manifestação de ideias inatas.

O paradigma cartesiano forneceu inspiração, assim como desafio, para dois grandes filósofos do século XVII, Baruch Spinoza e Gottfried Wilhelm Leibniz. Spinoza não pôde aceitar o dualismo de Descartes e substituiu-o por um monismo* algo místico; Leibniz introduziu a ideia de um número infinito de substâncias a que chamou "mônadas", definidas como unidades do organismo de natureza essencialmente psíquica, entre as quais a alma humana ocupava uma posição especial. Segundo Leibniz, as mônadas "não têm janelas"; elas meramente refletem umas as outras[6]. Não existe interação entre corpo e mente, mas ambos atuam em "harmonia preestabelecida".

O desenvolvimento subsequente da psicologia não seguiu os pontos de vista espirituais de Spinoza nem as ideias organísmicas de Leibniz. Em vez disso, filósofos e cientistas voltaram-se para a formulação matemática precisa de Newton do paradigma mecanicista de Descartes e tentaram usar seus princípios para compreender a natureza humana. Enquanto La Mettrie, na França, aplicava o modelo mecânico de animais, de Descartes, de uma forma direta ao organismo humano, inclusive à sua mente, os filósofos empiristas britânicos usavam as ideias newtonianas para desenvolver teorias psicológicas mais refinadas. Hobbes e Locke refutaram o conceito cartesiano de ideias inatas e sustentaram que nada existe na mente que não tenha passado primeiro pelos sentidos. No nascimento, a mente humana era, na famosa frase de Locke, uma *tabula rasa*, na qual as ideias eram gravadas através das percepções sensoriais. Essa noção serviu de ponto de partida para uma teoria mecanicista do conhecimento, na qual as sensações eram os elementos básicos do domínio mental, combinando-se em estruturas mais complexas pelo processo de associação.

O conceito de associação representou um passo significativo no desenvolvimento da abordagem newtoniana da psicologia, uma luz que permitiu aos filósofos reduzir a complexidade do funcionamento mental a certas regras elementares. David Hume, em especial, elevou a associação a princípio central na análise da mente humana, vendo-a como uma "atração no mundo mental", o que desempenhou um papel comparável à força da gravidade no universo material newtoniano. Hume, também profundamente influenciado pelo método de raciocínio indutivo de Newton, baseado na experiência e na observação, usou-o para construir uma psicologia atomística em que o "eu" foi reduzido a um "feixe de percepções".

David Hartley deu mais um passo adiante ao combinar o conceito de associação de ideias com o de reflexo neurológico para desenvolver um detalhado e engenhoso modelo mecanicista da mente em que toda a atividade mental foi reduzida a processos neurofisiológicos. Esse modelo foi ainda mais elaborado por

---

* O monismo, do grego *monos*, "único", é uma concepção filosófica que sustenta a existência de apenas uma espécie de substância ou realidade fundamental. (N. do A.)

numerosos empiristas, tendo sido incorporado, na década de 1870, ao trabalho de Wilhelm Wundt, geralmente considerado o fundador da psicologia científica.

A psicologia moderna foi o resultado dos avanços em anatomia e fisiologia no século XIX. Estudos intensivos do cérebro e do sistema nervoso estabeleceram relações específicas entre funções mentais e estruturas cerebrais, esclareceram várias funções do sistema nervoso e proporcionaram um conhecimento detalhado da anatomia e da fisiologia dos órgãos sensoriais. Em consequência desses avanços, os engenhosos, mas simplistas, modelos mecanicistas descritos por Descartes, La Mettrie e Hartley foram reformulados em termos modernos, e a orientação newtoniana estabeleceu-se firmemente na psicologia.

A descoberta de correlações entre a atividade mental e a estrutura do cérebro gerou grande entusiasmo entre os neuroanatomistas, levando alguns deles a postular que o comportamento humano podia ser reduzido a um conjunto de faculdades ou traços mentais independentes, localizados em regiões específicas do cérebro. Embora essa hipótese estivesse malfundamentada, sua finalidade básica de associar várias funções da mente com localizações precisas no cérebro ainda é muito popular entre os neurocientistas. A princípio, os pesquisadores puderam demonstrar onde se localizavam as funções motoras e sensoriais primárias, mas quando a abordagem foi estendida aos processos cognitivos superiores, como a aprendizagem e a memória, não se chegou a nenhum quadro coerente desses fenômenos. Não obstante, a maioria dos neurocientistas prosseguiu em suas pesquisas de acordo com as diretrizes reducionistas estabelecidas.

Com os estudos do século XIX acerca do sistema nervoso surgiu um outro campo de pesquisa, a reflexologia, que teve uma influência profunda sobre as teorias psicológicas subsequentes. O reflexo neurológico, com sua clara relação causal entre estímulo e resposta e sua confiabilidade mecânica, tornou-se o candidato número 1 a componente fisiológico elementar, formando a base de todos os padrões mais complexos de comportamento. A descoberta de novas formas de respostas reflexas deu a muitos psicólogos a esperança de que, finalmente, todo o comportamento humano poderia ser entendido em termos de combinações complexas de mecanismos reflexos básicos. Essa teoria foi exposta por Ivan Sechenov, fundador da influente escola russa de reflexologia cujo membro mais eminente foi Ivan Pávlov. A descoberta, por Pávlov, do princípio dos reflexos condicionados teve um impacto decisivo sobre as subsequentes teorias de aprendizagem.

A investigação detalhada do sistema nervoso central foi complementada pelo conhecimento cada vez mais minucioso da estrutura e função dos órgãos sensoriais, o que ajudou a estabelecer relações sistemáticas entre a qualidade das experiências sensoriais e as características físicas de seus estímulos. Experimentos pioneiros de Ernst Weber e Gustav Fechner resultaram na formulação da célebre lei de Weber-Fechner, que postula uma relação matemática entre as intensidades das sensações e seus estímulos. Os físicos ofereceram importantes contribuições para esse campo da fisiologia sensorial; Hermann von Helmholtz, por exemplo, desenvolveu teorias abrangentes da visão cromática e da audição.

Essas abordagens experimentais do estudo da percepção e do comportamento culminaram na pesquisa de Wundt. Fundador do primeiro laboratório de psicologia, permaneceu durante quase quatro décadas como a mais influente figura da psicologia científica. Durante esse tempo, foi o principal representante da chamada orientação elementarista, a qual sustentava que todo o funcionamento mental podia ser analisado em elementos específicos. O objeto da psicologia, segundo Wundt, era o estudo de como esses elementos podiam combinar-se para formar percepções, ideias e vários processos associativos.

Os psicólogos experimentais ortodoxos do século XIX eram dualistas e tentaram estabelecer uma clara distinção entre a mente e a matéria. Acreditavam que a introspecção era uma fonte necessária de informação acerca da mente, mas viam-na como um método analítico que lhes permitiria reduzir a consciência a elementos bem definidos, associados a correntes nervosas específicas no cérebro. Essas teorias reducionistas e materialistas dos fenômenos psicológicos suscitaram forte oposição entre os psicólogos que enfatizavam a natureza unitária da consciência e da percepção. A abordagem holística deu origem a duas influentes escolas: o gestaltismo e o funcionalismo. Nem uma nem outra foi capaz de mudar a orientação newtoniana seguida pela maioria dos psicólogos durante o século XIX e o início do século XX, mas ambas influenciaram fortemente as novas tendências em psicologia e psicoterapia que surgiram na segunda metade do século XX.

A psicologia gestaltista, fundada por Max Wertheimer e seus colaboradores, baseou-se no pressuposto de que os organismos vivos não percebem as coisas em termos de elementos isolados, mas em termos de *Gestalten*, ou seja, totalidades significativas que exibem qualidades ausentes em cada uma de suas partes individuais. Kurt Goldstein aplicou então os princípios gestaltistas ao tratamento de doenças do cérebro, no que ele chamou de abordagem organísmica, com o objetivo de ajudar as pessoas a harmonizarem-se consigo mesmas e com seu meio ambiente.

O desenvolvimento do funcionalismo foi uma consequência do pensamento evolucionista do século XIX, que estabeleceu uma importante ligação entre estrutura e função. Para Darwin, cada estrutura anatômica era um componente funcional de um organismo vivo integrado, empenhado na luta evolucionista pela sobrevivência. Essa ênfase dinâmica inspirou muitos psicólogos a deslocarem-se do estudo da estrutura mental para o estudo dos processos mentais, a verem a consciência como um fenômeno dinâmico e a investigarem seus modos de funcionamento, especialmente em relação à vida do organismo como um todo. Esses psicólogos, conhecidos como funcionalistas, criticaram vigorosamente as tendências de seus contemporâneos para analisarem a mente em elementos atomísticos; eles, pelo contrário, enfatizaram a unidade e a natureza dinâmica da "corrente de consciência".

O principal expoente do funcionalismo foi William James, considerado por muitos o maior psicólogo americano. Sua obra contém, certamente, uma combinação ímpar de ideias que estimularam psicólogos de muitas escolas diferentes. James ensinou fisiologia antes de se dedicar à psicologia, tendo se tornado um pioneiro na abordagem experimental científica. Foi ele o fundador do primeiro laboratório americano de psicologia; desempenhou um papel destacado na mudança de *status* de sua disciplina, que passou de um ramo da filosofia a ciência laboratorial.

Apesar de sua orientação inteiramente científica, William James foi um veemente crítico das tendências atomísticas e mecanicistas em psicologia, e um defensor entusiástico da interação e interdependência de corpo e mente. Ele reinterpretou as descobertas de experimentadores de sua época, dando ênfase à consciência como fenômeno pessoal, integral e contínuo. Não era suficiente estudar os elementos do funcionamento mental e as regras para a associação de ideias. Esses elementos eram meramente secções transversais de uma contínua "corrente de pensamento" que tinha de ser entendida em relação às ações conscientes dos seres humanos em seu confronto cotidiano com uma variedade de desafios ambientais.

Em 1890, James publicou seus inovadores pontos de vista sobre a psique humana no monumental *Princípios de psicologia*, que logo se converteu num clássico. Após a conclusão dessa obra, os interesses de James transferiram-se para questões mais filosóficas e esotéricas, como o estudo de estados incomuns de consciência, fenômenos psíquicos e experiências religiosas. A finalidade dessas investigações foi sondar toda a gama da consciência humana, como declarou eloquentemente em sua obra *Variedades da experiência religiosa*, publicado pela Editora Cultrix:

> Nossa consciência desperta normal, a consciência racional como lhe chamamos, não passa de um tipo especial de consciência, enquanto em toda a sua volta, separadas dela pela mais fina das telas, se encontram formas potenciais de consciência inteiramente diferentes. Podemos passar a vida inteira sem suspeitar de sua existência; basta, porém,

que se aplique o estímulo certo para que, a um simples toque, elas ali se apresentem em sua plenitude [...].
Nenhuma explicação do universo em sua totalidade poderá ser final se deixar de lado essas outras formas de consciência. A questão resume-se em como observá-las [...]. De qualquer maneira, [elas] impedem um fechamento prematuro de nossas contas com a realidade[7].

Essa ampla visão da psicologia é provavelmente o mais forte aspecto da influência de James sobre a pesquisa psicológica recente.

No século XX, a psicologia realizou grandes progressos e adquiriu crescente prestígio. Beneficiou-se consideravelmente da cooperação com outras disciplinas – desde a biologia e a medicina à estatística, à cibernética e à teoria da comunicação –, e encontrou importantes aplicações na assistência à saúde, educação, indústria e em muitas outras áreas da atividade humana prática. Durante as primeiras décadas do século XX, o pensamento psicológico foi dominado por duas poderosas escolas – o behaviorismo e a psicanálise –, as quais diferiam acentuadamente em seus métodos e concepções da consciência, mas aderiam basicamente ao mesmo modelo newtoniano de realidade.

O behaviorismo representa a culminação da abordagem mecanicista em psicologia. Baseados num conhecimento detalhado da fisiologia humana, os behavioristas criaram uma "psicologia sem alma", versão refinada da máquina humana de La Mettrie[8]. Os fenômenos mentais foram reduzidos a tipos de comportamento; e o comportamento, a processos fisiológicos governados pelas leis da física e da química. John Watson, que fundou o behaviorismo, foi fortemente influenciado por várias tendências das ciências humanas no início do século.

A abordagem experimental de Wundt tinha sido levada da Alemanha para os Estados Unidos por Edward Titchener, o líder reconhecido da escola "estruturalista" de psicologia. Ele tentou uma redução rigorosa de conteúdos da consciência a elementos "simples" e sublinhou que o "significado" de estados mentais nada mais era que o contexto no qual as estruturas mentais eram encontradas, não representando nenhuma contribuição adicional para a psicologia. Ao mesmo tempo, a concepção reducionista e materialista dos fenômenos mentais foi decisivamente influenciada pela biologia mecanicista de Loeb e, em especial, por sua teoria do tropismo – a tendência de plantas e animais para voltarem certas partes suas para certas direções. Loeb explicou esse fenômeno em termos de "movimentos forçados" impostos aos organismos vivos pelo meio ambiente, de maneira estritamente mecanicista. Essa nova teoria, que fez do tropismo um dos mecanismos-chave da vida, exerceu enorme atração sobre muitos psicólogos, que aplicaram a noção de movimentos forçados a uma série mais ampla de comportamentos animais e, finalmente, aos de seres humanos.

Na descrição de fenômenos mentais em termos de tipos de comportamento, o estudo do processo de aprendizagem desempenhou um papel central. Experimentos quantitativos sobre aprendizagem animal inauguraram o novo campo da psicologia animal experimental, e teorias de aprendizagem foram desenvolvidas pela maioria das escolas de psicologia, com a notável exceção da psicanálise. Entre essas teorias da aprendizagem, o behaviorismo foi o mais influenciado pela obra de Pávlov sobre reflexos condicionados. Quando Pávlov estudou a salivação em resposta a estímulos coincidentes com o fornecimento de alimento, teve grande cuidado em evitar todos os conceitos psicológicos e em descrever o comportamento de cães exclusivamente em termos de seus sistemas reflexos. Essa abordagem sugeriu aos psicólogos que uma teoria mais geral do comportamento poderia ser formulada em termos puramente fisiológicos. Vladimir Bekhterev, fundador do primeiro laboratório russo de psicologia experimental, esboçou as linhas gerais dessa teoria, ao descrever o processo de aprendizagem em linguagem estritamente fisiológica, reduzindo os padrões complexos de comportamento a combinações de respostas condicionadas.

A tendência geral da perda gradual de interesse pela consciência e da adoção de concepções estritamente mecanicistas, os novos métodos da psicologia animal, o princípio do reflexo condicionado e o conceito de aprendizagem como modificação do comportamento, tudo isso foi assimilado pela nova teoria de Watson, a qual identificou a psicologia com o estudo do comportamento. Para ele, o behaviorismo representou uma tentativa de aplicação ao estudo experimental do comportamento humano dos mesmos procedimentos e da mesma linguagem descritiva que tinham sido considerados úteis no estudo de animais. Com efeito, Watson, à semelhança de La Mettrie dois séculos antes dele, não viu qualquer diferença essencial entre seres humanos e animais. Escreveu ele: "O homem é um animal diferente dos outros animais somente nos tipos de comportamento que exibe"[9].

A ambição de Watson era elevar o *status* da psicologia ao de uma ciência natural objetiva; para tanto, aderiu, o mais rigorosamente possível, à metodologia e aos princípios da mecânica newtoniana, esse exemplo eminente de rigor e objetividade científicos. Submeter os experimentos psicológicos aos critérios usados na física exigia que os psicólogos se concentrassem exclusivamente em fenômenos que pudessem ser registrados e descritos objetivamente por observadores independentes. Assim, Watson tornou-se um vigoroso crítico do método introspectivo usado por James e Freud, assim como por Wundt e Titchener. O conceito de consciência, que resultou da introspecção, tinha que ser totalmente excluído da psicologia, e todos os termos afins – como "mente", "pensamento", e "sentimento" – seriam eliminados da terminologia psicológica. Escreveu Watson: "A psicologia, tal como o behaviorista a vê, é um ramo puramente objetivo, experimental, da ciência natural, e necessita da consciência tão pouco quanto a química e a física"[10]. Teria certamente sido um grande choque para ele se soubesse que apenas algumas décadas mais tarde um eminente físico, Eugene Wigner, declararia: "Foi impossível formular as leis da [teoria quântica] de um modo plenamente consistente sem se fazer referência à consciência"[11].

Na concepção behaviorista, segundo Watson, os organismos vivos eram máquinas complexas que reagiam a estímulos externos, e esse mecanismo de estímulo-resposta teve por modelo, é claro, a física newtoniana. Subentendia uma rigorosa relação causal que permitia aos psicólogos predizer a resposta a um dado estímulo e, inversamente, especificar o estímulo para uma dada resposta. Na realidade, os behavioristas raramente lidaram, de fato, com estímulos e respostas simples, mas estudaram constelações inteiras de estímulos e de respostas complexas, a que foram dados os nomes respectivos de "situações" e "ajustamentos". O pressuposto behaviorista básico era que esses fenômenos complexos podiam sempre, pelo menos em princípio, ser reduzidos a combinações de estímulos e respostas simples. Assim, esperava-se que as leis derivadas de situações experimentais simples fossem aplicáveis a fenômenos mais complexos; e as respostas condicionadas de complexidade sempre crescente foram consideradas explicações adequadas para todas as expressões humanas, incluindo a ciência, a arte e a religião.

Uma consequência lógica do modelo estímulo-resposta foi a tendência para procurar as causas determinantes de fenômenos psicológicos no mundo externo e não dentro do organismo. Watson aplicou essa abordagem à percepção e também a imagens mentais, pensamentos e emoções. Todos esses fenômenos foram interpretados não como experiências subjetivas, mas como modos implícitos de comportamento em resposta a estímulos externos.

Dado que o processo de aprendizagem é especialmente adequado para a pesquisa experimental objetiva, o behaviorismo tornou-se primordialmente uma psicologia da aprendizagem. Sua formulação original não continha o conceito de condicionamento; porém, depois que Watson estudou a obra de Bekhterev, o condicionamento passou a ser o principal método e o princípio explicativo do behaviorismo. Assim, era dada uma forte ênfase ao controle, que estava em harmonia com o ideal baconiano que se tornou característico da ciência ocidental[12]. A finalidade de domínio e controle da natureza foi aplicada a animais e, mais tarde, com a noção de "engenharia do comportamento", a seres humanos.

Uma consequência dessa abordagem foi o desenvolvimento da terapia do comportamento, que tentou aplicar técnicas de condicionamento ao tratamento de distúrbios psicológicos através da modificação da conduta. Embora esses esforços possam ser originalmente atribuídos ao trabalho pioneiro de Pávlov e Bekhterev, eles só seriam desenvolvidos de um modo sistemático a partir de meados do século XX. Hoje, a terapia "pura" do comportamento é totalmente orientada para o sintoma ou o problema. Os sintomas psiquiátricos não são considerados manifestações de distúrbios subjacentes, mas casos isolados de comportamento aprendido de forma desajustada, a ser corrigido por técnicas apropriadas de condicionamento.

As primeiras três décadas do século XX são usualmente consideradas o período do "behaviorismo clássico", dominado por John Watson e caracterizado por ferozes polêmicas contra os psicólogos introspectivos. Essa fase clássica da psicologia behaviorista deu origem a uma quantidade enorme de experimentação, mas não logrou produzir uma teoria abrangente do comportamento humano. Nas décadas de 1930 e 1940, Clark Hull tentou construir uma teoria abrangente, baseada em experimentos sumamente refinados e formulados em termos de um sistema de definições e postulados não muito diferentes dos *Principia* de Newton. A pedra angular da teoria de Hull foi o princípio do reforço, significando com isso que a resposta a um determinado estímulo é fortalecida, ou reforçada, pela satisfação de uma necessidade ou impulso básico. A abordagem de Hull passou a dominar as teorias da aprendizagem, e seu sistema foi aplicado à investigação de praticamente todos os problemas de aprendizagem conhecidos[13]. Na década de 1950, entretanto, a influência de Hull declinou, e sua teoria foi gradualmente substituída pela abordagem skinneriana, que revitalizou o behaviorismo na segunda metade do século.

B. F. Skinner tem sido o expoente principal da concepção behaviorista nas últimas três décadas do século XX. Seu talento especial para criar situações experimentais simples e claras levou-o a desenvolver uma teoria muito mais rigorosa, mas também mais sutil, a qual granjeou enorme popularidade, especialmente nos Estados Unidos, e ajudou o behaviorismo a manter seu papel dominante na psicologia acadêmica. As principais inovações no behaviorismo de Skinner foram uma definição estritamente operacional de reforço – qualquer coisa que aumente a probabilidade de uma resposta precedente – e uma forte ênfase nos "intervalos de reforço" precisos. Para testar seus conceitos teóricos, Skinner desenvolveu um novo método de condicionamento, chamado "condicionamento operante", que difere do processo clássico, pavloviano, de condicionamento. Nele o reforço somente ocorre depois de o animal executar uma operação previamente planejada, como acionar uma alavanca ou dar uma bicada num disco iluminado. Esse método foi grandemente refinado pela extrema simplificação do meio ambiente do animal. Por exemplo, ratos eram confinados em caixas, as chamadas "caixas de Skinner", que continham simplesmente uma barra horizontal que o animal podia empurrar para baixo a fim de soltar um bocado de comida. Outros experimentos envolveram a resposta de pombos ao dar bicadas, que pode ser controlada com precisão.

Embora a noção de comportamento operante – o comportamento controlado por toda a sua história passada, em vez de por estímulos diretos – fosse um grande avanço na teoria behaviorista, a estrutura permaneceu, no seu todo, estritamente newtoniana. No seu conhecido compêndio *Science and human behavior**, Skinner deixa claro desde o começo que considera todos os fenômenos associados a uma consciência humana, como mente ou ideias, entidades inexistentes, "inventadas para fornecer explicações espúrias". Segundo Skinner, as únicas explicações sérias são as baseadas na concepção mecanicista dos organismos vivos, que são as que se adaptam aos critérios da física newtoniana. Escreve ele: "Dada a afirmação de que faltam aos eventos mentais ou psíquicos as dimensões da ciência física, temos aí uma razão adicional para rejeitá-los"[14].

Embora o título do livro de Skinner faça referência explícita ao comportamento humano, os conceitos nele discutidos baseiam-se quase exclusivamente em experimentos de condicionamento com ratos e pombos. Esses animais foram reduzidos, como disse Paul Weiss, a "marionetes acionadas por fios ambientais"[15]. Os behavioristas ignoram largamente a interação mútua e a interdependência entre um organismo vivo e seu meio ambiente natural, o qual também é, ele próprio, um organismo. Com base em sua exígua perspectiva sobre o comportamento animal, eles executam então um gigantesco salto conceitual que os faz aterrissar no comportamento humano, afirmando que os seres humanos, tal como os animais, são máquinas cuja atividade está limitada às respostas condicionadas a estímulos ambientais. Skinner rejeitou com firmeza a imagem de seres humanos que agem, cada um, de acordo com as decisões de seu "eu" íntimo, e propôs, em vez dessa, uma abordagem técnica para criar um novo tipo de "homem", um ser humano que seja condicionado a comportar-se de um modo melhor para ele e para a sociedade. Segundo Skinner, será esta a única maneira de superar nossa crise atual: não através de uma evolução da consciência, pois isso é coisa que não existe; não através de uma mudança de valores, porque os valores nada mais são do que reforços positivos ou negativos – mas através do controle científico do comportamento humano. E escreve: "Necessitamos de uma tecnologia do comportamento [...] comparável em poder e precisão à tecnologia física e biológica"[16].

---

* "Ciência e comportamento humano." (N. do T.)

Tudo isso é, portanto, psicologia newtoniana por excelência, uma psicologia sem consciência, que reduz todo o comportamento a sequências mecânicas de respostas condicionadas, e que afirma que a única compreensão científica da natureza humana é aquela que permanece dentro da estrutura da física e da biologia clássicas; uma psicologia, além disso, que reflete a preocupação de nossa cultura com a tecnologia manipulativa, criada para exercer domínio e controle. Recentemente, o behaviorismo começou a sofrer mudanças, ao assimilar elementos de muitas outras disciplinas, perdendo, assim, muito de sua postura rígida anterior. Mas os behavioristas ainda aderem ao paradigma mecanicista e defendem-no frequentemente como a única abordagem científica da psicologia. Limitam claramente, desse modo, a ciência à estrutura newtoniana clássica.

A psicanálise, outra escola dominante dentro da psicologia do século XX, não se originou na psicologia, mas proveio da psiquiatria, que, no século XIX, estava solidamente estabelecida como ramo da medicina. Nessa época, os psiquiatras estavam totalmente comprometidos com o modelo biomédico e inclinavam-se a apontar causas orgânicas em todas as perturbações mentais. Essa orientação orgânica teve um começo promissor; não logrou, porém, revelar uma base orgânica específica para as neuroses* e outras perturbações mentais, o que levou alguns psiquiatras a procurar enfoques psicológicos para a doença mental.

Uma fase decisiva nessa evolução foi atingida durante o último quartel do século XIX, quando Jean-Martin Charcot usou com êxito a hipnose para o tratamento da histeria**. Em demonstrações impressionantes, Charcot mostrava que os pacientes podiam ser libertados dos sintomas de histeria simplesmente através de sugestão hipnótica, e que esses sintomas podiam também ser trazidos de volta pelo mesmo método. Isso colocou em dúvida toda a abordagem orgânica da psiquiatria e causou uma profunda impressão em Sigmund Freud, que foi a Paris em 1885 para assistir às aulas de Charcot e testemunhar as demonstrações. Quando regressou a Viena, Freud, em colaboração com Joseph Breuer, iniciou o uso da técnica hipnótica para tratar pacientes neuróticos.

A publicação de *Estudos sobre a histeria*, por Breuer e Freud, em 1895, é frequentemente considerada o marco inicial da psicanálise, porque descreveu o novo

---

* As psiconeuroses, também chamadas simplesmente neuroses, são distúrbios nervosos funcionais sem lesões físicas aparentes; as psicoses são perturbações mentais mais graves, caracterizadas por uma perda de contato com as concepções popularmente aceitas de realidade. (N. do A.)
** A histeria é uma psiconeurose marcada por excitabilidade emocional e perturbações de várias funções psicológicas e fisiológicas. (N. do A.)

método da livre associação que Freud e Breuer tinham descoberto e achavam mais útil do que a hipnose. Consistia em colocar o paciente num estado de sonolência, de devaneio, e depois deixar que ele falasse livremente sobre seus problemas, com especial ênfase nas experiências emocionais traumáticas. Esse uso da livre associação viria a ser a pedra angular do método "psicanalítico".

Treinado em neurologia, Freud acreditava que, em princípio, seria possível entender todos os problemas mentais em termos de neuroquímica. No mesmo ano em que sua obra sobre histeria foi publicada, Freud escreveu um extraordinário documento, o *Projeto para uma psicologia científica*, no qual descreveu um detalhado esquema para uma explicação neurológica da doença mental[17]. Freud não publicou essa obra, mas, duas décadas depois, voltou a expressar sua crença de que "todas as nossas ideias provisórias em psicologia virão a se basear, algum dia, numa subestrutura orgânica"[18]. Naquele momento, porém, a ciência neurológica não estava suficientemente avançada; assim, Freud enveredou por um caminho diferente para estudar o "aparelho intrapsíquico". Seu trabalho com Breuer terminou ao concluírem a pesquisa conjunta sobre histeria, e Freud encetou sozinho uma exploração sem precedentes da mente humana, a qual resultou na primeira abordagem psicológica sistemática da doença mental.

A contribuição de Freud foi verdadeiramente extraordinária, considerando-se o estágio em que se encontrava a psiquiatria em seu tempo. Durante mais de trinta anos, ele manteve um fluxo contínuo de criatividade que culminou em várias e importantes descobertas; qualquer uma delas já seria por si só admirável como produto de uma vida inteira. Em primeiro lugar, Freud descobriu praticamente sozinho o inconsciente e sua dinâmica. Enquanto os behavioristas se recusavam a reconhecer a existência do inconsciente humano, Freud viu nele uma fonte essencial do comportamento. Assinalou que a nossa consciência representa apenas uma fina camada assente sobre um vasto domínio inconsciente – a ponta de um *iceberg*, por assim dizer, cujas regiões encobertas são governadas por poderosas forças instintivas. Através do processo da psicanálise, essas tendências profundamente submersas da natureza humana podem ser reveladas. Assim, o sistema de Freud também se tornou conhecido como psicologia profunda.

A teoria de Freud resultou numa abordagem dinâmica da psiquiatria voltada para o estudo das forças que levam aos distúrbios psicológicos e enfatizou a importância das experiências da infância no desenvolvimento futuro do indivíduo. Ele identificou a libido, ou impulso sexual, como uma das principais forças psicológicas e ampliou consideravelmente o conceito de sexualidade humana, introduzindo a noção de sexualidade infantil e descrevendo as principais fases do desenvolvimento psicossexual. Outra descoberta importante de Freud foi a interpretação dos sonhos, a que chamou "a estrada real para o inconsciente".

Em 1909, na Universidade Clark, em Massachusetts, Freud proferiu uma conferência que marcou época, *Cinco lições de psicanálise*. Ela lhe granjeou fama mundial e estabeleceu a escola psicanalítica nos Estados Unidos. A publicação da conferência foi seguida de um ensaio autobiográfico, *Sobre a história do movimento psicanalítico*, publicado em 1914, que marcou o fim da primeira grande fase da psicanálise[19]. Essa fase tinha produzido uma teoria coerente da dinâmica inconsciente baseada em impulsos instintivos de uma natureza essencialmente sexual, cuja interação complexa com várias tendências inibidoras geraria uma rica variedade de padrões psicológicos.

Durante a segunda fase de sua vida científica, Freud formulou uma nova teoria da personalidade baseada em três estruturas distintas do aparelho intrapsíquico, a que chamou id, ego e superego. Esse período foi também marcado por significativas mudanças na *compreensão*, por Freud, do processo psicoterapêutico, devidas especialmente à sua descoberta da transferência*, a qual passaria a ser de importância central na prática da psicanálise. Essas etapas sistemáticas no desenvolvimento da teoria e da prática de Freud foram seguidas pelo movimento psicanalítico na Europa e nos Estados Unidos e estabeleceram a psicanálise como uma importante escola de psicologia, que passaria a dominar a psicoterapia por muitas décadas. Além disso, os profundos *insights* de Freud sobre o funcionamento da mente e o desenvolvimento da personalidade humana tiveram consequências de extraordinário alcance para a interpretação de vários fenômenos culturais – arte, religião, história e muitos outros – e modelaram significativamente a visão de mundo da era moderna.

Desde os primeiros anos de suas explorações psicanalíticas até o fim de sua vida, Freud preocupou-se profundamente em fazer da psicanálise uma disciplina científica. Acreditava firmemente que os mesmos princípios organizadores que tinham modelado a natureza em todas as suas formas eram também responsáveis pela estrutura e funcionamento da mente humana. Embora a ciência do seu tempo estivesse muito longe de aceitar tal unidade dentro da natureza, Freud presumiu que essa meta seria atingida em algum momento futuro e enfatizou repetidas

---

* A transferência assinala a tendência dos pacientes para transferir ao analista, durante o procedimento analítico, uma gama inteira de sentimentos e atitudes que são características de suas anteriores relações com figuras importantes de sua infância, sobretudo os pais. (N. do A.)

vezes que a psicanálise descendia das ciências naturais, especialmente da física e da medicina. Embora fosse o introdutor da abordagem psicológica da psiquiatria, Freud manteve-se sob a influência do modelo biomédico, na teoria e na prática.

Para formular uma teoria científica da psique e do comportamento humanos, Freud tentou usar, tanto quanto possível, os conceitos básicos da física clássica em sua descrição dos fenômenos psicológicos e estabelecer, assim, uma relação conceitual entre a psicanálise e a mecânica newtoniana[20]. Ele deixou isso bem claro numa alocução para um grupo de psicanalistas: "Os analistas [...] não podem repudiar sua descendência da ciência exata nem sua ligação com os representantes dela. [...] Os analistas são, no fundo, mecanicistas e materialistas incorrigíveis". Ao mesmo tempo, Freud – ao contrário de muitos dos seus seguidores – estava muito consciente da natureza limitada dos modelos científicos e acreditava que a psicanálise teria de ser continuamente modificada à luz das novas conquistas e dos progressos nas outras ciências. Assim, continuou ele sua exortação aos psicanalistas:

> Eles se contentam com fragmentos de conhecimento e com hipóteses básicas que carecem de precisão e estão sempre sujeitas a revisão. Em vez de aguardarem o momento em que estarão aptos a escapar do espartilho das leis conhecidas da física e da química, eles esperam o surgimento de leis naturais mais extensivas e de alcance mais profundo, às quais estão prontos a submeter-se[21].

A estreita relação entre a psicanálise e a física clássica torna-se flagrantemente óbvia quando consideramos os quatro conjuntos de conceitos que formam a base da mecânica newtoniana:

1. Os conceitos de espaço e tempo absolutos, e o de objetos materiais separados movendo-se nesse espaço e interagindo mecanicamente.
2. O conceito de forças fundamentais, essencialmente diferentes da matéria.
3. O conceito de leis fundamentais, descrevendo o movimento e as interações mútuas dos objetos materiais em termos de relações quantitativas.
4. O rigoroso conceito de determinismo e a noção de uma descrição objetiva da natureza, baseada na divisão cartesiana entre matéria e mente[22].

Esses conceitos correspondem às quatro perspectivas básicas a partir das quais os psicanalistas têm tradicionalmente abordado e analisado a vida mental.

Elas são conhecidas, respectivamente, como os pontos de vista topográfico, dinâmico, econômico e genético*²³.

Assim como Newton estabeleceu o espaço euclidiano absoluto como a estrutura em que os objetos materiais se acham dispostos e localizados, também Freud estabeleceu o espaço psicológico como o suporte para as estruturas do "aparelho" mental. As estruturas psicológicas em que Freud baseou sua teoria da personalidade humana – id, ego e superego – são vistas como "objetos" internos, localizados e dispostos no espaço psicológico. Assim, metáforas espaciais, como "psicologia de profundidade", "inconsciente profundo" e "subconsciente", são proeminentes em todo o sistema freudiano. O psicanalista é visto escavando e sondando as entranhas da psique quase como um cirurgião. De fato, Freud aconselhou seus seguidores a serem "frios como um cirurgião", o que reflete o ideal clássico de objetividade científica, assim como a concepção espacial e mecanicista da mente.

Na descrição topográfica de Freud, o inconsciente contém "matéria" que foi esquecida ou reprimida, ou que nunca chegou ao conhecimento consciente. Em suas camadas mais profundas está o id, uma entidade que é a fonte de poderosos impulsos instintivos, que estão em conflito com um sistema bem desenvolvido de mecanismos inibitórios localizados no superego. O ego é uma entidade frágil localizada entre essas duas potências e empenhada numa contínua luta existencial.

Embora Freud descrevesse às vezes essas estruturas psicológicas como abstrações e resistisse a qualquer tentativa de associá-las a estruturas e funções específicas do cérebro, elas tinham todas as propriedades de objetos materiais. O mesmo lugar não podia ser ocupado por duas delas e, portanto, qualquer porção do aparelho psicológico só podia expandir-se ao deslocar outras partes. Tal como na mecânica newtoniana, os objetos psicológicos eram caracterizados por sua extensão, posição e movimento.

O aspecto dinâmico da psicanálise, tal como o aspecto dinâmico da física newtoniana, consiste em descrever como os "objetos materiais" interagem através de forças que são essencialmente diferentes da "matéria". Essas forças têm sentidos definidos e podem reforçar-se ou inibir-se mutuamente. As mais fundamentais dentre elas são os impulsos instintivos, em particular o impulso sexual. A psicologia freudiana é basicamente uma psicologia do conflito. Em sua ênfase na luta existencial, Freud foi indubitavelmente influenciado por Darwin e os darwinistas sociais, mas para a dinâmica detalhada de "colisões" psicológicas ele recorreu a

---

* O termo "genético", tal como é usado por psicanalistas, refere-se à origem, ou gênese, dos fenômenos mentais, e não se deve confundir com a acepção em que a palavra é usada em biologia. (N. do A.)

175

Newton. No sistema freudiano, todos os mecanismos da mente são impulsionados por forças semelhantes às do modelo da mecânica clássica.

Um aspecto característico da dinâmica newtoniana é o princípio de que as forças sempre se apresentam em pares; para cada força "ativa" existe uma força "reativa" igual e de sentido oposto. Freud adotou esse princípio, nomeando as forças ativas e reativas de "impulsos" e "defesas". Outros pares de forças, desenvolvidos em diferentes fases da teoria de Freud, foram a libido e a pulsão de morte, ou eros e tânatos; em ambos os pares uma força era orientada para a vida, a outra, para a morte. Tal como na mecânica newtoniana, essas forças foram definidas em termos de seus efeitos, os quais foram estudados minuciosamente, mas a natureza intrínseca das forças não foi investigada. A natureza da força da gravidade tinha sido sempre uma questão problemática e controvertida na teoria de Newton, e o mesmo aconteceu com relação à natureza da libido na teoria de Freud[24].

Na teoria psicanalítica, a compreensão da dinâmica do inconsciente é essencial para o entendimento do processo terapêutico. A noção básica é a de impulsos instintivos que buscam sua descarga, e de várias forças contrárias que as inibem e, por conseguinte, as distorcem. Assim, o analista habilidoso concentrar-se-á na eliminação dos obstáculos que impedem a expressão direta das forças primárias. A concepção de Freud dos detalhados mecanismos através dos quais esse objetivo seria alcançado passou por consideráveis mudanças durante sua vida, mas em todas as suas especulações podemos reconhecer claramente a influência do sistema newtoniano de pensamento.

A mais antiga teoria de Freud sobre a origem e o tratamento de neuroses, e especialmente da histeria, foi formulada em termos de um modelo hidráulico. As causas primordiais da histeria foram identificadas como sendo situações traumáticas na infância do paciente, que teriam ocorrido em circunstâncias que impediram uma expressão adequada da energia emocional gerada pelos incidentes. Essa energia represada, ou reprimida, permaneceria armazenada no organismo e continuaria procurando descarga até encontrar uma expressão modificada através de vários "canais" neuróticos. A terapia, de acordo com esse modelo, consistia em recordar o trauma original em condições que permitissem uma descarga emocional tardia das energias represadas.

Freud abandonou o modelo hidráulico por ser excessivamente simplista, ao encontrar provas de que os sintomas dos pacientes não promanavam de processos patológicos isolados, mas eram uma consequência do mosaico total da história de suas vidas. A partir dessa nova concepção, ele localizou as raízes das neuroses nas tendências instintivas, predominantemente sexuais, que eram inaceitáveis e, portanto, reprimidas por forças psíquicas, que as convertiam em sintomas neuróticos. Assim, a concepção básica tinha mudado da imagem hidráulica de uma descarga explosiva de energias represadas para a imagem mais sutil, mas ainda newtoniana, de uma constelação de forças dinâmicas mutuamente inibidoras.

Este último conceito subentende a noção de entidades separadas no espaço psicológico, mas incapazes de se mover ou expandir sem uma deslocar a outra. Assim, não há lugar para o desenvolvimento e o aperfeiçoamento qualitativo do ego na estrutura da psicanálise clássica; sua expansão somente pode ocorrer às custas do superego ou do id. Freud assinalou: "Onde era id, será ego"[25]. Na física clássica, as interações entre objetos materiais e os efeitos das várias forças que agem sobre eles são descritas em termos de certas quantidades mensuráveis – massa, velocidade, energia, etc. –, as quais estão inter-relacionadas através de equações matemáticas. Embora Freud não pudesse ir tão longe em sua teoria da mente, atribuiu grande importância ao aspecto quantitativo ou "econômico" da psicanálise: dotou as imagens mentais, que representam impulsos instintivos, de quantidades definidas de energia emocional que não podiam ser diretamente medidas, mas que podiam ser inferidas a partir da intensidade dos sintomas manifestos. A "troca de energia mental" foi considerada um aspecto crucial de todos os conflitos psicológicos. Escreveu Freud: "O resultado final da luta depende de relações *quantitativas*"[26].

Assim como na física newtoniana, também na psicanálise a concepção mecanicista de realidade subentende um rigoroso determinismo. Todo evento psicológico tem uma causa definida e dá origem a um efeito definido, e o estado psicológico total de um indivíduo é determinado, de modo único, pelas "condições iniciais" do começo da infância. A abordagem "genética" da psicanálise consiste em situar a causa original dos sintomas e do comportamento de um paciente nas fases prévias de seu desenvolvimento, ao longo de uma cadeia linear de relações de causa e efeito.

Uma noção estreitamente afim é a do observador científico objetivo. A teoria freudiana clássica baseia-se no pressuposto de que a observação de um paciente durante a análise pode ter lugar sem qualquer interferência ou interação apreciável. Essa crença reflete-se na disposição básica da prática psicanalítica: o paciente fica deitado num divã e o terapeuta, sentado atrás de onde ele deita a cabeça, numa atitude fria e de não envolvimento, enquanto observa os dados objetivamente. A divisão cartesiana entre matéria e mente, que é a origem filosófica do conceito de objetividade científica, reflete-se na prática psicanalítica de enfocar exclusivamente os processos mentais. Consequências físicas de eventos psicológicos são examinadas durante o processo psicanalítico, mas a própria técnica terapêutica não envolve quaisquer intervenções físicas diretas. A psicoterapia freudiana negligencia o corpo, tal como a terapia médica negligencia a mente. O tabu do contato físico é tão forte que alguns analistas nem mesmo trocam um aperto de mão com seus pacientes.

O próprio Freud era, na realidade, muito menos rígido em sua prática psicanalítica do que em sua teoria. A teoria tinha que aderir ao princípio de objetividade científica para que fosse aceita como ciência, mas, na prática, Freud era frequentemente capaz de transcender as limitações da estrutura newtoniana. Sendo um excelente observador clínico, ele reconheceu que sua observação analítica representava uma poderosa intervenção que induzia mudanças significativas na condição psicológica do paciente. A análise prolongada produzia até um quadro clínico inteiramente novo – a neurose de transferência –, que não era determinado apenas pela história pregressa do indivíduo, mas dependia também da interação entre terapeuta e paciente. Essa observação levou Freud a abandonar o ideal do observador frio e não envolvido em seu trabalho clínico e a enfatizar o interesse sério e a compreensão indulgente. "A influência pessoal é nossa mais poderosa arma dinâmica", escreveu ele em 1926. "É o novo elemento que introduzimos na situação e por meio do qual a tornamos fluida[27]."

A teoria clássica da psicanálise foi o brilhante resultado das tentativas, por parte de Freud, de integração de suas muitas e revolucionárias descobertas e ideias numa estrutura conceitual coerente e sistemática que satisfizesse aos critérios da ciência do seu tempo. Dadas a amplitude e a profundidade de sua obra, não pode nos surpreender o fato de podermos agora reconhecer deficiências em sua abordagem, que são devidas, em parte, às limitações inerentes à estrutura cartesiana-newtoniana, e, em parte, ao condicionamento cultural do próprio Freud. Reconhecer essas limitações da abordagem psicanalítica não diminui, em absoluto, o gênio do seu fundador; é, antes, fundamental para o futuro da psicoterapia.

Avanços recentes em psicologia e psicoterapia começaram a produzir uma nova visão da psique humana, na qual o modelo freudiano é reconhecido como extremamente útil para lidar com certos aspectos, ou níveis, do inconsciente, mas seriamente limitador quando aplicado à totalidade da vida mental na saúde e na doença. A situação não é diferente da que se verifica na física, em que o modelo newtoniano é extremamente útil para a descrição de uma certa faixa de fenômenos, mas tem de ser ampliado e, com frequência, radicalmente mudado quando a ultrapassamos.

Em psiquiatria, algumas das modificações necessárias na abordagem freudiana foram apontadas por seus seguidores imediatos, mesmo enquanto Freud ainda vivia. O movimento psicanalítico tinha atraído muitos indivíduos extraordinários, alguns dos quais formaram um círculo íntimo em redor de Freud em Viena. Havia um rico intercâmbio intelectual e uma fecunda troca de ideias nesse círculo íntimo, mas também uma considerável dose de conflito, tensão e discordância. Vários dos discípulos preeminentes de Freud abandonaram o movimento por causa de divergências teóricas básicas e iniciaram suas próprias escolas, ao introduzirem diversas modificações no modelo freudiano. Os mais famosos desses psicanalistas dissidentes foram Jung, Adler, Reich e Rank.

O primeiro a deixar a corrente principal da psicanálise foi Alfred Adler, que desenvolveu o que chamou de psicologia individual. Ele rejeitou o papel dominante da sexualidade da teoria freudiana e atribuiu uma ênfase decisiva à vontade de poder e à tendência para compensar uma inferioridade real ou imaginária.

O estudo feito por Adler do papel do indivíduo na família levou-o a enfatizar as raízes sociais dos distúrbios mentais, que são geralmente negligenciadas na psicanálise clássica. Além disso, ele foi um dos primeiros a formular uma crítica feminista às concepções de Freud sobre a psicologia feminina[28]. Adler sublinhou que a psicologia masculina e a feminina, como Freud as havia denominado, estavam muito menos enraizadas em diferenças biológicas entre homens e mulheres do que se pensava, pois eram essencialmente consequência da ordem social predominante sob o patriarcado.

A crítica feminista às ideias de Freud sobre as mulheres foi mais tarde elaborada por Karen Horney, e tem sido desde então discutida por muitos autores, dentro e fora do campo da psicanálise[29]. De acordo com essas críticas, Freud adotou o masculino como norma cultural e sexual, não conseguindo, por isso, compreender a psique feminina. A sexualidade feminina, em especial, continuou sendo para ele – em sua própria e expressiva metáfora – "o 'continente negro' da psicologia"[30].

Wilhelm Reich rompeu com Freud por causa de diferenças conceituais, o que o levou a formular numerosas ideias heterodoxas que têm tido considerável influência sobre recentes avanços na psicoterapia. Durante sua pesquisa pioneira na análise do caráter, Reich descobriu que as atitudes mentais e as experiências emocionais provocam resistências no organismo físico, e que elas se expressam em padrões musculares, resultando no que ele chamou a "couraça do caráter". Ampliou também o conceito freudiano de libido, associando-a a uma energia concreta que flui através do organismo. Assim, Reich enfatizou a descarga direta de energia sexual, em sua terapia, quebrando o tabu freudiano do contato físico com o paciente e desenvolvendo técnicas de trabalho do corpo que muitos terapeutas estão agora aperfeiçoando[31].

Otto Rank abandonou a escola freudiana depois de formular uma teoria de psicopatologia que enfatizava, fundamentalmente, o trauma do nascimento, e considerou muitos dos padrões neuróticos descobertos por Freud como derivados da ansiedade sofrida durante o processo de nascimento. Em sua prática analítica, Rank avançava diretamente para a questão geradora de ansiedade no nascimento e concentrava seus esforços terapêuticos na ajuda ao paciente para reviver o evento traumático, em vez de recordá-lo ou analisá-lo. Os *insights* de Rank sobre o significado do trauma do nascimento foram verdadeiramente notáveis. Só muitas décadas mais tarde é que seriam retomados e mais amplamente elaborados por psiquiatras e psicoterapeutas.

Entre todos os discípulos de Freud, foi provavelmente Carl Gustav Jung quem mais contribuiu para a expansão do sistema psicanalítico. Jung foi o discípulo favorito de Freud. Era considerado o príncipe herdeiro da psicanálise, mas separou-se do mestre por causa de dificuldades teóricas irreconciliáveis que desafiavam a teoria freudiana em seu próprio âmago. A abordagem junguiana da psicologia teve um profundo impacto sobre as conquistas subsequentes no campo psicanalítico, e será examinada em detalhe mais adiante[32]. Seus conceitos básicos transcenderam claramente os modelos mecanicistas da psicologia clássica e colocaram sua ciência muito mais perto da estrutura conceitual da física moderna do que qualquer outra escola de psicologia. Mais do que isso, Jung estava plenamente consciente de que a abordagem racional da psicanálise freudiana teria que ser transcendida se os psicólogos quisessem explorar aqueles aspectos mais sutis da psique humana que se situam muito além da nossa experiência cotidiana.

A abordagem estritamente racional e mecanicista tornou especialmente difícil para Freud ocupar-se de experiências religiosas ou místicas. Embora manifestasse um profundo interesse pela religião e pela espiritualidade durante toda a sua vida, Freud nunca reconheceu a experiência mística como sua fonte. Pelo contrário, equiparava religião e ritual, considerando-os uma "neurose obsessivo-compulsiva da humanidade" que refletia conflitos não resolvidos desde as fases infantis do desenvolvimento psicossexual. Essa limitação do pensamento freudiano exerceu uma forte influência sobre a prática psicanalítica subsequente. No modelo freudiano não há lugar para experiências de estados alterados de consciência que desafiam todos os conceitos básicos da ciência clássica. Por conseguinte, experiências dessa natureza, que ocorrem espontaneamente com muito maior frequência do que se acreditava, têm sido qualificadas amiúde como sintomas psicóticos por psiquiatras que não puderam incorporá-las em sua estrutura conceitual[33].

Nessa área, especialmente, um conhecimento da física moderna poderia ter um efeito muito salutar sobre a psicoterapia. A extensão de suas pesquisas aos fenômenos atômicos e subatômicos levou os físicos a adotar conceitos que contradizem todas as nossas concepções ditadas pelo senso comum, assim como os princípios básicos da ciência newtoniana, mas que, não obstante, são conceitos cientificamente sólidos. O conhecimento desses conceitos e de suas semelhanças com aqueles encontrados nas tradições místicas pode tornar mais fácil para os psiquiatras a superação da estrutura freudiana tradicional ao lidarem com a gama completa da consciência humana.

7. O impasse da economia

O triunfo da mecânica newtoniana nos séculos XVIII e XIX estabeleceu a física como o protótipo de uma ciência "pesada" pela qual todas as outras ciências eram medidas. Quanto mais perto os cientistas estiverem de emular os métodos da física e quanto mais capazes eles forem de usar os conceitos dessa ciência, mais elevado será o prestígio das disciplinas a que se dedicam, junto da comunidade científica. No século XX, essa tendência para adotar a física newtoniana como modelo para teorias e conceitos científicos tornou-se uma séria desvantagem em muitas áreas, mas mais do que em qualquer outra, na das ciências sociais*. Estas têm sido tradicionalmente consideradas as ciências mais "brandas", e os cientistas sociais tentaram arduamente adquirir respeitabilidade adotando o paradigma cartesiano e os métodos da física newtoniana. Entretanto, a estrutura cartesiana é, com frequência, inteiramente inadequada para os fenômenos que esses cientistas descrevem; por conseguinte, seus modelos tornaram-se cada vez menos realistas. Hoje, isso é particularmente evidente na economia.

A economia atual caracteriza-se pelo enfoque reducionista e fragmentário típico da maioria das ciências sociais. De modo geral, os economistas não reconhecem que a economia é meramente um dos aspectos de todo um contexto ecológico e social: um sistema vivo composto de seres humanos em contínua interação e com seus recursos naturais, a maioria dos quais, por seu turno, constituída de organismos vivos. O erro básico das ciências sociais consiste em dividir essa textura em fragmentos supostamente independentes, dedicando-se a seu estudo em departamentos universitários separados. Assim, os cientistas políticos tendem a negligenciar forças econômicas básicas, ao passo que os economistas

---

* As ciências sociais ocupam-se dos aspectos sociais e culturais do comportamento humano. Incluem a ciência econômica, a ciência política, a sociologia, a antropologia social e – na opinião de muitos de seus praticantes – a história. (N. do A.)

não incorporam em seus modelos as realidades sociais e políticas. Essas abordagens fragmentárias também se refletem no governo, na cisão entre a política social e a econômica e, especialmente nos Estados Unidos, no labirinto de comissões e subcomissões do Congresso, onde essas questões são debatidas.

A fragmentação e a compartimentação em economia tem sido assinalada e criticada ao longo da história moderna. Mas, ao mesmo tempo, os economistas críticos que desejavam estudar os fenômenos econômicos tal como realmente existem, inseridos na sociedade e no ecossistema, e que, portanto, divergiam do estreito ponto de vista econômico, foram praticamente forçados a colocar-se à margem da "ciência" econômica, poupando assim à confraria econômica a tarefa de lidar com as questões que seus críticos suscitavam. Por exemplo, Max Weber, o crítico oitocentista do capitalismo, é geralmente considerado um historiador econômico; John Kenneth Galbraith e Robert Heilbroner são frequentemente considerados sociólogos; e Kenneth Boulding é citado como filósofo. Karl Marx, em contraste, recusou-se a ser chamado de economista; ele se considerava um crítico social, afirmando que os economistas eram meramente apologistas da ordem capitalista existente. De fato, o termo "socialista" descrevia originalmente apenas aqueles que não aceitavam a visão de mundo dos economistas. Mais recentemente, Hazel Henderson continuou essa tradição intitulando-se uma futurista e dando a um de seus livros o subtítulo "O fim da economia"[1].

Um outro aspecto dos fenômenos econômicos, crucialmente importante mas seriamente negligenciado pelos economistas, é o da evolução dinâmica da economia. Em sua natureza dinâmica, os fenômenos descritos pela economia diferem profundamente daqueles abordados pelas ciências naturais. A física clássica aplica-se a uma gama bem definida e imutável de fenômenos naturais. Embora, além dos limites dessa gama, tenha que ser substituída pelas físicas quântica e relativista, o modelo newtoniano continua a ser válido dentro do domínio clássico, pois ainda é uma eficiente base teórica para uma parte considerável da tecnologia contemporânea. Analogamente, os conceitos da biologia aplicam-se a uma realidade que mudou muito pouco ao longo dos séculos, embora o conhecimento dos fenômenos biológicos tenha progredido substancialmente e boa parte da velha estrutura cartesiana seja hoje reconhecida como demasiado restritiva. Mas a evolução biológica tende a processar-se em períodos de tempo muito longos, não produzindo fenômenos inteiramente novos, mas avançando através de uma contínua reorganização e recombinação de um número limitado de estruturas e funções[2].

A evolução dos padrões econômicos, ao contrário, ocorre num ritmo muito mais rápido. Os sistemas econômicos estão em contínua mudança e evolução, dependendo dos igualmente mutáveis sistemas ecológicos e sociais em que estão implantados. Para entendê-los, necessitamos de uma estrutura conceitual que seja também capaz de mudar e de se adaptar continuamente a novas situações. A maioria dos economistas contemporâneos lamentavelmente despreza tal estrutura, pois ainda estão fascinados pelo absoluto rigor do paradigma cartesiano e pela elegância dos modelos newtonianos; assim, estão cada vez mais distanciados das realidades econômicas atuais.

A evolução de uma sociedade, inclusive a evolução do seu sistema econômico, está intimamente ligada a mudanças no sistema de valores que serve de base a todas as suas manifestações. Os valores que inspiram a vida de uma sociedade determinarão sua visão de mundo, assim como as instituições religiosas, os empreendimentos científicos e a tecnologia, além das ações políticas e econômicas que a caracterizam. Uma vez expresso e codificado o conjunto de valores e metas, ele constituirá a estrutura das percepções, intuições e opções da sociedade para que haja inovação e adaptação social. À medida que o sistema de valores culturais muda – frequentemente em resposta a desafios ambientais –, surgem novos padrões de evolução cultural.

O estudo dos valores é, pois, de suprema importância para todas as ciências sociais; é impossível existir uma ciência social "isenta de valores". Os cientistas sociais que consideram "não científica" a questão dos valores e pensam que a estão evitando estão simplesmente tentando o impossível. Qualquer análise "isenta de valores" dos fenômenos sociais baseia-se no pressuposto tácito de um sistema de valores existente que está implícito na seleção e interpretação de dados. Ao evitarem, portanto, a questão dos valores, os cientistas sociais não estão sendo mais científicos, mas, pelo contrário, menos científicos, porque negligenciam enunciar explicitamente os pressupostos subjacentes a suas teorias. Eles são vulneráveis à crítica marxista de que "todas as ciências sociais são ideologias disfarçadas"[3].

A economia é definida como a disciplina que se ocupa da produção, da distribuição e do consumo de riquezas. Tenta determinar o que é valioso num dado momento, estudando os valores relativos de troca de bens e serviços. Portanto, a economia é, entre as ciências sociais, a mais normativa e a mais claramente dependente de valores. Seus modelos e teorias basear-se-ão sempre num certo sistema de valores e numa certa concepção da natureza humana, num conjunto de pressupostos a que E. F. Schumacher chama "metaeconomia", porque raras vezes são explicitamente incluídos no pensamento econômico contemporâneo[4]. Schumacher ilustrou de um modo muito eloquente a dependência de valor da ciência econômica, ao comparar dois sistemas econômicos que consubstanciam valores e metas inteiramente diferentes[5]. Um deles é o nosso atual sistema materialista, no qual o "padrão de vida" é medido pelo montante de consumo anual, e que, portanto, tenta alcançar o máximo consumo associado a um padrão ótimo de produção. O outro é o sistema de economia budista, baseado nas noções de "modo de vida correto" e de "caminho do meio", no qual a finalidade é realizar o máximo de bem-estar humano com um padrão ótimo de consumo.

Os economistas contemporâneos, numa tentativa equivocada de dotar sua disciplina de rigor científico, evitaram sistematicamente a questão de valores não enunciados. Kenneth Boulding, falando como presidente da American Economic Association, qualificou essa tentativa conjunta de "um exercício monumentalmente malogrado [...] que tem preocupado toda uma geração de economistas (na verdade, muitas gerações), levando a um beco sem saída, com um desprezo quase total pelos principais problemas do nosso tempo"[6]. A evasão de questões relacionadas com valores levou os economistas a voltar-se para problemas mais fáceis, mas menos importantes, e a mascarar os conflitos de valores mediante o uso de uma elaborada linguagem técnica. Essa tendência é particularmente forte nos Estados Unidos, onde existe atualmente a crença generalizada de que todos os problemas – econômicos, políticos ou sociais – têm soluções técnicas. Assim, a indústria e o comércio contratam exércitos de economistas a fim de prepararem análises de custo/lucro que convertem opções sociais e morais em opções pseudotécnicas, e, desse modo, ocultam conflitos de valores que só podem ser resolvidos politicamente[7].

Os únicos valores que figuram nos modelos econômicos atuais são aqueles que podem ser quantificados mediante a atribuição de pesos monetários. Essa ênfase dada à quantificação confere à economia a aparência de uma ciência exata. Ao mesmo tempo, contudo, ela restringe severamente o âmbito das teorias econômicas na medida em que exclui distinções qualitativas que são fundamentais para o entendimento das dimensões ecológicas, sociais e psicológicas da atividade econômica. Por exemplo, a energia é medida apenas em quilowatts, independentemente de sua origem; nenhuma distinção é feita entre bens renováveis e não renováveis; e os custos sociais de produção são adicionados, incompreensivelmente, como contribuições positivas para o Produto Nacional Bruto. Além disso, os economistas menosprezam completamente a pesquisa psicológica sobre o comportamento das pessoas ao adquirir renda, consumir e investir, porque os resultados de tal pesquisa não podem ser integrados nas análises quantitativas correntes[8].

A abordagem fragmentária dos economistas contemporâneos, sua preferência por modelos quantitativos abstratos e sua negligência pela evolução estrutural da economia resultaram numa imensa defasagem entre a teoria e a realidade econômica. Na opinião do *Washington Post*, "economistas ambiciosos elaboram elegantes soluções matemáticas para problemas teóricos com escassa ou nenhuma importância para as questões públicas"[9]. A economia passa, hoje em dia, por uma profunda crise conceitual. As anomalias sociais e econômicas que ela não conseguiu resolver – inflação em escala global e desemprego, má distribuição da riqueza e escassez de energia, entre outras – são hoje dolorosamente visíveis para todos. O fracasso dos economistas em resolver esses problemas é reconhecido por um público cada vez mais cético, pelos cientistas de outras disciplinas e pelos próprios economistas.

Pesquisas de opinião realizadas na década de 1970 mostraram sistematicamente um drástico declínio da confiança do público norte-americano em suas instituições empresariais. Assim, a porcentagem de pessoas que acreditam que as principais companhias se tornaram excessivamente poderosas subiu para 75 por cento em 1973; em 1974, 53 por cento opinaram que muitas companhias importantes deveriam ser fechadas, e mais de metade dos cidadãos norte-americanos queria maior regulamentação federal para as empresas de serviços públicos, companhias de seguros e indústrias petrolíferas, farmacêuticas e automobilísticas[10].

As atitudes também estão mudando no seio das grandes empresas. Segundo um estudo publicado em 1975 na *Harvard Business Review,* 70 por cento dos executivos de grandes empresas interrogados declararam preferir as antigas ideologias do individualismo, da propriedade privada e da livre iniciativa, mas 73 por cento acreditavam que esses valores podiam ser suplantados por modelos coletivos de solução de problemas durante os dez anos seguintes, e 60 por cento pensavam que tal orientação coletiva seria mais eficaz na descoberta de soluções[11].

E os próprios economistas estão começando a reconhecer que sua disciplina chegou a um impasse. Em 1971, Arthur Burns, então na presidência do Federal Reserve Board, observou que "as regras da economia não estão funcionando como antigamente"[12], e Milton Friedman, numa conferência na American Economic Association, em 1972, foi ainda mais franco: "Acredito que nós, economistas, em anos recentes, causamos grandes danos – à sociedade, em geral, e à nossa profissão, em particular –, ao pretendermos dispor de mais do que podemos realmente oferecer"[13]. Em 1978, o tom já mudara da cautela para o desespero, quando o secretário do Tesouro, Michael Blumenthal, declarou: "Eu acredito que os economistas estão à beira da falência a respeito da compreensão da situação atual, antes ou depois do fato"[14]. Juanita Kreps, secretária do Comércio demissionária em 1979, disse abertamente que considerava impossível retornar à sua antiga profissão de professora de economia na Duke University, porque "não saberia o que ensinar"[15].

A má condução atual da economia norte-americana leva-nos a questionar os conceitos básicos do pensamento econômico contemporâneo. A maioria dos economistas, embora profundamente consciente do atual estado de crise, ainda acredita que as soluções para os nossos problemas podem ser encontradas dentro da estrutura teórica vigente. Essa estrutura, entretanto, baseia-se em conceitos e variáveis criados há várias centenas de anos e que foram irremediavelmente superados pelas mudanças sociais e tecnológicas. O que os economistas precisam fazer com a máxima urgência é reavaliar toda a sua base conceitual e recriar seus modelos e teorias fundamentais de conformidade com essa reavaliação. A atual crise econômica só será superada se os economistas estiverem dispostos a participar da mudança de paradigma que está ocorrendo hoje em todos os campos. Tal como na psicologia e na medicina, a substituição do paradigma cartesiano por uma visão holística e ecológica não tornará as novas abordagens menos científicas, mas, pelo contrário, as fará mais compatíveis com as novas conquistas nas ciências naturais.

Em nível mais profundo, o reexame de conceitos e modelos econômicos precisa lidar com o sistema de valores subjacente e reconhecer sua relação com o contexto cultural. Partindo de tal perspectiva, será possível verificar que muitos dos problemas sociais e econômicos atuais têm suas raízes nos dolorosos ajustamentos de indivíduos e instituições aos valores em transição de nossa época[16]. O surgimento da economia como disciplina separada da filosofia e da política coincidiu com o surgimento, no final da Idade Média, da cultura sensualista*. Quando essa cultura se desenvolveu, consubstanciou, em suas instituições sociais, os valores masculinos e de orientação *yang* que hoje dominam nossa sociedade e constituem a base de nosso sistema econômico. A ciência econômica, com seu enfoque básico na riqueza material, é hoje a expressão quintessencial dos valores sensualistas[17].

Atitudes e atividades que são altamente valorizadas nesse sistema incluem a aquisição de bens materiais, a expansão, a competição e a obsessão pela tecnologia e ciência pesadas. Ao atribuir excessiva ênfase a esses valores, nossa sociedade encorajou a busca de metas perigosas e não éticas e institucionalizou muitos dos pecados mortais do cristianismo: a gula, o orgulho, o egoísmo e a ganância.

O sistema de valores que se desenvolveu durante os séculos XVII e XVIII substituiu gradualmente um conjunto coerente de valores e atitudes medievais – a crença na sacralidade do mundo natural; as restrições morais contra o empréstimo de dinheiro a juros; o requisito de preços "justos"; a convicção de que o lucro e o enriquecimento pessoal deviam ser desencorajados, de que o trabalho devia servir como valor de uso para o grupo e ao bem-estar da alma, de que o comércio somente se justificava para restabelecer a suficiência do grupo e de que

---

* Ver capítulo 1. (N. do T.)

todas as verdadeiras recompensas seriam dadas no outro mundo. Até o século XVI, os fenômenos puramente econômicos não existiam isolados do contexto da vida. Durante a maior parte da história, o alimento, o vestuário, a habitação e outros recursos básicos eram produzidos para valor de uso e distribuídos no seio das tribos ou grupos numa base recíproca[18]. O sistema nacional de mercados é um fenômeno relativamente recente que surgiu na Inglaterra do século XVII e daí se propagou para o mundo todo, resultando no interligado "mercado global" de hoje. Os mercados, é claro, existiam desde a Idade da Pedra, mas baseavam-se na troca, não na moeda, e eram somente locais. O próprio comércio, em seus primeiros tempos, tinha escassa motivação econômica e era mais frequentemente uma atividade sagrada e cerimonial, relacionada com o parentesco e os costumes de família. Por exemplo, os nativos das ilhas Trobriand, no sudoeste do Pacífico, empreendiam viagens circulares ao longo de rotas marítimas de comércio que se estendiam por milhares de milhas, sem motivos significativos de lucro, compensação ou troca. O que os motivava eram a etiqueta e o simbolismo mágico de transportar, por um dos caminhos, joias feitas de conchas marinhas brancas e, por outro, ornamentos de conchas marinhas vermelhas, de modo a circundarem todo o arquipélago a cada dez anos[19].

Muitas sociedades arcaicas usaram o dinheiro, incluindo moedas metálicas, mas estas eram usadas para pagamento de impostos e salários, não para circulação geral. Normalmente não existia o objetivo de lucro individual em decorrência de atividades econômicas; a própria ideia de lucro, para não citar a de juros, era inconcebível ou banida. Organizações econômicas de grande complexidade, envolvendo uma elaborada divisão do trabalho, eram inteiramente operadas pelo mecanismo de armazenamento e redistribuição de mercadorias comuns, como o cereal; era isso o que acontecia, na verdade, em todos os sistemas feudais. Isso, evidentemente, não evitava que as pessoas agissem motivadas pela necessidade de poder, dominação e exploração, mas a ideia de que as necessidades humanas são ilimitadas só se difundiu depois do Iluminismo.

Um importante princípio em todas as sociedades arcaicas era o de "governo da casa", do grego *oikonomia*, que é a raiz do moderno vocábulo "economia". A propriedade privada só se justificava na medida em que servia ao bem-estar de todos. De fato, a palavra "privada" provém do latim *privare* ("despojar", "privar de"), o que mostra a antiga concepção de que a propriedade era, em primeiro lugar, comunal. Quando as sociedades passaram dessa visão comunal, de participação, para concepções mais individualistas e autoafirmativas, as pessoas deixaram de considerar a propriedade privada um bem de que determinados indivíduos privavam o resto do grupo; de fato, o significado do termo foi invertido, a partir de então, ao se instituir que a propriedade devia ser privada, antes de mais nada, e que a sociedade não deveria privar o indivíduo disso sem o devido apoio da lei.

Com a revolução científica e o Iluminismo, o racionalismo crítico, o empirismo e o individualismo passaram a ser os valores dominantes, em conjunto com uma orientação secular e materialista, o que levou à produção de bens supérfluos e de artigos de luxo e à mentalidade manipuladora da era industrial. Os novos costumes e atividades resultaram na criação de novas instituições sociais e políticas e deram origem a uma nova ocupação acadêmica: a teorização em torno de um conjunto de atividades *econômicas* específicas – produção, distribuição, câmbio, distribuição de empréstimos financeiros –, que subitamente adquiriram grande relevo e passaram a exigir não apenas descrição e explicação, mas também racionalização.

Uma das consequências mais importantes da mudança de valores no final da Idade Média foi a ascensão do capitalismo nos séculos XVI e XVII. O desenvolvimento da mentalidade capitalista, de acordo com uma engenhosa tese de Max Weber, esteve intimamente relacionado à ideia religiosa de uma "vocação" (ou "chamado"), que surgiu com Martinho Lutero e a Reforma, em conjunto com a noção de uma obrigação moral de cumprimento do dever, por parte de cada indivíduo, nas atividades temporais. Essa ideia de uma vocação temporal projetou o comportamento religioso no mundo secular. Ela foi enfatizada ainda mais vigorosamente pelas seitas puritanas, que consideravam a atividade temporal e as recompensas materiais resultantes do comportamento industrioso como um sinal de predestinação divina. Assim nasceu a conhecida ética do trabalho protestante, na qual o trabalho árduo, diligente, abnegado e o êxito temporal foram equiparados à virtude. Por outro lado, os puritanos execravam todo consumo além dos limites da frugalidade; por conseguinte, a acumulação de riqueza era sancionada, desde que combinada com uma carreira laboriosa. Na teoria de Weber, esses valores e motivos religiosos forneceram a energia e o impulso emocional essenciais para a ascensão e o rápido desenvolvimento do capitalismo[20].

A tradição weberiana de crítica das atividades econômicas com base em uma análise de seus valores subjacentes preparou o caminho para muitos críticos subsequentes, entre eles Kenneth Boulding, Erich Fromm e Barbara Ward[21]. Continuando essa tradição, mas em nível ainda mais profundo, a recente crítica feminista aos sistemas econômicos – capitalistas e marxistas – concentrou-se no sistema patriarcal de valores praticamente subjacente a todas as economias da atualidade[22]. A ligação entre valores patriarcais e capitalismo foi assinalada no século XIX por Friedrich Engels, e tem sido enfatizada por gerações subsequentes de marxistas. Para Engels, porém, a opressão das mulheres tinha suas raízes no sistema econômico capitalista e deixaria de existir com a extinção do capitalismo. O que as críticas feministas estão assinalando hoje de maneira convincente é que as atitudes patriarcais são muito mais antigas do que as economias capitalistas e estão muito mais profundamente arraigadas na maioria das sociedades. Com efeito, a grande maioria dos movimentos socialistas e revolucionários exibe uma esmagadora propensão masculina, promovendo revoluções sociais que deixam essencialmente intactos o controle e a liderança dos homens[23].

Durante os séculos XVI e XVII, enquanto os novos valores do individualismo, os direitos de propriedade e o governo representativo levavam ao declínio o tradicional sistema feudal e minavam o poder da aristocracia, a antiga ordem econômica ainda era defendida por teóricos que acreditavam que o caminho de uma nação para a riqueza estava na acumulação de dinheiro através do comércio externo. A essa teoria foi dado mais tarde o nome de mercantilismo. Seus praticantes não se intitulavam economistas; eram políticos, administradores e mercadores. Eles aplicaram a antiga noção de economia – no sentido de administração da casa – ao Estado, este entendido como a casa do governante, e, assim, seus programas e métodos de gestão passaram a ser conhecidos como "economia política". Esta designação manteve-se em uso até o século XX, quando foi substituída pelo termo moderno de "ciência econômica".

A ideia mercantilista de balança comercial – a crença em que uma nação enriquece quando suas exportações excedem suas importações – tornou-se um conceito central do pensamento econômico subsequente. Foi indubitavelmente influenciado pelo conceito de equilíbrio da mecânica newtoniana, e era inteiramente compatível com a visão de mundo limitada das monarquias insuladas e escassamente povoadas desse tempo. Mas, hoje, em nosso mundo superpovoado e interdependente, é óbvio que nem todas as nações podem ganhar simultaneamente no jogo mercantilista. O fato de muitas nações – o Japão é o exemplo recente mais notório – ainda tentarem manter balanças comerciais inclinadas a seu favor pode redundar em guerras comerciais, depressões e em um conflito internacional.

A moderna ciência econômica, estritamente falando, tem pouco mais de trezentos anos. Foi fundada no século XVII por Sir William Petty, professor de anatomia em Oxford e de música em Londres e médico do exército de Oliver Cromwell. Do seu círculo de amigos faziam parte Christopher Wren, o arquiteto responsável por muitos monumentos característicos de Londres, e Isaac Newton. A *Aritmética política* de Petty parecia dever muito a Newton e a Descartes, e seu método consistia em substituir palavras e argumentos por números, pesos e medidas, e em "usar somente argumentos dos sentidos e considerar unicamente aquelas causas que têm fundamentos visíveis na natureza"[24].

Nessa e em outras obras, Petty expôs um conjunto de ideias que se tornaram ingredientes indispensáveis nas teorias de Adam Smith e outros economistas posteriores. Entre essas ideias estavam a teoria do valor da força de trabalho – adotada por Smith, Ricardo e Marx –, de acordo com a qual o valor de um produto é determinado unicamente pelo trabalho humano requerido para produzi-lo; e a distinção entre preço e valor, a qual, em várias formulações, nunca mais deixou de preocupar os economistas. Petty expôs também a noção de "salários justos", descreveu as vantagens da divisão do trabalho e definiu o conceito de monopólio. Discutiu as noções "newtonianas" de quantidade de moeda e sua velocidade de circulação, as quais ainda são debatidas pela escola monetarista atual, e sugeriu obras públicas como remédio para o desemprego, antecipando-se assim a Keynes em mais de dois séculos. A economia política de hoje, tal como é debatida em Washington, Bonn ou Londres, não causaria surpresa nenhuma a Petty, exceto pelo fato de ter mudado tão pouco desde então.

Juntamente com Petty e os mercantilistas, John Locke ajudou a assentar as pedras fundamentais da moderna ciência econômica. Ele foi o mais notável filósofo do Iluminismo, e suas ideias sobre fenômenos psicológicos, sociais e econômicos – fortemente influenciadas por Descartes e Newton – tornaram-se o núcleo do pensamento setecentista. A teoria atomística da sociedade humana[25] por ele postulada levou-o à ideia de um governo representativo cuja função seria a de salvaguardar os direitos dos indivíduos à propriedade e aos frutos de seu trabalho. Locke sustentou que, uma vez criado pelos indivíduos um governo com a função de curador de seus direitos, liberdades e propriedade, a legitimidade de tal governo dependia da proteção que assegurasse a esses direitos. Se o governo não o fizesse, o povo teria o poder de dissolvê-lo. Numerosas teorias econômicas e políticas foram influenciadas por esses conceitos morais radicais do Iluminismo. Em ciência econômica, entretanto, uma das mais inovadoras teorias de Locke referia-se ao problema dos preços. Enquanto Petty sustentara que preços e mercadorias deviam refletir justa e exatamente o montante de trabalho nelas empregado, Locke surgiu com a ideia de que os preços também eram determinados objetivamente pela oferta e procura. Isso, além de livrar os comerciantes da época da lei moral de preços "justos", tornou-se outra pedra angular da ciência econômica, dando-lhe um *status* igual ao das leis da mecânica, onde se situa ainda hoje na maioria das análises econômicas.

A lei da oferta e procura também se encaixa perfeitamente na nova matemática de Newton e Leibniz – o cálculo diferencial –, uma vez que a economia foi entendida como a ciência que trata das variações contínuas de quantidades muito pequenas, que podem ser descritas mais eficientemente por essa técnica matemática. Essa noção tornou-se a base dos esforços subsequentes para fazer da economia uma ciência matemática exata. Entretanto, o problema era – e é – que as variáveis usadas nesses modelos matemáticos não podem ser rigorosamente quantificadas, mas são definidas na base de pressuposições que, com frequência, tornam os modelos muito pouco realistas.

Uma escola de pensamento setecentista que exerceu influência significativa sobre a teoria econômica clássica e, notadamente, sobre Adam Smith foi a dos fisiocratas franceses. Esses pensadores foram os primeiros a intitular-se "economistas", a considerar suas teorias "objetivamente" científicas e a desenvolver uma visão completa da economia francesa, tal como existia pouco antes da Revolução. Fisiocracia significava "o governo da natureza", e os fisiocratas criticavam acerbamente o mercantilismo e o crescimento das cidades. Afirmavam que somente a agricultura e a terra eram verdadeiramente produtivas, pois produziam uma riqueza verdadeira, promovendo assim uma primeira visão "ecológica". O líder dos fisiocratas era, tal como William Petty e John Locke, um médico, François Quesnay, cirurgião da corte. Quesnay expôs a ideia de que o direito natural, se não fosse tolhido por obstáculos, governaria os assuntos econômicos para o máximo benefício de todos. Assim foi introduzida a doutrina do *laissez-faire*, outra pedra angular da ciência econômica.

O período da "economia política clássica" foi inaugurado em 1776, quando Adam Smith publicou *Uma investigação sobre a natureza e as causas da riqueza das nações*. Smith, filósofo escocês e amigo de David Hume, foi sem dúvida o mais influente de todos os economistas. Sua obra *Riqueza das nações* foi o primeiro tratado em grande escala de ciência econômica e tem sido considerado, "em suas últimas consequências, provavelmente o mais importante livro até hoje escrito"[26]. Smith foi influenciado pelos fisiocratas e pelos filósofos do Iluminismo, mas também era amigo de James Watt, o inventor da máquina a vapor. Conheceu Benjamin Franklin e provavelmente Thomas Jefferson e viveu numa época em que a Revolução Industrial tinha começado a transformar a face da Grã-Bretanha. Quando Smith escreveu *Riqueza das nações*, estava em plena marcha a transição de uma economia agrária e artesanal para uma economia dominada pelo vapor como energia motriz e por máquinas operadas em grandes fábricas e usinas. Fora inventada a máquina de fiar, e teares mecânicos eram usados em indústrias do algodão que empregavam até trezentos operários. A nova empresa privada, as fábricas e a maquinaria acionada por energia mecânica modelaram as ideias de Adam Smith, levando-o a defender com entusiasmo a transformação social de sua época e a criticar os resquícios do sistema feudal baseado na terra.

Tal como a maioria dos grandes economistas clássicos, Adam Smith não era um especialista, mas um pensador imaginativo e liberal, dotado de muitos *insights* originais. Dispôs-se a investigar como a riqueza de uma nação é aumentada e distribuída – o tema básico da moderna ciência econômica. Ao opor-se à concepção mercantilista de que a riqueza é aumentada pelo comércio externo e pela acumulação de reservas de ouro e prata, Smith sustentou que a verdadeira base da riqueza é a produção resultante do trabalho humano e dos recursos naturais. A riqueza de uma nação dependeria da percentagem de sua população dedicada a essa produção e de sua eficiência e habilidade. O meio básico de produção crescente é a divisão do trabalho, afirmou Smith, como Petty já fizera antes dele. A partir da ideia newtoniana predominante de lei natural, Smith deduziu que é próprio da "natureza humana trocar e negociar", e também considerou "natural" que os trabalhadores tivessem gradualmente que facilitar seu trabalho e melhorar sua produtividade com a ajuda de maquinaria que economiza mão de obra. Ao lado disso, os primeiros donos de manufaturas tinham uma concepção muito mais sinistra do papel das máquinas; eles entenderam muito bem que as máquinas podiam substituir os trabalhadores e, portanto, podiam ser usadas para mantê-los dóceis e receosos[27].

Dos fisiocratas, Smith adotou o tema do *laissez-faire*, que ele imortalizou na metáfora da Mão Invisível. Segundo Smith, a Mão Invisível do mercado guiaria o interesse pessoal de cada empresário, produtor e consumidor, para o melhoramento harmonioso de todos; "melhoramento" foi equiparado à produção de riqueza material. Desse modo, seria conseguido um resultado social independente das intenções individuais, abrindo, assim, possibilidade para a criação de uma ciência objetiva da atividade econômica.

Smith acreditava na teoria do valor da força de trabalho, mas também aceitou a ideia de que os preços seriam determinados em mercados "livres" pelos efeitos compensatórios da oferta e procura. Ele baseou sua teoria econômica nas mãos newtonianas de equilíbrio, nas leis do movimento e na objetividade científica. Uma das dificuldades na aplicação desses conceitos mecanicistas a fenômenos sociais era a falta de avaliação no tocante ao problema da fricção. Como o fenômeno da fricção é geralmente negligenciado na mecânica newtoniana, Smith imaginou que os mecanismos equilibradores do mercado seriam quase instantâneos. Ele descreveu seus ajustamentos como "imediatos", "ocorrendo logo" e "contínuos", enquanto os preços "gravitavam" na direção apropriada. Pequenos produtores e pequenos consumidores encontrar-se-iam no mercado com poder e informação iguais.

Esse quadro idealista serve de base ao "modelo competitivo" largamente usado pelos economistas de hoje. Seus pressupostos básicos incluem a informação livre e perfeita para todos os participantes numa transação de mercado; a crença em que cada comprador e vendedor num mercado é pequeno e não tem influência sobre o preço; e a mobilidade completa e instantânea de trabalhadores deslocados, recursos naturais e maquinaria. Todas essas condições são violadas na grande maioria dos mercados atuais e, no entanto, a maior parte dos economistas continua usando-as como a base de suas teorias. Lucia Dunn, professora de economia na Northwestern University, assim descreve a situação: "Eles usam esses pressupostos em seu trabalho quase inconscientemente. De fato, na mente de muitos economistas, deixaram de ser pressupostos e tornaram-se um quadro de como o mundo realmente é"[28].

Quanto ao comércio internacional, Smith desenvolveu a doutrina da vantagem comparativa, de acordo com a qual cada nação deve sobressair em alguns tipos de produção, sendo o resultado uma divisão internacional do trabalho e o livre comércio. Esse modelo de livre comércio internacional ainda inspira boa parte do pensamento atual sobre economia global e está agora produzindo sua parcela de custos sociais e ambientais[29]. No âmbito de uma nação, Smith achava que o sistema de mercado autoequilibrador era caracterizado por um lento e constante crescimento, com demandas continuamente crescentes de bens e de mão de obra. A ideia de crescimento contínuo foi adotada por sucessivas gerações de economistas, que, paradoxalmente, continuaram usando pressupostos mecanicistas de equilíbrio enquanto, ao mesmo tempo, postulavam um crescimento econômico contínuo. O próprio Smith previu que o progresso econômico teria um fim quando a riqueza das nações tivesse sido impulsionada até os limites naturais do solo e do clima; lamentavelmente, porém, ele pensou que esse ponto estava tão distante no futuro que seria irrelevante para as suas teorias.

Smith aludiu à ideia do crescimento de estruturas sociais e econômicas, como os monopólios, quando denunciou pessoas do mesmo ramo de comércio que conspiravam para elevar artificialmente os preços, mas não viu as profundas implicações de tais práticas. O crescimento dessas estruturas e, em particular, da estrutura de classe, viria a ser um tema central na análise econômica de Marx. Adam Smith justificou os lucros dos capitalistas argumentando que eles eram necessários para ser investidos em mais fábricas e máquinas para o bem comum. Assinalou a luta entre trabalhadores e empregadores e os esforços de uns e outros "para interferir no mercado", mas nunca se referiu ao poder desigual de trabalhadores e capitalistas – um ponto que Marx, com vigor, deixaria claro.

Quando Smith escreveu que os trabalhadores e "outras categorias inferiores da população" produziam um número excessivo de filhos que causariam o declínio dos salários para um nível de mera subsistência, ele mostrou que seus pontos de vista sobre a sociedade eram semelhantes aos de outros filósofos do Iluminismo. O *status* de classe média de todos eles permitia-lhes conceber ideias radicais de igualdade, justiça e liberdade, mas não lhes permitia estender esses conceitos de modo a incluir neles as "classes inferiores"; nem as mulheres foram jamais incluídas.

No início do século XIX, os economistas começaram a sistematizar sua disciplina, numa tentativa de vazá-la no molde de uma ciência. O primeiro e mais influente entre esses pensadores econômicos sistemáticos foi David Ricardo, um corretor da Bolsa que ficou multimilionário aos 35 anos de idade e que, depois de ler a *Riqueza das nações*, resolveu dedicar-se ao estudo da economia política. Ricardo baseou-se na obra de Adam Smith, mas definiu um âmbito mais estreito para a ciência econômica; começou, assim, um processo que se tornaria característico da maior parte do pensamento econômico não marxista. A obra de Ricardo contém muito pouca filosofia social; ele preferiu apresentar o conceito de "modelo econômico", um sistema lógico de leis e postulados, envolvendo um número limitado de variáveis, que pudesse ser usado para descrever e prever fenômenos econômicos.

A ideia central no sistema de Ricardo foi a de que o progresso chegaria mais cedo ou mais tarde ao fim por causa do custo crescente do cultivo de alimentos numa área limitada de terra. Subjacente a essa perspectiva ecológica estava a ideia sombria, evocada anteriormente por Thomas Malthus, de que a população aumentaria mais depressa do que a oferta de alimentos. Ricardo aceitou o princípio malthusiano, mas analisou a situação em maiores detalhes. Escreveu que, à medida que a população aumentasse, terras marginais mais pobres teriam que ser cultivadas. Ao mesmo tempo, o valor relativo da terra de qualidade superior aumentaria, e o aluguel mais elevado cobrado por ela seria um excedente recebido pelos proprietários por serem meramente os donos da terra. Esse conceito de terra "marginal" tornou-se a base das atuais escolas econômicas de análise marginal. Ricardo, tal como Smith, aceitou a teoria do valor da força de trabalho, mas, significativamente, incluiu em sua definição de preços o custo do trabalho requerido para se construir máquinas e fábricas. Segundo seu ponto de vista, o dono de uma fábrica, ao receber o lucro, estava tomando algo que a força de trabalho tinha produzido, ponto sobre o qual Marx construiu sua teoria da mais-valia.

Os esforços sistemáticos de Ricardo e outros economistas clássicos consolidaram a ciência econômica como um conjunto de dogmas que sustentavam a estrutura de classes existente e contrariavam todas as tentativas de promoção social com o argumento "científico" de que as "leis da natureza" estavam funcionando e os pobres eram responsáveis por seu próprio infortúnio. Ao mesmo tempo, as sublevações de trabalhadores estavam se tornando frequentes, e o novo pensamento econômico engendrou seus próprios e horrorizados críticos muito antes de Marx.

Uma abordagem bem-intencionada, porém irrealista, levou a uma longa série de formulações inexequíveis conhecidas mais tarde como economia do bem-estar. Os representantes dessa escola deixaram de lado a anterior concepção de bem-estar como produção material para se aterem aos critérios subjetivos de prazer e dor individuais, construindo elaborados mapas e curvas baseados em "unidades de prazer" e "unidades de dor". Vilfredo Pareto aperfeiçoou esses esquemas algo rudimentares com a sua teoria de otimização, baseada no pressuposto de que o bem-estar social seria maior se a satisfação de alguns indivíduos pudesse ser aumentada sem diminuir a de outros. Em outras palavras, qualquer mudança econômica que fizesse alguém melhorar de vida e ficar mais próspero sem fazer ninguém piorar de vida e ficar mais pobre seria desejável para o bem-estar social. Entretanto, a teoria de Pareto ainda negligenciava os fatores poder, informação e renda desiguais. A economia do bem-estar persistiu até os dias atuais, embora tenha sido mostrado de forma concludente que a soma de preferências pessoais não equivale à escolha social[30]. Muitos críticos contemporâneos veem nisso uma desculpa maldisfarçada para o comportamento egoísta que abala qualquer conjunto coeso de metas sociais, tornando a política ambiental caótica[31].

Enquanto os economistas do bem-estar construíam elaborados esquemas matemáticos, uma outra escola de reformadores tentava neutralizar as deficiências do capitalismo ao realizar experimentos francamente idealistas. Esses utopistas instalaram fábricas e usinas de acordo com princípios humanitários – com horários de trabalho reduzidos, maiores salários, recreação, seguro e, por vezes, moradia –, fundaram cooperativas de trabalhadores e promoveram os valores éticos, estéticos e espirituais. Muitos desses experimentos foram coroados de êxito por algum tempo, mas todos eles acabaram fracassando, por serem incapazes de sobreviver num ambiente econômico hostil. Karl Marx, que muito devia à imaginação dos utopistas, acreditava que essas comunidades não podiam subsistir, já que não tinham surgido "organicamente" a partir da fase vigente de desenvolvimento econômico material. Levando-se em conta a perspectiva da década de 1980, Marx talvez estivesse com a razão. Talvez tivéssemos que aguardar o cansaço e o tédio "pós-industriais" de hoje, com o consumo de massa e a conscientização dos custos sociais e ambientais crescentes, para não mencionar a decrescente base de recursos, a fim de que pudéssemos atingir as condições em que o sonho dos utopistas, de uma ordem social baseada na cooperação e economicamente harmoniosa, se tornasse realidade.

O maior reformador econômico clássico foi John Stuart Mill, que aderiu à crítica social, ao absorver a maior parte da obra dos filósofos e economistas de seu tempo quando completava treze anos de idade. Em 1848, ele publicou seus próprios *Princípios de economia política*, uma reavaliação hercúlea que chegou a uma conclusão radical. A economia, escreveu ele, deveria restringir-se a um campo – o da produção e da escassez de meios. A distribuição não seria um processo econômico, mas um processo político. Isso reduziu o âmbito da economia política, fazendo dele uma "ciência econômica pura", mais tarde chamada "neoclássica", e permitiu um enfoque mais detalhado do "processo econômico nuclear", ao mesmo tempo em que excluía variáveis sociais e ambientais em analogia com os experimentos controlados das ciências físicas. Depois de Mill, a economia ficou dividida entre a abordagem neoclássica, "científica" e matemática, por um lado, e a "arte" da filosofia social mais ampla, por outro. Em última instância, essa divisão redundou na desastrosa confusão atual entre as duas abordagens, dando origem a instrumentos políticos derivados de modelos matemáticos abstratos e irrealistas.

John Stuart Mill fez bem em enfatizar a natureza política de toda a distribuição econômica. O fato de sublinhar que a distribuição da riqueza de uma sociedade dependia das leis e dos costumes dessa sociedade, que eram muito diferentes em distintas culturas e épocas, teria forçado o retorno da questão de valores à agenda da economia política. Mill, além de reconhecer as escolhas éticas no âmago da economia, estava profundamente consciente de suas implicações psicológicas e filosóficas.

Quem quer que deseje seriamente procurar entender a condição social da humanidade tem de se debruçar sobre o pensamento de Karl Marx e experimentar seu permanente fascínio intelectual. De acordo com Robert Heilbroner, esse fascínio tem raízes no fato de que Marx foi "o primeiro a formular um método de investigação que para sempre lhe pertenceria daí em diante. Isso acontecera antes uma única vez, quando Platão 'descobriu' o método de investigação filosófica"[32]. O método de investigação de Marx era o da crítica social, por isso ele se referia a si mesmo não como filósofo, historiador ou economista – embora fosse tudo isso –, mas como crítico social. É por isso, também, que sua filosofia e ciências sociais continuam a exercer uma forte influência sobre o pensamento social.

Como filósofo, Marx ensinou uma filosofia de ação. Escreveu ele: "Os filósofos têm somente *interpretado* o mundo de várias maneiras; a questão, entretanto, é *mudá-lo*"[33]. Como economista, Marx criticou a economia clássica mais proficiente e eficazmente do que qualquer outro. Sua principal influência, contudo, não foi intelectual, mas política. Como revolucionário, se julgado pelo número de adeptos que o cultuam, "Marx deve ser considerado um líder religioso tal como Cristo ou Maomé"[34].

Enquanto Marx, o revolucionário, era canonizado por milhões no mundo inteiro, os economistas tinham de se defrontar – se bem que, mais frequentemente, o tenham ignorado ou citado erradamente – com suas previsões e vaticínios embaraçosamente acurados, entre eles, a ocorrência de ciclos de *boom* e de colapso e a tendência das economias orientadas para o mercado de manter uma parte da população operária como "exército de reserva" de desempregados, que consistem hoje, de modo geral, em minorias étnicas e mulheres. O corpo principal da obra de Marx, exposto nos três volumes de *O capital*, representa uma completa crítica do capitalismo. Ele viu a sociedade e a economia a partir da perspectiva explicitamente enunciada da luta entre trabalhadores e capitalistas, mas suas ideias básicas sobre evolução social permitiram-lhe examinar os processos econômicos de modo muito mais amplo.

Marx reconheceu que as formas capitalistas de organização social aceleram o processo de inovação tecnológica e aumentam a produtividade material, e previu que isso, dialeticamente, mudaria as relações sociais. Assim, pôde antever fenômenos como os monopólios e as depressões, e predizer que o capitalismo fomentaria o socialismo – como ocorreu, de fato – e que acabaria por desaparecer – como talvez ocorra. No primeiro volume de *O capital*, Marx formulou sua denúncia do capitalismo nas seguintes palavras:

> De mãos dadas com [a] centralização [de capital] [...] desenvolve-se, numa escala crescente [...] o emaranhamento de todos os povos na rede do mercado mundial, e, com isso, o caráter internacional do regime capitalista. A par do número constantemente decrescente dos magnatas do capital, que usurpam e monopolizam todas as vantagens desse processo de transformação, cresce a massa de miséria, opressão, escravatura, degradação, exploração[35] [...].

Hoje, no contexto de nossa economia global oprimida por crises e dominada pelas grandes companhias, com suas tecnologias de alto risco e seus enormes custos sociais e ecológicos, essa denúncia não perdeu nem um pouco de sua força.

É geralmente sublinhado pelos críticos de Marx que a força de trabalho nos Estados Unidos, da qual se poderia esperar que fosse a primeira a organizar-se politicamente e a levantar-se para criar uma sociedade socialista, não o fez porque os operários sempre receberam salários suficientemente altos para que pudessem se identificar com a mobilidade ascendente da classe média. Mas existem muitas outras explicações para que o socialismo não se consolidasse nos Estados Unidos[36]. Os operários norte-americanos tinham empregos geralmente temporários e se deslocavam muito em função disso; estavam divididos devido à variedade de idiomas e outras diferenças étnicas, coisa que os donos das fábricas não perdiam oportunidade de explorar; e um enorme contingente deles regressou ao país de origem logo que adquiriram os meios para oferecer uma vida melhor às famílias que os aguardavam. Assim, as oportunidades para a organização de um partido socialista do tipo europeu eram muito limitadas. Por outro lado, os operários norte-americanos não foram submetidos à contínua degradação, saltando para a escada rolante da riqueza material, embora em níveis relativamente baixos e com muita luta.

Outro ponto importante é que no final do século XX o Terceiro Mundo assumiu o papel do proletariado, por causa do desenvolvimento das empresas multinacionais, o que não havia sido previsto por Marx. Hoje, essas multinacionais jogam os trabalhadores de um país contra os de outro, explorando o racismo, o sexismo e o nacionalismo. Assim, as vantagens conquistadas pelos trabalhadores norte-americanos foram obtidas, em geral, em detrimento de seus companheiros dos países do Terceiro Mundo; o *slogan* marxista "Trabalhadores do mundo, uni-vos!" tornou-se cada vez mais difícil de ser concretizado.

Em sua "Crítica da economia política", subtítulo de *O capital*, Marx usou a teoria do valor da força de trabalho para suscitar questões de justiça, e desenvolveu novos e poderosos conceitos para refutar a lógica reducionista dos economistas neoclássicos do seu tempo. Ele sabia que, em grande medida, salários e preços são determinados politicamente. Partindo da premissa de que a força de trabalho cria todos os valores, Marx observou que a manutenção e a reprodução da força de trabalho devem, no mínimo, produzir subsistência para o trabalhador e mais o suficiente para substituir os materiais inteiramente consumidos. Mas, em geral, haverá um excedente acima e além desse mínimo. A forma que essa "mais-valia" adota será uma chave para a estrutura da sociedade, tanto para a sua economia quanto para a sua tecnologia[37].

Em sociedades capitalistas, sublinha Marx, os detentores do capital, aqueles que possuem os meios de produção e determinam as condições da força de trabalho, apropriam-se da mais-valia. Essa transação entre pessoas de poder desigual permite que os capitalistas acumulem mais dinheiro à custa do trabalho de seus operários, e, assim, mais capital. Nessa análise, Marx enfatizou que a condição prévia para a acumulação de capital é uma relação específica entre as classes sociais, relação esta que é, em si mesma, o produto de uma longa história[38]. A crítica básica de Marx à economia neoclássica, tão válida hoje quanto naquela época, é que os economistas, ao limitarem seu campo de investigação ao "processo econômico nuclear", furtam-se à questão ética da distribuição. Como afirmou a economista não marxista Joan Robinson, eles passaram "de uma medida de valor... para a questão muito menos candente de preços relativos"[39]. Valor e preços, entretanto, são conceitos muito diferentes. Outro não marxista, Oscar Wilde, disse-o melhor: "É possível conhecer o preço de tudo e o valor de nada".

Marx não foi rígido em sua teoria do valor da força de trabalho, e parecia sempre admitir mudanças. Previu que o trabalho se tornaria mais "mental" à medida que a ciência e o conhecimento fossem crescentemente aplicados ao processo de produção, e reconheceu também o importante papel dos recursos naturais. Assim, ele escreveu em seus *Manuscritos econômicos e filosóficos*: "O trabalhador nada pode criar sem a natureza, sem o mundo sensório, externo. Esse é o material em que seu trabalho se manifesta, no qual está ativo, a partir do qual e por meio do qual ele produz"[40].

No tempo de Marx, quando os recursos eram abundantes e a população pequena, a força de trabalho era, de fato, a mais importante contribuição para a produção. Mas, à medida que o século XX avançava, a teoria do valor da força de trabalho foi perdendo sentido e, hoje, o processo de produção tornou-se tão complexo que já não é mais possível separar nitidamente as contribuições como terra, trabalho, capital e outros fatores.

A concepção de Marx sobre o papel da natureza no processo de produção era parte de sua percepção orgânica da realidade, como Michael Harrington enfatizou em sua persuasiva reavaliação do pensamento marxista[41]. Essa concepção orgânica, ou sistêmica, é frequentemente esquecida pelos críticos de Marx, que afirmam que suas teorias são exclusivamente deterministas e materialistas. Ao abordar os argumentos econômicos reducionistas de seus contemporâneos, Marx caiu na armadilha de expressar suas ideias em fórmulas matemáticas "científicas" que minaram sua mais vasta teoria sociopolítica. Mas essa teoria mais ampla reflete uma profunda percepção consciente da sociedade e da natureza como um todo orgânico, o que é atestado neste belo trecho dos *Manuscritos econômicos e filosóficos*:

> A natureza é o corpo inorgânico do homem – isto é, a natureza, na medida em que ela própria não é o corpo humano. 'O homem vive na natureza' significa que a natureza é seu corpo, com o qual ele deve permanecer em contínuo intercurso se não quiser morrer. Que a vida física e espiritual do homem está vinculada à natureza significa, simplesmente, que a natureza está vinculada a si mesma, pois o homem é parte da natureza[42].

Marx enfatizou a importância da natureza no contexto social e econômico ao longo de sua obra, mas essa não era a questão central para um ativista da época. A ecologia não era um problema em voga, e não se poderia esperar que Marx lhe desse forte ênfase. Mas ele estava cônscio do impacto ecológico da economia capitalista, como podemos apreciar em muitas de suas afirmações, por mais incidentais que possam ser. Para citarmos apenas um exemplo: "Todo o progresso na agricultura capitalista é o progresso na arte de explorar tanto o trabalhador como o solo"[43].

Parece, pois, que, embora Marx não desse maior ênfase à ecologia, seu enfoque *podia* ter sido usado para prever a exploração ecológica que o capitalismo produziu e que o socialismo perpetuou. Pode-se certamente censurar seus seguidores por não terem apreendido mais cedo a questão ecológica, dado que ela forneceu mais uma crítica arrasadora do capitalismo e confirmou o vigor do método de Marx. Se os marxistas tivessem encarado honestamente a evidência ecológica, é claro que teriam sido forçados a concluir que as sociedades socialistas não agiram muito melhor, uma vez que o impacto ecológico nessas sociedades é diminuído unicamente pelo fato de terem um consumo inferior (que, não obstante, estão tentando aumentar).

O conhecimento ecológico é sutil e dificilmente pode ser usado como base para o ativismo social, uma vez que as outras espécies – sejam elas as baleias, as sequoias ou os insetos – não fornecem energias revolucionárias para que se mudem as instituições humanas. Foi provavelmente por isso que os marxistas ignoraram por tanto tempo o "Marx ecológico". Estudos recentes trouxeram à luz algumas das sutilezas do pensamento organicista de Marx, mas elas não interessam à maioria dos ativistas sociais, que preferem organizar-se em função de questões mais simples. Talvez por isso Marx tenha declarado, no final de sua vida: "Não sou marxista"[44].

Marx, tal como Freud, teve uma longa e rica vida intelectual, repleta de *insights* criativos que modelaram decisivamente nossa época. Sua crítica social inspirou milhões de revolucionários no mundo inteiro, e a análise econômica marxista é respeitada pelos acadêmicos tanto no mundo socialista como na maioria dos países europeus, e também no Canadá, no Japão e na África – de fato, praticamente no mundo todo, exceto nos Estados Unidos. O pensamento de Marx é suscetível de uma vasta gama de interpretações e por isso continua fascinando os estudiosos. De especial interesse para a nossa análise é a relação da crítica marxista com a estrutura reducionista da ciência do seu tempo.

Tal como a maioria dos pensadores do século XIX, Marx estava muito preocupado em ser científico e usava constantemente o termo "científico" na descrição de sua abordagem crítica. Assim, ele tentou frequentemente formular suas teorias na linguagem cartesiana e newtoniana. Não obstante, sua ampla visão dos fenômenos sociais permitiu-lhe transcender a estrutura cartesiana em muitos aspectos significativos. Marx não adotou a postura clássica do observador objetivo; na verdade, ele enfatizou com veemência seu papel de participante, ao afirmar que sua análise social era inseparável da crítica social. Em sua crítica, ele foi muito além das questões sociais e nos legou, com frequência, profundos *insights* humanísticos, como, por exemplo, em sua análise do conceito de alienação[45]. Finalmente, embora Marx argumentasse amiúde em favor do determinismo tecnológico, o que tornava sua teoria mais aceitável como ciência, ele também expressou profunda compreensão intuitiva da inter-relação de todos os fenômenos, vendo a sociedade como um todo orgânico no qual ideologia e tecnologia eram igualmente importantes.

Em meados do século XIX, a economia política clássica ramificou-se em duas vastas correntes. De um lado, estavam os reformadores: os utopistas, os marxistas e a minoria de economistas clássicos que seguiam John Stuart Mill. Do outro lado, estavam os economistas neoclássicos, que se concentraram no processo econômico nuclear e desenvolveram a escola da economia matemática. Alguns deles tentaram estabelecer fórmulas objetivas para a maximização do bem-estar, outros retiraram-se para uma matemática cada vez mais abstrusa, a fim de escaparem às críticas devastadoras dos utopistas e dos marxistas.

Grande parte da economia matemática era – e é – dedicada ao estudo do "mecanismo do mercado" com a ajuda de curvas de procura e oferta, sempre expressas como funções de preços e baseadas em vários pressupostos acerca do comportamento econômico, muitos deles altamente irrealistas, no mundo de hoje. Por exemplo, a competição perfeita em mercados livres, tal como foi postulada por Adam Smith, é pressuposta na maioria dos modelos. A essência da abordagem pode ser ilustrada pelo gráfico básico de oferta-procura apresentado em todos os compêndios de introdução à economia (ver p. 204).

A interpretação desse gráfico baseia-se no pressuposto newtoniano de que os participantes de um mercado "gravitarão" automaticamente (e, é claro, sem qualquer fricção) para o preço de "equilíbrio" dado pelo ponto de intersecção entre as duas curvas.

Enquanto os economistas matemáticos aprimoravam seus modelos durante o final do século XIX e início do século XX, a economia mundial avançava inexoravelmente para a pior depressão de sua história, que abalou os alicerces do capitalismo e parecia corroborar todas as previsões de Marx. Contudo, após a Grande Depressão, houve mais um giro da roda da fortuna do capitalismo, estimulada pelas intervenções sociais e econômicas dos governos. Essa política baseou-se na teoria de John Maynard Keynes, que teve uma influência decisiva sobre o pensamento econômico moderno.

Keynes estava profundamente interessado no contexto social e político em sua totalidade, e via a teoria econômica como um instrumento de ação política. Desviou os chamados métodos livres de valores da economia neoclássica a fim de colocá-los a serviço de propósitos e metas instrumentais, e, assim procedendo, Keynes tornou a economia novamente política, mas dessa vez de uma nova maneira. Isso, é claro, envolveu a renúncia ao ideal do observador científico objetivo, o que os economistas neoclássicos estavam muito relutantes em fazer. Mas Keynes apaziguou seus temores de interferência nas operações compensatórias do sistema de mercado mostrando-lhes que ele podia *derivar* suas intervenções políticas do modelo neoclássico. Para tanto, demonstrou que os estados de equilíbrio econômico eram "casos especiais", exceções, e não a regra no mundo real.

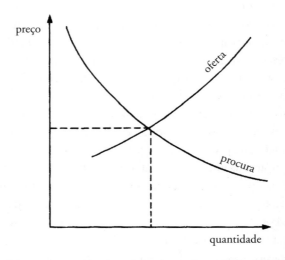

Gráfico de oferta-procura: a curva de oferta dá o número de unidades de um produto colocado no mercado em função do preço do produto – quanto mais alto o preço, mais produtores serão atraídos para produzir esse produto; a curva de procura mostra a demanda do produto em função do seu preço – quanto mais alto o preço, menor a demanda.

Para determinar a natureza das intervenções governamentais, Keynes passou a estudar, não em micronível, mas em macronível – as variáveis econômicas como renda nacional, consumo total e investimento total, o volume total de emprego, etc. Mediante o estabelecimento de relações simplificadas entre essas variáveis, ele pôde mostrar que elas eram suscetíveis de mudanças a curto prazo e que podiam ser influenciadas por decisões políticas apropriadas. Segundo Keynes, esses ciclos de flutuação da atividade econômica eram uma propriedade intrínseca das economias nacionais. Essa teoria estava em oposição ao pensamento econômico ortodoxo, que postulava o pleno emprego, mas Keynes defendeu sua heresia apelando para a experiência e sublinhando que era "uma notável característica do sistema econômico em que vivemos... estar ele sujeito a severas flutuações no que se refere a produto e emprego"[46].

No modelo keynesiano, o investimento adicional aumentará sempre o emprego e, portanto, o nível total de renda, o que, por sua vez, levará a uma maior demanda de bens de consumo. Desse modo, o investimento estimulará o crescimento econômico e aumentará a riqueza nacional, que, finalmente, "escorrerá aos poucos" para os pobres. Contudo, Keynes nunca disse que esse processo culminaria no pleno emprego, mas que apenas deslocará o sistema nessa direção – *ou* emperrará em algum nível de subemprego, *ou* até inverterá sua marcha, dependendo de muitos pressupostos que não fazem parte do modelo keynesiano.

Isso explica o papel fundamental da publicidade como um meio de as grandes companhias "administrarem" a demanda ao mercado. Os consumidores não devem só continuar aumentando seus gastos; eles devem fazê-lo *de modo previsível*, para que o sistema funcione. Hoje, a teoria econômica clássica está quase irreconhecível. Economistas de todas as escolas, com seus diferentes métodos, criam ciclos de atividade econômica, os consumidores são forçados a tornar-se investidores involuntários e o mercado é administrado por ações empresariais e governamentais, enquanto os teóricos neoclássicos ainda invocam a mão invisível.

No século XX, o modelo keynesiano foi totalmente assimilado pela principal corrente do pensamento econômico. A maioria dos economistas manteve-se desinteressada do problema político do desemprego e, em vez disso, prosseguiu em suas tentativas de "afinar" a economia aplicando os remédios keynesianos de impressão de moeda, elevação ou redução das taxas de juros, corte ou aumento de impostos, etc. Entretanto, esses métodos ignoram a estrutura detalhada da economia e a natureza qualitativa de seus problemas, e, por conseguinte, são geralmente malsucedidos. Na década de 1970, as falhas da economia keynesiana tinham-se tornado evidentes.

O modelo keynesiano é hoje inadequado porque ignora muitos fatores que são fundamentais para a compreensão da situação econômica. Ele se concentra na economia interna, dissociando-a da rede econômica global e desprezando os acordos econômicos internacionais; negligencia o esmagador poder político das empresas multinacionais, não dá atenção às condições políticas e ignora os custos sociais e ambientais das atividades econômicas. No máximo, a abordagem keynesiana pode fornecer um conjunto de possíveis roteiros, mas não pode formular previsões específicas. Tal como ocorre com a maior parte do pensamento econômico cartesiano, ela durou mais do que sua utilidade justifica.

A economia contemporânea é um coquetel de conceitos, teorias e modelos provenientes de várias épocas da história econômica. As principais escolas de pensamento que surgiram são a escola marxista e a de economia política "mista", versão moderna da economia neoclássica, que usa técnicas matemáticas mais sofisticadas, mas que ainda se baseia em noções clássicas. No final da década de 1930 e na de 1940 foi proclamada uma nova "síntese neoclássica-keynesiana", mas tal síntese, realmente, nunca aconteceu. Os economistas neoclássicos simplesmente tomaram as ferramentas keynesianas e enxertaram-nas em seus próprios modelos, tentando manipular as chamadas forças de mercado enquanto ao mesmo tempo, de maneira esquizofrênica, retinham os velhos conceitos de equilíbrio.

Mais recentemente, um grupo muito heterogêneo de economistas foi denominado coletivamente escola "pós-keynesiana". Os proponentes mais conservadores do pensamento pós-keynesiano estão anunciando uma nova marca, a chamada economia de oferta, que encontrou poderosos adeptos em Washington. Argumentam eles, basicamente, que depois do fracasso dos keynesianos para estimular a demanda sem aumentar a inflação, devia-se agora estimular a oferta, por exemplo, investindo mais em fábricas e automação e eliminando controles ambientais "improdutivos". Essa abordagem é manifestamente antiecológica, passível de resultar na rápida exploração de recursos naturais e, assim, fadada a agravar os nossos problemas. Outros pós-keynesianos começaram a analisar a estrutura da economia de um modo mais realista. Eles rejeitam o modelo de livre mercado e o conceito de Mão Invisível, reconhecendo que a economia é agora dominada por grandes e maciças companhias e por órgãos governamentais que, com frequência, cuidam de alimentá-las. Mas a maioria dos pós-keynesianos ainda usa dados excessivamente agregados, inadequadamente derivados de microanálises; não cuidam de fixar limites ao conceito de crescimento; e parecem não ter uma visão clara das dimensões ecológicas dos nossos problemas econômicos. Seus elaborados modelos quantitativos descrevem segmentos fragmentados da atividade econômica; presume-se que esses segmentos possuem uma base empírica e representam apenas "fatos"; mas, na realidade, baseiam-se em conceitos neoclássicos tacitamente aceitos.

Todos esses modelos e teorias – marxistas e não marxistas – ainda estão profundamente enraizados no paradigma cartesiano e, por conseguinte, são inadequados para descrever o sistema econômico global de hoje, estreitamente interligado e em contínua mudança. Não é nada fácil para os não iniciados compreender a linguagem abstrata e técnica da economia moderna, mas, uma vez dominada, tornam-se rapidamente evidentes as principais falhas do pensamento econômico contemporâneo.

Uma das características predominantes das economias de hoje, tanto a capitalista quanto a comunista, é a obsessão pelo crescimento. O crescimento econômico e tecnológico é considerado essencial por praticamente todos os economistas e políticos, embora nesta altura dos acontecimentos já devesse estar bastante claro que a expansão ilimitada num meio ambiente finito só pode levar ao desastre. A crença na necessidade de crescimento contínuo é uma consequência da excessiva ênfase dada aos valores *yang* – expansão, autoafirmação, competição – e está relacionada com as noções newtonianas de espaço e tempo absolutos e infinitos. É um reflexo do pensamento linear, da crença errônea em que, se algo é bom para um indivíduo ou um grupo, então, *quanto mais desse algo houver melhor será*.

A abordagem competitiva e autoafirmativa da atividade econômica é parte do legado do individualismo atomístico de John Locke; na América, ela era vital para o pequeno grupo dos primeiros colonos e exploradores, mas agora se tornou prejudicial, incapaz de lidar com a intricada teia de relações sociais e ecológicas, característica das economias industriais maduras. O credo predominante no governo e nos negócios ainda é o de que o bem comum será maximizado se todos os indivíduos, grupos e instituições maximizarem sua própria riqueza material – o que é bom para a General Motors é bom para os Estados Unidos. O todo é identificado com a soma de suas partes, e ignora-se o fato de que ele pode ser mais ou menos do que essa soma, dependendo da interferência mútua entre as partes. As consequências dessa falácia reducionista estão se tornando agora dolorosamente perceptíveis, na medida em que as forças econômicas cada vez mais se entrechocam, dilaceram o tecido social e arruínam o meio ambiente natural.

A obsessão global com o crescimento resultou numa notável semelhança entre as economias capitalista e comunista. Os dois representantes supremos desses sistemas de valores supostamente antagônicos, os Estados Unidos e a União Soviética, deixaram de parecer assim tão diferentes. Ambos estão dedicados ao crescimento industrial e à tecnologia pesada, com um controle cada vez mais centralizado e burocrático, seja por parte do Estado seja pelas empresas multinacionais pretensamente "privadas". A luta universal pelo crescimento e pela expansão tornou-se mais forte do que todas as outras ideologias; para usar uma ideia de Marx, tornou-se o ópio do povo.

Num certo sentido, a crença comum no crescimento justifica-se porque ele é uma característica essencial da vida. Mulheres e homens sabem disso desde os tempos antigos, como podemos ver pelos termos usados na Antiguidade para descrever a realidade. Tanto a palavra grega *physis* – a raiz dos termos modernos física, fisiologia e físico (a antiga designação de médico) – como *brahman*, do sânscrito, que denotam a natureza essencial de todas as coisas, derivam da mesma raiz indo-europeia *bheu*, "crescer". Com efeito, evolução, mudança e crescimento parecem ser aspectos essenciais da realidade. O que há de errado nas atuais noções de crescimento econômico e tecnológico, entretanto, é a ausência de qualquer limitação. Acredita-se comumente que todo crescimento é bom, sem se reconhecer que, num meio ambiente finito, tem que existir um equilíbrio dinâmico entre crescimento e declínio. Enquanto algumas coisas têm de crescer, outras têm de diminuir, para que seus elementos constituintes possam ser liberados e reciclados.

Grandes setores do pensamento econômico atual baseiam-se na noção de crescimento *não diferenciado*. A ideia de que o crescimento pode ser um obstáculo, de que pode ser pernicioso ou patológico, nem sequer chega a ser cogitada. Portanto, necessitamos urgentemente de uma diferenciação e de uma limitação do conceito de crescimento. Em vez de incrementar a produção e o consumo no setor privado, o crescimento terá que ser canalizado para áreas do serviço público tais como transporte, educação e assistência à saúde. E essa mudança terá que ser acompanhada de outra, fundamental: a preocupação com a aquisição material deve se voltar para o crescimento e o desenvolvimento interiores.

Há três dimensões do crescimento que estão intimamente interligadas na grande maioria das sociedades industriais. São elas: a dimensão econômica, a tecnológica e a institucional. O crescimento econômico contínuo é aceito como um dogma pela maioria dos economistas, quando supõem, de acordo com o pensamento de Keynes, ser esse o único caminho para assegurar às classes pobres que "escorra um fio" de riqueza material em seu benefício. Está provado há muito tempo que tal modelo de crescimento contínuo é irrealista. Taxas elevadas de crescimento concorrem muito pouco para aliviar problemas sociais e humanos urgentes; em muitos países foram acompanhadas por um desemprego crescente e uma deterioração geral das condições sociais[47]. Entretanto, economistas e políticos ainda insistem na importância do crescimento econômico. Assim, Nelson Rockefeller afirmou em 1976, numa reunião do Clube de Roma: "Mais crescimento é essencial para que todos tenham oportunidade de melhorar sua qualidade de vida"[48].

Rockefeller não se referia, evidentemente, à qualidade de vida, mas ao chamado padrão de vida, que é equiparado ao consumo material. Os fabricantes gastam verbas enormes em publicidade a fim de que seja mantido um padrão de consumo competitivo; assim, muitos dos artigos consumidos são desnecessários, supérfluos e, com frequência, manifestamente nocivos. O preço que pagamos por esse excessivo hábito cultural é a contínua degradação da real qualidade de vida – o ar que respiramos, o alimento que comemos, o meio ambiente onde vivemos e as relações sociais que constituem a tessitura de nossas vidas. Esses custos de superconsumo perdulário já foram bem documentados há muitas décadas, e continuaram aumentando[49].

A mais grave consequência do contínuo crescimento econômico é o esgotamento dos recursos naturais do planeta. O ritmo desse esgotamento foi previsto com precisão matemática no início da década de 1950 pelo geólogo M. King Hubbert, que tentou apresentar sua hipótese ao presidente John Kennedy e aos outros presidentes americanos, mas foi geralmente considerado um excêntrico. Nesse meio tempo, a história confirmou as predições de Hubbert nos mínimos detalhes, e ele vem ultimamente recebendo numerosos prêmios.

As estimativas e cálculos de Hubbert mostram que as curvas de produção/esgotamento para todos os recursos naturais não renováveis têm a forma de um sino, e não diferem muito das curvas que representam a ascensão e a queda de outras civilizações[50]. Primeiro, aumentam aos poucos, depois sobem rapidamente, atingem um pico, declinam abruptamente e, por fim, cessam. Assim, Hubbert previu que a produção de petróleo e de gás natural nos Estados Unidos atingiria o auge na década de 1970, o que de fato ocorreu, e depois começaria a descida, que hoje prossegue. O mesmo gráfico prevê que a produção mundial de petróleo atingirá seu ponto mais alto na década de 1990, e a produção mundial de carvão durante o século XXI. O aspecto importante dessas curvas é que elas descrevem o esgotamento de cada recurso natural, desde o carvão, o petróleo e o gás natural até as reservas metálicas, florestais e piscícolas, e mesmo o oxigênio e o ozônio. Poderemos encontrar alternativas para a produção de energia derivada de combustíveis fósseis, mas isso não sustará o esgotamento de nossos outros recursos. Se mantivermos os modelos atuais de crescimento não diferenciado, não tardaremos a exaurir as reservas de metais, alimentos, oxigênio e ozônio, que são cruciais para nossa sobrevivência.

Para moderar o rápido esgotamento de nossos recursos naturais, temos que abandonar a ideia de crescimento econômico contínuo e, ao mesmo tempo, controlar o aumento mundial de população. Os perigos dessa "explosão demográfica" são hoje reconhecidos por todos, mas as opiniões sobre como conseguir esse "crescimento populacional zero" variam muito, com propostas de métodos que vão da educação e do planejamento familiar voluntário até a coerção por meios legais ou pela força. A maioria dessas propostas baseia-se na visão do problema como fenômeno puramente biológico, relacionado apenas com a fertilidade e a contracepção. Mas existem hoje provas concludentes, coligidas por demógrafos no mundo inteiro, de que o crescimento populacional é igualmente afetado, se não mais, por poderosos fatores sociais. Essa pesquisa mostra que a taxa de crescimento é afetada pela complexa interação de forças biológicas, sociais e psicológicas[51].

Os demógrafos descobriram que um dado significativo é a transição entre dois níveis de populações estáveis que são característicos de todos os países ocidentais. Nas sociedades pré-modernas, as taxas de natalidade eram altas, mas as de mortalidade também o eram; portanto, a população permanecia estável. Quando as condições de vida melhoraram com o advento da Revolução Industrial, as taxas de mortalidade começaram a cair, e, como as taxas de natalidade permaneceram altas, a população aumentou rapidamente. Entretanto, com a melhoria contínua dos padrões de vida, e com o declínio constante das taxas de mortalidade, as taxas de natalidade também começaram a declinar, reduzindo assim a taxa de crescimento da população. A razão para esse declínio está sendo hoje observada em escala mundial. Através da interação de forças sociais e psicológicas, a qualidade de vida – a satisfação de necessidades materiais, um sentimento de bem-estar e a confiança no futuro – torna-se uma poderosa e efetiva motivação para o controle do crescimento populacional. Existe, de fato, um nível crítico de bem-estar que, como já se comprovou, leva a uma rápida redução na taxa de natalidade e a uma aproximação do equilíbrio populacional. As sociedades humanas desenvolveram, portanto, um progresso autorregulador, baseado em condições sociais, o qual resulta numa transição demográfica de uma população equilibrada, com elevadas taxas de natalidade e de mortalidade e um baixo padrão de vida, para uma população com um padrão de vida superior – que é maior, mas também equilibrada –, e na qual as taxas de natalidade e mortalidade são baixas. A atual crise populacional global é devida ao rápido aumento de população no Terceiro Mundo, e as considerações anteriormente apresentadas, em linhas gerais, mostram claramente que esse aumento continua porque as condições para a segunda fase da transição demográfica não foram satisfeitas. Durante seu passado colonial, os países do Terceiro Mundo conheceram uma melhoria nas condições de vida que foi suficiente para reduzir as taxas de mortalidade e, portanto, iniciar o crescimento populacional. Mas a elevação dos padrões de vida não teve continuidade, porque a riqueza gerada nas colônias foi desviada para os países desenvolvidos, onde ajudou sua população a se tornar equilibrada. Esse processo continua ainda hoje, já que muitos países do Terceiro Mundo permanecem colonizados do ponto de vista econômico. Essa exploração continua favorecendo a prosperidade dos colonizadores e impedindo que as populações do Terceiro Mundo atinjam o padrão de vida que permita uma redução de suas taxas de crescimento populacional.

A crise da população mundial é, portanto, um efeito imprevisto da exploração internacional, uma consequência da inter-relação fundamental do ecossistema global, em que toda a exploração finalmente retorna para acossar os exploradores. Desse modo fica evidenciado que o equilíbrio ecológico também requer justiça social.

O modo mais eficiente de controlar o crescimento populacional é ajudar os povos do Terceiro Mundo a alcançarem um nível de bem-estar que os induza a limitar voluntariamente sua fertilidade. Isso exigirá uma redistribuição global da riqueza; uma parcela da riqueza do mundo terá que ser devolvida aos países que desempenharam um papel importante na sua produção.

Um aspecto essencial do problema da população, geralmente desconhecido, consiste em que o custo envolvido na tarefa de elevar os padrões de vida de países pobres a um nível que logre convencer as pessoas de que não devem ter um número excessivo de filhos é muito pequeno quando comparado com a riqueza dos países desenvolvidos. Isso significa que existe riqueza suficiente para sustentar o mundo inteiro num nível que leve a uma população equilibrada[52]. O problema é que essa riqueza está desigualmente distribuída e grande parte dela é desperdiçada. Nos Estados Unidos, onde o consumo e o desperdício excessivos converteram-se num modo de vida, 5 por cento da população do mundo consomem atualmente um terço de seus recursos, com um consumo de energia *per capita* que é cerca do dobro do da maioria dos países europeus. Simultaneamente, as frustrações criadas e alimentadas por doses maciças de publicidade, combinadas com a injustiça social dentro da nação, contribuem para uma criminalidade e uma violência crescentes, além de outras patologias sociais. Esse triste estado de coisas é bem ilustrado pelo conteúdo esquizofrênico das revistas semanais. Metade de suas páginas estão cheias de histórias sombrias acerca de crimes violentos, desastre econômico, tensão política internacional e a corrida em direção à destruição global, enquanto a outra metade retrata gente feliz e despreocupada através de maços de cigarros, garrafas de bebidas alcoólicas e refulgentes carros novos. A publicidade na televisão influencia o conteúdo e a forma de todos os programas, incluindo os "*shows* de notícias", e usa o tremendo poder sugestivo desse veículo – ligado durante seis horas e meia diárias pela família americana média – para modelar as imagens das pessoas, distorcer nestas o sentido de realidade e determinar suas opiniões, seus gostos e seu comportamento[53]. A finalidade exclusiva dessa prática perigosa é condicionar a audiência a comprar os produtos anunciados antes, depois e durante cada programa.

O crescimento econômico, em nossa cultura, está inextricavelmente ligado ao crescimento tecnológico. Indivíduos e instituições são hipnotizados pelas maravilhas da tecnologia moderna e passam a acreditar que para todo e qualquer problema há uma solução tecnológica. Quer o problema seja de natureza política, psicológica ou ecológica, a primeira reação, que surge quase automaticamente, é abordá-lo aplicando ou desenvolvendo alguma nova tecnologia. Ao consumo exagerado de energia contrapõe-se a energia nuclear, a falta de visão política é compensada pela fabricação de mais bombas e mísseis, e o envenenamento do meio ambiente natural é remediado pelo desenvolvimento de tecnologias especiais que, por seu turno, afetam o meio ambiente de forma ainda ignorada. Ao procurarmos soluções tecnológicas para todos os problemas, limitamo-nos usualmente a transferi-los de um ponto para outro no ecossistema global, e, com muita frequência, os efeitos colaterais da "solução" são mais perniciosos do que o problema original.

A manifestação suprema de nossa obsessão pela alta tecnologia é a fantasia amplamente alimentada de que nossos problemas atuais podem ser resolvidos pela criação de habitats artificiais no espaço exterior. Não excluo a possibilidade de que tais colônias espaciais possam vir a ser construídas um dia, se bem que, pelo que tenho visto dos planos existentes e da mentalidade que os inspira, eu certamente não gostaria de viver lá. Entretanto, a falácia básica dessa ideia não é tecnológica; é a crença ingênua de que a tecnologia espacial pode resolver a crise social e cultural neste planeta.

O crescimento tecnológico é considerado tanto a solução final para os nossos problemas como o fator determinante de nosso estilo de vida, de nossas organizações sociais e de nosso sistema de valores. Tal "determinismo tecnológico" parece ser uma consequência do elevado *status* da ciência em nossa vida pública – em comparação com a filosofia, a arte ou a religião – e do fato de os cientistas terem geralmente fracassado no trato com valores humanos de um modo significativo. Isso levou a maioria das pessoas a acreditar que a tecnologia determina a natureza de nosso sistema de valores e de nossas relações sociais, em vez de reconhecer que é justamente o inverso; que nossos valores e relações sociais determinam a natureza de nossa tecnologia.

A consciência masculina, *yang*, que domina nossa cultura encontrou sua plena satisfação não só na ciência pesada, mas também na tecnologia dela derivada. Essa tecnologia não é holística, mas fragmentada, propensa à manipulação e ao controle e não à cooperação, mais autoafirmativa do que integrativa, e mais adequada à administração centralizada do que à aplicação regional por indivíduos e pequenos grupos. Em consequência disso, essa tecnologia tornou-se profundamente antiecológica, antissocial, mórbida e desumana.

A manifestação mais perigosa da tecnologia pesada, machista, é a expansão das armas nucleares, no mais dispendioso *boom* militar de toda a história[54]. Mediante a lavagem cerebral do público norte-americano e o controle efetivo de seus representantes, o complexo militar-industrial conseguiu extrair recursos cada vez maiores para a defesa, que são usados nos projetos de armas a serem empregadas numa guerra "científica" daqui a dez ou vinte anos. Um terço ou mesmo a metade dos cientistas e engenheiros norte-americanos trabalha para os militares, usando toda a sua imaginação e criatividade para inventar meios cada vez mais sofisticados de destruição total – sistemas de comunicação por *laser*, feixes de partículas e outras tecnologias complexas para a guerra computadorizada no espaço exterior[55].

É impressionante que todos esses esforços se concentrem exclusivamente no *hardware*, no equipamento físico. Os problemas de defesa dos Estados Unidos, como todos os outros, são considerados, simplesmente, problemas de tecnologia pesada. A importância da pesquisa psicológica, social e comportamental – para não citar a filosofia ou a poesia – jamais é mencionada. Além disso, a questão da segurança nacional é analisada predominantemente em termos de "blocos de poder", "ação e reação", "vazio político" e outras noções newtonianas semelhantes.

Os efeitos do excessivo uso militar da tecnologia pesada são análogos aos que se verificam na economia civil. A complexidade de nossos sistemas industriais e tecnológicos atingiu agora um ponto em que muitos desses sistemas já não podem ser modelados ou administrados. Avarias e acidentes ocorrem com frequência crescente, custos sociais e ambientais imprevistos são continuamente gerados, e consome-se mais tempo mantendo e regulando o sistema do que fornecendo bens e serviços úteis. Tais empreendimentos são, portanto, altamente inflacionários, e seus efeitos somam-se àqueles que afetam nossa saúde física e mental. Assim, está ficando cada vez mais evidente, como assinalou Henderson, que poderemos atingir os limites sociais, psicológicos e conceituais do crescimento antes mesmo de serem alcançados os limites físicos[56].

O que necessitamos, pois, é de uma redefinição da natureza da tecnologia, uma mudança de sua direção e uma reavaliação do seu sistema subjacente de valores. Se a tecnologia for entendida na mais ampla acepção do termo – como a aplicação do conhecimento humano à solução de problemas práticos –, torna-se evidente que nossa atenção foi excessivamente concentrada nas tecnologias pesadas, complexas e consumidoras de recursos, mas que devemos agora voltar-nos para tecnologias brandas que promovam a resolução de conflitos, os acordos sociais, a cooperação, a reciclagem e a redistribuição da riqueza, etc. Schumacher salientou, em seu livro *Small is beautiful** que necessitamos de uma "tecnologia com rosto humano"[57].

---

* "O negócio é ser pequeno." (N. do T.)

O terceiro aspecto do crescimento não diferenciado, que é inseparável do crescimento econômico e tecnológico, é o crescimento de instituições – desde pequenas empresas e sociedades anônimas até universidades, igrejas, cidades, governos e nações. Seja qual for a finalidade original da instituição, seu crescimento além de um certo porte desvirtua invariavelmente essa finalidade, ao fazer da autopreservação e da continuada expansão da instituição sua meta suprema. Ao mesmo tempo, as pessoas que pertencem à instituição e as que têm de lidar com ela sentem-se cada vez mais alienadas e despersonalizadas, enquanto famílias, bairros e outras organizações sociais em pequena escala são ameaçados e frequentemente destruídos pela dominação e exploração institucional[58].

Uma das mais perigosas manifestações do crescimento institucional nos dias de hoje é a relativa às grandes empresas. As maiores delas transcenderam as fronteiras nacionais e tornaram-se agora importantes atores no palco global. O ativo desses gigantes multinacionais excede o Produto Nacional Bruto da maioria das nações; seu poderio econômico e político ultrapassa o de muitos governos nacionais, ameaçando as soberanias nacionais e a estabilidade monetária mundial. Na maioria dos países do mundo ocidental e especialmente nos Estados Unidos, o poder das grandes empresas impregna praticamente todas as facetas da vida pública. Elas controlam o processo legislativo, distorcem a informação transmitida ao público através dos meios de comunicação de massa e determinam, em grau significativo, o funcionamento do nosso sistema educacional e a direção da pesquisa acadêmica. Os líderes das grandes companhias são preeminentes nos conselhos diretores de instituições acadêmicas e fundações, onde inevitavelmente usam sua influência para perpetuar um sistema de valores compatível com os interesses de suas empresas[59].

A natureza das grandes companhias é profundamente desumana. Competição, coerção e exploração constituem aspectos essenciais de suas atividades, que são motivadas pelo desejo de expansão ilimitada. A ideia de crescimento contínuo está na base da estrutura das grandes empresas. Por exemplo, os executivos que deliberadamente deixam de aproveitar uma oportunidade para aumentar os lucros da companhia em que trabalham, seja qual for a razão que aleguem, são passíveis de ação judicial. Assim, a maximização de lucros é a meta final, com exclusão de todas as outras considerações. Os executivos têm que deixar para trás seu lado humano ao comparecerem às reuniões do conselho de administração. Não se espera que eles mostrem quaisquer sentimentos ou expressem quaisquer mágoas; eles nunca podem dizer "Lamento muito" ou "Cometemos um erro". Pelo contrário, falam de coerção, controle e manipulação.

As grandes companhias, assim que ultrapassam uma certa dimensão, trabalham mais como máquinas do que como instituições humanas. Entretanto, não existem leis, nacionais ou internacionais, que enfrentem com eficácia essas corporações gigantescas. O crescimento do poder das grandes companhias sobrepujou o desenvolvimento de uma apropriada estrutura legal. Leis feitas para homens são aplicadas às grandes empresas, que perderam toda a semelhança com seres humanos. Os conceitos de propriedade privada e iniciativa privada passaram a confundir-se com os de propriedade conjunta e capitalismo do Estado, e o "discurso comercial" está agora protegido pela Primeira Emenda. Por outro lado, essas instituições não assumem responsabilidades como indivíduos, pois estão organizadas de modo que nenhum dos seus executivos possa ser plenamente responsabilizado pelas atividades da empresa. Muitos líderes das grandes companhias, de fato, acreditam que elas são isentas de valores e podem funcionar à margem de qualquer ordem moral ou ética. Essa perigosa noção foi expressa com extrema franqueza por Walter Wriston, presidente do Citibank, o segundo maior banco do mundo. Numa entrevista recente, Wriston fez este frio comentário: "Os valores estão confusos. [...] Agora, as universidades têm dormitórios mistos, os homens vivem num andar e as mulheres no piso seguinte, e todos ficam debatendo se a General Motors está sendo honesta ou *não*. [...] Acredito que não existem valores institucionais, somente valores pessoais"[60].

À medida que as companhias multinacionais intensificam sua busca global de recursos naturais, mão de obra barata e novos mercados, os desastres ambientais e as tensões sociais criadas por sua obsessão com o crescimento ilimitado tornam-se cada vez mais evidentes. Milhares de pequenas firmas são expulsas do mercado devido ao poder das grandes companhias, que obtêm subsídios federais para sua tecnologia complexa, absorvem vultosos capitais e consomem os recursos disponíveis. Ao mesmo tempo, necessitamos de serviços que exigem qualificações mais simples, como carpintaria, serviços de encanamento, alfaiataria e todos os tipos de trabalhos de conserto e manutenção que têm sido socialmente desvalorizados e seriamente negligenciados, embora continuem vitais. Em vez de recuperarem a autossuficiência mediante a mudança de ocupações e o exercício de suas habilitações profissionais, os trabalhadores, em sua maioria, permanecem totalmente dependentes das grandes organizações; e, em períodos de crise econômica, eles não veem outra alternativa senão apelar para o cheque do seguro-desemprego e aceitar passivamente que a situação está além de seu controle.

Se as consequências do poder das grandes companhias são nocivas nos países industrializados, elas são francamente desastrosas no Terceiro Mundo. Nesses países, onde não existem restrições legais, a exploração do povo e de suas riquezas naturais atingiu proporções extremas. Com a ajuda da habilidosa manipulação dos meios de comunicação de massa, enfatizando a natureza "científica" de seus empreendimentos, e frequentemente com o total apoio do governo norte-americano, as companhias multinacionais extraem implacavelmente os recursos naturais do Terceiro Mundo. Para tanto, elas usam amiúde uma tecnologia poluente e socialmente desintegradora, causando assim desastres ambientais e instalando o caos político. Abusam do solo e dos recursos agrários dos países do Terceiro Mundo a fim de produzirem safras altamente lucrativas para exportação, em vez de alimentos para as populações locais, e promovem hábitos nocivos de consumo, inclusive a venda de produtos tão extremamente perigosos que foram proibidos por lei nos Estados Unidos. As numerosas histórias de horror sobre o comportamento das multinacionais no Terceiro Mundo, que começaram a ser divulgadas em anos recentes, mostram convincentemente que o respeito pelo povo, pela natureza e pela vida não faz parte da mentalidade dessas grandes companhias. Pelo contrário, o crime empresarial em grande escala é hoje a mais divulgada e a menos punida das atividades criminosas[61].

Muitas das grandes companhias são hoje instituições obsoletas que movimentam grandes capitais, mobilizam administradores e recursos, mas são incapazes de adaptar seu funcionamento às novas necessidades. Um exemplo bem conhecido é o da indústria automobilística, que é incapaz de se ajustar ao fato de que as limitações globais de energia e recursos nos forçarão a reestruturar drasticamente nosso sistema de locomoção, passando a utilizar o transporte de massa e carros menores, mais eficientes e mais duráveis. Analogamente, as companhias de serviços públicos requerem o consumo sempre crescente de eletricidade a fim de justificar sua expansão. Assim, desencadearam uma vigorosa campanha a favor da energia nuclear, em vez de promoverem a tecnologia solar em pequena escala, descentralizada, que é a única capaz de adequar o meio ambiente à nossa sobrevivência.

Embora essas companhias gigantescas estejam, com frequência, à beira da falência, elas ainda possuem poder político suficiente para persuadir o governo a tirá-las de apuros com o dinheiro dos contribuintes. O argumento delas é, invariavelmente, que seus esforços são motivados pela necessidade de preservação dos empregos, embora esteja claramente demonstrado que as pequenas e médias empresas, com o uso intensivo de mão de obra, criam mais empregos e geram custos sociais e ambientais muito menores[62]. Necessitamos sempre de algumas operações em grande escala, mas muitas das companhias gigantes, dependentes de meios de produção com elevado consumo de energia e de recursos naturais para fornecer artigos de pouca utilidade, têm que ser remodeladas ou desativadas. Com isso, liberarão capital, recursos e engenho humano capazes de construir uma economia sustentável e de desenvolver tecnologias alternativas.

A questão da escala – de que Schumacher foi pioneiro com o *slogan* "O negócio é ser pequeno" – desempenhará um papel crucial na reavaliação de nosso sistema econômico e de nossa tecnologia. A obsessão universal pelo crescimento tem sido acompanhada de uma idolatria do gigantismo, da "coisa descomunal", como disse Theodore Roszak[63]. O tamanho, evidentemente, é relativo, e as pequenas estruturas nem sempre são melhores do que as grandes. Em nosso mundo moderno precisamos de ambas, e nossa tarefa será conseguir um equilíbrio entre as duas. O crescimento terá que ser limitado e a noção de escala desempenhará um papel crucial na reestruturação de nossa sociedade. A limitação do crescimento e a integração da noção de escala no pensamento econômico provocarão uma revisão profunda da estrutura conceitual básica da economia. Muitos modelos econômicos que hoje se supõe tacitamente serem inevitáveis terão que ser mudados; toda a atividade econômica terá que ser estudada no contexto do ecossistema global; a maioria dos conceitos usados na teoria econômica corrente terá que ser ampliada, modificada ou abandonada.

A tendência dos economistas é congelar arbitrariamente a economia em sua atual estrutura institucional, em vez de a considerar um sistema em constante evolução que gera continuamente mudanças de modelos. Aprender essa evolução dinâmica da economia é extremamente importante, porque mostra que estratégias que são aceitáveis num determinado estágio se tornam totalmente inadequadas em outro. Muitos dos nossos atuais problemas decorrem do fato de que exageramos em nossos empreendimentos tecnológicos e no planejamento econômico. Como Hazel Henderson gosta de dizer, atingimos um ponto em que "nada fracassa mais do que o êxito". As nossas estruturas econômicas e institucionais são como dinossauros: incapazes de se adaptar às mudanças ambientais e, portanto, condenadas à extinção.

A economia mundial de hoje baseia-se em configurações ultrapassadas de poder, perpetuando estruturas de classe e distribuição desigual da riqueza dentro das economias nacionais, assim como a exploração dos países do Terceiro Mundo pelas nações ricas e industrializadas. Essas realidades sociais são largamente ignoradas pelos economistas, que tendem a evitar as questões morais e aceitam a atual distribuição da riqueza como um dado imutável. Na maioria dos países ocidentais, a riqueza econômica está altamente concentrada nas mãos de um pequeno número de pessoas que pertencem à "classe empresarial", por quem é rigorosamente controlada, e sua renda provém, em grande parte, da propriedade[64]. Nos Estados Unidos, 76 por cento de todas as ações de sociedades anônimas são detidos por apenas 1 por cento dos acionistas, enquanto, na base, 50 por cento das pessoas detêm somente 8 por cento da riqueza nacional[65]. Paul Samuelson ilustra essa distribuição assimétrica da riqueza, em seu conhecido compêndio *Economics*, com uma analogia gráfica: "Se fizéssemos hoje uma pirâmide de renda com cubos de jogos infantis de montar, em que cada camada representasse mil dólares de renda, o pico estaria muito acima da Torre Eiffel, mas quase todos nós estaríamos a um metro do chão"[66]. Essa desigualdade social não é um acidente; ela está encravada na própria estrutura de nosso sistema econômico e é perpetuada pela ênfase que damos às tecnologias que exigem elevado consumo de capital. A necessidade de exploração contínua para o crescimento da economia norte-americana foi assinalada sem rodeios pelo *Wall Street Journal* num editorial intitulado "Crescimento e ética"; nele insiste-se em que os Estados Unidos teriam de escolher entre crescimento e maior igualdade, uma vez que a manutenção da desigualdade é necessária à acumulação de capital[67].

A distribuição gritantemente desigual da riqueza e da renda nos países industrializados tem paralelo nos modelos semelhantes de má distribuição entre os países desenvolvidos e o Terceiro Mundo. Os programas de ajuda econômica e tecnológica aos países do Terceiro Mundo são frequentemente usados por companhias multinacionais para explorar a mão de obra e os recursos naturais desses países, e para encher os bolsos de uma elite pequena e corrupta. É o que diz a cínica frase: "A ajuda econômica consiste em tirar dinheiro das pessoas pobres dos países ricos e dá-lo às pessoas ricas dos países pobres". O resultado dessas práticas é a perpetuação de um "equilíbrio de pobreza" no Terceiro Mundo, onde a vida das pessoas não ultrapassa o nível de subsistência[68].

O hábito de evitar as questões sociais na teoria econômica está intimamente relacionado com a impressionante incapacidade dos economistas de adotarem uma perspectiva ecológica. O debate entre ecologistas e economistas já se desenrola há duas décadas e vem mostrando claramente que o pensamento econômico contemporâneo é substancial e inerentemente antiecológico[69]. Os economistas desprezam a interdependência social e ecológica e tratam todos os bens igualmente, sem considerar as inúmeras formas como esses bens se relacionam com o resto do mundo – quer sejam fabricados pelo homem ou naturais, renováveis ou não, e assim por diante. Dez dólares de carvão são iguais a dez dólares de pão, de transporte, sapatos ou educação. O único critério para determinar o valor relativo desses bens e serviços é o seu valor no mercado monetário: todos os valores são reduzidos ao critério único de produção de lucro privado.

Como a estrutura conceitual da economia é inadequada para explicar os custos sociais e ambientais gerados por toda a atividade econômica, os economistas tendem a ignorar esses custos, rotulando-os de variáveis "externas" que não se ajustam a seus modelos teóricos. E como os economistas, em sua maioria, são empregados por grupos de interesses privados para preparar análises de custo/lucro que são, na maior parte dos casos, fortemente inclinadas a favor dos programas de seus empregadores, existem pouquíssimos dados sobre "externalidades", mesmo aquelas que são facilmente quantificáveis. Os economistas das grandes companhias tratam não só o ar, a água e vários reservatórios do ecossistema como mercadorias livres, mas também a delicada teia de relações sociais, que é gravemente afetada pela contínua expansão econômica. Os lucros privados estão sendo gerados cada vez mais às custas do povo, causando a deterioração do meio ambiente e da qualidade geral de vida. Henderson assinalou: "Eles nos falam de atraentes iguarias e roupas, mas esquecem-se de mencionar a perda de belos rios e lagos"[70].

A incapacidade dos economistas para considerar as atividades econômicas em seu contexto ecológico impede-os de entender alguns dos mais significativos problemas econômicos de nosso tempo, destacando-se entre eles a tenaz persistência da inflação e do desemprego. A inflação não tem uma causa única, podendo ser identificadas várias e importantes fontes, mas a maioria dos economistas não consegue entender a inflação porque todas essas fontes envolvem variáveis que foram excluídas dos atuais modelos econômicos. É muito frequente os economistas não levarem em conta o fato de que a riqueza se baseia em energia e recursos naturais, embora seja cada vez mais difícil ignorar tal fato. Quando a base de recursos declina, as matérias-primas e a energia devem ser extraídas de reservas cada vez mais degradadas e inacessíveis; e, por conseguinte, mais e mais capital é necessário ao processo de extração. Portanto, o inevitável declínio dos recursos naturais, obedecendo às conhecidas curvas em forma de sino, é acompanhado por uma inexorável elevação exponencial do preço dos recursos e da energia, e isso se torna uma das principais forças propulsoras da inflação.

A excessiva dependência de energia de recursos naturais por parte de nossa economia reflete-se no fato de ela assentar no uso intensivo de capital e não no uso intensivo de trabalho. O capital representa um potencial para o trabalho, extraído da passada exploração dos recursos naturais. À medida que estes diminuem, o próprio capital vai se tornando um recurso muito escasso. Apesar disso, e em virtude de uma noção estreita de produtividade, verifica-se uma forte tendência para substituir o trabalho pelo capital, tanto na economia capitalista quanto na marxista. A comunidade dos negócios luta incessantemente pela obtenção de créditos fiscais e por isenções de impostos para investimentos de capital, muitos dos quais levam à redução da oferta de emprego devido à automação, ao usar uma tecnologia altamente complexa, como as caixas automáticas em supermercados e os sistemas eletrônicos de transferências de fundos em bancos. Capital e trabalho produzem riqueza, mas uma economia assente no uso intensivo de capital é também consumidora intensiva de recursos naturais e de energia e, portanto, altamente inflacionária.

Um exemplo flagrante de tal empreendimento baseado no emprego intensivo de capital é o sistema norte-americano de agricultura, o qual exerce seu impacto inflacionário sobre a economia em muitos níveis. A produção é obtida com a ajuda de máquinas, que requerem o uso intensivo de energia, sistemas de irrigação e a aplicação de doses maciças de pesticidas e fertilizantes de origem petroquímica. Esses métodos, além de destruir o equilíbrio orgânico do solo e produzir substâncias químicas tóxicas e venenosas em nossos alimentos, estão gerando cada vez menos rendimentos e, assim, fazem dos agricultores as primeiras vítimas da inflação. A indústria alimentícia converte depois os produtos agrícolas em alimentos superprocessados, superembalados e superdivulgados pela publicidade, transportados de uma ponta à outra do país a fim de serem vendidos em supermercados; tudo isso requer um excessivo consumo de energia e, portanto, alimenta a inflação.

O mesmo acontece com a pecuária, que recebe apoio maciço da indústria petroquímica, uma vez que exige cerca de dez vezes mais energia de combustível fóssil para produzir uma unidade de proteína animal em relação a uma unidade de proteína vegetal. A maioria dos cereais produzidos nos Estados Unidos não é consumida por seres humanos, mas serve para alimentar o gado, que depois é consumido pelas pessoas. O resultado é que a maioria dos americanos segue uma dieta não balanceada, que leva frequentemente à obesidade e à doença, contribuindo assim para a inflação na assistência à saúde. Modelos idênticos podem ser observados em todo o nosso sistema econômico. O investimento excessivo em capital, energia e recursos naturais sobrecarrega o meio ambiente, afeta nossa saúde e é uma causa importante da inflação.

A economia convencional sustenta que existe um mercado livre que se mantém naturalmente em equilíbrio. Inflação e desemprego são considerados aberrações temporárias e interdependentes do estado de equilíbrio, sendo uma o preço a pagar pela eliminação da outra. Contudo, na realidade de hoje, com as economias dominadas por gigantescas instituições e grupos de interesses, os modelos de equilíbrio desse tipo já não são válidos. A suposta alternância entre inflação e desemprego – expressa matematicamente pela chamada curva de Phillips – é um conceito abstrato e profundamente irrealista. Inflação e desemprego combinados, conhecidos como "estagflação", passaram a ser uma característica estrutural de todas as sociedades industriais comprometidas com o crescimento não diferenciado.

Excessiva dependência da energia e dos recursos naturais e excessivo investimento em capital, em vez de trabalho, são altamente inflacionários e acarretam desemprego maciço. De fato, o desemprego tornou-se uma característica tão intrínseca de nossa economia que os economistas do governo falam agora de "pleno emprego" quando mais de 5 por cento da força de trabalho está desempregada.

A segunda maior causa de inflação são os custos sociais sempre crescentes engendrados pelo crescimento não diferenciado. Em suas tentativas de maximização de seus lucros, indivíduos, companhias e instituições procuram "externalizar" todos os custos sociais e ambientais; tentam excluí-los de seus próprios balancetes e empurrá-los para diante, passando-os de uns para outros dentro do sistema, para o meio ambiente e para as gerações futuras. Gradualmente, esses custos acumulam-se e manifestam-se como custos de ações judiciais, controle do crime, coordenação burocrática, regulamentação federal, proteção ao consumidor, assistência médica, etc. Nenhuma dessas atividades acrescenta seja o que for à produção real; todas elas contribuem significativamente para aumentar a inflação.

Em vez de incorporar essas variáveis sociais e ambientais importantíssimas a suas teorias, os economistas preferem trabalhar com modelos de equilíbrio – elegantes, mas irrealistas –, a maioria deles baseada na ideia clássica de mercados livres, onde compradores e vendedores se encontram com igual poder e informação. Na maioria das sociedades industriais, as grandes companhias controlam a oferta de bens, criam demandas artificiais através da publicidade e têm uma influência decisiva sobre as políticas nacionais. Um exemplo extremo disso são as companhias petrolíferas, que determinam a política energética dos Estados Unidos em tal grau que as decisões cruciais não são tomadas no interesse nacional, mas no interesse das companhias dominantes. Esse interesse empresarial, é claro, nada tem a ver com o bem-estar dos cidadãos americanos, mas preocupa-se exclusivamente com os lucros das grandes empresas. John Sweringen, principal funcionário executivo da Standard Oil of Indiana, deixou isso bem claro numa recente entrevista. Disse ele: "Nós não estamos no negócio energético, mas sim usando o capital que nos foi confiado pelos nossos acionistas para lhes dar o máximo rendimento sobre o dinheiro que eles investiram na companhia"[71]. Gigantes como a Standard Oil dispõem hoje de poder para determinar, em grande medida, não só a política energética nacional, mas também os sistemas de transportes, a agricultura, a assistência à saúde e muitos outros aspectos de nossa vida social e econômica. Os mercados livres, equilibrados pela oferta e procura, desapareceram há muito tempo; eles só existem nos compêndios. Em nossa economia global, a ideia keynesiana de que os ciclos flutuantes de atividade econômica podem ser eliminados através de uma política nacional adequada é igualmente obsoleta.

Entretanto, os economistas de hoje ainda se utilizam da técnica keynesiana tradicional para inflacionar ou deflacionar a economia, criando desse modo oscilações a curto prazo que obscurecem as realidades ecológicas e sociais.

Para lidar com fenômenos econômicos a partir de uma perspectiva ecológica, os economistas terão necessariamente que rever seus conceitos básicos de modo drástico. Ora, como a maioria desses conceitos é estreitamente definida e tem sido usada fora de seu contexto social e ecológico, eles deixaram de ser apropriados para mapear as atividades econômicas em nosso mundo fundamentalmente interdependente. O Produto Nacional Bruto, por exemplo, mede supostamente a riqueza de uma nação, mas todas as atividades econômicas associadas a valores monetários são somadas indiscriminadamente para se obter o PNB, ao passo que todos os aspectos não monetários da economia são ignorados. Custos sociais, como os de acidentes, litígios e assistência à saúde, são adicionados como contribuições positivas para o PNB; a educação ainda é frequentemente tratada como uma despesa e não como um investimento, ao passo que o trabalho realizado em casa e os bens produzidos por esse trabalho doméstico não são considerados. Embora a inadequação de tal método contábil seja hoje reconhecida de um modo geral, não se fez qualquer esforço sério para redefinir o PNB como medida efetiva de produção e riqueza.

Analogamente, os conceitos de "eficiência", "produtividade" e "lucro" são usados num contexto tão limitado que se tornaram inteiramente arbitrários. A eficiência de uma companhia é medida em termos de lucros, mas como esses lucros estão sendo obtidos cada vez mais à custa do povo, temos que perguntar: "Eficientes para quem?" Quando os economistas falam em eficiência, referem-se à eficiência em nível individual, da companhia, social ou em nível do ecossistema? Um exemplo impressionante do uso altamente tendencioso da noção de eficiência é o das companhias concessionárias de serviços públicos, as quais vêm tentando persuadir-nos de que a energia nuclear é a mais eficiente fonte energética, desprezando completamente os enormes custos sociais e ambientais decorrentes da manipulação de material radiativo. Tal uso tendencioso do conceito de "eficiência" é típico da indústria energética, que nos tem informado deliberadamente mal não só acerca dos custos sociais e ambientais, mas também das realidades políticas subentendidas no custo da energia. Tendo obtido subsídios maciços para a tecnologia da energia convencional através de seu poder político, as companhias de serviços públicos contornaram depois o problema declarando que a energia solar era ineficiente porque não poderia competir com outras fontes energéticas no mercado "livre".

São abundantes os exemplos desse gênero. O sistema norte-americano de lavoura, altamente mecanizado e subsidiado pelo petróleo, é hoje o mais ineficiente do mundo quando medido em termos do montante de energia usada para uma dada produção de calorias; entretanto, a agroempresa, que está predominantemente nas mãos da indústria petroquímica, obtém lucros gigantescos. De fato, todo o sistema industrial norte-americano, com seu uso gigantesco dos recursos do planeta para uma percentagem minúscula de sua população, deve ser considerado altamente ineficiente de um ponto de vista ecológico global.

O conceito de "produtividade", que também foi distorcido, está estreitamente relacionado com o de "eficiência". A produtividade é usualmente definida como a produção por empregado/hora de trabalho. Para aumentar essa quantidade, os fabricantes tentam automatizar e mecanizar ao máximo o processo de produção. Contudo, ao fazê-lo, aumentam o número de trabalhadores desempregados e reduzem sua produtividade a zero, onerando assim a folha de pagamentos do bem-estar social.

Juntamente com a redefinição de "eficiência" e "produtividade", necessitaremos de uma revisão completa do conceito de "lucro". Os lucros privados são hoje obtidos, com demasiada frequência, às custas da exploração social ou ambiental. Esses custos devem ser totalmente levados em conta, para que a noção de lucro passe a ser associada à criação de riqueza real. Muitos dos bens produzidos e vendidos "lucrativamente" hoje em dia serão então reconhecidos como supérfluos e forçados a sair do mercado pela fixação de preços inaceitáveis.

Uma das razões pelas quais o conceito de "lucro" se tornou tão distorcido é a divisão artificial da economia em setores público e privado, o que levou os economistas a ignorar o vínculo entre lucros privados e custos públicos. Os papéis relativos dos setores público e privado no suprimento de bens e serviços estão sendo hoje cada vez mais questionados, com um número crescente de pessoas se perguntando por que devemos aceitar a "necessidade" de indústrias de muitos milhões de dólares dedicadas a alimentos para cachorros, cosméticos, remédios e toda sorte de aparelhos que esbanjam energia, quando nos é dito, ao mesmo tempo, que não "dispomos de recursos" para dotar nossas cidades de serviços sanitários, proteção contra incêndios e sistemas de transportes públicos adequados.

A reavaliação da economia não é uma tarefa meramente intelectual, mas deverá envolver profundas mudanças em nosso sistema de valores. A própria ideia de riqueza, que é central para a economia, está inextricavelmente ligada às expectativas, valores e estilos de vida humanos. Definir riqueza dentro de um contexto ecológico significará transcender suas atuais conotações de acumulação material e conferir-lhe o sentido mais amplo de enriquecimento humano. Tal noção de riqueza, somada à de "lucro" e outros conceitos afins, não será suscetível de quantificação rigorosa e, assim, os economistas não poderão continuar lidando com valores exclusivamente em termos monetários. De fato, nossos atuais problemas econômicos tornam mais do que evidente que o dinheiro, por si só, já não proporciona um adequado sistema de controle[72].

Um importante aspecto da necessária revisão do nosso sistema de valores será a redefinição de "trabalho"[73]. Em nossa sociedade, trabalho é identificado com emprego; é executado para um patrão e por dinheiro; as atividades não remuneradas não são consideradas trabalho. Por exemplo, não se atribui qualquer valor econômico ao trabalho executado por mulheres e homens no lar; entretanto, esse trabalho corresponde, em termos monetários, a dois terços do montante total de salários pagos por todas as grandes companhias dos Estados Unidos[74]. Por outro lado, o trabalho remunerado deixou de ser acessível a muitos que o querem. Estar desempregado acarreta um estigma social; as pessoas perdem *status* e o respeito próprio e alheio quando são incapazes de conseguir trabalho.

Ao mesmo tempo, aqueles que têm empregos veem-se frequentemente obrigados a executar trabalhos em que não sentem nenhuma satisfação, trabalhos que os deixam profundamente alienados e insatisfeitos. Como Marx claramente reconheceu, essa alienação deriva do fato de que os trabalhadores não detêm os meios de produção, não são ouvidos acerca do uso que é dado ao seu trabalho e não podem identificar-se de qualquer maneira significativa com o processo de produção. O moderno trabalhador industrial não se sente mais responsável pelo seu trabalho, nem se orgulha dele. O resultado são produtos que mostram cada vez menos perícia, qualidade artística ou gosto. Assim, o trabalho tornou-se profundamente degradado; do ponto de vista do trabalhador, seu único objetivo é ganhar a vida, enquanto a finalidade exclusiva do empregador é aumentar os lucros.

A ausência de responsabilidade e de satisfação, aliada à obtenção do lucro como objetivo principal, criou uma situação em que a maior parte do trabalho executado hoje em dia é antieconômico e injustificado. Como declarou expressivamente Theodore Roszak:

> O trabalho que produz quinquilharias desnecessárias ou armas de guerra é errado e esbanjador. O trabalho que se apoia em falsas necessidades ou apetites indesejáveis é errado e esbanjador. O trabalho que engana ou manipula, que explora ou degrada, é errado e esbanjador. O trabalho que fere o meio ambiente e torna o mundo feio é errado e esbanjador. Não há meio nenhum de redimir esse trabalho enriquecendo-o ou reestruturando-o, socializando-o ou nacionalizando-o, tornando-o 'pequeno', ou descentralizado ou democrático[75].

Esse estado de coisas está em profundo contraste com as sociedades tradicionais em que mulheres e homens comuns se dedicavam a uma grande variedade de atividades – agricultura, caça, pesca, tecelagem, confecção de roupas, construção, fabricação de louças e ferramentas, culinária, arte de curar –, todas elas úteis, dignas e proveitosas. Em nossa sociedade, a maioria das pessoas está insatisfeita com o trabalho que faz e vê a recreação como o principal objetivo de suas vidas. Assim, o trabalho tornou-se o oposto do lazer, que é servido por uma gigantesca indústria concentrada na produção de aparelhos que consomem recursos e energia – jogos eletrônicos, barcos de corrida, trenós e patins – e que exorta as pessoas a um consumo cada vez mais esbanjador.

No que se refere ao *status* das diferentes espécies de trabalho, há uma interessante hierarquia em nossa cultura. O trabalho com *status* mais baixo tende a ser o mais "entrópico"*, isto é, aquele em que a evidência tangível do esforço é mais facilmente destruída. Trata-se do trabalho feito repetidamente, sem deixar um impacto duradouro – preparar refeições que são imediatamente consumidas, varrer o chão das fábricas, que logo estará sujo de novo, cortar sebes e gramados que não param de crescer. Em nossa sociedade, como em todas as culturas industriais, às tarefas que envolvem um trabalho altamente entrópico – serviços domésticos, serviços de reparações e consertos, agricultura – é atribuído o mais baixo *status*, e são elas as atividades a que são destinados os mais baixos salários, embora todas sejam essenciais à nossa existência cotidiana[76]. Esses trabalhos são geralmente confiados a grupos minoritários e a mulheres. Os trabalhos com *status* mais elevado envolvem tarefas que criam algo duradouro – arranha-céus, aviões supersônicos, foguetes espaciais, ogivas nucleares e todos os outros produtos de alta tecnologia. É também concedido um *status* elevado a todo trabalho administrativo ligado à alta tecnologia, por mais enfadonho que possa ser.

Essa hierarquia de trabalho é exatamente inversa à das tradições espirituais. Aí, o trabalho de elevada entropia é altamente apreciado e desempenha um papel significativo no ritual cotidiano da prática espiritual. Os monges budistas consideram a culinária, a jardinagem ou o asseio da casa parte de suas atividades meditativas, e os frades e freiras cristãos têm uma longa tradição na agricultura, na enfermagem e em outros serviços. Parece que o alto valor espiritual atribuído ao trabalho entrópico nessas tradições provém de uma profunda consciência ecológica. Executar um trabalho que tem de ser feito repetidamente ajuda-nos a reconhecer os ciclos naturais de crescimento e declínio, de nascimento e morte,

---

* Entropia é uma medida de desordem; ver capítulo 2, p. 69. (N. do A.)

e a adquirir, portanto, consciência da ordem dinâmica do universo. O trabalho "ordinário", como o significado radical da palavra indica, está em harmonia com a ordem que percebemos no meio ambiente natural.

Tal consciência ecológica perdeu-se em nossa cultura atual, na qual o valor mais alto foi associado ao trabalho que cria algo "extraordinário", algo fora da ordem natural. Não surpreende que a maior parte desse trabalho altamente valorizado esteja agora gerando tecnologias e instituições extremamente perniciosas para o meio ambiente natural e social. O que se faz necessário, portanto, é rever o conceito e a prática de trabalho de tal maneira que se torne significativo e gratificante para cada trabalhador, útil para a sociedade e parte da ordem harmoniosa do ecossistema. Reorganizar e praticar nosso trabalho desse modo permitir-nos-á reconquistar sua essência espiritual.

A inevitável revisão de nossos conceitos e teorias econômicas básicas será tão radical que surge a questão: a própria economia, como ciência social, sobreviverá? Com efeito, numerosos críticos têm previsto o fim da economia como ciência. Acredito que a abordagem mais útil da questão não seria abandonar a ciência econômica como tal, mas considerar a estrutura do pensamento econômico atual, tão profundamente enraizada no paradigma cartesiano, como um modelo científico obsoleto. Ela pode perfeitamente continuar a ser útil para limitadas análises microeconômicas, mas precisará certamente ser modificada e ampliada. A nova teoria, ou conjunto de modelos, envolverá muito provavelmente uma abordagem sistêmica que integrará a biologia, a psicologia, a filosofia política e muitos outros ramos do conhecimento humano, em conjunto com a economia, formando uma vasta estrutura ecológica. As linhas gerais de tal estrutura já estão sendo traçadas por muitos homens e mulheres que se recusam a ser rotulados de economistas ou a se associar a qualquer disciplina acadêmica estreitamente definida e convencional[77]. Sua abordagem ainda é científica, mas vai muito além da imagem cartesiana-newtoniana de ciência. Sua base empírica inclui, além de dados ecológicos, fatos sociais e políticos e fenômenos psicológicos, uma referência clara a valores culturais. Partindo dessa base, esses cientistas estarão aptos a construir modelos dos fenômenos econômicos mais realistas e confiáveis.

A referência explícita a atitudes, valores e estilos de vida humanos no futuro pensamento econômico tornará essa nova ciência profundamente humanista. Ocupar-se-á das aspirações e potencialidades humanas, e as integrará à matriz subjacente do ecossistema global. Tal abordagem transcenderá de longe tudo o que possa ter sido tentado nas ciências de hoje; em sua natureza essencial será, simultaneamente, científica e espiritual.

8. O lado sombrio do crescimento

A visão cartesiana mecanicista do mundo tem exercido uma influência poderosa sobre todas as nossas ciências e, em geral, sobre a forma de pensamento ocidental. O método de reduzir fenômenos complexos a seus componentes básicos e de procurar os mecanismos através dos quais esses componentes interagem tornou-se tão profundamente enraizado em nossa cultura que tem sido amiúde identificado com o método científico. Pontos de vista, conceitos ou ideias que não se ajustavam à estrutura da ciência clássica não foram levados a sério e, de modo geral, foram desprezados, quando não ridicularizados. Em consequência dessa avassaladora ênfase dada à ciência reducionista, nossa cultura tornou-se progressivamente fragmentada e desenvolveu uma tecnologia, instituições e estilos de vida profundamente doentios.

A afirmação de que uma visão fragmentada do mundo é também doentia não surpreenderá os leitores anglo-saxônicos, tendo em vista a estreita conexão entre *health* (saúde) e *whole* (todo, conjunto). Ambas as palavras, assim como *hale* (robusto), *heal* (curar) e *holy* (sagrado), derivam da raiz *hal* do inglês antigo, que significa sólido, total e saudável. Com efeito, a experiência de nos sentirmos saudáveis (*healthy*) envolve a sensação de integridade física, psicológica e espiritual, um sentimento de equilíbrio entre os vários componentes do organismo e entre o organismo e seu meio ambiente. Essa sensação de integridade e equilíbrio perdeu-se em nossa cultura. A visão fragmentada, mecanicista, do mundo, que se estendeu por toda parte, e o sistema de valores unilateral, sensualista* e de "orientação *yang*", que constitui a base dessa visão de mundo, redundaram num profundo desequilíbrio cultural e geraram numerosos sintomas doentios.

O excessivo crescimento tecnológico criou um meio ambiente no qual a vida se tornou física e mentalmente doentia. Ar poluído, ruídos irritantes, congestio-

---

* Conceito de Sorokin, examinado no capítulo 1. (N. do T.)

namento de tráfego, poluentes químicos, riscos de radiação e muitas outras fontes de estresse físico e psicológico passaram a fazer parte da vida cotidiana da maioria das pessoas. Esses múltiplos riscos para a saúde não são apenas subprodutos casuais do progresso tecnológico; são características integrantes de um sistema econômico obcecado pelo crescimento e expansão, e que continua a intensificar sua alta tecnologia numa tentativa de aumentar a produtividade.

Além dos riscos para a saúde que podemos ver, ouvir e cheirar, existem outras ameaças ao nosso bem-estar que podem ser muito mais perigosas, porque nos afetarão numa escala muito maior, no espaço e no tempo. A tecnologia humana está desintegrando e perturbando seriamente os processos ecológicos que sustentam nosso meio ambiente natural e que são a própria base de nossa existência. Uma das mais sérias ameaças, quase totalmente ignorada até recentemente, é o envenenamento da água e do ar por resíduos químicos tóxicos.

O público norte-americano tomou consciência dos riscos dos lixos químicos há vários anos, quando a tragédia de Love Canal ganhou reportagens de primeira página. Love Canal era uma vala abandonada numa área residencial de Niagara Falls, Nova York, usada durante muitos anos como vertedouro de lixos químicos tóxicos. Esses venenos químicos poluíram várias massas de água circunjacentes, filtraram-se em quintais próximos e geraram fumaças tóxicas, causando, entre os residentes na área, elevadas taxas de defeitos congênitos, lesões renais e hepáticas, dificuldades respiratórias e vários tipos de câncer. Finalmente, foi declarado o estado de emergência pelo Estado de Nova York, e a área foi evacuada.

As peças que compunham a história de Love Canal foram reunidas pela primeira vez por Michael Brown, um repórter da *Niagara Gazette*, que passou então a investigar a existência de outros vertedouros de resíduos de alto risco de um lado a outro dos Estados Unidos[1]. As extensas investigações levadas a cabo por Brown deixaram claro que o Love Canal era apenas a primeira de muitas tragédias semelhantes que estão destinadas a ocorrer durante os próximos anos e que afetarão seriamente a saúde de milhões de americanos. A Agência de Proteção Ambiental dos Estados Unidos calculou em 1979 que existem mais de 50 mil locais conhecidos onde materiais de alta periculosidade são armazenados ou enterrados, menos de 7 por cento dos quais receberam um recolhimento apropriado[2].

Essas enormes quantidades de lixo químico perigoso são o resultado dos efeitos combinados do crescimento tecnológico e econômico. Obcecados pela expansão, pelos lucros crescentes e aumento de "produtividade", os Estados Unidos e outros países industrializados desenvolveram sociedades de consumo competitivas, que induzem as pessoas a comprar, usar e jogar fora quantidades cada vez maiores de produtos de pouca utilidade. Para produzir esses artigos – aditivos alimentares, fibras sintéticas, plásticos, drogas e pesticidas, por exemplo – foram desenvolvidas tecnologias que envolvem o consumo intensivo de recursos, muitas das quais dependem maciçamente de produtos químicos complexos; e com a produção e o consumo em constante aumento, o mesmo aconteceu com os resíduos químicos, que são subprodutos inevitáveis desses processos de fabricação. Os Estados Unidos produzem mil novos compostos químicos por ano, muitos deles mais complexos que os seus predecessores e mais estranhos ao organismo humano, ao mesmo tempo que o montante anual de lixo de alto risco subiu de 10 para 35 milhões de toneladas na década de 1970.

Enquanto a produção e o consumo se aceleravam nesse ritmo febril, tecnologias apropriadas para dispor dos subprodutos indesejáveis não foram desenvolvidas. A razão de tal negligência é simples: ao passo que a produção de bens de consumo descartáveis era altamente lucrativa para os fabricantes, o tratamento apropriado e a reciclagem dos resíduos não o eram. Durante muitas décadas, a indústria química despejou seus lixos no solo sem salvaguardas adequadas, e essa prática irresponsável resulta agora em milhares de depósitos químicos perigosos, verdadeiras "bombas-relógio tóxicas", suscetíveis de se converterem numa das mais graves ameaças ambientais da década de 1980.

Diante das sombrias consequências de seus métodos de produção, a indústria química manifestou a reação típica das grandes empresas. Como Brown demonstrou, caso após caso, as companhias de produtos químicos tentaram ocultar o perigo envolvido em seus processos de fabricação e nos lixos químicos deles resultantes; também ocultaram acidentes e pressionaram os políticos de modo a evitar uma completa investigação. Mas graças, em parte, à tragédia de Love Canal, a consciência pública foi dramaticamente despertada. Enquanto os fabricantes proclamam em manhosas campanhas publicitárias que a vida seria impossível sem os produtos químicos, cresce o número de pessoas que se dão conta de que a indústria química mais destrói do que protege a vida. A opinião pública pode vir a exercer uma pressão cada vez maior sobre a indústria para que desenvolva uma tecnologia adequada de tratamento e reciclagem de produtos residuais, como já está sendo feito em vários países europeus. A longo prazo, os problemas gerados pelo lixo químico só serão controláveis se pudermos minimizar a produção de substâncias de alto risco, o que envolverá mudanças radicais em nossas atitudes como produtores e consumidores.

O consumo excessivo e nossa preferência pela alta tecnologia não só criam quantidades enormes de coisas inúteis como requerem, em sua fabricação, gigantescos montantes de energia. A energia não renovável, derivada de combustíveis fósseis, aciona a maior parte dos nossos processos de produção, e com o declínio desses recursos naturais a própria energia tornou-se um recurso escasso e dispendioso. Em suas tentativas para manter, e até aumentar, seus níveis correntes de produção, os países industrializados do mundo têm explorado ferozmente os recursos disponíveis de combustíveis fósseis. Esses processos de produção energética podem vir a causar perturbações ecológicas e um sofrimento humano sem precedentes.

    O consumo exorbitante de petróleo intensificou o tráfego de navios petroleiros, causando frequentes colisões, nas quais gigantescas quantidades de óleo são derramadas nos mares. Esses vazamentos, além de poluir as mais belas praias e costas da Europa, perturbam seriamente os ciclos de alimento de origem marinha; causam, portanto, riscos ecológicos ainda pouco compreendidos. A geração de eletricidade a partir do carvão é ainda mais arriscada e mais poluidora do que a produção energética proveniente do petróleo. As minas subterrâneas provocam severos danos à saúde dos mineiros e a mineração de desmonte a céu aberto gera sérias consequências ambientais, visto que as minas são geralmente abandonadas uma vez exaurido o carvão, deixando imensas áreas de terra devastadas. O pior de todos os danos, tanto para o meio ambiente quanto para a saúde humana, provém da queima de carvão. As usinas que queimam carvão expelem enormes quantidades de fumaça, cinzas, gases e vários compostos orgânicos, muitos dos quais são sabidamente tóxicos ou cancerígenos. O gás mais perigoso é o dióxido de enxofre, que pode causar graves lesões pulmonares. Outro poluente liberado na queima de carvão é o óxido de nitrogênio, o principal ingrediente contido na poluição atmosférica provocada pelos automóveis. Uma única usina, ao queimar carvão, pode expelir tanto óxido de nitrogênio quanto várias centenas de milhares de carros.

    Os óxidos de enxofre e de nitrogênio procedentes de usinas alimentadas por caldeiras a carvão, além de representar um sério risco para a saúde das pessoas que vivem nas vizinhanças da usina, geram também uma das formas mais insidiosas e completamente invisíveis de poluição do ar, a chuva ácida[3]. Os gases lançados na atmosfera pelas usinas geradoras de eletricidade misturam-se com o oxigênio e o vapor de água no ar e, através de uma série de reações químicas, convertem-se nos ácidos sulfúrico e nítrico. Esses ácidos são depois carregados pelo vento, até se acumularem em vários pontos de concentração atmosférica e serem despejados na terra como chuva ou neve ácida. O leste da Nova Inglaterra, o leste do Canadá e o sul da Escandinávia são seriamente afetados por esse tipo de poluição. Quando a chuva ácida cai em lagos mata peixes, insetos, plantas e outras formas de vida; finalmente, os lagos morrem completamente em virtude da acidez que não conseguem mais neutralizar. No Canadá e na Escandinávia, milhares de lagos já estão mortos ou em vias de extinção; estruturas inteiras de vida, que levaram milhares de anos para evoluir, estão desaparecendo rapidamente.

No âmago do problema, como de costume, estão a miopia ecológica e a ganância empresarial. Técnicas para reduzir os poluentes que causam a chuva ácida já foram desenvolvidas, mas as grandes companhias proprietárias das usinas a carvão opõem-se vigorosamente à regulamentação ambiental e dispõem de poder político suficiente para impedir o estabelecimento de medidas de rigoroso controle. Assim, as companhias norte-americanas de serviços públicos forçaram a Agência de Proteção Ambiental, órgão do governo federal, a ser menos rigorosa para com as antigas usinas alimentadas a carvão no centro-oeste, as quais continuam vomitando grandes quantidades de poluentes ao sabor do vento; calcula-se que elas venham a ser a fonte de 80 por cento das emissões sulfúricas nos Estados Unidos por volta de 1990. Tais medidas baseiam-se nas mesmas atitudes irresponsáveis que provocam os riscos do lixo químico. Em vez de neutralizar seus produtos residuais poluentes, as indústrias simplesmente despejam-nos em algum outro lugar, sem se darem conta de que, num ecossistema finito, "algum outro lugar" é coisa que não existe.

No decorrer da década de 1970, o mundo adquiriu profunda consciência de uma escassez global de combustíveis fósseis e, com o inevitável declínio dessas fontes convencionais de energia à vista, os principais países industrializados empreenderam uma rigorosa campanha a favor da energia nuclear como fonte energética alternativa. O debate sobre como solucionar a crise energética concentra-se usualmente nos custos e riscos da energia nuclear, em comparação com a produção de energia proveniente do petróleo, do carvão e do óleo xistoso. Os argumentos usados por economistas do governo e das grandes companhias, bem como por outros representantes da indústria energética, são fortemente tendenciosos sob dois aspectos. A energia solar – a única fonte energética que é abundante, renovável, estável no preço e ambientalmente benigna – é considerada por eles "antieconômica" ou "ainda inviável", apesar de consideráveis provas em contrário[4]; e a necessidade de mais energia é pressuposta de maneira indiscutível.

Qualquer exame realista da "crise energética" tem que partir de uma perspectiva muito mais ampla do que essa, uma perspectiva que leve em conta as raízes da atual escassez de energia e suas ligações com os outros problemas críticos com que hoje nos defrontamos. Tal perspectiva torna evidente algo que, à primeira vista, poderá parecer paradoxal: para superar a crise energética, não precisamos de *mais* energia, mas de *menos*. Nossas crescentes necessidades energéticas refletem a expansão geral dos nossos sistemas econômico e tecnológico; elas são causadas pelos padrões de crescimento não diferenciado que exaurem nossos recursos naturais e contribuem, de modo significativo, para nossos múltiplos sintomas de doença individual e social. Portanto, a energia é um parâmetro significativo de equilíbrio social e ecológico. Em nosso estágio atual de grande desequilíbrio, contar com mais energia não resolveria os nossos problemas, mas só iria agravá-los. Não só aceleraria o esgotamento de nossos minerais e metais, florestas e peixes, mas significaria também mais poluição, mais envenenamento químico, mais injustiça social, câncer e crimes. Para fazer frente a essa crise multifacetada não necessitamos de mais energia, mas de uma profunda mudança de valores, atitudes e estilo de vida.

Uma vez percebidos esses fatos básicos, torna-se evidente que o uso de energia nuclear como fonte energética é absoluta loucura. Ultrapassa o impacto ecológico da produção de energia em grande escala a partir do carvão, impacto este que já é devastador, em vários graus, e ameaça envenenar não apenas nosso meio ambiente natural por milhares de anos, mas até mesmo extinguir toda a espécie humana. A energia nuclear representa o caso mais extremo de uma tecnologia que tomou o freio nos dentes, impulsionada por uma obsessão pela autoafirmação e pelo controle que já atingiu níveis patológicos.

Ao descrever a energia nuclear em tais termos, refiro-me a armas nucleares e a reatores nucleares. Esses dois fatores não podem ser considerados separadamente; esta é uma propriedade intrínseca da tecnologia nuclear. O próprio termo *nuclear power* tem dois significados vinculados. *Power*, além do significado técnico de "fonte de energia", possui também o sentido mais geral de "posse de controle ou influência sobre outros". Assim, no caso do *nuclear power* (energia nuclear *e* poder nuclear), esses dois significados estão inseparavelmente ligados, e ambos representam hoje a maior ameaça à nossa sobrevivência e ao nosso bem-estar.

Nas duas últimas décadas do século XX, o Departamento de Defesa dos Estados Unidos e a indústria bélica criaram uma série de controvérsias públicas acerca da defesa nacional a fim de obter aumentos regulares nos gastos militares. Para tanto, os analistas militares perpetuaram o mito de uma corrida armamentista em que os russos estão à frente dos Estados Unidos. Na realidade, os Estados Unidos nunca deixaram de estar à frente da União Soviética desde o começo dessa competição insana. Daniel Ellsberg mostrou convincentemente, ao divulgar informações sigilosas, que os chefes militares norte-americanos tinham conhecimento de que eram imensamente superiores aos russos em armas nucleares estratégicas durante toda a década de 1950 e parte da de 1960[5]. Em seus planos, os americanos, com base nessa superioridade, previam que seriam os primeiros a usar armas nucleares – em outras palavras, a iniciar uma guerra nuclear –, e vários presidentes dos Estados Unidos fizeram ameaças nucleares explícitas nesse sentido, mas não chegaram ao conhecimento público.

Nesse meio tempo, a União Soviética também desenvolveu uma poderosa força nuclear, e hoje o Pentágono está tentando de novo aplicar uma lavagem cerebral no povo americano, levando-o a acreditar que os russos estão na dianteira. Na realidade, o que existe é um equilíbrio de forças; pode-se dizer que, atualmente, há uma equivalência em armamentos. A razão pela qual o Pentágono está distorcendo a verdade de novo é que ele quer que as forças armadas norte-americanas recuperem a superioridade que tiveram de 1945 até cerca de 1965, o que habilitaria os Estados Unidos a fazer as mesmas ameaças nucleares de então.

Oficialmente, a política nuclear norte-americana é de coibição, mas um exame mais minucioso do presente arsenal nuclear americano mostra claramente que os planos atuais do Pentágono não visam em absoluto à coibição. Sua única finalidade é um primeiro ataque nuclear contra a União Soviética. Para se ter uma ideia da força americana de coibição basta considerar os submarinos nucleares. Nas palavras do presidente Jimmy Carter: "Apenas um dos nossos submarinos Poseidon relativamente invulneráveis – menos de 2 por cento de nossa força nuclear total de submarinos, aviões e mísseis baseados em terra – transporta um número de ogivas nucleares suficiente para destruir todas as cidades grandes e médias da União Soviética. Nosso poder de coibição é esmagador"[6]. De vinte a trinta desses submarinos estão sempre em alto-mar, onde são praticamente invulneráveis. Mesmo que a União Soviética envie toda a sua força nuclear contra os Estados Unidos, ela não pode destruir um único submarino americano; e cada submarino pode ameaçar todas as cidades soviéticas. Assim, os Estados Unidos têm, o tempo todo, a capacidade de destruir todas as cidades soviéticas de vinte a trinta vezes. Com base nesses fatos, o atual aumento de armamentos nada tem a ver, é claro, com dissuasão.

Atualmente os projetistas militares norte-americanos estão desenvolvendo armas de alta precisão, como os novos mísseis Cruise e MX, que podem atingir o alvo a uma distância de 6 mil milhas com o máximo de precisão. A finalidade dessas armas consiste em destruir um míssil inimigo em seu silo antes de ser disparado; em outras palavras, essas armas destinam-se a ser usadas num primeiro ataque nuclear. Como seria absurdo apontar mísseis guiados por *laser* contra silos vazios, eles não podem ser considerados armas defensivas; tais mísseis são claramente armas de agressão. Um dos mais detalhados estudos da corrida de armas nucleares que chega a essa conclusão foi publicado por Robert Aldridge, um engenheiro aeronáutico que trabalhou para a Lockheed Corporation, o maior fabricante de armas da América[7]. Durante dezesseis anos, Aldridge ajudou a projetar todos os mísseis balísticos lançados por submarinos comprados pela marinha norte-americana, mas demitiu-se da Lockheed em 1973 quando se apercebeu de uma profunda mudança na política nuclear dos Estados Unidos, uma mudança da retaliação para o primeiro ataque. Como engenheiro, pôde perceber uma clara discrepância entre as finalidades anunciadas dos programas em que estava trabalhando e seus projetos intrínsecos. Aldridge comprovou, desde então, que a tendência por ele detectada continuou e foi acelerada. Sua profunda preocupação com a política militar norte-americana levou-o a escrever seu detalhado relatório, que termina com as seguintes palavras:

> Devo concluir, a contragosto e com base em provas evidentes, que os Estados Unidos estão agora na frente e aproximam-se rapidamente da capacidade para o primeiro ataque – capacidade esta que começará a ser desenvolvida em meados da década de 1980. A União Soviética, neste meio tempo, parece estar lutando por um bom segundo lugar. Nada nos prova que a URSS venha a dispor, antes do final deste século, se é que então o conseguirá, da combinação de letalidade míssil, potencial de guerra antissubmarina, defesa contra mísseis balísticos ou tecnologia de guerra espacial, para desferir um primeiro ataque arrasador que nos ponha fora de combate[8].

Esse estudo, como o de Ellsberg, mostra claramente que as novas armas das forças militares dos Estados Unidos, ao invés do que o Pentágono gostaria que acreditássemos, em nada aumentam a segurança nacional norte-americana. Pelo contrário, a possibilidade de guerra nuclear torna-se maior a cada nova arma.

Em 1960-61, segundo Ellsberg, havia planos americanos para um primeiro ataque nuclear contra a União Soviética no caso de qualquer confronto militar direto com os russos em qualquer parte do mundo. Essa era a única e inevitável resposta americana ao envolvimento direto dos russos em algum conflito local. Podemos estar certos de que tal planejamento ainda está em curso no Pentágono. Se assim é, isso significa que em resposta a algum conflito local no Oriente Médio, na África ou em qualquer outra parte do mundo, o Departamento de Defesa pretende desencadear uma guerra nuclear total em que haveria meio bilhão de mortos após a primeira troca de salvas. A guerra toda estaria terminada em trinta ou sessenta minutos e quase nenhum organismo vivo sobreviveria às suas consequências. Em outras palavras, o Pentágono está planejando extinguir a espécie humana, assim como a grande maioria das outras espécies. Esse conceito é conhecido no Departamento de Defesa como "destruição mutuamente assegurada" (*mutually assured destruction*); sua sigla, muito apropriadamente, é MAD (louco).

O *background* psicológico dessa loucura nuclear é a ênfase superlativa dada à autoafirmação, ao controle e poder, ao excesso de competição e à obsessão em "ganhar" – os traços típicos da cultura patriarcal. As ameaças agressivas que foram feitas por homens ao longo da história humana estão agora sendo feitas com armas nucleares, sem reconhecimento da enorme diferença em termos de violência e potencial destrutivo. As armas nucleares são, portanto, o caso mais trágico de pessoas aferradas a um velho paradigma que perdeu há muito sua utilidade.

Hoje, a eclosão de um conflito nuclear já não depende unicamente dos Estados Unidos e da União Soviética. A tecnologia nuclear norte-americana – e, concomitantemente, as matérias-primas para fabricar bombas nucleares – está sendo exportada para o mundo inteiro. São necessários apenas 5 ou 10 quilos de plutônio para se fazer uma bomba, e cada reator nuclear produz de 200 a 250 quilos de plutônio anualmente, o bastante para vinte a cinquenta bombas atômicas. Por intermédio do plutônio, a tecnologia do reator e a tecnologia das armas ficaram inseparavelmente ligadas.

A tecnologia nuclear está sendo agora promovida especialmente no Terceiro Mundo. A finalidade disso não é satisfazer às necessidades energéticas dos países do Terceiro Mundo, mas as das companhias multinacionais, que extraem os recursos naturais desses países o mais rapidamente que podem. Os políticos de países do Terceiro Mundo, entretanto, acolhem com entusiasmo a tecnologia nuclear porque esta lhes dá uma oportunidade de usá-la para fabricar armas nucleares. As vendas americanas atuais de tecnologia nuclear ao estrangeiro asseguram que, no final do século XX, dezenas de países possuirão suficiente material nuclear para fabricar bombas por conta própria, e podemos esperar que esses países não só adquiram a tecnologia norte-americana, mas também copiem os padrões norte-americanos de comportamento e usem seu poderio nuclear para fazer ameaças agressivas.

O potencial de destruição global através da guerra nuclear é a maior ameaça ambiental da energia nuclear. Se formos incapazes de impedir a guerra nuclear, todas as outras preocupações ambientais tornar-se-ão puramente acadêmicas. Contudo, mesmo sem um holocausto nuclear, o impacto ambiental da energia nuclear excede largamente todos os outros riscos da nossa tecnologia. No começo do chamado uso pacífico da energia atômica, dizia-se, a favor do poder nuclear, que ele era barato, limpo e seguro. Não tardou muito para que tomássemos consciência de que não era nada disso. A construção e a manutenção de usinas nucleares estão ficando cada vez mais dispendiosas em virtude das elaboradas medidas de segurança impostas à indústria nuclear pelos protestos públicos; acidentes nucleares têm ameaçado a saúde e a segurança de centenas de milhares de pessoas; e substâncias radiativas envenenam continuamente nosso meio ambiente.

Os riscos para a saúde decorrentes da energia nuclear são de natureza ecológica e atuam numa escala extremamente vasta, no espaço e no tempo. As usinas nucleares e o aparelhamento militar liberam substâncias radiativas que contaminam o meio ambiente, afetando assim todos os organismos vivos, inclusive os humanos. Os efeitos não são imediatos, mas graduais, e estão se acumulando, a caminho de níveis cada vez mais perigosos. No ser humano, essas substâncias contaminam o interior do organismo com muitas consequências a médio e longo prazos. O câncer tende a desenvolver-se depois de dez ou quarenta anos, e as doenças genéticas podem aparecer em gerações futuras.

Cientistas e engenheiros não se apercebem totalmente, com muita frequência, dos perigos da energia nuclear, em parte porque nossa ciência e tecnologia sempre tiveram grande dificuldade em lidar com conceitos ecológicos. Uma outra razão é a grande complexidade da tecnologia nuclear. As pessoas responsáveis por seu desenvolvimento e aplicação – físicos, engenheiros, economistas, políticos e generais – usam, todas elas, uma abordagem fragmentada, e cada grupo trata de problemas estritamente definidos. Ignoram frequentemente como esses problemas se interligam e como se combinam para produzir o impacto total sobre o ecossistema global. Além disso, a maioria dos cientistas e engenheiros nucleares sofre de um profundo conflito de interesses. Em sua maior parte são empregados pelas instituições militares ou pela indústria nuclear, as quais exercem sobre eles influências poderosas. Por conseguinte, os únicos especialistas que podem fornecer uma avaliação abrangente dos riscos da energia nuclear são aqueles que não dependem do complexo militar-industrial e estão aptos a adotar uma ampla perspectiva ecológica. Não surpreenderá, pois, que todos eles façam parte do movimento antinuclear[9].

No processo de produzir energia a partir de uma fonte nuclear, os operários da indústria nuclear e todo o meio ambiente natural são contaminados com substâncias radiativas em todas as etapas do "ciclo do combustível". Esse ciclo inicia-se com a mineração, usinagem e enriquecimento do urânio, continua com a fabricação de bastões de combustível e a operação e manutenção do reator, e termina com a manipulação e armazenagem ou reprocessamento do lixo nuclear. As substâncias radiativas que escapam para o meio ambiente em cada fase desse processo emitem partículas – partículas alfa*, elétrons ou fótons – que podem ser altamente energéticas, penetrando na pele e danificando as células do corpo. As substâncias radiativas também podem ser ingeridas com alimentos ou água contaminados, e produzirão, nesse caso, danos no organismo.

---

* As partículas alfa compõem-se de dois prótons e dois nêutrons. (N. do A.)

Quando se consideram os riscos da radiatividade para a saúde, é importante assinalar que não existe um nível "seguro" de radiação, contrariamente ao que a indústria nuclear gostaria que acreditássemos. Os cientistas médicos geralmente concordam que não existe qualquer prova de um limiar abaixo do qual a radiação possa ser considerada inofensiva[10]; mesmo quantidades ínfimas podem produzir mutações e doenças. Na vida cotidiana, estamos continuamente expostos à radiação ambiente de baixo nível, que vem incidindo sobre a Terra há bilhões de anos e que também é proveniente de fontes naturais presentes em rochas, na água e em plantas e animais. Os riscos desse *background* natural são inevitáveis, mas aumentá-los significa jogar com nossa saúde.

A reação nuclear que tem lugar num reator é conhecida como fissão. É um processo em que os núcleos de urânio se fragmentam – a grande maioria desses fragmentos são substâncias radiativas –, liberando mais calor e mais um ou dois nêutrons livres. Esses nêutrons são absorvidos por outros núcleos que, por sua vez, se fragmentam, pondo assim em movimento uma reação em cadeia. Numa bomba atômica, essa reação em cadeia termina numa explosão, mas num reator, ela pode ser controlada com a ajuda de bastões moderadores, que absorvem alguns dos nêutrons livres. Desse modo, a velocidade da fissão pode ser regulada. O processo de fissão libera uma grande quantidade de calor, que é usado para ferver água. O vapor resultante aciona uma turbina que gera eletricidade. Portanto, um reator nuclear é um aparelho altamente sofisticado, dispendioso e extremamente perigoso usado para ferver água.

O fator humano envolvido em todas as fases da tecnologia nuclear, militar e não militar torna os acidentes inevitáveis. Esses acidentes resultam na liberação de materiais radiativos altamente venenosos no meio ambiente. Uma das piores possibilidades é a fusão de um reator nuclear, em que toda a massa de urânio derretido destruiria a blindagem de proteção do reator e penetraria na terra, desencadeando possivelmente uma explosão de vapor que espalharia materiais radiativos mortais. Os efeitos seriam semelhantes aos de uma bomba atômica. Milhares de pessoas morreriam devido à exposição imediata à radiação; mais mortes ocorreriam duas ou três semanas depois, em decorrência de doenças agudas provocadas pela radiação; vastas áreas de terra seriam contaminadas e ficariam inabitáveis por milhares de anos.

Muitos acidentes nucleares já aconteceram e, com frequência, grandes catástrofes foram evitadas por um triz. O acidente da usina nuclear de Three Mile Island, perto de Harrisburg, Pensilvânia, no qual a saúde e a segurança de centenas de milhares de pessoas foram ameaçadas, ainda é recente. Menos conhecidos, mas não menos assustadores, são os acidentes envolvendo armas nucleares, acidentes que se tornaram cada vez mais frequentes à medida que o número e a capacidade dessas armas têm aumentado[11]. Até 1968 houve mais de trinta acidentes sérios envolvendo armas nucleares americanas que estiveram perto de uma explosão. Um dos mais graves ocorreu em 1961, quando uma bomba H caiu acidentalmente sobre Goldsboro, Carolina do Norte, e cinco dos seus seis dispositivos de segurança falharam. Esse único dispositivo protegeu-nos de uma explosão termonuclear de 24 milhões de toneladas de TNT, uma explosão mil vezes mais poderosa que a da bomba de Nagasáqui e, de fato, mais potente do que as explosões combinadas de todas as guerras da história humana. Muitas dessas bombas de 24 milhões de toneladas têm caído acidentalmente sobre a Europa, Estados Unidos e outras partes do mundo, e esses acidentes estão fadados a ocorrer cada vez mais frequentemente à medida que um número crescente de países constrói armas nucleares, provavelmente com dispositivos de segurança muito menos sofisticados.

Outro problema sério da energia nuclear é o do armazenamento dos resíduos da fissão nuclear, o lixo atômico. Cada reator produz anualmente toneladas de lixo radiativo, que se mantém tóxico durante milhares de anos. O plutônio, o mais perigoso dos subprodutos radiativos, é também o de mais longa vida; mantém sua periculosidade durante, pelo menos, 500 mil anos*. É difícil apreender a enormidade desse período de tempo, o qual excede em muito a extensão temporal que estamos habituados a considerar dentro dos nossos períodos individuais de vida, ou da vida de uma sociedade, nação ou civilização. Meio milhão de anos, como se pode ver no gráfico adiante, é um período cem vezes mais extenso do que toda a história documentada. É um período de tempo cinquenta vezes maior do que o que transcorreu desde o fim da Era Glacial até os dias de hoje, e mais de dez vezes mais extenso do que o de toda a nossa existência como seres humanos com nossas atuais características físicas**. É esse o período de tempo durante o qual o plutônio deve permanecer isolado do meio ambiente. Que direito moral temos nós de deixar um legado tão mortal a milhares e milhares de gerações vindouras?

Nenhuma tecnologia humana pode criar recipientes seguros para um período tão imenso de tempo. De fato, nenhum método permanente e seguro de despejo ou armazenamento foi ainda encontrado para o lixo nuclear, apesar dos

---

* A meia-vida do plutônio (Pu-239) – o tempo após o qual metade de uma determinada quantidade sofreu decaimento – é de 24.400 anos. Isso significa que, se um grama de plutônio for liberado no meio ambiente, cerca de um milionésimo de grama restará após 500 mil anos, uma quantidade minúscula, mas ainda tóxica. (N. do A.)

** Os ancestrais das raças europeias são usualmente identificados com a raça Cro-Magnon, que apareceu há 30 mil anos e possuía todas as modernas características do esqueleto, inclusive o cérebro volumoso. (N. do A.)

milhões de dólares gastos durante três décadas de pesquisas. Numerosos vazamentos e acidentes provaram as deficiências de todos os dispositivos atuais. Nesse meio-tempo, o lixo nuclear continua sendo empilhado. Projeções realizadas pela indústria nuclear preveem um total de aproximadamente 575 milhões de litros de lixo radiativo de "alto nível" estocados por volta do ano 2000, e embora as quantidades exatas de lixo radiativo militar sejam mantidas em segredo, pode-se esperar que sejam imensamente maiores do que as de reatores industriais.

O plutônio, assim chamado em homenagem a Plutão, o deus grego do inferno, é de longe o mais letal de todos os produtos do lixo atômico. Menos de um milionésimo de grama – uma dose invisível – é cancerígeno. Cerca de 500 gramas, se uniformemente distribuídos, poderiam induzir potencialmente o câncer pulmonar em todas as pessoas do nosso planeta. Diante desses fatos, é verdadeiramente aterrador sabermos que cada reator comercial produz de 200 a 250 quilos de plutônio por ano. Além disso, toneladas de plutônio são rotineiramente transportadas pelas rodovias e ferrovias norte-americanas e transitam por aeroportos.

Uma vez criado, o plutônio deve ser isolado do meio ambiente praticamente para sempre, dado que até quantidades ínfimas o contaminariam por tempo ilimitado. É importante saber que o plutônio não se dissipa com a morte de um organismo contaminado. Por exemplo, um animal contaminado morto pode ser comido por um outro animal ou apodrecer, e seus ossos, pulverizados, serem espalhados pelo vento. Mas o plutônio permanecerá no meio ambiente e continuará sua ação letal, de organismo para organismo, durante meio milhão de anos.

Como não existe uma tecnologia cem por cento segura, um pouco de plutônio escapa inevitavelmente quando é manipulado. Foi calculado que, se a indústria nuclear americana se expandir de acordo com as projeções feitas em 1975, e se ela contiver seu plutônio com 99,99 por cento de perfeição – o que seria um verdadeiro milagre –, ela será responsável por 500 mil casos fatais de câncer de pulmão por ano, durante cerca de cinquenta anos, contados a partir do ano de 2020. Isso corresponderá a um aumento de 25 por cento na taxa total de mortalidade nos Estados Unidos[12]. Em vista dessas estimativas, é difícil entender como alguém pode dizer que a energia nuclear é uma fonte segura de energia.

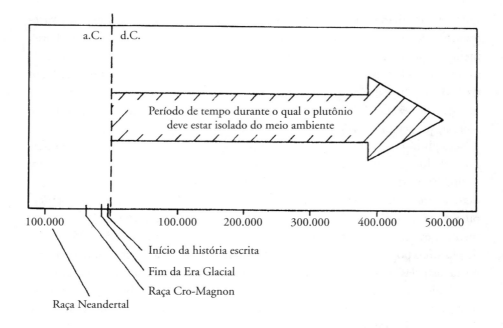

A energia nuclear cria também muitos outros problemas e riscos. Entre eles, o problema não resolvido de desmontagem ou "desativação" de reatores nucleares no final de suas vidas úteis; o desenvolvimento de "reatores *fast breeder*", que utilizam o plutônio como combustível e são muito mais perigosos do que os atuais reatores comerciais; a ameaça de terrorismo nuclear e a consequente perda de liberdades civis básicas numa "economia de plutônio" totalitária; e as desastrosas consequências econômicas do uso da energia nuclear como uma fonte energética altamente centralizada, com investimento intensivo de capital e tecnologia[13]. O impacto total das ameaças sem precedentes da tecnologia nuclear deveria tornar bem claro para qualquer pessoa que ela é insegura, antieconômica, irresponsável e imoral, enfim, totalmente inaceitável.

Se as acusações contra a energia nuclear são tão convincentes, por que razão a tecnologia nuclear recebe ainda tanto apoio? A razão fundamental é a obsessão pelo poder. De todas as fontes energéticas existentes, a energia nuclear é que permite a maior concentração de poder político e econômico nas mãos de uma pequena elite. Em virtude de sua tecnologia complexa, ela requer instituições altamente centralizadas e, por causa de seus aspectos militares, presta-se a um sigilo excessivo e ao uso extenso do poder policial. Todos os protagonistas da economia nuclear – os serviços de utilidade pública, os fabricantes de reatores e as *energy corporations** – se beneficiam de uma fonte de energia altamente centralizada e consumidora intensiva de capital. Eles investiram bilhões de dólares em tecnologia nuclear e continuam promovendo-a vigorosamente, apesar de seus problemas e riscos em constante aumento. Não estão dispostos a abandonar essa tecnologia, mesmo que sejam forçados a solicitar maciços subsídios dos contribuintes e a usar uma numerosa força policial para protegê-la. Como diz Ralph Nader, a energia nuclear tornou-se, sob muitos aspectos, o "Vietnã tecnológico" da América[14].

Nossa obsessão pelo crescimento econômico e pelo sistema de valores que lhe é subjacente criou um meio ambiente físico e mental no qual a vida se tornou extremamente insalubre. Talvez o aspecto mais trágico desse dilema social seja o fato de que os perigos à saúde criados pelo sistema econômico são causados não só pelo processo de produção, mas pelo consumo de muitos dos artigos que são produzidos e promovidos por campanhas maciças de publicidade para alimentar a expansão econômica. A fim de aumentar seus lucros num mercado saturado, os fabricantes têm de produzir seus artigos a um custo menor, e uma das formas de conseguir isso é rebaixar a qualidade dos produtos. Para satisfazer os fregueses, apesar de esses produtos serem de baixa qualidade, vastas somas de dinheiro são gastas para condicionar a opinião e o gosto do consumidor através da publicidade. Essa prática, que se converteu em parte integrante da nossa economia, acarreta um sério risco para a saúde, porque muitos dos artigos produzidos e vendidos desse modo têm um efeito direto sobre a nossa saúde.

A indústria de produtos alimentícios representa um notável exemplo dos riscos para a saúde gerados por interesses comerciais. Embora a nutrição represente uma das mais importantes influências sobre a nossa saúde, isso não é enfatizado em nosso sistema de assistência à saúde, e os médicos são notoriamente ignorantes quando se trata dessa questão. No entanto, as características básicas de uma dieta saudável são perfeitamente conhecidas[15]. Para ser saudável e nutritiva, nossa dieta alimentar deve ser bem balanceada, pobre em proteína animal e rica em carboidratos naturais, não refinados. Isso pode ser conseguido se nos apoiarmos em três alimentos básicos: cereais integrais, legumes e frutas. Ainda mais importantes que a composição detalhada da nossa dieta são os três requisitos seguintes: nossos alimentos devem ser *naturais*, consistindo em alimentos orgânicos em seu estado

---

* *Energy corporations* é uma expressão apropriada que Ralph Nader usa para descrever as companhias petrolíferas que ampliaram seus negócios a todos os ramos da indústria energética, incluindo o fornecimento de urânio e plutônio, numa tentativa de monopolização da produção de energia. (N. do A.)

natural e inalterado; devem ser *integrais*, completos e não refinados ou enriquecidos; e devem ser *isentos de venenos*, isto é, cultivados organicamente, sem resíduos químicos venenosos ou aditivos tóxicos. Esses requisitos dietéticos são extremamente simples e, no entanto, é quase impossível atender a eles no mundo de hoje.

Para expandir seus negócios, os fabricantes de produtos alimentícios adicionam conservantes ao alimento, a fim de aumentar sua vida nos pontos de venda; eles substituem saudáveis alimentos orgânicos por produtos sintéticos e tentam compensar a falta de conteúdo nutritivo adicionando sabores artificiais e corantes. Tais alimentos artificiais, superprocessados, são divulgados através de maciças campanhas publicitárias em *outdoors* e na televisão, juntamente com as bebidas alcoólicas e os cigarros, outro grande risco para a saúde. Uma enxurrada de "comerciais" nos impinge "sucata alimentar" – refrigerantes, sanduíches, alimentos com alto teor de gordura – comprovadamente nociva à saúde. Um estudo, recentemente realizado em Chicago, que analisou a publicidade das companhias de produtos alimentícios em quatro emissoras de televisão, concluiu que "durante a semana, mais de 70 por cento – e nos fins de semana, mais de 85 por cento – da publicidade de alimentos está negativamente relacionada com as necessidades de saúde da nação". Outro estudo apurou que mais de 50 por cento do dinheiro gasto em publicidade de alimentos na televisão é usado para promover artigos estreitamente associados aos mais significativos fatores de risco na dieta americana[16].

Para um grande número de pessoas em nossa cultura, os problemas de uma dieta pouco ou nada saudável são agravados pelo excessivo uso de drogas, médicas e não médicas. Embora o álcool continue causando mais problemas para a saúde individual e social do que todas as outras drogas combinadas, outros tipos de abuso de drogas converteram-se numa significativa ameaça à saúde pública. Nos Estados Unidos, só a aspirina é atualmente consumida à razão de 20 mil toneladas por ano, o que equivale a quase 225 comprimidos por pessoa[17]. Mas o maior problema de hoje é o excessivo uso de drogas receitadas. Suas vendas dispararam num ritmo sem precedente, especialmente nos últimos vinte anos, com um fortíssimo aumento registrado na prescrição de drogas psicofarmacológicas: tranquilizantes, sedativos, estimulantes e antidepressivos[18].

Os medicamentos podem ser extremamente úteis se usados com inteligência. Eles têm aliviado muita dor e sofrimento e ajudado muitos pacientes portadores de doenças degenerativas que, dez anos atrás, teriam sido muito mais infelizes. Ao mesmo tempo, inúmeras pessoas têm sido vítimas do uso excessivo ou do mau uso de remédios. O uso abusivo de remédios na medicina contemporânea baseia-se num modelo conceitual limitado de doença e é perpetuado pela poderosa indústria farmacêutica. O modelo biomédico de doença e o modelo econômico no qual os fabricantes de remédios baseiam seu negócio reforçam-se mutuamente porque ambos refletem a mesma abordagem reducionista da realidade. Em ambos os casos, um padrão complexo de fenômenos e valores é reduzido a um único aspecto preponderante.

A indústria farmacêutica é uma das indústrias cuja taxa de lucro permaneceu bastante alta durante as duas últimas décadas, superando as taxas de outras indústrias manufatureiras por margens significativas. Uma das características mais marcantes da indústria farmacêutica é a ênfase excessiva dada à diferenciação de produtos basicamente semelhantes. A pesquisa e o *marketing* dedicam-se, em elevado grau, ao desenvolvimento de drogas que são anunciadas como superiores e distintas, ainda que sejam praticamente similares a produtos concorrentes, e verbas gigantescas são investidas na publicidade e na promoção de certos remédios a fim de dispensar-lhes uma distinção que está muito longe de ter qualquer justificação científica[19]. Em consequência disso, o mercado está abarrotado de milhares de medicamentos similares, muitos dos quais pouco eficazes e de efeitos colaterais perniciosos.

É muito instrutivo estudar os métodos que a indústria farmacêutica usa para vender seus produtos[20]. Nos Estados Unidos, a indústria é controlada pela Pharmaceutical Manufacturers Association, órgão responsável pela coordenação da política da classe e que influencia quase todas as facetas do sistema médico. A PMA tem estreitos vínculos com a American Medical Association, e uma considerável parcela das receitas da AMA provém da publicidade em suas revistas médicas. A maior dessas publicações, em número de exemplares em circulação, é o *Journal of the American Medical Association*, cuja finalidade visível é manter os médicos informados acerca dos novos progressos na medicina, mas que, de fato, é dominado pelos interesses da indústria farmacêutica. O mesmo ocorre com a maioria das outras revistas médicas, as quais, de acordo com estimativas idôneas, recebem cerca de metade de suas receitas das contas de publicidade dos grandes laboratórios[21].

A forte dependência financeira que essas revistas profissionais têm da indústria – uma característica singular da profissão médica – afeta forçosamente sua política editorial. De fato, têm sido observados numerosos exemplos de conflito de interesses. Um deles envolveu um certo hormônio chamado Norlutin, que se comprovou ter efeitos nocivos sobre alguns fetos quando tomado durante a gravidez[22]. De acordo com um relatório publicado no número de março de 1960 do JAMA, esses efeitos colaterais do Norlutin ocorreram "com suficiente frequência para impedir seu uso ou publicidade como um hormônio seguro para ser tomado durante a gravidez". Contudo, no mesmo número e durante os três meses seguintes, a revista continuou publicando um anúncio de página inteira do Norlutin, sem referência alguma aos seus possíveis efeitos colaterais. Finalmente, o remédio foi retirado do mercado.

Esse não foi um caso isolado. A AMA tem sistematicamente deixado de informar os médicos acerca dos efeitos adversos de antibióticos, que são os medicamentos de que os médicos mais abusam e os mais perigosos para os pacientes. A prescrição desnecessária ou negligente de antibióticos resultou em milhares de mortes; no entanto, a AMA concede espaço publicitário ilimitado aos antibióticos, sem a mínima rejeição ou ressalva ao conteúdo dos anúncios. Essa publicidade irresponsável está certamente relacionada com o fato de que, depois dos sedativos e tranquilizantes, são os antibióticos que proporcionam a maior renda publicitária à American Medical Association.

A publicidade farmacêutica é especificamente planejada para induzir os médicos a receitar cada vez mais. É natural, portanto, que esses produtos sejam descritos como a solução ideal para uma grande variedade de problemas cotidianos. Situações de vida causadoras de estresse, com origens físicas, psicológicas ou sociais, são apresentadas como doenças suscetíveis de tratamento medicamentoso. Assim, os tranquilizantes são anunciados como remédios para a "depressão ambiental" ou o "desajustamento", e outros remédios são sugeridos como meios convenientes para "apaziguar" pacientes idosos ou crianças rebeldes em idade escolar. O tom de alguns desses anúncios, que são dirigidos à classe médica, é absolutamente horripilante para a pessoa leiga, sobretudo quando anunciam tratamentos para mulheres[23]. As mulheres são as maiores vítimas dos tratamentos medicamentosos; elas tomam mais de 60 por cento de todos os medicamentos psicoativos receitados e mais de 70 por cento de todos os antidepressivos. Os anúncios, com frequência, aconselham os médicos, em linguagem clamorosamente sexista, a livrar-se de suas pacientes dando-lhes tranquilizantes para queixas vagas, ou a receitar remédios para as mulheres cujo mal é estarem infelizes com seu papel na sociedade.

A influência dos laboratórios farmacêuticos sobre a assistência médica estende-se muito além da publicidade na imprensa especializada. Nos Estados Unidos, o *Physician's desk reference* é o mais popular livro sobre medicamentos e é consultado regularmente por mais de 75 por cento dos médicos. Enumera todos os medicamentos no mercado, com seus usos, dosagens recomendadas e efeitos colaterais. Entretanto, essa obra-padrão reduz-se a pouco mais do que publicidade pura e simples, uma vez que todo o seu conteúdo é preparado e pago pelas companhias de produtos farmacêuticos, e sua distribuição é gratuita para todos os médicos do país. Para a maioria dos médicos, a informação acerca de remédios disponíveis não é fornecida por farmacologistas independentes e objetivos, mas quase exclusivamente pelos produtores dos medicamentos, peritos na manipulação da opinião e profundamente conscientes da eficácia dos veículos de comunicação de massa. Podemos aferir a força dessa influência se notarmos como é raro os médicos usarem os termos químicos adequados quando se referem a medicamentos; em vez disso, usam – e assim promovem – os nomes comerciais criados pelos laboratórios farmacêuticos.

Ainda mais influente que sua publicidade em manuais e revistas é a capacidade de vendas da indústria farmacêutica. Para vender seus artigos, esses "propagandistas" saturam os médicos com sua conversa insinuante, além das pastas repletas de amostras e de todo o arsenal promocional imaginável. Muitas companhias oferecem aos médicos prêmios, presentes, bonificações e outras regalias na proporção do montante de medicamentos receitados – gravadores, calculadoras de bolso, lava-louças, geladeiras e aparelhos portáteis de TV[24]. Outras oferecem uma semana de "seminários educacionais" nas Bahamas com todas as despesas pagas. Foi calculado que as companhias farmacêuticas gastam, ao todo, uma média de 4 mil dólares por ano, por *médico*, em manobras promocionais[25], o que equivale a 65 por cento mais do que gastam em pesquisa e desenvolvimento.

A influência da indústria farmacêutica sobre a prática médica tem um interessante paralelo na influência da indústria petroquímica* sobre a agricultura e a lavoura. Os agricultores, tal como os médicos, lidam com organismos vivos que são seriamente afetados pela abordagem mecanicista e reducionista de nossa ciência e tecnologia. À semelhança do organismo humano, o solo é um sistema vivo que tem de permanecer em estado de equilíbrio dinâmico para ser saudável. Quando esse equilíbrio é perturbado, ocorre um crescimento patológico de certos componentes – bactérias ou células cancerosas no corpo humano, ervas daninhas ou pragas nos campos. A doença sobrevirá e, finalmente, o organismo morrerá ou se converterá em matéria inorgânica. Esses efeitos tornaram-se problemas graves na agricultura moderna por causa dos métodos de lavoura promovidos pelas companhias petroquímicas. Assim como a indústria farmacêutica condicionou médicos e pacientes para acreditarem que o corpo humano necessita de contínua supervisão médica e de tratamento medicamentoso a fim de permanecer saudável, também a indústria petroquímica levou os agricultores a acreditar que o solo necessita de infusões maciças de agentes químicos, supervisionadas por agrônomos e técnicos agrícolas, para se manter produtivo. Em ambos os casos, essas práticas perturbaram seriamente o equilíbrio natural do sistema vivo e geraram, portanto, numerosas doenças. Além disso, os dois sistemas estão diretamente re-

---

* Petroquímicos são os produtos químicos isolados ou derivados do petróleo. (N. do A.)

lacionados, e qualquer desequilíbrio no solo afetará o alimento que nele cresce e, por conseguinte, a saúde das pessoas que comem esse alimento.

Um solo fértil é um solo vivo que contém bilhões de organismos vivos em cada centímetro cúbico. É um complexo ecossistema em que as substâncias que são essenciais à vida passam em ciclos, das plantas para os animais, depois para as bactérias do solo e novamente para as plantas[26]. Carbono e nitrogênio são dois elementos químicos básicos que passam por esses ciclos ecológicos, além de muitos outros nutrientes químicos e minerais. A energia solar é o combustível natural que aciona os ciclos do solo, e organismos vivos de todos os tamanhos são necessários para sustentar o sistema todo e mantê-lo em equilíbrio. Assim, as bactérias executam várias transformações químicas, como o processo de fixação do nitrogênio, que torna os nutrientes acessíveis às plantas; as ervas daninhas de raízes profundas levam minerais residuais à superfície do solo, onde as culturas podem fazer uso deles; as minhocas revolvem o solo e afrouxam sua textura; todas essas atividades são interdependentes e combinam-se harmoniosamente para fornecer o alimento que sustenta toda a vida na terra.

A natureza básica do solo vivo requer uma agricultura que, em primeiro lugar e acima de tudo, preserve a integridade dos grandes ciclos ecológicos. Esse princípio estava consubstanciado nos métodos tradicionais de lavoura, os quais se baseavam num profundo respeito pela vida. Os agricultores costumavam desenvolver diferentes culturas a cada ano, alternando-as de modo que o equilíbrio do solo fosse preservado. Não eram necessários pesticidas, uma vez que os insetos atraídos para uma cultura desapareciam com a seguinte. Em vez de usarem fertilizantes químicos, os agricultores enriqueciam seus campos com estrume, devolvendo assim matéria orgânica ao solo para restabelecer o ciclo biológico.

Essa antiquíssima prática de lavoura ecológica mudou drasticamente há cerca de três décadas, quando os agricultores passaram dos produtos orgânicos para os sintéticos, que abriram vastos mercados para as companhias petroquímicas. Enquanto as companhias farmacêuticas manipulavam os médicos para receitar cada vez mais medicamentos, as companhias petroquímicas manipulavam os agricultores para que usassem cada vez mais produtos químicos. A indústria farmacêutica e a indústria petroquímica passaram a render muitos bilhões de dólares. Para os agricultores, o efeito imediato dos novos métodos de lavoura foi um aumento espetacular da produção agrícola, e a nova era da lavoura química foi saudada como a Revolução Verde. Contudo, o lado sombrio da nova tecnologia não tardou em evidenciar-se e, hoje, está provado que a Revolução Verde não ajudou os agricultores, nem a terra, nem os milhões de famintos do mundo inteiro. Os únicos que lucraram com isso foram as grandes companhias petroquímicas.

O uso maciço de fertilizantes e pesticidas químicos mudou toda a estrutura básica da agricultura e da lavoura. A indústria persuadiu os agricultores de que podiam lucrar muito desenvolvendo uma única cultura altamente lucrativa em campos imensos e controlando parasitas e pragas com produtos químicos. Os resultados dessa prática de monoculturas de uma única safra foram grandes perdas de variedade genética nos campos e, por conseguinte, altos riscos de grandes áreas de terras cultivadas serem destruídas por uma única praga. As monoculturas também afetaram a saúde das pessoas que vivem nas áreas agrícolas; essas pessoas já não eram capazes de obter uma dieta balanceada através de alimentos cultivados nas imediações e, assim, tornaram-se propensas a enfermidades.

Com os novos produtos químicos, a lavoura tornou-se mecanizada e passou a consumir muita energia, com ceifeiras-debulhadoras, alimentadores e sistemas de irrigação automatizados, e muitas outras máquinas economizadoras de mão de obra que executam o trabalho anteriormente realizado por milhões de pessoas. As limitadas noções de eficiência ajudaram a esconder as deficiências desses métodos de lavoura com uso intensivo de capital, na medida em que os agricultores foram seduzidos pelas maravilhas da tecnologia moderna. Ainda em 1970, um artigo na *National Geographic Magazine* apresentava a seguinte visão entusiástica e profundamente ingênua da agricultura do futuro:

> Os campos serão mais amplos, com menos árvores, cercas e caminhos. As máquinas, maiores e mais potentes. [...] Elas serão automatizadas, controladas por rádio, com circuitos internos de TV para permitir que um operador, sentado na varanda da frente de sua casa, monitore o que está acontecendo. [...] O controle do tempo poderá domesticar os perigos de tempestades de granizo e de furacões. [...] A energia atômica proporcionará força para terraplenar colinas ou assegurar o abastecimento de água proveniente do mar para irrigação[27].

A realidade, é claro, era muito menos encorajadora. Enquanto os agricultores americanos puderam triplicar suas safras de cereais por acre e, ao mesmo tempo, reduzir a mão de obra em dois terços, o montante de energia usada para produzir um acre de cereal quadruplicou. O novo estilo de lavoura favoreceu as grandes companhias agrícolas, com grandes capitais, e forçou a maioria dos agricultores tradicionais, com base na família, que não tinham meios para se mecanizar, a abandonar suas terras. Três milhões de fazendas americanas foram eliminadas desse modo desde 1945, com grandes contingentes de pessoas forçadas a deixar as áreas rurais e a juntar-se às massas de desempregados urbanos como vítimas da Revolução Verde[28].

Aqueles agricultores que puderam permanecer na terra tiveram que aceitar uma profunda transformação em sua imagem, seu papel e suas atividades. De cultivadores de alimentos comestíveis, que se orgulhavam de alimentar os povos do mundo, os agricultores converteram-se em produtores de matérias-primas industriais a serem transformadas em mercadorias destinadas à comercialização em massa. Assim, o milho é convertido em amido ou xarope; a soja converte-se em óleo, alimentos para cachorros ou concentrados de proteínas; a farinha de trigo é convertida em massas ou misturas empacotadas. Para o consumidor, o vínculo desses produtos com a terra quase desapareceu, e não surpreende que muitas crianças cresçam hoje acreditando que o alimento venha das prateleiras do supermercado.

A lavoura como um todo converteu-se numa indústria gigantesca, em que decisões-chave são tomadas por "agrocientistas" e transmitidas a "agroadministradores" ou "técnicos agrícolas" – os antigos agricultores – através de uma cadeia de agentes e vendedores. Assim, os agricultores perderam quase toda a sua liberdade e criatividade, e passaram a ser, na verdade, consumidores de técnicas de produção. Essas técnicas não se baseiam em considerações ecológicas, pois são forçadas, pelas conveniências do mercado, a voltar-se para tal ou tal mercadoria. Os agricultores já não podem cultivar ou criar aquilo que é mais indicado para determinado tipo de terra ou aquilo de que as pessoas necessitam; eles têm que plantar ou criar o que o mercado dita.

Nesse sistema industrializado, que trata a matéria viva como substância morta e usa animais como máquinas, encurralados ou engaiolados em galerias de alimentação automática, os processos usados na lavoura estão quase totalmente controlados pela indústria petroquímica. Os agricultores e fazendeiros recebem praticamente toda a sua informação sobre técnicas de lavoura e criação do setor de vendas da indústria, assim como a maioria dos médicos obtém suas informações sobre a terapia medicamentosa dos "propagandistas" da indústria farmacêutica. A informação sobre lavoura química está quase totalmente divorciada das reais necessidades da terra. Barry Commoner assinalou: "Quase podemos admirar a iniciativa e o talento para vendas da indústria petroquímica. Seja como for, ela conseguiu convencer o fazendeiro de que deveria renunciar à energia solar, grátis, que aciona os ciclos naturais e, em seu lugar, comprar toda a energia necessária – na forma de fertilizantes e combustíveis – da indústria petroquímica"[29].

Apesar dessa doutrinação maciça promovida pelas grandes companhias energéticas, muitos agricultores e fazendeiros preservaram sua intuição ecológica, transmitida de geração em geração. Esses homens e mulheres sabem que o método químico de lavoura é nocivo para a terra, mas são frequentemente forçados a adotá-lo porque toda a economia agrícola – estrutura tributária, sistema de crédito, sistema fundiário, etc. – foi estabelecida de um modo que não lhes permite opção. Para citar de novo Commoner, "as empresas gigantescas fizeram da América rural uma colônia delas"[30].

Não obstante, um número cada vez maior de agricultores e fazendeiros está tomando consciência dos riscos da lavoura química e voltando aos métodos orgânicos, ecológicos. Assim como existe um movimento das bases no campo da saúde, também há um movimento de baixo para cima na lavoura. Os novos agricultores orgânicos não usam fertilizantes sintéticos em suas plantações, e as alternam cuidadosamente, controlando as pragas com novos métodos ecológicos. Seus resultados têm sido impressionantes. Os alimentos que produzem são mais saudáveis e têm melhor sabor, ficando também provado que esse procedimento é mais produtivo que o de fazendas convencionais[31]. A nova lavoura orgânica despertou recentemente sério interesse nos Estados Unidos e em muitos países europeus.

Os efeitos a longo prazo da excessiva "quimioterapia" na agricultura provaram ser desastrosos para a saúde do solo e das pessoas, para as nossas relações sociais e para todo o ecossistema do planeta. Quando as mesmas culturas são plantadas e fertilizadas sinteticamente ano após ano, o equilíbrio do solo é perturbado. A quantidade de matéria orgânica diminui e, com ela, a capacidade do solo para reter a umidade. O conteúdo de humo é exaurido e a porosidade do solo se reduz. Essas mudanças na textura do solo acarretam uma série de consequências interligadas. A exaustão da matéria orgânica torna o solo estéril e seco; a água, ao correr por ele, não o penetra nem o umedece. O solo fica duro e compacto, o que obriga os agricultores a usar máquinas mais poderosas. Por outro lado, o solo estéril é mais suscetível de erosão eólica e hídrica, a qual está causando um prejuízo crescente. Por exemplo, metade do solo arável em Iowa desapareceu nos últimos 25 anos, e em 1976 dois terços dos condados agrícolas dos Estados Unidos foram considerados áreas de calamidade devido à seca. A chamada "seca", o "vento que esboroa a terra" ou o "inverno matador", tudo isso é consequência da esterilização do solo.

O uso maciço de fertilizantes químicos afetou seriamente o processo natural de fixação do nitrogênio ao danificar as bactérias do solo envolvidas nesse processo. Por consequência, as culturas estão perdendo sua capacidade de absorver os nutrientes do solo e ficando cada vez mais viciadas em produtos químicos sintéticos. Dado que sua eficiência na absorção de nutrientes por esse meio é muito inferior, nem todos os produtos químicos são absorvidos pela plantação, mas escorrem juntamente com a água ou são drenados dos campos em direção a rios e lagos.

O desequilíbrio ecológico causado pela monocultura e pelo uso excessivo de fertilizantes químicos resulta inevitavelmente em enorme recrudescimento de pragas e doenças, as quais os agricultores contra-atacam pulverizando as áreas plantadas com doses cada vez maiores de pesticidas; combatem, assim, os efeitos do abuso de produtos químicos pelo uso de mais produtos químicos. Entretanto, os pesticidas geralmente não conseguem destruir as pragas, porque estas tendem a se tornar imunes a esses produtos. Depois da Segunda Guerra Mundial, quando começou o uso maciço de pesticidas, as perdas de safras causadas por insetos não diminuíram; pelo contrário, quase dobraram. Além disso, muitas culturas são agora atacadas por novos insetos que nunca haviam sido considerados pragas anteriormente, pragas estas que estão ficando cada vez mais resistentes a todos os inseticidas[32].

Desde 1945, o emprego de fertilizantes químicos sextuplicou, e o uso de pesticidas nas lavouras americanas aumentou doze vezes. Ao mesmo tempo, o recrudescimento da mecanização e os percursos mais extensos para o transporte dos produtos agrícolas contribuíram para que a agricultura moderna dependa ainda mais da energia. Em consequência disso, 60 por cento dos custos do alimento são hoje custos de petróleo e seus derivados. Como disse sucintamente o fazendeiro Wes Jackson: "Transferimos literalmente a nossa base agrícola do solo para o petróleo"[33]. Quando a energia era barata, era fácil para a indústria petroquímica persuadir os agricultores a passarem da lavoura orgânica para a química, mas quando os custos do petróleo começaram a subir gradualmente, muitos agricultores deram-se conta de que não podiam continuar suportando os gastos com os produtos químicos de que tinham passado a depender. A cada ampliação da tecnologia agrícola, as dívidas dos agricultores também aumentavam. Na década de 1970, um banqueiro do Iowa comentou francamente: "Pergunto-me às vezes se o agricultor médio conseguirá livrar-se algum dia de suas dívidas"[34].

Se a Revolução Verde teve consequências desastrosas para o bem-estar dos agricultores e a saúde do solo, os riscos para a saúde humana não foram menos graves. O uso excessivo de fertilizantes e pesticidas fez com que grandes quantidades de agrotóxicos se infiltrassem no solo, contaminando o lençol de água e penetrando nos alimentos. Talvez metade dos pesticidas existentes no mercado contenha produtos derivados da destilação do petróleo que podem destruir o sistema imunológico natural do corpo. Outros contêm substâncias especificamente relacionadas com o câncer[35]. Entretanto, esses resultados alarmantes em nada afetaram a venda e o uso de fertilizantes e pesticidas. Alguns dos produtos químicos mais perigosos foram proibidos por lei nos Estados Unidos, mas as companhias petrolíferas continuam a vendê-los no Terceiro Mundo, onde a legislação é menos rigorosa, como ocorre com as companhias farmacêuticas, que aí vendem livremente medicamentos nocivos. No caso dos pesticidas, todas as populações são diretamente afetadas por essa prática imoral, porque os agrotóxicos retornam aos Estados Unidos nas frutas e nos legumes importados dos países do Terceiro Mundo[36].

Uma das principais justificações para a Revolução Verde foi o argumento de que a nova tecnologia agrícola era imprescindível para alimentar os povos famintos do mundo. Numa era de escassez, prosseguia o argumento, só um aumento substancial da produção resolveria o problema da fome, e só as agroempresas de porte estariam aptas a produzir mais alimento. Esse argumento ainda é usado, muito depois de uma pesquisa detalhada ter deixado bem claro que o problema da fome no mundo não é, em absoluto, um problema técnico; é social e político. Uma das mais lúcidas análises da relação entre as agroempresas e a fome mundial pode ser encontrada na obra de Francês Moore Lappé e Joseph Collins[37], fundadores do Institute for Food and Development Policy, em San Francisco. Extensas pesquisas levaram esses autores a concluir que a escassez de alimentos é um mito e que as agroempresas não resolvem o problema da fome; pelo contrário, elas o perpetuam e até o agravam. Sublinham eles que a questão central não é saber como a produção pode ser aumentada, mas, antes, conhecer o que é plantado e quem o come; e afirmam ainda que as respostas são formuladas por aqueles que controlam os recursos para a produção de alimentos. Introduzir meramente novas tecnologias num sistema desfigurado por desigualdades sociais nunca resolverá o problema da fome; pelo contrário, só o agravará. Com efeito, estudos do impacto da Revolução Verde sobre a fome no Terceiro Mundo confirmaram repetidamente o mesmo resultado paradoxal e trágico. Mais alimento está sendo produzido e, no entanto, mais pessoas passam fome. Moore Lappé e Collins assinalaram: "No Terceiro Mundo, como um todo, há mais alimento e menos o que comer".

As pesquisas codirigidas por Moore Lappé e Collins mostraram não existir um único país no mundo em que as populações não pudessem alimentar-se de seus próprios recursos, e que a totalidade de alimento produzido no mundo atualmente é suficiente para abastecer cerca de 8 bilhões de pessoas – mais que o dobro da população mundial – com uma dieta adequada. Nem a escassez de terra agrícola pode ser considerada uma causa da fome. Por exemplo, a China tem duas vezes mais pessoas por acre cultivado do que a Índia e, no entanto, não existe fome em grande escala na China. A desigualdade é o principal obstáculo a todas as tentativas atuais de combate à fome no mundo. A "modernização" agrícola – a lavoura mecanizada em grande escala – é altamente lucrativa para uma pequena elite, os novos "fazendeiros empresariais", e expulsa da terra milhões de pessoas. Assim, um número cada vez menor de pessoas está adquirindo cada vez mais o controle da terra. Depois de estabelecidos, esses grandes proprietários rurais deixam de cultivar alimentos de acordo com as necessidades locais e passam para as safras mais lucrativas destinadas à exportação, enquanto as populações locais morrem de fome. Exemplos dessa prática perversa abundam em todos os países do Terceiro Mundo. Na América Central, pelo menos metade da terra agrícola – e precisamente a mais fértil – é usada para culturas de exportação pagas à vista, enquanto 70 por cento das crianças estão subalimentadas. No Senegal, legumes para exportação para a Europa são cultivados nas melhores terras, enquanto a grande maioria das pessoas do campo passa fome. A terra fértil e rica do México, que antes produzia uma dúzia de alimentos locais, é agora usada para cultivar aspargos para os *gourmets* europeus. Outros latifundiários no México estão passando ao cultivo de uva para a produção de bebidas alcoólicas, enquanto os empresários da Colômbia deixaram de plantar trigo a fim de se dedicarem ao cultivo de cravos para exportação para os Estados Unidos.

    A fome mundial só poderá ser vencida se houver uma transformação nas relações sociais, de tal modo que a desigualdade seja reduzida em todos os níveis. O problema primordial não é a redistribuição de alimentos, mas a redistribuição do controle sobre os recursos agrícolas. Somente quando esse controle estiver democratizado, os famintos estarão aptos a consumir o que é produzido. Muitos países provaram que mudanças sociais desse tipo podem ser bem-sucedidas. De fato, 40 por cento da população do Terceiro Mundo vive hoje em países onde a fome foi eliminada através da luta e do esforço comuns. Esses países não usam a agricultura como meio para obter lucros através da exportação; pelo contrário, usam-na para produzir primeiro alimentos para si próprios. Tal política de "primeiro os alimentos" requer, como enfatizaram Moore Lappé e Collins, que as culturas industriais só sejam plantadas depois de satisfeitas as necessidades básicas das populações, e que o comércio externo de produtos agrícolas seja considerado uma extensão das necessidades internas, em vez de ser determinado estritamente pela demanda do mercado externo.

    Ao mesmo tempo, nós, que vivemos em países industrializados, teremos que entender que nossa própria segurança alimentar não está sendo ameaçada pelas massas famintas do Terceiro Mundo, e sim pelas grandes empresas agrícolas e de produtos alimentícios, que perpetuam essa fome maciça. As multinacionais agropecuárias estão agora em um processo de criação de um sistema agrícola mundial único, de acordo com o qual estarão aptas a controlar todas as fases de produção de alimentos no mundo inteiro e a manipular a oferta de alimentos e os preços através de práticas monopolísticas bem estabelecidas. Esse processo encontra-se hoje em pleno curso. Nos Estados Unidos, quase 90 por cento da produção de hortigranjeiros é controlada por grandes companhias de processamento, e muitos agricultores não têm outra alternativa senão assinar contratos com elas ou ser afastados do negócio.

O controle mundial da produção de alimentos pelas grandes empresas tornaria definitivamente impossível eliminar a fome. Estabeleceria, de fato, um Supermercado Global em que os pobres do mundo estariam em competição direta com as classes abastadas e jamais conseguiriam alimentar-se. Essa situação já pode ser observada em muitos países do Terceiro Mundo, onde muitas pessoas passam fome, embora haja alimentos sendo cultivados abundantemente no próprio local onde elas vivem. Os próprios governos desses países oferecem subsídios para a produção desses alimentos, e essas pessoas podem até cultivá-los e colhê-los, mas nunca os comerão, porque não têm meios para adquiri-los pelos preços resultantes da concorrência internacional.

Em seus esforços contínuos para expandir e aumentar seus lucros, as grandes agroempresas, além de perpetuarem a fome no mundo, mostram-se extremamente irresponsáveis com relação ao meio ambiente natural, a ponto de criarem sérias ameaças ao ecossistema global. Por exemplo, empresas multinacionais gigantescas, como a Goodyear, a Volkswagen e a Nestlé, estão atualmente desmatando com buldôzeres centenas de milhões de acres na bacia do rio Amazonas, no Brasil, a fim de criarem gado para exportação. As consequências ambientais do desmatamento de tão vastas áreas de floresta tropical serão certamente desastrosas. Os ecologistas advertem que a ação das chuvas tropicais torrenciais e do sol equatorial pode deflagrar reações em cadeia suscetíveis de alterar significativamente o clima no mundo inteiro.

Portanto, as grandes empresas agropecuárias arruínam o solo de que depende nossa própria existência, perpetuam a injustiça social e a fome no mundo, e ameaçam seriamente o equilíbrio ecológico global. Uma atividade que era originalmente dedicada a alimentar e sustentar a vida converteu-se num importante risco para a saúde individual, social e ecológica.

Quanto mais estudamos os problemas sociais do nosso tempo, mais nos apercebemos de que a visão mecanicista do mundo e o sistema de valores que lhe está associado geraram tecnologia, instituições e estilos de vida profundamente patológicos. Muitos desses riscos para a saúde são ainda mais agravados pelo fato de que nosso sistema de assistência à saúde é incapaz de enfrentá-los adequadamente, por causa de sua adesão ao mesmo paradigma que está perpetuando as causas da saúde precária. A atual assistência à saúde está reduzida à assistência médica dentro da estrutura biomédica, isto é, concentra-se na medicina de base hospitalar e dependente da orientação dos grandes laboratórios farmacêuticos. A assistência à saúde e a prevenção de doenças são tratadas como dois problemas distintos; por conseguinte, os profissionais da saúde pouco fazem no sentido de apoiar a política ambiental e social diretamente relacionada com a saúde pública.

As deficiências do nosso atual sistema de assistência à saúde resultam da sutil interação de duas tendências, ambas examinadas em detalhe nos capítulos anteriores. Uma é a adesão à estreita estrutura biomédica, na qual é sistematicamente negada a importância dos aspectos não biológicos para a compreensão da doença. A outra tendência, não menos importante, é o empenho da indústria da saúde no crescimento econômico e institucional e na obtenção de poder político, tendo para isso investido maciçamente numa tecnologia decorrente da concepção reducionista de doença. O sistema norte-americano de assistência à saúde consiste num vasto conglomerado de instituições poderosas, criadas pelo crescimento econômico e desprovidas de quaisquer incentivos eficazes para manter em níveis baixos os custos da saúde[38]. O sistema é dominado pelas mesmas forças empresariais e financeiras que modelaram os outros setores da economia, forças estas que não estão primordialmente interessadas na saúde pública, mas que controlam praticamente todas as facetas da assistência à saúde – a estrutura do seguro de saúde, a administração de hospitais, a fabricação, promoção e propaganda de produtos farmacêuticos, a orientação da pesquisa e da educação médicas e o reconhecimento e licenciamento de terapeutas não médicos. O domínio dos valores empresariais nesse sistema é evidente nos debates atuais sobre seguro nacional de saúde, nos quais os modelos básicos de poder nunca são questionados. É por isso que nenhum dos planos atualmente em discussão terá possibilidade de satisfazer às necessidades da população norte-americana, no tocante à saúde. Como foi assinalado num estudo sobre a assistência à saúde nos Estados Unidos, "assim como as verbas federais para a defesa subsidiam o complexo industrial-militar, o seguro nacional de saúde subsidiará o complexo médico-industrial"[39].

A finalidade da indústria da saúde tem sido converter a assistência à saúde numa mercadoria que pode ser vendida aos consumidores de acordo com as regras da economia de "mercado livre". Para esse fim, o sistema de "fornecimento de assistência à saúde" foi estruturado e organizado à imagem e semelhança das grandes indústrias manufatureiras. Em vez de incentivar a assistência à saúde em pequenos centros comunitários, onde ela pode ser adaptada às necessidades individuais e exercida com ênfase na profilaxia e na educação sanitária, o sistema atual favorece uma abordagem altamente centralizada e com intensivo consumo de tecnologia, o que é lucrativo para a indústria, mas dispendioso e nocivo para os pacientes.

A "instituição da saúde" de nossos dias investe maciçamente no *status quo* e opõe-se com vigor a qualquer revisão fundamental da assistência à saúde. Ao controlar efetivamente o ensino, a pesquisa e a prática médicas, essa indústria tenta suprimir todo e qualquer incentivo a qualquer mudança e empenha-se em tornar a atual abordagem intelectual e financeiramente compensadora para a elite médica que dirige a prática da assistência à saúde. Entretanto, os problemas dos crescentes custos médico-hospitalares, os ganhos decrescentes resultantes da assistência médica e a evidência crescente de que fatores ambientais, ocupacionais e sociais são as causas primárias de saúde precária forçarão inevitavelmente uma mudança. De fato, essa mudança já começou e está rapidamente ganhando impulso. O movimento holístico da saúde está ativo dentro e fora do sistema médico, e é apoiado e complementado por outros movimentos populares – grupos de defesa do meio ambiente, organizações antinucleares, grupos de defesa do consumidor, movimentos de liberação social – que compreenderam as influências ambientais e sociais sobre a saúde e estão comprometidos em opor-se e em impedir a criação de riscos para a saúde através da ação política. Todos esses movimentos subscrevem uma visão holística e ecológica da vida, rejeitando o sistema de valores que domina nossa cultura e é perpetuado por nossas instituições sociais e políticas. A nova cultura que está emergindo compartilha uma visão de realidade que ainda está sendo discutida e explorada, mas que se consolidará finalmente como um novo paradigma, destinado a eclipsar a visão de mundo cartesiana em nossa sociedade.

Nos capítulos seguintes, tentarei descrever uma estrutura conceitual coerente, baseada na nova visão da realidade. Espero, assim, ajudar os vários movimentos dessa cultura nascente a tomar consciência de suas bases comuns. A nova estrutura será profundamente ecológica, compatível com as concepções de muitas culturas tradicionais e com os conceitos e teorias da física moderna. Como físico, considero gratificante observar que a visão de mundo da física moderna está tendo um forte impacto sobre as outras ciências, além de possuir o potencial para ser terapêutica e culturalmente unificadora.

IV
A nova visão da realidade

9. A concepção sistêmica da vida

A nova visão da realidade, de que vimos falando, baseia-se na consciência do estado de inter-relação e interdependência essencial de todos os fenômenos – físicos, biológicos, psicológicos, sociais e culturais. Essa visão transcende as atuais fronteiras disciplinares e conceituais e será explorada no âmbito de novas instituições. Não existe, no presente momento, uma estrutura bem estabelecida, conceitual ou institucional, que acomode a formulação do novo paradigma, mas as linhas mestras de tal estrutura já estão sendo formuladas por muitos indivíduos, comunidades e organizações que estão desenvolvendo novas formas de pensamentos e que se estabelecem de acordo com novos princípios.

Nessa situação, parece-nos extremamente fecundo que se desenvolva uma abordagem *bootstrap*, semelhante àquela que a física contemporânea desenvolveu. Isso significará a formulação gradual de uma rede de conceitos e modelos interligados e, ao mesmo tempo, o desenvolvimento de organizações sociais correspondentes. Nenhuma teoria ou modelo será mais fundamental do que o outro, e todos eles terão que ser compatíveis. Eles ultrapassarão as distinções disciplinares convencionais, qualquer que seja a linguagem comprovadamente adequada para descrever diferentes aspectos da estrutura inter-relacionada e de múltiplos níveis da realidade. Do mesmo modo, nenhuma das novas instituições sociais será superior ou mais importante do que qualquer uma das outras, e todas elas terão que estar conscientes umas das outras e se comunicar e cooperar entre si.

Nos capítulos seguintes, analisarei alguns conceitos, modelos e organizações desse tipo que surgiram recentemente, e tentarei mostrar como se ajustam conceitualmente. Quero concentrar-me especialmente nas abordagens pertinentes à saúde individual e social. Como o próprio conceito de saúde depende fundamentalmente da concepção que se tenha dos organismos vivos e de suas relações com o meio ambiente, esta apresentação do novo paradigma começará com um exame da natureza dos organismos vivos.

A maior parte da biologia e da medicina contemporâneas tem uma visão mecanicista da vida e tenta reduzir o funcionamento dos organismos vivos a mecanismos celulares e moleculares bem definidos. A concepção mecanicista é justificada, em certa medida, pelo fato de os organismos vivos agirem, em parte, como máquinas. Eles desenvolveram uma grande variedade de peças e mecanismos semelhantes a máquinas – ossos, músculos, circulação sanguínea, etc. –, provavelmente porque o funcionamento mecânico era vantajoso para sua evolução. Isso não significa, porém, que os organismos vivos *sejam* máquinas. Os mecanismos biológicos são apenas exemplos especiais de princípios muito mais amplos de organização; de fato, nenhuma operação de qualquer organismo consiste inteiramente em tais mecanismos. A ciência biomédica, na esteira de Descartes, concentrou-se excessivamente nas propriedades mecânicas da matéria viva e negligenciou o estudo de sua natureza de organismo, ou sistêmica. Embora o conhecimento dos aspectos celulares e moleculares das estruturas biológicas continue sendo importante, só chegaremos a uma compreensão mais completa da vida mediante a elaboração de uma "biologia de sistemas", uma biologia que veja um organismo como um sistema vivo e não como uma máquina.

A concepção sistêmica vê o mundo em termos de relações e de integração[1]. Os sistemas são totalidades integradas, cujas propriedades não podem ser reduzidas às de unidades menores. Em vez de se concentrar nos elementos ou substâncias básicas, a abordagem sistêmica enfatiza princípios básicos de organização. Os exemplos de sistemas são abundantes na natureza. Todo e qualquer organismo – desde a menor bactéria até os seres humanos, passando pela imensa variedade de plantas e animais – é uma totalidade integrada e, portanto, um sistema vivo. As células são sistemas vivos, assim como os vários tecidos e órgãos do corpo, sendo o cérebro humano o exemplo mais complexo. Mas os sistemas não estão limitados a organismos individuais e suas partes. Os mesmos aspectos de totalidade são exibidos por sistemas sociais – como o formigueiro, a colmeia ou uma família humana – e por ecossistemas que consistem numa variedade de organismos e matéria inanimada em interação mútua. O que se preserva numa região selvagem não são árvores ou organismos individuais, mas a teia complexa de relações entre eles.

Todos esses sistemas naturais são totalidades cujas estruturas específicas resultam das interações e interdependência de suas partes. A atividade dos sistemas envolve um processo conhecido como transação – a interação simultânea e mutuamente interdependente entre componentes múltiplos[2]. As propriedades sistêmicas são destruídas quando um sistema é dissecado, física ou teoricamente, em elementos isolados. Embora possamos discernir partes individuais em qualquer sistema, a natureza do todo é sempre diferente da mera soma de suas partes.

Outro aspecto importante dos sistemas é sua natureza intrinsecamente dinâmica. Suas formas não são estruturas rígidas, mas manifestações flexíveis, embora estáveis, de processos subjacentes. Nas palavras de Paul Weiss,

> As características de ordem, manifestadas na forma particular de uma estrutura e na organização e distribuição regular de suas subestruturas, nada mais são do que o indicador visível de regularidades da dinâmica subjacente que operam no seu domínio. [...] A forma viva deve ser vista, essencialmente, como um indicador manifesto da (ou uma pista para a) dinâmica dos processos formativos subjacentes[3].

Essa descrição de abordagem sistêmica soa de um modo muito semelhante à descrição da física moderna num capítulo anterior. Com efeito, a "nova física", especialmente sua abordagem *bootstrap*, está muito próxima da teoria geral dos sistemas. Ela enfatiza mais as relações do que as entidades isoladas e, tal como a perspectiva sistêmica, percebe que essas relações são inerentemente dinâmicas. O pensamento sistêmico é pensamento de processo; a forma torna-se associada ao processo, a inter-relação à interação, e os opostos são unificados através da oscilação.

O surgimento de padrões orgânicos é fundamentalmente diferente do empilhamento de blocos de construção, ou da fabricação de um produto mecânico em etapas precisamente programadas. Não obstante, cumpre entender que também essas operações ocorrem em sistemas vivos. Embora sejam de uma natureza mais especializada e secundária, as operações do tipo mecânico ocorrem em todo o mundo vivo. A descrição reducionista de organismos pode, portanto, ser útil e, em alguns casos, necessária. Ela só é perigosa quando interpretada como se fosse a explicação completa. Reducionismo e holismo, análise e síntese, são enfoques complementares que, usados em equilíbrio adequado, nos ajudam a chegar a um conhecimento mais profundo da vida.

Isso posto, podemos agora abordar a questão da natureza dos organismos vivos, e nesse ponto será útil examinar as diferenças essenciais entre um organismo e uma máquina. Comecemos por especificar de que espécie de máquina estamos falando. As modernas máquinas cibernéticas* exibem várias propriedades características dos organismos, de modo que a distinção entre máquina e organismo

---

* Cibernética, do grego *kybernan*, "governar", é o estudo do controle e da autorregulação de máquinas e organismos vivos. (N. do A.)

se torna muito sutil. Mas não foram estas as máquinas que serviram de modelo para a filosofia mecanicista da ciência do século XVII. Na concepção de Descartes e de Newton, o mundo era uma máquina do século XVII, essencialmente um mecanismo de relógio. É esse o tipo de máquina que temos em mente quando comparamos seu funcionamento com o de organismos vivos.

A primeira diferença óbvia entre máquinas e organismos é o fato de que as máquinas são construídas, ao passo que os organismos crescem. Essa diferença fundamental significa que a compreensão de organismos deve ser orientada para o processo. Por exemplo, é impossível transmitir uma imagem acurada de uma célula por meio de desenhos estáticos ou descrevendo a célula em termos de formas estáticas. As células, como todos os sistemas vivos, têm que ser entendidas em termos de processos que refletem a organização dinâmica do sistema. Se as atividades de uma máquina são determinadas por sua estrutura, a relação inverte-se nos organismos – a estrutura orgânica é determinada por processos.

As máquinas são construídas reunindo-se e montando-se um número bem definido de peças de modo preciso e previamente estabelecido. Os organismos, por outro lado, mostram um elevado grau de flexibilidade e plasticidade internas. O formato de seus componentes pode variar dentro de certos limites, e não há dois organismos que tenham peças rigorosamente idênticas. Embora o organismo como um todo exiba regularidades e tipos de comportamento bem definidos, as relações entre suas partes não são rigidamente determinadas. Como Weiss mostrou em exemplos variados e impressionantes, o comportamento das partes individuais pode, de fato, ser tão singular e irregular que não apresenta qualquer sinal de relevância no que se refere à ordem de todo o sistema[4]. Essa ordem resulta de atividades coordenadoras que não constrangem rigidamente as partes, mas deixam margem para variação e flexibilidade, e é essa flexibilidade que habilita os organismos vivos a adaptarem-se a novas circunstâncias.

As máquinas funcionam de acordo com cadeias lineares de causa e efeito, e quando sofrem uma avaria pode ser usualmente identificada uma causa única para tal defeito. Em contrapartida, o funcionamento dos organismos é guiado por modelos cíclicos de fluxo de informação, conhecidos por laços de realimentação (*feedback loops*). Por exemplo, o componente A pode afetar o componente B; B pode afetar C; e C pode "realimentar" A e assim fechar o circuito. Quando tal sistema sofre uma avaria, esta é usualmente causada por múltiplos fatores que podem ampliar-se reciprocamente através de laços interdependentes de realimentação. De modo geral, é irrelevante saber qual desses fatores foi a causa inicial do colapso.

Esse estado de interligação não linear dos organismos vivos indica que as tentativas convencionais da ciência biomédica de associar doenças a causas únicas são muito problemáticas. Além disso, mostra a falácia do "determinismo genético", a crença em que as várias características físicas ou mentais de um organismo individual são "controladas" ou "ditadas" por sua constituição genética. A perspectiva sistêmica deixa bem claro que os genes não são os determinantes exclusivos do funcionamento de um organismo, tal como os dentes e as rodas determinam o funcionamento de um relógio. Os genes são, outrossim, partes integrantes de um todo ordenado e, portanto, adaptam-se à sua organização sistêmica.

A plasticidade e a flexibilidade internas dos sistemas vivos, cujo funcionamento é controlado mais por relações dinâmicas do que por rígidas estruturas mecânicas, dão origem a numerosas propriedades características que podem ser vistas como aspectos diferentes do mesmo princípio dinâmico – o princípio de auto-organização[5]. Um organismo vivo é um sistema auto-organizador, o que significa que sua ordem em estrutura e função não é imposta pelo meio ambiente, mas estabelecida pelo próprio sistema. Os sistemas auto-organizadores exibem um certo grau de autonomia; por exemplo, eles tendem a estabelecer seu tamanho de acordo com princípios internos de organização, independentemente de influências ambientais. Isso não significa que os sistemas vivos estejam isolados do seu meio ambiente; pelo contrário, interagem continuamente com ele, mas essa interação não determina sua organização. Os dois principais fenômenos dinâmicos da auto-organização são a autorrenovação – a capacidade dos sistemas vivos de renovar e reciclar continuamente seus componentes, sem deixar de manter a integridade de sua estrutura global – e a autotranscendência – a capacidade de se dirigir criativamente para além das fronteiras físicas e mentais nos processos de aprendizagem, desenvolvimento e evolução.

A relativa autonomia dos sistemas auto-organizadores projeta nova luz sobre a velha questão filosófica do livre-arbítrio. Do ponto de vista sistêmico, determinismo e liberdade são conceitos relativos. Na medida em que um sistema é autônomo em relação ao seu meio ambiente, ele é livre; na medida em que depender dele, através de interação contínua, sua atividade será modelada por influências ambientais. A relativa autonomia dos organismos geralmente aumenta com sua complexidade, e atinge o auge nos seres humanos.

Esse conceito relativo de livre-arbítrio parece ser compatível com os pontos de vista das tradições místicas que exortam seus adeptos a transcender a noção de um "eu" isolado e a tomar consciência de que somos partes inseparáveis do cosmo em que estamos inseridos. O objetivo dessas tradições é o completo desprendimento de todas as sensações do ego e, em experiência mística, a obtenção da fusão com a totalidade do cosmo. Uma vez alcançado esse estado, a questão do livre-arbítrio parece perder todo o seu significado. Se eu *sou* o universo, não pode haver influências "exteriores" e todas as minhas ações são espontâneas e livres. Portanto, do ponto de vista dos místicos, a noção de livre-arbítrio é relativa, limitada e – como eles diriam – ilusória, como todos os outros conceitos que usamos em nossas descrições racionais da realidade.

Para manterem sua auto-organização, os organismos vivos têm que permanecer num estado especial difícil de ser descrito em termos convencionais. A comparação com máquinas ajudará de novo. Um mecanismo de relógio, por exemplo, é um sistema relativamente isolado que exige energia para funcionar, mas que não precisa necessariamente interagir com seu meio ambiente para manter-se em funcionamento. Como todos os sistemas isolados, continuará a funcionar de acordo com a segunda lei da termodinâmica, da ordem para a desordem, até atingir um estado de equilíbrio em que todos os processos – movimento, troca de calor, etc. – cessarão. Os organismos vivos funcionam de um modo muito diferente. São sistemas abertos, o que significa que têm de manter uma contínua troca de energia e matéria com seu meio ambiente a fim de permanecerem vivos. Essa troca envolve a assimilação de estruturas ordenadas, como o alimento, decompondo-as e usando alguns de seus componentes para manter ou mesmo aumentar a ordem do organismo. Esse processo é conhecido como metabolismo. Permite que o sistema permaneça num estado de não equilíbrio, no qual está sempre "em atividade". Um alto grau de não equilíbrio é absolutamente necessário para a auto-organização; os organismos vivos são sistemas abertos que operam continuamente, sem qualquer equilíbrio.

Ao mesmo tempo, esses sistemas auto-organizadores possuem um alto grau de estabilidade, e é aí que esbarramos em dificuldades com a linguagem convencional. Os significados que o dicionário dá para a palavra "estável" incluem "fixo", "não flutuante", "inalterável" e "permanente", todos adjetivos inadequados para se descrever os organismos. A estabilidade de sistemas auto-organizadores é profundamente dinâmica e não deve ser confundida com equilíbrio. Consiste em manter a mesma estrutura global, apesar de mudanças e substituições contínuas de seus componentes. Uma célula, por exemplo, segundo Weiss, "retém sua identidade de um modo muito mais conservador e permanece muito mais semelhante a si mesma de momento para momento, assim como a qualquer outra célula da mesma estirpe, do que jamais poderíamos prever pelo conhecimento exclusivo do seu inventário de moléculas, macromoléculas e organelas, o qual está sujeito a uma incessante mudança, recombinação e fragmentação de sua população"[6]. Pode-se dizer o mesmo a respeito de organismos humanos. Substituímos todas as nossas células, exceto as do cérebro, num prazo de poucos anos; no entanto, não temos dificuldade em reconhecer nossos amigos mesmo depois de longos períodos de separação. Tal é a estabilidade dinâmica dos sistemas auto-organizadores.

O fenômeno de auto-organização não está limitado à matéria viva, mas ocorre também em certos sistemas químicos amplamente estudados pelo físico-químico Iliá Prigogin, laureado com o prêmio Nobel, e que desenvolveu uma detalhada teoria dinâmica para descrever o comportamento desses sistemas[7]. Prigogin chamou a esses sistemas "estruturas dissipativas", para expressar o fato de que mantêm e desenvolvem uma estrutura mediante a decomposição de outras estruturas no processo de metabolismo, criando assim entropia – desordem –, subsequentemente dissipada na forma de produtos residuais degradados. As estruturas químicas dissipativas exibem a dinâmica da auto-organização em sua forma mais simples, manifestando a maioria dos fenômenos característicos da vida – autorrenovação, adaptação, evolução e até formas primitivas de processos "mentais". A única razão pela qual não são consideradas vivas é que não se reproduzem nem formam células. Assim, esses intrigantes sistemas representam um elo entre matéria animada e inanimada. Se são chamados ou não de organismos vivos é, em última análise, uma questão de convenção.

A autorrenovação é um aspecto essencial dos sistemas auto-organizadores. Enquanto uma máquina é construída para produzir um produto específico ou executar uma tarefa específica determinada por aquele que a construiu, um organismo está empenhado primordialmente em renovar-se; as células dividem-se e constroem estruturas, e os tecidos e órgãos substituem suas células em ciclos contínuos. Assim, o pâncreas substitui a maioria de suas células de 24 em 24 horas; o revestimento do estômago é substituído de três em três dias; nossos leucócitos são renovados em dez dias, e 98 por cento da proteína do cérebro é refeita em menos de um mês. Todos esses processos são regulados de modo que o padrão geral do organismo seja preservado, e essa notável capacidade de automanutenção persiste em uma grande variedade de circunstâncias, incluindo a mudança de condições ambientais e muitas espécies de interferência. Uma máquina enguiçará se suas peças não funcionarem da maneira rigorosamente predeterminada, mas um organismo manterá seu funcionamento num ambiente variável, mantendo-se em condição operacional e regenerando-se através da cura e da regeneração. O poder de regeneração das estruturas orgânicas diminui com a crescente complexidade do organismo. Planárias, pólipos e estrelas-do-mar podem regenerar seu corpo quase inteiramente, a partir de um pequeno fragmento; lagartos, salamandras, caranguejos, lagostas e muitos insetos são capazes de renovar um órgão ou membro perdido; e animais superiores, incluindo os humanos, podem renovar tecidos e assim curar ferimentos.

Ainda que sejam capazes de se manter e se regenerar, os organismos complexos não podem funcionar indefinidamente. Eles se deterioram gradualmente no processo de envelhecimento e, finalmente, sucumbem por exaustão, mesmo quando relativamente pouco afetados. Para sobreviver, essas espécies desenvolveram como que uma "superoficina"[8]. Em vez de substituírem as partes danificadas ou gastas, substituem o organismo todo. Este, evidentemente, é o fenômeno da reprodução, característico de toda vida.

As flutuações desempenham um papel central na dinâmica da automanutenção. Qualquer sistema vivo pode ser descrito em termos de variáveis interdependentes, cada uma das quais pode variar numa ampla faixa entre um limite superior e um inferior. Todas as variáveis oscilam entre esses limites, de modo que o sistema se encontra em estado de contínua flutuação, mesmo quando não existe qualquer perturbação. Tal estado é conhecido como homeostase. É um estado de equilíbrio dinâmico, transacional, em que existe grande flexibilidade; em outras palavras, o sistema tem um grande número de opções para interagir com seu meio ambiente. Quando ocorre alguma perturbação, o organismo tende a regressar ao seu estado original, e o faz adaptando-se de várias maneiras às mudanças ambientais. Os mecanismos de realimentação entram em ação e tendem a reduzir qualquer desvio do estado de equilíbrio. Por causa desses mecanismos reguladores, também conhecidos como de realimentação negativa (*negative feedback*), a temperatura do corpo, a pressão sanguínea e muitas outras condições importantes dos organismos superiores permanecem relativamente constantes mesmo quando o meio ambiente muda de forma considerável. Entretanto, a realimentação negativa é apenas um aspecto de auto-organização através de flutuações. O outro aspecto é a realimentação positiva (*positive feedback*), que consiste em ampliar certos desvios em vez de os amortecer. Veremos que esse fenômeno tem um papel crucial nos processos de desenvolvimento, aprendizagem e evolução.

A capacidade de adaptação a um meio ambiente variável é uma característica essencial dos organismos vivos e dos sistemas sociais. Os organismos superiores são, em geral, capazes de três tipos de adaptação, que entram sucessivamente em ação durante prolongadas mudanças ambientais[9]. Uma pessoa que sobe do nível do mar para uma grande altitude pode começar a arquejar e seu coração pode se acelerar. Essas mudanças são rapidamente reversíveis; a descida no mesmo dia fará com que desapareçam de imediato. Mudanças adaptativas desse gênero são parte do fenômeno do estresse, que consiste em deslocar uma ou muitas variáveis do organismo aos seus valores extremos. Por conseguinte, o sistema como um todo será rígido com relação a essas variáveis e, assim, incapaz de adaptar-se ao estresse adicional. Por exemplo, a uma grande altitude a pessoa não será capaz de subir uma escada correndo. Além disso, como todas as variáveis no sistema estão interligadas, a rigidez em uma delas afetará também as outras, e a perda de flexibilidade propagar-se-á por todo o sistema.

Se a mudança ambiental persiste, o organismo passa por um processo adicional de adaptação. Complexas mudanças fisiológicas têm lugar entre os componentes mais estáveis do sistema para absorver o impacto ambiental e restabelecer a flexibilidade. Assim, a uma grande altitude, a pessoa estará de novo apta a respirar normalmente após um certo período de tempo e a usar seu mecanismo de arquejo para se ajustar a outras emergências que, caso contrário, poderiam ser fatais. Essa forma de adaptação é conhecida como mudança somática*. Aclimatação, formação de hábitos e gostos constituem aspectos especiais desse processo.

Através das mudanças somáticas, o organismo recupera parte de sua flexibilidade ao substituir uma mudança mais profunda e mais duradoura por outra mais superficial e reversível. Tal adaptação será realizada de um modo relativamente lento e sua reversão será mais vagarosa. Entretanto, mudanças somáticas são ainda reversíveis. Isso significa que vários circuitos do sistema biológico devem estar disponíveis para tal reversão, durante todo o tempo em que a mudança é mantida. Tal carga prolongada dos circuitos limitará a liberdade do organismo para controlar outras funções, reduzindo, portanto, sua flexibilidade. Embora o sistema seja mais flexível depois da mudança somática do que era antes, quando estava sob tensão, ele ainda é menos flexível do que antes de ter ocorrido a tensão original. A mudança somática, portanto, interioriza a tensão ou o estresse, e sua acumulação interiorizada poderá, finalmente, levar à doença.

A terceira espécie de adaptação possível dos organismos vivos consiste na adaptação das espécies ao processo de evolução. As mudanças ocasionadas por mutação, também conhecidas como mudanças genotípicas**, são totalmente diferentes das mudanças somáticas. Através da mudança genotípica, uma espécie adapta-se ao meio ambiente alterando a faixa de variação de algumas de suas variáveis, notadamente daquelas que resultam nas mudanças mais econômicas. Por exemplo, quando o clima fica mais frio, crescem pelos mais espessos nos animais; desse modo, eles não têm mais que ficar simplesmente correndo de um lado para outro a fim de se manter aquecidos. A mudança genotípica propicia mais flexibilidade do que a mudança somática. Como cada célula contém uma cópia da nova

---

* Somático significa "corporal", do grego *soma*, "corpo". (N. do A.)
** Genótipo é um termo técnico referente à constituição genética de um organismo; mudanças genotípicas são mudanças na constituição genética. (N. do A.)

informação genética, ela se comportará de maneira modificada sem precisar de quaisquer mensagens dos tecidos e órgãos circundantes. Assim, mais circuitos do sistema permanecerão abertos e a flexibilidade global será aumentada. Por outro lado, a mudança genotípica é irreversível dentro do tempo de vida de um indivíduo.

Os três modos de adaptação caracterizam-se por uma crescente flexibilidade e uma decrescente reversibilidade. A reação rapidamente reversível ao estresse será substituída por uma mudança somática a fim de aumentar a flexibilidade sob estresse contínuo, e a adaptação evolutiva será induzida a fim de aumentar ainda mais a flexibilidade quando o organismo acumulou tantas mudanças somáticas que se torna rígido demais para sobreviver. Assim, maneiras sucessivas de adaptação restabelecem tanto quanto possível a flexibilidade que o organismo perdeu sob tensão ambiental. A flexibilidade de um organismo individual dependerá de quantas de suas variáveis forem mantidas em flutuação dentro de seus limites de tolerância; quanto mais flutuações houver, maior será a estabilidade do organismo. Para populações de organismos, o critério correspondente à flexibilidade é a variabilidade. A máxima variação genética dentro de uma população fornece o número máximo de possibilidades para a adaptação evolutiva.

A capacidade da espécie de se adaptar a mudanças ambientais através de mutações genéticas foi estudada amplamente e com muito êxito no século XX, assim como os mecanismos de reprodução e hereditariedade. Entretanto, esses aspectos representam somente uma parte do fenômeno da evolução. A outra parte é o desenvolvimento criativo de novas estruturas e funções, independentemente de qualquer pressão ambiental, o que constitui uma manifestação do potencial de autotranscendência inerente a todos os organismos vivos. Portanto, os conceitos darwinianos expressam somente uma de duas perspectivas complementares, sendo ambas necessárias para se compreender a evolução. O exame do ponto de vista evolutivo como manifestação essencial de sistemas auto-organizadores será mais fácil se estudarmos primeiro, mais minuciosamente, a relação entre os organismos e seu meio ambiente.

Assim como a noção de uma entidade física independente se tornou problemática na física subatômica, o mesmo ocorreu em biologia com a noção de organismos independentes. Os organismos vivos, sendo sistemas abertos, mantêm-se vivos e em funcionamento através de intensas transações com seu meio ambiente, que também consiste, parcialmente, em organismos. Assim, a totalidade da biosfera – nosso ecossistema planetário – é uma teia dinâmica e altamente integrada de formas vivas e não vivas. Embora essa teia possua múltiplos níveis, as transações e interdependências existem em todos os seus níveis.

Os organismos, em sua grande maioria, estão não só inseridos em ecossistemas, mas são eles próprios ecossistemas complexos, contendo uma infinidade de organismos menores que possuem considerável autonomia e, no entanto, integram-se harmoniosamente no funcionamento do todo. Os menores desses componentes vivos mostram uma surpreendente uniformidade, sendo muito semelhantes uns aos outros em todo o mundo vivo, como foi brilhantemente descrito por Lewis Thomas:

> Aí estão eles, movimentando-se de um lado para outro no meu citoplasma. [...] Seu parentesco é muito menor comigo do que entre si e com as bactérias que vivem livremente lá fora, à sombra da colina. Sinto-os como se fossem seres estranhos, mas acode-me o pensamento de que as mesmas criaturas, precisamente as mesmas, estão também nas células das gaivotas e baleias, e na erva das dunas, e nas algas marinhas, e nos bernardos-eremitas, e, mais para o lado da terra, nas folhas da faia no quintal de minha casa, e na família de jaritacacas sob o muro dos fundos, e até naquela mosca pousada na vidraça da janela. Através deles, estou ligado a todos os seres vivos: sim, tenho parentes próximos, parentes em segundo grau, espalhados por toda parte[10].

Embora todos os organismos vivos apresentem respeitável individualidade e sejam relativamente autônomos em seu funcionamento, as fronteiras entre organismo e meio ambiente são, com frequência, difíceis de determinar. Alguns organismos podem ser considerados vivos somente quando estão num certo meio ambiente; outros pertencem a sistemas maiores que se comportam mais como um organismo autônomo do que os seus membros individuais; ainda outros colaboram para a construção de grandes estruturas que se convertem em ecossistemas que sustentam centenas de espécies.

No mundo dos microrganismos, os vírus estão entre as criaturas mais intrigantes, existindo na fronteira entre a matéria viva e a não viva. São autossuficientes somente em parte, estão vivos apenas numa acepção limitada. Os vírus são incapazes de funcionar e multiplicar-se fora das células vivas. São imensamente mais simples do que qualquer microrganismo, e os mais simples dentre eles consistem em apenas um ácido nucleico, ADN ou ARN. De fato, fora das células os vírus não mostram sinais aparentes de vida. São simplesmente substâncias químicas e exibem estruturas moleculares altamente complexas, mas completamente regulares[11]. Em alguns casos, é até possível isolar os vírus, decompô-los, purificar seus componentes e depois compô-los de novo, sem destruir sua capacidade de funcionamento.

Embora as partículas isoladas dos vírus sejam apenas aglomerados de substâncias químicas, eles consistem, porém, em substâncias químicas de um tipo muito especial – as proteínas e os ácidos nucleicos, que são os constituintes essenciais da matéria viva[12]. Nos vírus, essas substâncias podem ser estudadas isoladamente, e foram tais estudos que levaram os biólogos moleculares a algumas de suas maiores descobertas nas décadas de 1950 e 1960. Os ácidos nucleicos são macromoléculas semelhantes a cadeias que transportam informação para a autorreprodução e a síntese proteica. Quando um vírus penetra numa célula viva, ele é capaz de usar a maquinaria bioquímica da célula para construir novas partículas viróticas, de acordo com as instruções codificadas em seu ADN ou ARN. Portanto, um vírus não é um parasita vulgar que tira alimento de seu hospedeiro para viver e se reproduzir. Sendo essencialmente uma mensagem química, não provê seu próprio metabolismo nem pode executar muitas outras funções características dos organismos vivos. Sua única função é apossar-se da maquinaria de reprodução da célula e usá-la para reproduzir novas partículas viróticas. Essa atividade ocorre num ritmo frenético. No prazo de uma hora, uma célula contaminada pode produzir milhares de novos vírus, e em muitos casos a célula será destruída durante esse processo. Como várias partículas viróticas são produzidas por uma única célula, uma infecção por vírus num organismo multicelular pode destruir logo um grande número de células e causar, portanto, uma doença.

Embora a estrutura e o funcionamento dos vírus sejam hoje bem conhecidos, sua natureza básica continua a ser uma incógnita. Quando está fora das células vivas, a partícula virótica não pode ser chamada de organismo vivo; dentro de uma célula, ela forma um sistema vivo em conjunto com a célula, mas de um gênero muito especial. Esse sistema é auto-organizador, mas a finalidade de sua organização não é a estabilidade ou a sobrevivência de todo o sistema vírus-célula. Seu único objetivo é a produção de novos vírus, que passarão depois a formar sistemas vivos desse gênero especial no meio ambiente fornecido por outras células.

O modo especial como os vírus exploram seu meio ambiente é uma exceção no mundo vivo. A maioria dos organismos integra-se harmoniosamente em seu meio circundante, e alguns deles remodelam seu meio ambiente de tal forma que este se converte num ecossistema capaz de sustentar grande quantidade de animais e plantas. O mais notável exemplo de tais organismos construtores de ecossistemas são os corais, que por muito tempo se pensou serem plantas, mas que são mais apropriadamente classificados como animais. Os pólipos do coral são minúsculos organismos multicelulares que se juntam para formar grandes colônias e que, como tal, podem construir esqueletos maciços de calcário. Ao longo de imensos períodos geológicos, muitas dessas colônias converteram-se em gigantescos recifes de coral, os quais representam, de longe, as maiores estruturas criadas por organismos vivos na terra. Essas estruturas maciças sustentam inúmeras bactérias, plantas e animais: organismos que vivem incrustados sobre o exosqueleto coralino, peixes e invertebrados que se escondem em suas fendas e recessos, e várias outras criaturas que cobrem praticamente todo o espaço disponível sobre o recife[13]. Para construir esses ecossistemas densamente povoados, os pólipos de coral funcionam de um modo altamente coordenado, compartilhando redes nervosas e capacidades reprodutivas em tão alto grau que fica difícil, com frequência, considerá-los organismos individuais.

Modelos semelhantes de coordenação existem em compactas sociedades animais de maior complexidade. Exemplo marcante é o dos insetos sociais – abelhas, vespas, formigas, cupins e outros –, que formam colônias cujos membros são tão interdependentes e estão em contato tão estreito que todo o sistema parece ser um grande organismo de muitas criaturas[14]. Abelhas e formigas são incapazes de sobreviver em isolamento, mas, em grande número, atuam quase como as células de um organismo complexo dotado de inteligência coletiva e capacidade de adaptação muito superiores às de seus membros individuais. Esse fenômeno da reunião de animais para formar sistemas de organismos maiores não está limitado aos insetos, podendo ser observado também em muitas outras espécies, inclusive, é claro, a espécie humana.

A estreita coordenação de atividades existe não só entre indivíduos da mesma espécie, mas também entre seres diferentes, e os sistemas de vida resultantes possuem, uma vez mais, as características de organismos singulares. Muitos tipos de organismos que se pensava representarem espécies biológicas bem definidas consistem de fato, após meticuloso exame, em duas ou mais espécies diferentes, mas em íntima associação biológica. Esse fenômeno, conhecido como simbiose, está tão difundido por todo o mundo vivo que tem de ser considerado um aspecto central da vida. As relações simbióticas são mutuamente vantajosas para os parceiros associados e envolvem animais, plantas e microrganismos em quase todas as combinações possíveis e imagináveis[15]. Muitas dessas espécies podem ter-se unido num passado distante e evoluído para uma interdependência cada vez maior e para uma requintada adaptação recíproca.

As bactérias vivem frequentemente em tal simbiose com outros organismos, que sua própria vida e a de seus hospedeiros se torna dependente da relação simbiótica. As bactérias do solo, por exemplo, alteram as configurações de moléculas orgânicas de modo a torná-las utilizáveis para as necessidades energéticas das plantas. Para tanto, as bactérias incorporam-se tão intimamente às raízes das plantas que ambas são quase indistinguíveis. Outras bactérias vivem em relações simbióticas nos tecidos de organismos superiores, especialmente no trato intestinal de animais e seres humanos. Alguns desses microrganismos intestinais são altamente benéficos para seus hospedeiros, contribuindo para a sua nutrição e aumentando sua resistência às doenças.

Numa escala ainda menor, a simbiose tem lugar dentro das células de todos os organismos superiores e é crucial para a organização de atividades celulares. A maioria das células contém um certo número de organelas, que executam funções específicas, e até data recente pensava-se serem estruturas moleculares construídas pela célula. Mas hoje está provado que algumas organelas são organismos *per se*[16]. As mitocôndrias, por exemplo, que frequentemente recebem o nome de casas de força da célula, porque alimentam quase todos os sistemas de energia celular, contêm seu próprio material genético e podem se reproduzir independentemente da reprodução da célula. Elas residem permanentemente em todos os organismos superiores, passando de geração em geração e vivendo em íntima simbiose dentro de cada célula. Analogamente, os cloroplastos das plantas verdes, que contêm a clorofila e o aparelho para a fotossíntese, são habitantes independentes, autorreprodutores, das células das plantas.

Quanto mais estudamos o mundo vivo, mais nos apercebemos de que a tendência para a associação, para o estabelecimento de vínculos, para viver uns dentro de outros e cooperar, é uma característica essencial dos organismos vivos. Lewis Thomas observou: "Não temos seres solitários. Cada criatura está, de alguma forma, ligada ao resto e dele depende"[17]. As maiores redes de organismos formam ecossistemas, em conjunto com vários componentes inanimados ligados aos animais, plantas e microrganismos, através de uma intricada rede de relações que envolvem a troca de matéria e energia em ciclos contínuos. Tal como os organismos individuais, os ecossistemas são sistemas auto-organizadores e autorreguladores nos quais determinadas populações de organismos sofrem flutuações periódicas. Em virtude da natureza não linear dos percursos e interligações dentro de um ecossistema, qualquer perturbação séria não estará limitada a um único efeito, mas poderá propagar-se a todo o sistema e até ser ampliada por seus mecanismos internos de realimentação.

Num ecossistema equilibrado, animais e plantas convivem numa combinação de competição e mútua dependência. Cada espécie tem potencial suficiente para realizar um crescimento exponencial de sua população, mas essas tendências são refreadas por vários controles e interações. Quando o sistema é perturbado, começam a aparecer "fujões" exponenciais. Esse descontrole faz com que algumas plantas se convertam em "ervas daninhas", alguns animais em "pragas", e outras espécies sejam exterminadas. O equilíbrio, ou saúde, de todo o sistema estará então ameaçado. O crescimento explosivo desse tipo não está limitado aos ecossistemas, mas ocorre também em organismos individuais. O câncer e outros tumores são exemplos impressionantes de crescimento patológico.

O estudo detalhado dos ecossistemas nestas últimas décadas mostrou com muita clareza que a maioria das relações entre organismos vivos é essencialmente cooperativa, caracterizada pela coexistência e a interdependência, e simbiótica em vários graus. Embora haja competição, esta ocorre usualmente num contexto mais amplo de cooperação, de modo que o sistema maior é mantido em equilíbrio. Até mesmo as relações predador-presa, destrutivas para a presa imediata, são geralmente benéficas para ambas as espécies. Esse *insight* está em profundo contraste com os pontos de vista dos darwinistas sociais, que viam a vida exclusivamente em termos de competição, luta e destruição. A concepção que eles tinham da natureza ajudou a criar uma filosofia que legitima a exploração e o impacto desastroso de nossa tecnologia sobre o meio ambiente natural. Mas tal concepção não possui qualquer justificação científica, porque não leva em conta os princípios integrativos e cooperativos, que são os aspectos essenciais do modo como os sistemas vivos se organizam em todos os níveis.

Como enfatizou Thomas, mesmo nos casos em que tem de haver vencedores e perdedores, a transação não é necessariamente um combate. Por exemplo, quando dois indivíduos de uma certa espécie de coral se encontram num lugar onde existe espaço apenas para um, o menor dos dois se desintegrará sempre, e o fará por meio de seus próprios mecanismos autônomos. "Ele não é expulso, nem derrotado, nem abatido; ele simplesmente escolhe desaparecer cortesmente de cena"[18]. A agressão excessiva, a competição e o comportamento destrutivo são aspectos predominantes apenas dentro da espécie humana; eles têm que ser tratados em termos de valores culturais, em vez de se procurar "explicá-los" pseudocientificamente como fenômenos intrinsecamente naturais.

Muitos aspectos das relações entre os organismos e seu meio ambiente podem ser descritos de maneira muito coerente com a ajuda do conceito sistêmico de ordem estratificada ao qual já fizemos antes breve referência[19]. A tendência dos sistemas vivos para formar estruturas de múltiplos níveis, que diferem em sua complexidade, é comum a toda a natureza e tem que ser vista como um princípio básico de auto-organização. Em cada nível de complexidade encontramos sistemas integrados, todos auto-organizadores, que consistem em partes menores e, ao mesmo tempo, atuam como partes de totalidades maiores. Por exemplo, o organismo humano contém sistemas compostos de vários órgãos, sendo cada órgão constituído de tecidos e cada tecido composto de células. As relações entre esses níveis sistêmicos podem ser representadas por uma "árvore sistêmica".

Tal como numa árvore real, existem interligações e interdependências entre todos os níveis sistêmicos; cada nível interage e se comunica com seu meio ambiente total. O tronco da árvore sistêmica indica que o organismo individual está ligado a sistemas sociais e ecológicos mais vastos, que, por sua vez, têm a mesma estrutura da árvore (ver p. 275).

Em cada nível, o sistema que está sendo considerado pode constituir um organismo individual. Uma célula pode ser parte de um tecido, mas pode também ser um microrganismo, que por sua vez é parte de um ecossistema; e quase sempre é impossível traçar uma distinção nítida entre essas descrições. Todo subsistema é um organismo relativamente autônomo, mas também, ao mesmo tempo, um componente de um organismo maior; é um *holon*, no termo de Arthur Koestler, manifestando ambas as propriedades independentes dos todos e as propriedades dependentes das partes. Assim, o predomínio total de ordem no universo assume um novo significado: a ordem em um nível sistêmico é a consequência da auto-organização em um nível maior.

De um ponto de vista evolutivo, é fácil entender por que os sistemas estratificados, ou de múltiplos níveis, estão tão difundidos na natureza[20]. Eles evoluem muito mais rapidamente e têm uma probabilidade muito maior de sobrevivência do que os sistemas não estratificados, porque em casos de graves perturbações podem decompor-se em seus vários subsistemas sem ser completamente destruídos. Os sistemas não estratificados, por outro lado, desapareceriam totalmente e teriam que começar a evoluir de novo a partir da estaca zero. Como os sistemas vivos se defrontaram com muitas perturbações durante sua longa evolução, a natureza favoreceu sensivelmente aqueles que exibem uma ordem estratificada. De fato, parece não haver notícia alguma de sobrevivência de quaisquer outros.

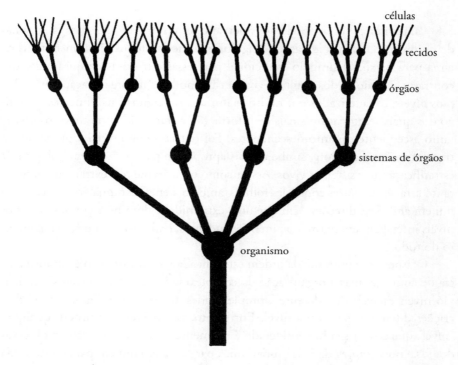

Árvore sistêmica representando vários níveis de complexidade dentro de um organismo vivo individual.

A estrutura em múltiplos níveis dos organismos vivos, tal como qualquer outra estrutura biológica, é uma manifestação visível dos processos subjacentes de auto-organização. Em cada nível existe um equilíbrio dinâmico entre tendências autoafirmativas e integrativas, e todos os *holons* atuam como interfaces e postos de revezamento entre os vários níveis sistêmicos. Os teóricos de sistemas chamam, por vezes, "hierárquico" a esse padrão de organização, mas essa denominação pode ser um tanto equívoca em referência à ordem estratificada que se observa na natureza. A palavra "hierarquia"* referia-se originalmente ao governo da Igreja. Como todas as hierarquias humanas, esse corpo governante estava organizado numa série de escalões de acordo com níveis de poder, estando cada escalão subordinado a um outro em nível superior. No passado, a ordem estratificada da natureza foi frequentemente mal interpretada com o propósito de justificar as estruturas sociais e políticas autoritárias[21].

---

* Do grego *hieros*, "sagrado", e *arkhia*, "regra". (N. do A.)

Para evitar confusão, podemos reservar o termo "hierarquia" para os sistemas de dominação e controle bastante rígidos em que as ordens são transmitidas de cima para baixo. O símbolo tradicional para essas estruturas é a pirâmide. Em contraste, a maioria dos sistemas vivos exibe modelos de organização em múltiplos níveis, caracterizados por muitos e intricados percursos não lineares, ao longo dos quais se propagam sinais de informação e transação entre todos os níveis, tanto ascendentes quanto descendentes. Foi por isso que inverti a pirâmide e a transformei numa árvore, símbolo mais apropriado para a natureza ecológica da estratificação nos sistemas vivos. Assim como uma árvore real extrai seu alimento tanto através das raízes como das folhas, também a energia numa árvore sistêmica flui em ambas as direções, sem que uma extremidade domine a outra, e todos os níveis interagem em harmonia, interdependentes, para sustentar o funcionamento do todo.

O aspecto importante da ordem estratificada na natureza não é a transferência de controle, mas a organização da complexidade. Os vários níveis sistêmicos são níveis estáveis de diferentes complexidades, o que possibilita o uso de descrições diferentes para cada nível. Entretanto, como Weiss acentuou, qualquer "nível" que estiver sendo considerado é realmente o nível de atenção do observador[22]. O novo *insight* da física subatômica parece valer também para o estudo da matéria viva: os padrões observados de matéria são reflexos de padrões da mente.

O conceito de ordem estratificada também fornece a perspectiva apropriada para o fenômeno da morte. Vimos que a autorrenovação – o colapso e a construção de estruturas em ciclos contínuos – é um aspecto essencial dos sistemas vivos. Mas as estruturas que vão continuamente sendo substituídas são, elas mesmas, organismos vivos. Do ponto de vista deles, a autorrenovação do sistema maior consiste no seu próprio ciclo de nascimento e morte. Portanto, nascimento e morte apresentam-se agora como um aspecto central de auto-organização, a própria essência da vida. Com efeito, todos os seres vivos que nos cercam renovam-se o tempo todo, o que também significa que tudo à nossa volta morre o tempo todo. Escreve Thomas: "Se nos colocarmos numa campina, à beira de uma encosta, e espraiarmos a vista cuidadosamente por toda a pradaria circundante, quase tudo o que nossos olhos captarem estará em processo de morrer"[23]. Mas para cada organismo que morre um outro nasce. A morte, portanto, não é o oposto da vida, mas um aspecto essencial dela.

Embora a morte seja um aspecto central da vida, nem todos os organismos morrem. Os organismos simples unicelulares, como as bactérias e as amebas, reproduzem-se por divisão celular e, ao fazê-lo, vivem simplesmente em sua progênie. As bactérias hoje existentes são essencialmente as mesmas que povoaram a Terra há bilhões de anos, ramificadas em inúmeros organismos. Essa espécie de vida sem morte foi a única a existir nos primeiros dois terços da história da evolução. Durante esse imenso período de tempo não havia envelhecimento nem morte, nem tampouco muita variedade – nenhuma forma de vida superior e nenhuma autoconsciência. Então, há cerca de 1 bilhão de anos, a evolução da vida passou por uma extraordinária aceleração e produziu uma grande variedade de formas. Para tanto, "a vida teve que inventar o sexo e a morte", como disse Leonard Shlain. "Sem sexo não poderia haver variedade, sem morte não haveria individualidade"[24]. Daí em diante, os organismos superiores envelheceriam e morreriam, e indivíduos emparelhariam seus cromossomos na reprodução sexual, gerando assim uma enorme variedade genética, que fez a evolução avançar muitos milhares de vezes mais depressa.

Os sistemas estratificados evoluíram a par dessas formas superiores de vida, renovando-se em todos os níveis e assim mantendo os ciclos contínuos de nascimento e morte para todos os organismos, de uma extremidade a outra da estrutura da árvore. E esse desenvolvimento leva-nos a indagações sobre o lugar dos seres humanos no mundo vivo. Como nós também nascemos e estamos destinados a morrer, isso significa que somos partes integrantes de sistemas maiores que continuamente se renovam? Com efeito, parece ser este o caso. À semelhança de todas as outras criaturas vivas, pertencemos a ecossistemas e também formamos nossos próprios sistemas sociais. Finalmente, em nível ainda maior, há a biosfera, o ecossistema do planeta inteiro, do qual nossa sobrevivência é profundamente dependente. Não consideramos usualmente esses sistemas mais extensos organismos individuais – à semelhança de plantas, animais ou pessoas –, mas uma nova hipótese científica faz precisamente isso no mais amplo nível acessível. Estudos detalhados do modo como a biosfera parece regular a composição química do ar, a temperatura na superfície da Terra e muitos outros aspectos do meio ambiente planetário levaram o químico James Lovelock e a microbióloga Lynn Margulis a sugerir que tais fenômenos só podem ser entendidos se o planeta, como um todo, for considerado um único organismo vivo. Reconhecendo que sua hipótese representa o renascimento de um poderoso mito antigo, os dois cientistas chamaram-lhe a hipótese de Gaia, do nome da deusa grega da Terra[25].

A percepção consciente da Terra como algo vivo, que desempenhou um papel importante em nosso passado cultural, foi dramaticamente revivida quando os astronautas puderam, pela primeira vez na história humana, ver nosso planeta a partir do espaço exterior. A visão que eles tiveram do planeta em toda a sua refulgente beleza – um globo azul e branco flutuando na profunda escuridão do espaço – impressionou-os e comoveu-os profundamente; como muitos deles têm declarado desde então, foi uma imensa experiência espiritual que mudou para sempre suas relações com a Terra. As magníficas fotos da "Terra inteira" que esses astronautas trouxeram ao voltar tornaram-se um novo e poderoso símbolo para o movimento ecológico e podem muito bem ser o resultado mais significativo de todo o programa espacial.

O que os astronautas, e inúmeros homens e mulheres na Terra antes deles, perceberam intuitivamente está sendo agora confirmado por investigações científicas, conforme é descrito em detalhes no livro de Lovelock. O planeta está não só palpitante de vida, mas parece ser ele próprio um ser vivo e independente. Toda a matéria viva da Terra, juntamente com a atmosfera, os oceanos e o solo, forma um sistema complexo com todas as características de auto-organização. Permanece num estado notável de não equilíbrio químico e termodinâmico, e é capaz, através de uma gigantesca variedade de processos, de regular o meio ambiente planetário a fim de que sejam mantidas condições ótimas para a evolução da vida.

Por exemplo, o clima da Terra nunca foi totalmente desfavorável à vida desde que apareceram as primeiras formas de vida, há cerca de 4 bilhões de anos. Durante esse longo período de tempo, a radiação proveniente do sol aumentou pelo menos 30 por cento. Se a Terra fosse simplesmente um objeto sólido inanimado, a temperatura de sua superfície acompanharia a produção de energia solar, o que significa que a Terra inteira seria uma esfera gelada durante mais de 1 bilhão de anos. Sabemos, pelas informações geológicas, que essas condições adversas nunca existiram. O planeta manteve uma temperatura razoavelmente constante em sua superfície durante toda a evolução da vida, tal como um organismo humano mantém constante a temperatura do corpo, apesar de condições ambientais variáveis.

Exemplos semelhantes de autorregulação podem ser observados com relação a outras propriedades ambientais, como a composição química da atmosfera, o conteúdo salino dos oceanos e a distribuição de vestígios de elementos entre plantas e animais. Tudo isso é regulado por intricadas redes cooperativas que exibem as propriedades dos sistemas auto-organizadores. A Terra é, pois, um sistema vivo; ela funciona não apenas *como* um organismo, mas, na realidade, parece *ser* um organismo Gaia, um ser planetário vivo. Suas propriedades e atividades não podem ser previstas com base na soma de suas partes; cada um de seus tecidos está ligado aos demais, todos eles interdependentes; suas muitas vias de comunicação são altamente complexas e não lineares; sua forma evoluiu durante bilhões de anos e continua evoluindo. Essas observações foram feitas num contexto científico, mas transcendem largamente o âmbito da ciência. À semelhança de muitos outros aspectos do novo paradigma, elas refletem uma profunda consciência ecológica, que é, em última instância, espiritual.

A visão sistêmica dos organismos vivos é difícil de ser apreendida a partir da perspectiva da ciência clássica, porque requer modificações significativas de muitos conceitos e ideias clássicos. A situação não difere muito daquela que os físicos defrontaram nas primeiras três décadas do século XX, quando foram forçados a fazer revisões drásticas em seus conceitos básicos de realidade, a fim de compreenderem os fenômenos atômicos. Esse paralelo é ainda corroborado pelo fato de que a noção de complementaridade, tão crucial no desenvolvimento da física atômica, também parece desempenhar um importante papel na nova biologia sistêmica.

Além da complementaridade das tendências autoafirmativas e integrativas, que pode ser observada em todos os níveis dos sistemas estratificados da natureza, os organismos vivos apresentam um outro par de fenômenos dinâmicos complementares que são aspectos essenciais de auto-organização. Um deles, que pode ser descrito em termos gerais como autoconservação, inclui os processos de autorrenovação, cura, homeostase e adaptação. O outro — que parece representar uma tendência oposta, mas complementar — é o processo de autotransformação e autotranscendência, um fenômeno que se expressa nos processos de aprendizagem, desenvolvimento e evolução. Os organismos vivos têm um potencial inerente para superar a si mesmos a fim de criar novas estruturas e novos tipos de comportamento. Essa superação criativa em busca da novidade, a qual, no devido tempo, leva a um desdobramento ordenado da complexidade, parece ser uma propriedade fundamental da vida, uma característica básica do universo que — pelo menos por ora — não possui maior explicação. Podemos, entretanto, explorar a dinâmica e os mecanismos da autotranscendência na evolução de indivíduos, espécies, ecossistemas, sociedades e culturas.

As duas tendências complementares dos sistemas auto-organizadores estão em contínua interação dinâmica e ambas contribuem para o fenômeno da adaptação evolucionista. Para compreender esse fenômeno, portanto, serão necessárias duas descrições complementares. Uma terá que incluir muitos aspectos da teoria neodarwiniana, como a mutação, a estrutura do ADN e os mecanismos de reprodução e hereditariedade. A outra descrição deve ocupar-se não dos mecanismos genéticos, mas da dinâmica subjacente da evolução, cuja característica central não é a adaptação, e sim a criatividade. Se a adaptação fosse, ela só, o núcleo da evolução, seria difícil explicar por que as formas vivas evoluíram além das algas azuis, que estão perfeitamente adaptadas a seu meio ambiente, são inexcedíveis em sua capacidade reprodutiva e têm provado, há bilhões de anos, sua aptidão para a sobrevivência.

O desenrolar criativo de vida em direção a formas de complexidade cada vez maior continuou sendo um mistério insolúvel por mais de um século depois de

Darwin; no entanto, estudos recentes delinearam os contornos de uma teoria da evolução que promete elucidar essa impressionante característica dos organismos vivos. Trata-se de uma teoria sistêmica que se concentra na dinâmica da auto-transcendência e se baseia na obra de numerosos cientistas de várias disciplinas. Entre os principais contribuintes estão os químicos Iliá Prigogin e Manfred Eigen, os biólogos Conrad Waddington e Paul Weiss, o antropólogo Gregory Bateson e os teóricos de sistemas Erich Jantsch e Ervin Laszlo. Uma síntese abrangente da teoria foi recentemente publicada por Erich Jantsch, que considera a evolução um aspecto essencial da dinâmica da auto-organização[26]. Essa visão nos permite começar a entender a evolução biológica, social, cultural e cósmica em termos do mesmo modelo de dinâmica sistêmica, muito embora as diferentes espécies de evolução envolvam mecanismos muito diferentes. Uma complementaridade básica de descrições, ainda longe de ser compreendida, é manifestada em toda a teoria, como na interação entre adaptação e criação, na ação simultânea de acaso e necessidade, e na sutil interação entre macroevolução e microevolução.

A dinâmica básica da evolução, de acordo com a nova visão sistêmica, principia com um sistema em homeostase – um estado de equilíbrio dinâmico caracterizado por flutuações múltiplas e interdependentes. Quando o sistema é perturbado, tem a tendência para manter sua estabilidade por meio de mecanismos de realimentação negativa, os quais tendem a reduzir o desvio do estado equilibrado. Contudo, essa não é a única possibilidade. Os desvios também podem ser internamente reforçados através da realimentação positiva, em resposta a mudanças ambientais ou espontaneamente, sem qualquer influência externa. A estabilidade de um sistema vivo é continuamente testada por suas flutuações, e, em certos momentos, uma ou várias delas podem tornar-se tão fortes que impelem o sistema a passar por uma instabilidade rumo a uma estrutura inteiramente nova, a qual será de novo flutuante e relativamente estável. A estabilidade dos sistemas vivos nunca é absoluta. Ela persistirá enquanto as flutuações se mantiverem abaixo de um nível crítico, mas qualquer sistema está sempre pronto a transformar-se, sempre pronto a evoluir. Esse modelo básico de evolução, desenvolvido por Prigogine e seus colaboradores tendo em vista estruturas químicas dissipativas, tem sido aplicado com êxito para descrever a evolução de vários sistemas biológicos, sociais e ecológicos.

Há numerosas diferenças fundamentais entre a nova teoria sistêmica da evolução e a teoria neodarwiniana clássica. Na teoria clássica, a evolução avança para um estado de equilíbrio, com os organismos adaptando-se cada vez mais perfeitamente ao seu meio ambiente. De acordo com a visão sistêmica, a evolução opera-se longe do equilíbrio e desenrola-se através de uma interação de adaptação e criação.

Além disso, a teoria dos sistemas considera que o meio ambiente é, em si mesmo, um sistema vivo capaz de adaptação e evolução. Assim, o foco transfere-se da evolução de um organismo para a coevolução de organismo mais meio ambiente. A consideração dessa mútua adaptação e coevolução foi negligenciada na visão clássica, que tendia a concentrar-se em processos lineares, sequenciais, e a ignorar fenômenos transacionais que são mutuamente condicionantes e transcorrem de maneira simultânea.

Jacques Monod viu a evolução como uma sequência estrita de acaso e necessidade, o acaso de mutações randômicas e a necessidade de sobrevivência[27]. Acaso e necessidade são também aspectos da nova teoria, mas seus papéis são muito diferentes. O reforço interno de flutuações e o modo como o sistema atinge um ponto crítico podem ocorrer aleatoriamente e são imprevisíveis, mas, uma vez atingido tal ponto crítico, o sistema é forçado a evoluir para uma nova estrutura. Assim, acaso e necessidade entram em jogo simultaneamente e atuam como princípios complementares. Além disso, a imprevisibilidade do processo todo não está limitada à origem da instabilidade. Quando um sistema se torna instável, há sempre, pelo menos, duas novas estruturas possíveis para as quais ele pode evoluir. Quanto mais o sistema se distanciar do equilíbrio, mais opções existirão. É impossível prever qual dessas opções será escolhida; existe uma real liberdade de escolha. Quando o sistema se aproxima do ponto crítico, ele mesmo "decide" qual caminho seguir, e essa decisão determinará sua evolução. A totalidade de possíveis vias evolutivas pode ser imaginada como um gráfico de múltiplas encruzilhadas com decisões livres em cada bifurcação[28].

Esse quadro mostra que a evolução é basicamente aberta e indeterminada. Não existe meta ou finalidade nela e, no entanto, há um padrão reconhecível de desenvolvimento. Os detalhes desse padrão são imprevisíveis por causa da autonomia que os sistemas vivos possuem em sua evolução, assim como em outros aspectos de sua organização[29]. Na visão sistêmica, o processo de evolução não é dominado pelo "acaso cego", mas representa um desdobramento de ordem e complexidade que pode ser visto como uma espécie de processo de aprendizagem, envolvendo autonomia e liberdade de escolha.

Desde os dias de Darwin, as concepções científica e religiosa acerca da evolução têm estado frequentemente em oposição, supondo a última que houve algum plano básico geral, uma espécie de projeto idealizado por um criador divino, enquanto a primeira reduz a evolução a um jogo de dados cósmico. A nova teoria dos sistemas não aceita nenhuma dessas concepções. Embora não negue a espiritualidade e possa até ser usada para formular o conceito de uma deidade, como veremos adiante, não admite um plano evolutivo previamente estabelecido. A evolução é uma aventura contínua e aberta que cria sua própria finalidade de modo ininterrupto, num processo cujo desfecho detalhado é inerentemente imprevisível. Não obstante, o modelo geral de evolução pode ser reconhecido e é muito compreensível. Suas características incluem o aumento progressivo de complexidade, coordenação e interdependência; a integração de indivíduos em sistemas de múltiplos níveis; e o refinamento contínuo de certas funções e tipos de comportamento. Como resumiu Ervin Laszlo: "Há uma progressão da multiplicidade e do caos para a unicidade e a ordem"[30].

Na ciência clássica, a natureza era vista como um sistema mecânico composto de elementos básicos. De acordo com essa visão, Darwin propôs uma teoria da evolução em que a unidade de sobrevivência era a espécie, a subespécie ou algum outro componente básico da estrutura do mundo biológico. Mas, um século mais tarde, ficou bem claro que a unidade de sobrevivência não é qualquer uma dessas entidades. O que sobrevive é o organismo-em-seu-meio-ambiente[31]. Um organismo que pense unicamente em termos de sua própria sobrevivência destruirá invariavelmente seu meio ambiente e, como estamos aprendendo por amarga experiência, acabará por destruir a si mesmo. Do ponto de vista sistêmico, a unidade de sobrevivência não é absolutamente uma entidade, mas um modelo de organização adotado por um organismo em suas interações com o meio ambiente; ou, como o neurologista Robert Livingston expressou, o processo de seleção evolutiva atua na base do comportamento[32].

Na história da vida na Terra, a coevolução de microcosmo e macrocosmo é de especial importância. Os relatos convencionais sobre a origem da vida descrevem usualmente o desenvolvimento das formas superiores de vida dentro da microevolução e desprezam os aspectos macroevolutivos. Mas estes são dois aspectos complementares do mesmo processo evolutivo, como enfatizou Jantsch[33]. A partir de uma perspectiva microscópica, a vida cria as condições macroscópicas para sua evolução subsequente; a partir da outra perspectiva, a biosfera macroscópica cria sua própria vida microscópica. O desenrolar da complexidade não resulta da adaptação dos organismos a um dado meio ambiente, mas, antes, da coevolução de organismo e meio ambiente em todos os níveis sistêmicos.

Quando as formas primitivas de vida apareceram na Terra, há cerca de 4 bilhões de anos – meio bilhão de anos após a formação do planeta –, elas eram organismos unicelulares sem um núcleo celular e se pareciam com algumas das bactérias de hoje. Estes assim chamados procariotos viviam sem oxigênio; porquanto, havia pouco ou nenhum oxigênio livre na atmosfera. Mas tão logo os microrganismos se originaram, eles começaram a modificar seu meio ambiente e a criar condições macroscópicas para a evolução subsequente da vida. Nos 2 bilhões de anos seguintes, alguns procariotos produziram oxigênio através da fotossíntese, até atingir seus atuais níveis de concentração na atmosfera terrestre. Assim ficou montado o palco para o surgimento de células mais complexas, que passariam a respirar oxigênio e seriam capazes de formar tecidos celulares e organismos multicelulares.

A etapa importante evolutiva que se seguiu foi o aparecimento dos eucariotos, organismos unicelulares cujo núcleo contém em seus cromossomos o material genético do organismo. Foram essas células que, mais tarde, formaram organismos multicelulares. De acordo com Lynn Margulis, coautor da hipótese de Gaia, as células eucarióticas originaram-se a partir de uma simbiose entre numerosos procariotos que continuaram vivendo como organelas dentro do novo tipo de célula[34]. Mencionamos os dois tipos de organelas – mitocôndrias e cloroplastos – que regulam os mecanismos da respiração complementar de animais e plantas. Eles nada mais são do que os antigos procariotos, que continuam gerindo a casa de força que abastece de energia o sistema planetário Gaia, como fizeram nos 4 bilhões de anos passados.

Na evolução subsequente da vida, duas novas etapas aceleraram grandemente o processo evolutivo e produziram uma abundância de novas formas. A primeira delas foi o desenvolvimento da reprodução sexual, a qual introduziu uma extraordinária variedade genética. A segunda etapa foi o surgimento da consciência, que tornou possível substituir os mecanismos genéticos da evolução por mecanismos sociais, mais eficientes, baseados no pensamento conceitual e na linguagem simbólica.

A fim de ampliarmos nossa visão sistêmica de vida a uma descrição da evolução social e cultural, iremos nos ocupar em primeiro lugar dos fenômenos da mente e da consciência. Gregory Bateson propôs que a mente fosse definida como um fenômeno sistêmico característico de organismos vivos, sociedades e ecossistemas, e enumerou uma série de critérios que os sistemas têm que satisfazer para que a mente ocorra[35]. Qualquer sistema que satisfaça esses critérios estará apto a processar informação e a desenvolver os fenômenos que associamos à mente: pensamento, aprendizagem, memória, por exemplo. Na concepção de Bateson, a mente é uma consequência necessária e inevitável de uma certa complexidade que começa muito antes de os organismos desenvolverem um cérebro e um sistema nervoso superior.

Ocorre que os critérios de Bateson para a mente estão intimamente relacionados com aquelas características dos sistemas auto-organizadores que indiquei antes como sendo as diferentes críticas entre máquinas e organismos vivos. Com efeito, a mente é uma propriedade essencial dos sistemas vivos. Como disse Bateson, "A mente é a essência do estar vivo"[36]. Do ponto de vista sistêmico, a vida não é uma substância ou uma força, e a mente não é uma entidade que interage com a matéria. Vida e mente são manifestações do mesmo conjunto de propriedades sistêmicas, um conjunto de processos que representam a dinâmica da auto-organização. Esse novo conceito será de grande valor em nossas tentativas para superar a divisão cartesiana. A descrição da mente como um modelo de organização, ou um conjunto de relações dinâmicas, está relacionada com a descrição de matéria na física moderna. Mente e matéria já não parecem pertencer a duas categorias fundamentalmente distintas, como acreditava Descartes; pode-se considerar que apenas representem aspectos diferentes do mesmo processo universal.

O conceito de mente de Bateson será útil durante toda a nossa exposição, mas, para permanecer mais perto da linguagem convencional, reservarei o termo "mente" para organismos de alta complexidade e usarei "mentação", um termo que significa atividade mental, para descrever a dinâmica de auto-organização em níveis inferiores. Essa terminologia foi sugerida há alguns anos pelo biólogo George Coghill, que desenvolveu uma bela concepção sistêmica dos organismos vivos e da mente, muito antes do advento da teoria geral dos sistemas[37]. Coghill distinguiu três modelos essenciais e estreitamente inter-relacionados de organização em organismos vivos: estrutura, função e mentação. Definiu a estrutura como organização no espaço; a função, como organização no tempo; e a mentação, como uma espécie de organização que está intimamente inter-relacionada com a estrutura e a função em níveis baixos de complexidade, mas que vai além do espaço e do tempo em níveis superiores. A partir da moderna perspectiva sistêmica, podemos dizer que a mentação, sendo a dinâmica da auto-organização, representa a organização de todas as funções e é, pois, uma metafunção. Em níveis inferiores, terá frequentemente o aspecto de comportamento, o qual pode ser definido como a totalidade das funções; assim, a abordagem behaviorista é frequentemente bem-sucedida nesses níveis. Mas, em níveis superiores de complexidade, a mentação não pode continuar limitada ao comportamento, uma vez que assume uma qualidade distintamente não espacial e não temporal que associamos à mente.

No conceito sistêmico de mente, a mentação é característica não só de organismos individuais, mas também de sistemas sociais e ecológicos. Como enfatizou Bateson, a mente é imanente não só no corpo, mas também nos caminhos e nas mensagens fora do corpo. Existem manifestações mais amplas da mente, das quais nossas mentes individuais são apenas subsistemas. Esse reconhecimento tem implicações bastante radicais para nossas interações com o meio ambiente natural. Se separarmos os fenômenos mentais dos sistemas maiores em que eles são imanentes e os confinarmos a indivíduos humanos, veremos o meio ambiente como desprovido de mente e seremos propensos a explorá-lo. Nossas atitudes serão muito diferentes quando nos apercebermos de que o meio ambiente não só está vivo como também é dotado de mente, como nós.

O fato de o mundo vivo estar organizado em estruturas de múltiplos níveis significa que também existem níveis da mente. No organismo, por exemplo, há vários níveis de mentação "metabólica" envolvendo células, tecidos e órgãos, e há depois a mentação "neural" do cérebro, que consiste em múltiplos níveis correspondentes a diferentes estágios da evolução humana. A totalidade dessas mentações constitui o que chamaríamos de mente humana. Tal noção de mente como fenômeno de múltiplos níveis, do qual só em parte temos conhecimento nos estados ordinários de consciência, está muito difundida em numerosas culturas não ocidentais e tem sido recentemente estudada em profundidade por alguns psicólogos ocidentais[38].

Na ordem estratificada da natureza, as mentes humanas individuais estão inseridas nas mentes mais vastas dos sistemas sociais e ecológicos, e estes, por sua vez, estão integrados no sistema mental planetário – a mente de Gaia –, o qual deve participar, finalmente, de alguma espécie de mente universal ou cósmica. Essa estrutura conceitual da nova abordagem sistêmica não é restringida, em absoluto, pela associação dessa mente cósmica à ideia tradicional de Deus. Nas palavras de Jantsch: "Deus não é o criador, mas a mente do universo"[39]. Nessa perspectiva, a deidade não é, evidentemente, masculina ou feminina, nem se manifesta em qualquer forma pessoal, mas representa nada menos do que a dinâmica auto-organizadora do cosmo inteiro.

O órgão da mentação neural – o cérebro e seu sistema nervoso – é um sistema vivo altamente complexo, multidimensional e de múltiplos níveis, que se tem mantido profundamente misterioso em muitos de seus aspectos, apesar de várias décadas de intensa pesquisa em neurociência[40]. O cérebro humano é um sistema vivo por excelência. Após o primeiro ano de crescimento, não são produzidos novos neurônios; no entanto, mudanças plásticas continuarão ocorrendo pelo resto da vida. Na medida em que o meio ambiente muda, o cérebro amolda-se em resposta a essas mudanças; e se a qualquer momento ele é danificado, em consequência de ferimento ou lesão, o sistema realiza ajustamentos muito rápidos. Ele nunca se desgasta ou exaure; pelo contrário, quanto mais é usado, mais poderoso se torna.

A principal função dos neurônios é comunicar-se entre si, recebendo e transmitindo impulsos elétricos e químicos. Para tanto, cada neurônio desenvolveu numerosos e finos filamentos que se ramificam para estabelecer conexões com outras células, formando assim uma intricada e vasta rede de comunicação que se entrelaça firmemente com os sistemas muscular e ósseo. A maioria dos neurônios está em contínua atividade espontânea, enviando alguns impulsos por segundo e modulando os padrões de sua atividade de várias maneiras, a fim de transmitir informação. O cérebro está sempre, todo ele, ativo e vivo, com bilhões de impulsos nervosos percorrendo seus trajetos a cada segundo.

Os sistemas nervosos de animais superiores e seres humanos são tão complexos e exibem uma variedade tão rica de fenômenos que qualquer tentativa para compreender seu funcionamento em termos puramente reducionistas parece irrealizável. Com efeito, os neurocientistas puderam mapear a estrutura do cérebro em detalhes e esclareceram muitos de seus processos eletroquímicos, mas permanecem quase completamente ignorantes acerca de suas atividades integrativas. Tal como no caso da evolução, dir-se-ia que são necessárias duas abordagens complementares: uma abordagem reducionista, para se entender os mecanismos neurais em detalhes, e uma abordagem holística, para se entender a integração desses mecanismos no funcionamento do sistema como um todo. Até agora, têm sido muito raras as tentativas de aplicação da dinâmica de sistemas auto-organizadores aos fenômenos neurais, mas aquelas que estão sendo atualmente realizadas apresentaram alguns resultados encorajadores[41]. Em especial, recebeu considerável atenção o significado das flutuações regulares no processo de percepção, na forma de modelos de frequência.

Outro trabalho interessante foi a descoberta de que os dois tipos complementares de descrição que parecem ser requeridos para se compreender a natureza dos sistemas vivos estão refletidos na própria estrutura e funcionamento de nosso cérebro. As pesquisas feitas nestes últimos vinte anos têm demonstrado sistematicamente que os dois hemisférios cerebrais tendem a estar envolvidos em funções opostas, mas complementares. O hemisfério esquerdo, que controla o lado direito do corpo, parece ser mais especializado no pensamento analítico, linear, o que envolve o processamento sequencial da informação; o hemisfério direito, que controla o lado esquerdo do corpo, parece funcionar predominantemente de um modo holístico, apropriado à síntese, e tende a processar a informação de maneira mais difusa e simultânea.

Os dois tipos complementares de funcionamento foram demonstrados dramaticamente num certo número de experimentos de "cérebro dividido", envolvendo pacientes epilépticos cujo corpo caloso, a faixa de fibras que normalmente ligam os dois hemisférios, tinha sido cortado. Esses pacientes mostraram algumas anomalias impressionantes. Por exemplo, com os olhos fechados eles podiam descrever um objeto que seguravam na mão direita, mas podiam fazer apenas vagas conjeturas se o objeto fosse segurado pela mão esquerda. Do mesmo modo, a mão direita ainda podia escrever, mas já não era capaz de fazer desenhos, enquanto, com a mão esquerda, acontecia o oposto. Outros experimentos indicaram que as diferentes especializações dos dois lados do cérebro representavam mais preferências do que distinções absolutas, mas o quadro geral foi confirmado[42].

No passado, os pesquisadores do cérebro referiam-se frequentemente ao hemisfério esquerdo como o principal e ao direito, como o secundário, expressando assim a predisposição cartesiana de nossa cultura em favor do pensamento racional, da quantificação e da análise. Na realidade, a preferência pelos valores e atividades do "cérebro esquerdo" ou do "cérebro direito" é muito mais antiga do que a visão de mundo cartesiana. Na maioria das línguas europeias, o lado direito está associado ao bom, ao justo e ao virtuoso, e o lado esquerdo, ao mal, ao perigo e à suspeição. A própria palavra "direito" também significa "correto", "apropriado", "justo", ao passo que "sinistro", que é a palavra latina para "esquerdo", transmite a ideia de algo perverso e ameaçador. A palavra alemã para "lei" é *Recht*, e a palavra francesa para "lei" é *droit*, e ambas também significam "direito". Exemplos desse tipo podem ser encontrados em praticamente todas as línguas ocidentais e, provavelmente, em muitas outras também. A preferência, profundamente enraizada, pelo lado direito – que é controlado pelo lado esquerdo do cérebro – em tantas culturas faz-nos pensar se isso não estará relacionado com o sistema patriarcal de valores. Seja qual for sua origem, houve recentemente algumas tentativas de se divulgarem pontos de vista mais equilibrados sobre o funcionamento do cérebro e de se desenvolverem métodos para aumentar as faculdades mentais do indivíduo mediante a estimulação e a integração do funcionamento de ambos os lados do cérebro[43].

As atividades mentais dos organismos vivos, das bactérias aos primatas, podem ser estudadas de uma forma bastante sistemática em termos de modelos de auto-organização, sem necessidade de se modificar muito a linguagem, enquanto se sobe na escala da evolução em direção à complexidade crescente. Mas no caso dos organismos humanos as coisas tornam-se muito diferentes. A mente humana é capaz de criar um mundo interior que espelha a realidade exterior, mas possui uma existência própria e pode levar um indivíduo ou uma sociedade a agir sobre o mundo exterior. Em seres humanos, esse mundo interior – o domínio psicológico – desenrola-se como um nível inteiramente novo e envolve um certo número de fenômenos que são característicos da natureza humana[44]. Eles incluem a autoconsciência, a experiência consciente, o pensamento conceitual, a linguagem simbólica, os sonhos, a arte, a criação de cultura, senso de valores, interesse no passado remoto e preocupação com o futuro distante. A maior parte dessas características existe em forma rudimentar em várias espécies animais. De fato, parece não haver um critério único que nos permita distinguir os humanos de outros animais. O que é extraordinário na natureza humana é a combinação de características prenunciadas em formas inferiores de evolução, mas integradas e desenvolvidas num alto nível de refinamento unicamente na espécie humana[45].

Em nossas interações com o meio ambiente há uma contínua permuta e influência mútua entre o mundo exterior e o nosso mundo interior. Os modelos que percebemos à nossa volta baseiam-se de um modo muito fundamental nos modelos interiores. Os modelos de matéria espelham modelos da mente, coloridos por sentimentos e valores subjetivos. Na concepção cartesiana tradicional supunha-se que todo indivíduo tinha basicamente o mesmo aparelho biológico e que cada um de nós, portanto, tinha acesso à mesma "tela" de percepção sensorial. Pressupunha-se que as diferenças decorriam da interpretação subjetiva dos dados sensoriais; elas eram devidas, na célebre metáfora cartesiana, ao "homenzinho que olhava para a tela". Recentes estudos neurofisiológicos desmentiram tudo isso. A modificação da percepção sensorial por experiências passadas, expectativas e propósitos ocorre não só na interpretação, mas começa, logo de saída, nas "portas da percepção". Numerosos experimentos indicaram que o registro de dados pelos órgãos sensoriais será diferente para indivíduos diferentes *antes* de a percepção ser experimentada[46]. Esses estudos mostram que os aspectos fisiológicos da percepção não podem ser separados dos aspectos psicológicos da interpretação. Além disso, o novo conceito de percepção também apaga a distinção convencional entre percepção sensorial e extrassensorial – um outro vestígio do pensamento cartesiano – ao mostrar que toda percepção é, em certa medida, extrassensorial.

Nossas respostas ao meio ambiente são, portanto, determinadas não tanto pelo efeito direto de estímulos externos sobre o nosso sistema biológico, mas antes por nossa experiência passada, nossas expectativas, nossos propósitos e a interpretação simbólica individual de nossa experiência perceptiva. A tênue fragrância de um perfume pode evocar alegria ou mágoa, prazer ou dor, através de suas associações com a experiência passada, e nossas respostas variarão de acordo com isso. Assim, os mundos interior e exterior estão sempre interligados no funcionamento de um organismo humano; eles interagem e evoluem juntos.

Como seres humanos, amoldamos nosso meio ambiente com muita eficácia porque somos capazes de representar o mundo exterior simbolicamente, pensar conceitualmente e comunicar nossos símbolos, conceitos e ideias. Fazemo-lo com a ajuda da linguagem abstrata, mas também de modo não verbal, através da pintura, música e outras formas de arte. Ao pensarmos e nos comunicarmos, tanto lidamos com o presente como nos referimos ao passado e antevemos o futuro, o que nos dá um grau de autonomia muito superior a tudo o que se observa em outras espécies. O desenvolvimento do pensamento abstrato, da linguagem simbólica e de várias outras capacidades humanas depende crucialmente de um fenômeno que é característico da mente humana. Os seres humanos possuem consciência; estamos conscientes de nossas sensações tanto quanto de nós próprios como indivíduos pensantes e experientes.

A natureza da consciência é uma questão existencial fundamental que tem fascinado homens e mulheres ao longo dos tempos, tendo ressurgido como tópico de discussões intensas entre especialistas de várias disciplinas, incluindo psicólogos, físicos, filósofos, neurocientistas, artistas e representantes de tradições místicas. Essas discussões foram, com frequência, muito estimulantes, mas também suscitaram considerável confusão, pois o termo "consciência" está sendo usado em diferentes acepções por diferentes pessoas. Pode significar consciência subjetiva, por exemplo, quando atividades conscientes e inconscientes são comparadas, mas também pode significar autoconsciência, que é a consciência de estar consciente. O termo também é usado por muitos no sentido da totalidade da mente, com seus muitos níveis conscientes e inconscientes. E a discussão é ainda mais complicada pelo recente e forte interesse pelas "psicologias" orientais, que desenvolveram mapas elaborados do domínio interior e usam uma dúzia de termos ou mais para descrever seus vários aspectos, todos eles usualmente traduzidos como "mente" ou "consciência".

Em vista dessa situação, precisamos especificar cuidadosamente o sentido em que é usado o termo "consciência". A mente humana é um modelo integrado, em múltiplos níveis, de processos que representam a dinâmica da auto-organização humana. A mente é um modelo de organização, e a consciência é uma propriedade da mentação em qualquer nível, das simples células aos seres humanos, embora, é evidente, difira imensamente em amplitude. A autoconsciência, por outro lado, parece manifestar-se apenas em animais superiores, estando totalmente desenvolvida na mente humana, e essa é a propriedade da mente a que chamo consciência. À totalidade da mente humana, com suas esferas consciente e inconsciente, chamarei, como Jung, de psique.

Como a concepção sistêmica da mente não está limitada a organismos individuais, podendo ser estendida a sistemas sociais e ecológicos, podemos dizer que grupos de pessoas, sociedades e culturas têm uma mente coletiva e, portanto, possuem igualmente uma consciência coletiva. Podemos também acompanhar Jung no pressuposto de que a mente coletiva, ou psique coletiva, inclui um inconsciente coletivo[47]. Como indivíduos, participamos desses modelos mentais coletivos, somos influenciados por eles e, por outro lado, moldamo-los. Além disso, os conceitos de uma mente planetária e de uma mente cósmica podem ser associados a níveis planetários e cósmicos da consciência.

A maioria das teorias acerca da natureza da consciência parecem ser variações em torno de duas concepções opostas que podem, não obstante, ser complementares e se reconciliar na abordagem sistêmica. Uma dessas concepções pode ser chamada de concepção científica ocidental. Considera a matéria primária e a consciência uma propriedade de complexos modelos materiais que surge num certo estágio da evolução biológica. A maioria dos neurocientistas subscreve hoje esse ponto de vista[48]. A outra concepção da consciência pode ser chamada de visão mística, uma vez que está geralmente assentada nas tradições místicas. Considera a consciência a realidade primária e a base de todo o ser. Em sua mais pura forma, a consciência, de acordo com essa visão, é imaterial, informe e vazia de conteúdo; frequentemente, ela é descrita como "consciência pura", "realidade última", "quididade"*, etc.[49] Essa manifestação da consciência pura está associada ao Divino em muitas tradições espirituais. Afirma-se que é a essência do universo e que se manifesta em todas as coisas; todas as formas de matéria e todos os seres vivos são vistos como modelos da consciência divina.

A visão mística da consciência baseia-se na experiência da realidade em formas não ordinárias de consciência, as quais são tradicionalmente alcançadas através da meditação; podem também ocorrer espontaneamente no processo de criação artística e em vários outros contextos. Os modernos psicólogos passaram a chamar de "transpessoais" as experiências incomuns dessa espécie, porque parecem permitir à mente individual estabelecer contato com modelos mentais coletivos e até cósmicos. De acordo com numerosos testemunhos, as experiências transpessoais envolvem uma relação forte, pessoal e consciente com a realidade, superando amplamente a atual estrutura científica. Não devemos esperar, portanto, que a ciência, em seu atual estágio, confirme ou contradiga a concepção mística da consciência[50]. Não obstante, a concepção sistêmica da mente parece perfeitamente compatível com as concepções científica e mística da consciência e fornece, portanto, a estrutura ideal para unificar as duas.

A concepção sistêmica concorda com a concepção científica convencional quanto à noção de que a consciência é uma manifestação de complexos modelos materiais. Para sermos mais precisos, é uma manifestação de sistemas vivos de uma certa complexidade. Por outro lado, as estruturas biológicas desses sistemas

---

* Em inglês, *suchness*, palavra com que se costuma traduzir o importante conceito budista de *tathata*, o estado em que uma coisa é o que ela é. (N. do T.)

são expressões de processos subjacentes que representam a auto-organização do sistema e, por conseguinte, da mente. Nesse sentido, as estruturas materiais deixaram de ser consideradas a realidade primária. Ampliando esse modo de pensar o universo como um todo, não é exagero supor que todas as suas estruturas – das partículas subatômicas até as galáxias, e das bactérias aos seres humanos – são manifestações da dinâmica auto-organizadora do universo, a qual identificamos com a mente cósmica. Mas essa é quase a concepção mística, com a única diferença de que os místicos enfatizam a experiência direta da consciência cósmica, que vai muito além da abordagem científica. Entretanto, as duas abordagens parecem muito compatíveis. A concepção sistêmica da natureza, por último, parece fornecer uma significativa estrutura científica para abordar as velhas questões da natureza da Vida, da mente, da consciência e da matéria.

Para entender a natureza humana, estudamos não só suas dimensões físicas e psicológicas, mas também suas manifestações sociais e culturais. Os seres humanos evoluíram como animais e seres sociais e não podem conservar-se física ou mentalmente bem se não permanecerem em contato com outros seres humanos. Mais do que qualquer outra espécie social, dedicamo-nos ao pensamento coletivo e, assim procedendo, criamos um mundo de cultura e de valores que é parte integrante do nosso meio ambiente natural. Assim, as características biológicas e culturais da natureza humana não podem ser separadas. A humanidade surgiu através do próprio processo de criar cultura, e necessita dessa cultura para a sua sobrevivência e ulterior evolução.

A evolução humana, portanto, progride através de uma interação dos mundos interno e externo, dos indivíduos e das sociedades, da natureza e da cultura. Todos esses domínios são sistemas vivos em interação, apresentando modelos semelhantes de auto-organização. As instituições sociais evoluem no sentido de uma complexidade e diferenciação crescentes, à semelhança das estruturas orgânicas, e os modelos mentais apresentam a criatividade e o ímpeto de autotranscendência característicos de toda vida. "É da natureza da mente ser criativa", observa o pintor Gordon Onslow-Ford. "Quanto mais as profundezas da mente são sondadas, mais abundante é a sua produção"[51].

De acordo com os dados antropológicos geralmente aceitos, a evolução anatômica da natureza humana estava praticamente concluída há uns 50 mil anos. Desde então, o corpo e o cérebro humanos mantiveram-se essencialmente os mesmos em estrutura e dimensões. Por outro lado, as condições de vida mudaram profundamente durante esse período e continuam mudando em ritmo rápido. A fim de se adaptar a essas mudanças, a espécie humana usou a consciência, o pensamento conceitual e a linguagem simbólica de que dispõe para transferir-se da evolução genética para a evolução social, esta muito mais acelerada do que a primeira e propiciando uma variedade muito maior. Contudo, essa nova espécie de adaptação não é perfeita, em absoluto. Ainda carregamos conosco o equipamento biológico proveniente dos estágios iniciais de nossa evolução, o qual, com frequência, nos dificulta a tarefa de enfrentar os desafios do meio ambiente atual. O cérebro humano, de acordo com a teoria de Paul MacLean, consiste em três partes estruturalmente diferentes, cada uma delas com sua própria inteligência e subjetividade, e todas derivam de períodos diferentes do nosso passado evolutivo[52]. Embora as três partes estejam intimamente ligadas, as atividades de cada uma são frequentemente contraditórias e dificilmente se integram às das demais, como MacLean mostra numa pitoresca metáfora: "Falando alegoricamente desses três cérebros dentro do cérebro, poderíamos imaginar que, quando o psiquiatra convida o paciente a se deitar no divã, ele está pedindo que se deitem lado a lado um cavalo e um crocodilo"[53].

A parte mais profunda do cérebro, conhecida como o tronco cerebral, está ligada aos modelos de comportamento instintivo já exibidos pelos répteis. Ela é responsável pelos impulsos biológicos e por muitas espécies de comportamento compulsivo. Envolvendo essa parte está o sistema límbico*, bem desenvolvido em todos os mamíferos e associado, no cérebro humano, à experiência e à expressão emocionais. As duas partes mais internas do cérebro, também conhecidas como subcórtex, estão fortemente interligadas e expressam-se não verbalmente, através de um rico espectro de linguagem corporal. A parte mais externa, finalmente, é o neocórtex**, que facilita as funções abstratas de ordem superior, como o pensamento e a linguagem. O neocórtex originou-se na mais antiga fase evolutiva dos mamíferos e expandiu-se na espécie humana num ritmo explosivo, sem precedente na história da evolução, até se estabilizar há cerca de 50 mil anos.

Ao desenvolvermos nossa capacidade de pensamento abstrato num ritmo tão rápido, parece que perdemos a importante aptidão para ritualizar conflitos sociais. Em todo o mundo animal, a agressão raramente se desenvolve a ponto de levar um dos adversários à morte. Pelo contrário, a luta é ritualizada e termina usualmente com o perdedor aceitando a derrota, mas permanecendo relativamente indene. Essa sabedoria desapareceu ou, pelo menos, ficou profundamente submersa na espécie humana nascente. No processo de criação de um mundo

---

* Do latim *limbus*, "fronteira", "orla". (N. do A.)
** Do latim *cortex*, "casca", "cortiça". (N. do A.)

interior abstrato, parece que perdemos o contato com as realidades da vida e passamos a ser as únicas criaturas que, com frequência, não são capazes de cooperar, e que chegam a matar indivíduos de sua própria espécie. A evolução da consciência deu-nos não só a pirâmide de Quéops, os *Concertos de Brandemburgo* e a teoria da relatividade, mas também a queima de bruxas, o Holocausto e a bomba de Hiroshima. Mas essa mesma evolução da consciência deu-nos o potencial para vivermos pacificamente e em harmonia com o mundo natural no futuro. Nossa evolução continua a oferecer-nos liberdade de escolha. Podemos deliberadamente alterar nosso comportamento mudando nossas atitudes e nossos valores, a fim de readquirirmos a espiritualidade e a consciência ecológica que perdemos.

Na elaboração futura da nova visão de mundo holística, é provável que a noção de ritmo desempenhe um papel verdadeiramente fundamental. A abordagem sistêmica mostrou que os organismos vivos são intrinsecamente dinâmicos, sendo suas formas visíveis manifestações estáveis de processos subjacentes. Processo e estabilidade, entretanto, são compatíveis somente se os processos formam modelos rítmicos – flutuações, oscilações, vibrações, ondas. A nova biologia sistêmica mostra que as flutuações são decisivas na dinâmica da auto-organização. Elas constituem a base da ordem no mundo vivo: as estruturas ordenadas resultam de modelos rítmicos.

A mudança conceitual de estrutura para ritmo pode ser extremamente útil em nossas tentativas para encontrar uma descrição unificadora da natureza. Os modelos rítmicos parecem manifestar-se em todos os níveis. Os átomos são modelos de ondas probabilísticas, as moléculas são estruturas vibratórias e os organismos são modelos multidimensionais e interdependentes de flutuações. Plantas, animais e seres humanos passam por ciclos de atividade e repouso, e todas as suas funções fisiológicas oscilam em ritmos de várias periodicidades. Os componentes dos ecossistemas estão interligados através de trocas cíclicas de matéria e energia; as civilizações ascendem e caem em ciclos evolutivos, e o planeta como um todo tem seus ritmos e recorrências enquanto gira em torno do seu eixo e se move em redor do Sol.

Os modelos rítmicos são, portanto, um fenômeno universal, mas, ao mesmo tempo, permitem que os indivíduos expressem suas diferentes personalidades. A manifestação de uma identidade pessoal única é uma importante característica dos seres humanos, e parece que essa identidade pode ser, essencialmente, uma identidade de ritmo. Os indivíduos humanos podem ser reconhecidos por seus tipos de fala característicos, movimentos corporais, gestos, respiração, que representam, todos eles, diferentes tipos de modelos rítmicos. Além disso, existem muitos ritmos "fixos", como as impressões digitais e a caligrafia, associados a um único indivíduo. Essas observações indicam que os modelos rítmicos que caracterizam um ser humano individual são diferentes manifestações do mesmo ritmo pessoal, uma "pulsação interior" que é a essência da identidade pessoal[54].

O papel crucial do ritmo não está limitado à auto-organização e à autoexpressão, mas estende-se à percepção sensorial e à comunicação. Quando enxergamos, nosso cérebro transforma as vibrações da luz em pulsações rítmicas dos seus neurônios. Transformações semelhantes de modelos rítmicos ocorrem no processo auditivo, e até a percepção do odor parece estar baseada em "frequências ósmicas". A noção cartesiana de objetos separados e nossa experiência com máquinas fotográficas levaram-nos a supor que nossos sentidos criam alguma espécie de imagem interna que é uma reprodução fiel da realidade. Mas não é assim que a percepção sensorial funciona. As imagens de objetos separados somente existem em nosso mundo interior de símbolos, conceitos e ideias. A realidade à nossa volta é uma contínua dança rítmica, e nossos sentidos traduzem algumas de suas vibrações para modelos de frequência que podem ser processados pelo cérebro.

A importância das frequências na percepção foi destacada especialmente pelo neuropsicólogo Karl Pribram, que desenvolveu um modelo holográfico* do cérebro, no qual a percepção visual é obtida através de uma análise de modelos de frequência, e a memória visual é organizada como um holograma[55]. Pribram acredita que isso explica por que a memória visual não pode ser localizada com precisão dentro do cérebro. Tal como num holograma, o todo está codificado em cada parte. De momento, a validade do holograma como modelo para a percepção visual não está firmemente estabelecida, mas é útil, pelo menos como metáfora. Sua principal importância reside talvez na ênfase dada ao fato de que o cérebro não armazena localmente informação mas a distribui amplamente, e, de um ponto de vista mais amplo, no deslocamento conceitual das estruturas para as frequências.

Um outro aspecto intrigante da metáfora holográfica é uma possível relação com duas ideias da física moderna. Uma delas é a ideia de Geoffrey Chew de que as partículas subatômicas são dinamicamente compostas umas das outras, de tal modo que cada uma delas envolve todas as demais[56]; a outra ideia é a noção de David Bohm de ordem implicada, de acordo com a qual toda a realidade está envolvida em cada uma de suas partes[57]. O que todas essas ideias têm em comum é a noção de que a holonomia – o ser total contido, de algum modo, em cada uma de

---

* A holografia é uma técnica de fotografia sem lentes; ver pp. 92 e 93 e nota de referência 29, do capítulo 3. (N. do A.)

suas partes – pode ser uma propriedade universal da natureza. Essa ideia também foi expressa em muitas tradições místicas e parece desempenhar um importante papel nas visões místicas da realidade[58]. A metáfora do holograma inspirou recentemente numerosos pesquisadores e foi aplicada a vários fenômenos físicos e psicológicos[59]. Lamentavelmente, isso nem sempre é feito com a necessária cautela, e as diferenças entre uma metáfora, um modelo e o mundo real são esquecidas, por vezes, na onda de entusiasmo geral. O universo *não* é, definitivamente, um holograma, pois exibe uma multidão de vibrações de diferentes frequências; assim, o holograma pode frequentemente ser útil como analogia para descrever fenômenos associados a esses modelos vibratórios.

Tal como no processo de percepção, o ritmo desempenha um importante papel nas várias maneiras como os organismos vivos interagem e se comunicam entre si. A comunicação humana, por exemplo, tem lugar, em grau significativo, através da sincronização e da interligação de ritmos individuais. Recentes análises de filmes mostraram que toda conversação envolve uma dança sutil, e em sua maior parte invisível, em que a sequência detalhada de tipos de fala é precisamente sincronizada tanto com movimentos ínfimos do corpo do locutor como com os movimentos correspondentes do ouvinte[60]. Ambos os parceiros estão enlaçados numa sequência intricada e precisamente sincronizada de movimentos rítmicos que dura enquanto eles permanecerem atentos e envolvidos em sua conversa. Um entrelaçamento semelhante de ritmos parece ser responsável pela forte vinculação entre os bebês e suas mães e, muito provavelmente, entre as pessoas apaixonadas. Por outro lado, a oposição, a antipatia e a desarmonia surgem quando os ritmos de dois indivíduos não estão em sincronia.

Em raros momentos de nossas vidas, podemos sentir que estamos sincronizados com o universo inteiro. Esses momentos podem ocorrer sob muitas circunstâncias – acertar um golpe perfeito no tênis ou encontrar a descida perfeita numa pista de esqui, em meio a uma experiência sexual plenamente satisfatória, na contemplação de uma obra de arte ou na meditação profunda. Esses momentos de ritmo perfeito, quando tudo parece estar exatamente certo e as coisas são feitas com grande facilidade, são elevadas experiências espirituais em que todo tipo de separação ou fragmentação é transcendido.

Neste exame da natureza dos organismos vivos, vimos que a concepção sistêmica de vida é espiritual em sua essência mais profunda e, portanto, compatível com muitas ideias sustentadas nas tradições místicas. Os paralelos entre ciência e misticismo não se restringem à física moderna, mas podem ser estendidos agora com igual justificação à nova biologia sistêmica. Dois temas básicos se destacam repetidamente ao estudarmos a matéria viva e não viva, sendo também amiúde enfatizados nos ensinamentos dos místicos: a interligação e a interdependência universais de todos os fenômenos e a natureza intrinsecamente dinâmica da realidade. Nas tradições místicas encontramos também um certo número de ideias, menos relevantes ou pouco significativas para a física moderna, mas cruciais para a visão sistêmica dos organismos vivos.

O conceito de ordem estratificada desempenha um papel preponderante em muitas tradições. Tal como na ciência moderna, envolve a noção de múltiplos níveis de realidade, os quais diferem em sua complexidade e são interagentes e interdependentes. Esses níveis incluem, em especial, os da mente, os quais são considerados diferentes manifestações da consciência cósmica. Embora as concepções místicas da consciência ultrapassem largamente o âmbito da ciência contemporânea, elas não são, de maneira alguma, incompatíveis com os modernos conceitos sistêmicos de mente e matéria. Considerações semelhantes aplicam-se ao conceito de livre-arbítrio, que é inteiramente compatível com as concepções místicas, quando associadas à relativa autonomia dos sistemas auto-organizadores.

Os conceitos de processo, mudança e flutuação, que desempenham um papel fundamental na visão sistêmica dos organismos vivos, são enfatizados nas tradições místicas orientais, especialmente no taoismo. A ideia de flutuações como base da ordem, que Prigogin introduziu na ciência moderna, é um dos principais temas em todos os textos taoistas. Uma vez que os sábios taoistas reconheceram a importância das flutuações em suas observações do mundo vivo, eles também não puderam deixar de enfatizar as tendências opostas, mas complementares, que parecem ser um aspecto essencial da vida. Entre as tradições orientais, o taoismo é a que possui a mais explícita perspectiva ecológica, mas a interdependência de todos os aspectos da realidade e a natureza não linear de suas interconexões são enfatizadas em todo o misticismo oriental. Por exemplo, são essas as ideias subentendidas no conceito indiano de carma.

Tal como na visão sistêmica, nascimento e morte são vistos por numerosas tradições como estágios de ciclos infindáveis que representam a autorrenovação contínua característica da dança da vida. Outras tradições enfatizam os modelos vibratórios, frequentemente associados a "energias sutis", e muitas delas descreveram a natureza holonômica da realidade – a existência do "todo na parte e da parte no todo" – em parábolas, metáforas e imagens poéticas.

Entre os místicos ocidentais, aquele cujo pensamento mais se aproxima do da nova biologia sistêmica é, provavelmente, Pierre Teilhard de Chardin. Teilhard, além de sacerdote jesuíta, era também um eminente cientista e ofereceu importantes contribuições para a geologia e a paleontologia*. Ele tentou integrar seus *insights* científicos, suas experiências místicas e doutrinas teológicas numa cosmovisão coerente, que foi dominada pelo pensamento de processo e centrada no fenômeno da evolução[61]. A teoria da evolução de Teilhard de Chardin está em acentuado contraste com a teoria neodarwiniana, mas apresenta algumas notáveis semelhanças com a nova teoria geral dos sistemas. Seu conceito fundamental, que ele chamou de "lei da complexidade e consciência", enuncia que a evolução se desenrola na direção de uma crescente complexidade, e que esse aumento de complexidade é acompanhado por uma correspondente elevação do nível de consciência, culminando na espiritualidade humana. Teilhard usa o termo "consciência" no sentido de percepção consciente, definindo-a como "o efeito específico da complexidade organizada", perfeitamente compatível com a concepção sistêmica da mente.

Teilhard também postulou a manifestação da mente em sistemas mais vastos, dizendo que, na evolução humana, o planeta está coberto por uma teia de ideias, para a qual forjou o termo "camada mental" ou "noosfera"**. Finalmente, ele viu Deus como a fonte de todo ser e, em particular, como a fonte de força da evolução. Levando em conta o conceito sistêmico de Deus como a dinâmica universal da auto-organização, podemos realmente dizer que, entre as numerosas imagens que os místicos têm usado para descrever o Divino, em Teilhard de Chardin o conceito de Deus, se despojado de suas conotações patriarcais, pode muito bem ser o que mais se aproxima das concepções da ciência moderna.

Teilhard de Chardin tem sido frequentemente ignorado, desdenhado ou atacado por cientistas incapazes de ver além da estrutura cartesiana e reducionista de suas disciplinas. Entretanto, com a nova abordagem sistêmica para o estudo de organismos vivos, suas ideias aparecerão sob uma nova luz, podendo contribuir de um modo altamente significativo para o reconhecimento geral da harmonia entre as concepções dos cientistas e as dos místicos.

---

* A paleontologia, do grego *palaios*, "antigo", e *onta*, "coisas", é o estudo de períodos geológicos passados com a ajuda de remanescentes fósseis. (N. do A.)
** Do grego *nóos*, "mente". (N. do A.)

10. Holismo e saúde

Para desenvolvermos uma abordagem holística da saúde que seja compatível com a nova física e com a concepção sistêmica dos organismos vivos, não precisamos abrir novos caminhos, mas podemos aprender com os modelos médicos existentes em outras culturas. O moderno pensamento científico – em física, biologia e psicologia – está conduzindo a uma visão da realidade que se aproxima muito da visão dos místicos e de numerosas culturas tradicionais, em que o conhecimento da mente e do corpo humano e a prática de métodos de cura são partes integrantes da filosofia natural e da disciplina espiritual. A abordagem holística da saúde e dos métodos de cura estará, portanto, em harmonia com muitas concepções tradicionais, assim como será compatível com as modernas teorias científicas.

As comparações entre sistemas médicos de diferentes culturas devem ser feitas com todo o cuidado. Qualquer sistema de assistência à saúde, incluindo a medicina ocidental moderna, é um produto de sua história e existe dentro de um certo contexto ambiental e cultural. Como esse contexto muda continuamente, o sistema de assistência à saúde também muda, adaptando-se às sucessivas situações e sendo modificado por novas influências econômicas, filosóficas e religiosas. Por isso, a utilidade de qualquer sistema médico como modelo para uma outra sociedade é muito limitada. Não obstante, será útil estudar os sistemas médicos tradicionais; não tanto porque podem servir como modelo para nossa sociedade, mas porque os estudos transculturais ampliarão nossa perspectiva e nos ajudarão a ver sob nova luz as ideias atuais acerca da saúde e dos métodos de cura. Veremos, em especial, que nem todas as culturas tradicionais abordaram a assistência à saúde de um modo holístico. Através dos tempos, parece que as culturas têm oscilado entre o reducionismo e o holismo em suas práticas médicas, provavelmente em resposta às flutuações gerais dos sistemas de valores. Entretanto, quando suas abordagens eram fragmentadas e reducionistas, esse reducionismo era, com frequência, muito diferente daquele que domina a medicina científica atual, e, assim, os estudos comparativos podem ser muito instrutivos.

Em culturas sem escrita no mundo inteiro, a origem da doença e o processo de cura associam-se a forças pertencentes ao mundo dos espíritos, e grande variedade de rituais e práticas curativas foram desenvolvidos para lidar com a doença. Entre eles, o fenômeno do xamanismo oferece um certo número de paralelos com as psicoterapias modernas. A tradição do xamanismo existe desde os primórdios da história e continua sendo uma força vital em muitas culturas no mundo inteiro[1]. Suas manifestações variam tanto de cultura para cultura, que é quase impossível formular enunciados gerais a seu respeito, havendo provavelmente numerosas exceções para cada uma das seguintes generalizações.

O xamã é um homem ou uma mulher capaz de ingressar, à vontade, num estado incomum de consciência a fim de estabelecer contato com o mundo dos espíritos no interesse e em benefício dos membros da sua comunidade. Nas sociedades sem escrita, com pequena diferenciação de papéis e instituições, o xamã é usualmente o líder religioso e político, além de médico; é, portanto, uma figura muito poderosa e carismática. À medida que as sociedades evoluem, a religião e a política tornam-se instituições separadas, mas a religião e a medicina mantêm-se geralmente ligadas. O papel do xamã, nessas sociedades, é o de presidir a rituais religiosos e comunicar-se com os espíritos para fazer adivinhações, diagnósticos de doenças e realizar curas. Mas também é característico das sociedades tradicionais que a maioria dos adultos possua alguns conhecimentos médicos. A automedicação é muito comum, e o xamã só é solicitado para casos difíceis.

Além das tradições xamanísticas, as principais culturas do mundo desenvolveram sistemas médicos seculares que não se baseiam na prática do transe, mas empregam técnicas transmitidas através de textos escritos. Essas tradições estabelecem-se usualmente em oposição aos sistemas xamanísticos. O xamã perde, então, sua função de especialista em rituais e conselheiro das pessoas que detêm poder, tornando-se uma figura periférica, frequentemente percebida como uma ameaça potencial à estrutura do poder. Nessa situação, a função dos xamãs fica reduzida ao diagnóstico, à cura e ao aconselhamento em nível local, de aldeia. Apesar da generalizada adoção dos sistemas médicos seculares, mormente do ocidental, os xamãs continuam exercendo sua função no mundo inteiro. Na maioria dos países com vastas áreas rurais, o xamanismo ainda representa o mais importante sistema médico, mantendo-se também nas principais cidades do mundo, especialmente naquelas em que uma grande parcela da população é constituída de migrantes recentes.

A característica predominante da concepção xamanística de doença é a crença de que os seres humanos são partes integrantes de um sistema ordenado em que toda doença é consequência de alguma desarmonia em relação à ordem cósmica. Com grande frequência, a doença também é interpretada como castigo por algum comportamento imoral. Assim, as terapias xamanísticas destacam a recuperação da harmonia, ou do equilíbrio, dentro da natureza, nas relações humanas e nas relações com o mundo dos espíritos. Mesmo doenças e achaques de menor importância, como entorses, fraturas ou mordidas, não são interpretadas como frutos do azar, mas, antes, como inevitáveis manifestações de uma ordem mais vasta de coisas. O diagnóstico e o tratamento de achaques raramente envolvem, entretanto, explicações além da situação física imediata. Somente quando o paciente demora a se recuperar, quando a doença é mais séria, são procuradas outras explicações e causas.

As ideias xamanísticas acerca das causas das enfermidades estão intimamente ligadas ao meio ambiente social e cultural do paciente. Enquanto o foco da medicina científica ocidental incide sobre os mecanismos biológicos e os processos fisiológicos que produzem a evidência da enfermidade, a principal preocupação do xamanismo está relacionada com o contexto sociocultural em que a enfermidade ocorre. Quanto ao processo patológico, ou ele é inteiramente ignorado, ou é relegado a um plano estritamente secundário[2]. Um médico ocidental indagado sobre a etiologia de uma doença discorrerá acerca de bactérias ou perturbações fisiológicas; um xamã mencionará, muito provavelmente, a competição, o ciúme e a cobiça, bruxas e feiticeiros, a ação maldosa de um membro da família do paciente ou alguma outra situação em que o paciente ou seus parentes desrespeitaram a ordem moral.

Nas tradições xamanísticas, os seres humanos são primordialmente vistos de duas maneiras: como parte de um grupo social vivo e como parte de um sistema de crenças culturais em que espíritos e fantasmas podem intervir ativamente nos assuntos humanos. O estado psicológico e espiritual de cada paciente é menos importante. Homens e mulheres não são vistos predominantemente como indivíduos; sua biografia e sua experiência pessoal, incluindo as doenças, são consideradas o resultado do fato de serem parte de um grupo social. Em algumas tradições, o contexto social é enfatizado em tão alto grau que os órgãos, as funções corporais e os sintomas de um indivíduo estão inseparavelmente ligados a relações sociais, plantas e outros fenômenos no meio ambiente. Por exemplo, antropólogos que observaram o sistema médico de uma aldeia no Zaire concluíram ser impossível separar uma simples anatomia física das ideias acerca do corpo alimentadas nessa cultura, porque a fronteira efetiva da pessoa era sistematicamente traçada de maneira muito mais vasta do que na ciência e na filosofia ocidentais clássicas[3].

Em tais culturas, atribui-se uma importância preponderantemente maior às circunstâncias sociais do que aos fatores psicológicos ou físicos na determinação das causas de uma doença; assim, esses sistemas médicos nem sempre são holísticos. A busca de uma causa e a declaração formal de um diagnóstico podem, por vezes, ser mais importantes do que a terapia concreta. O diagnóstico tem frequentemente lugar diante da aldeia toda e pode envolver disputas, discussões e rixas entre famílias, sem que se dê muita atenção ao paciente. Assim, todo o procedimento é primordialmente um acontecimento social, em que o paciente é meramente um símbolo do conflito no seio da sociedade.

As terapias xamanísticas obedecem geralmente a um enfoque psicossomático*, pela aplicação de técnicas psicológicas a doenças físicas. A principal finalidade dessas técnicas consiste em reintegrar a condição do paciente na ordem cósmica. Claude Lévi-Strauss, num artigo clássico sobre o xamanismo, deu uma descrição detalhada de um complexo ritual de cura centro-americano, em que um xamã cura uma mulher doente evocando os mitos da cultura dela e usando o simbolismo apropriado para ajudar a integrar a dor que ela sentia num todo onde tudo era significativo. Logo que a paciente entende sua condição em relação a esse contexto mais amplo, a cura ocorre e ela fica bem[4].

Os rituais xamanísticos de cura têm a função de elevar os conflitos e as resistências inconscientes a um nível consciente, onde podem desenvolver-se livremente e encontrar uma solução. Esta, evidentemente, é também a dinâmica básica das psicoterapias modernas. Com efeito, existem numerosas semelhanças entre xamanismo e psicoterapia. Durante séculos, os xamãs usaram técnicas terapêuticas – como participação em grupo, psicodrama, análise de sonhos, sugestão, hipnose, utilização de imagens dirigidas e terapia psicodélica –, antes que elas fossem redescobertas pelos psicólogos modernos. Mas há uma diferença significativa entre as duas abordagens: enquanto os psicoterapeutas modernos ajudam seus pacientes a construir um mito individual com elementos extraídos do passado, os xamãs suprem-nos com um mito social que não está limitado a experiências pessoais pretéritas. De fato, os problemas e as necessidades pessoais são frequentemente ignorados. O xamã não trabalha com o inconsciente individual do paciente, onde esses problemas têm origem, mas com o inconsciente coletivo e social, compartilhado por toda a comunidade.

Apesar da dificuldade de compreender os sistemas xamanísticos e de comparar seus conceitos e técnicas com os de nossa cultura, tal comparação pode ser proveitosa. A visão xamanística universal, a de seres humanos como partes integrantes de um sistema ordenado, é totalmente compatível com a moderna

---

* Do grego *psyche*, "mente", e *soma*, "corpo". (N. do A.)

concepção sistêmica da natureza, sendo a concepção de doença como uma consequência de desarmonia e desequilíbrio suscetível de desempenhar um papel central na nova abordagem holística. Tal abordagem terá que ir além do estudo de mecanismos biológicos e, à semelhança do xamanismo, encontrar as causas das doenças nas influências ambientais, nos padrões psicológicos e nas relações sociais. O xamanismo pode nos ensinar muito acerca das dimensões sociais da doença, as quais são seriamente negligenciadas, não só pela assistência médica convencional, mas também por muitas organizações novas que pretendem exercer a medicina holística; e a grande variedade de técnicas psicológicas usadas pelos xamãs para integrar os problemas físicos do paciente num contexto mais amplo oferecem muitos paralelos com as terapias psicossomáticas recentemente desenvolvidas.

Insights semelhantes podem ser obtidos através do estudo de sistemas médicos de "alta tradição", que foram desenvolvidos pelas principais civilizações do mundo e transmitidos por meio de textos escritos ao longo de centenas e milhares de anos. A sabedoria e o refinamento dessas tradições está ilustrado em dois antigos sistemas médicos – um ocidental e outro oriental – cujos conceitos de saúde e doença são extremamente pertinentes ao nosso tempo e se assemelham mutuamente em vários aspectos. Um desses sistemas é a tradição da medicina hipocrática, que está nas raízes da ciência médica ocidental; o outro é o sistema da medicina chinesa clássica, que serve de base à maioria das tradições médicas do leste asiático.

A medicina hipocrática emergiu de uma antiga tradição grega de cura cujas raízes remontam aos tempos pré-helênicos. Durante toda a Antiguidade grega, o processo de cura era considerado, essencialmente, um fenômeno espiritual e estava associado a muitas deidades. A mais preeminente entre as primitivas deidades curativas era Hygieia, uma das muitas manifestações da deusa cretense Atena, que estava associada ao simbolismo da serpente e usava o visco como sua panaceia[5]. Seus ritos curativos eram um segredo guardado por sacerdotisas. No final do segundo milênio antes de Cristo, a religião patriarcal e a ordem social tinham sido impostas à Grécia por três ondas de invasores bárbaros, e a maioria dos antigos mitos da deusa foram distorcidos e agregados ao novo sistema, retratando-a usualmente como a parente de um deus mais poderoso[6]. Assim, Hygieia foi convertida na filha de Asclépio, que passou a ser o deus dominante da cura e foi cultuado em templos de toda a Grécia. No culto de Asclépio, cujo nome está relacionado etimologicamente ao do visco, as serpentes continuaram desempenhando um papel de destaque e, enrascadas na vara de Asclépio, tornaram-se o símbolo da medicina ocidental até hoje.

Hygieia, a deusa da saúde, continuou sendo associada ao culto asclepiano, tendo sido frequentemente retratada com seu pai e sua irmã Panakeia. Na nova versão do mito, as duas deusas associadas a Asclépio representam dois aspectos das artes curativas tão válidos atualmente quanto o eram na antiga Grécia – a prevenção e a terapia[7]. Hygieia ("saúde") velava pela manutenção da saúde, personificando a sabedoria, segundo a qual as pessoas seriam saudáveis se vivessem sabiamente. Panakeia ("panaceia") especializava-se no conhecimento dos remédios, derivados das plantas ou da terra. A busca de uma panaceia, ou cura para todos os males, tornou-se um tema dominante na moderna ciência biomédica, que frequentemente oscila entre os dois aspectos da assistência à saúde simbolizados pelas duas deusas. O ritual asclepiano envolvia uma forma ímpar de cura, baseada nos sonhos e conhecida como incubação do templo. Enraizada numa firme crença nos poderes curativos do deus, constituía um método de cura eficaz que os psicoterapeutas junguianos tentaram recentemente reinterpretar em termos modernos[8].

O ritual asclepiano representou somente um lado da medicina grega. Além de Asclépio, o deus, pode ter também existido um médico com esse nome, que se dizia ser habilidoso em cirurgia e no uso de drogas, e que era reverenciado como o fundador da medicina. Os médicos gregos intitulavam-se asclepíadas ("filhos de Asclépio") e formavam corporações médicas que pregavam uma forma de medicina baseada no conhecimento empírico. Embora os asclepíadas não tivessem ligação com a terapia de sonhos dos sacerdotes do templo, as duas escolas não competiam entre si, mas complementavam-se. Dos asclepíadas laicos emergiu a tradição associada ao nome de Hipócrates, que representa a culminação da medicina grega e que teve uma influência duradoura sobre a ciência médica ocidental[9]. Não há dúvida de que um famoso médico com esse nome viveu na Grécia por volta de 400 a.C., praticando e ensinando medicina como um asclepíada na ilha de Cós. Os volumosos escritos que lhe são atribuídos, conhecidos como o *Corpus hippocraticum*, foram provavelmente escritos por vários autores, em diferentes épocas; representam um compêndio do conhecimento médico ensinado em várias corporações asclepianas.

No âmago da medicina hipocrática está a convicção de que as doenças não são causadas por demônios ou forças sobrenaturais, mas são fenômenos naturais que podem ser cientificamente estudados e influenciados por procedimentos terapêuticos e pela judiciosa conduta de vida de cada indivíduo. Assim, a medicina devia ser exercida como uma disciplina científica, baseada nas ciências naturais, abrangendo tanto a prevenção de doenças como seu diagnóstico e terapia. Essa atitude formou a base da medicina científica até hoje, embora os sucessores de

Hipócrates, em sua maioria, não tenham atingido a amplitude de visão e a profundidade filosófica manifestas nos escritos hipocráticos.

> *Ares, águas e lugares*, um dos mais significativos livros do *Corpus hippocraticum*, representa o que chamaríamos hoje de um tratado sobre ecologia humana. Mostra em detalhes como o bem-estar dos indivíduos é influenciado pelos fatores ambientais – a qualidade do ar, da água e dos alimentos, a topografia da terra, os hábitos gerais de vida. A correlação entre mudanças súbitas nesses fatores e o aparecimento de doenças é enfatizada, sendo a compreensão de efeitos ambientais considerada a base essencial da arte médica. Esse aspecto da medicina hipocrática foi seriamente negligenciado com a ascensão da ciência cartesiana, e só agora está sendo apreciado de novo. De acordo com René Dubos: "A importância das forças ambientais para os problemas da biologia, da medicina e da sociologia humanas nunca foi formulada com maior amplitude ou com visão mais penetrante do que na aurora da história científica![10]"

A saúde, de acordo com os escritos hipocráticos, requer um estado de equilíbrio entre influências ambientais, modos de vida e os vários componentes da natureza humana. Esses componentes são descritos em termos de "humores" e "paixões", que têm de estar em equilíbrio. A doutrina hipocrática dos humores pode ser reformulada em termos de equilíbrio químico e hormonal, referindo-se a importância das paixões à interdependência da mente e do corpo, fortemente enfatizada nos textos. Hipócrates era não só um observador perspicaz dos sintomas físicos, mas também deixou excelentes descrições de muitas perturbações mentais que ainda ocorrem em nosso tempo.

Quanto ao processo de cura, Hipócrates reconheceu as forças curativas inerentes aos organismos vivos, forças a que chamou o "poder curativo da natureza". O papel do médico consistia em ajudar essas forças naturais mediante a criação de condições mais favoráveis para o processo de cura. Esse é o significado original da palavra "terapia", que deriva do grego *therapeuin* ("dar assistência", "cuidar de"). Além de definir o papel do terapeuta como o de um assistente para o processo de cura natural, os escritos hipocráticos também contêm um rigoroso código de ética médica, conhecido como o Juramento Hipocrático, que permaneceu até os dias de hoje como o ideal da profissão médica.

A tradição hipocrática, com sua ênfase na inter-relação fundamental de corpo, mente e meio ambiente, representa um ponto alto da filosofia médica ocidental que exerce tanta atração em nosso tempo quanto há 2.500 anos. Como escreve Dubos, parafraseando a observação de Whitehead sobre a dívida da filosofia europeia para com Platão, "a medicina moderna nada mais é do que uma série de comentários e elaborações sobre os escritos hipocráticos"[11].

Os principais temas da medicina hipocrática – a saúde como um estado de equilíbrio, a importância de influências ambientais, a interdependência da mente e do corpo e o poder curativo inerente à natureza – foram desenvolvidos na China antiga num contexto cultural muito diferente. A medicina chinesa clássica tinha suas raízes em tradições xamanísticas e foi modelada pelo taoismo e pelo confucionismo, as duas principais escolas filosóficas do período clássico[12]. Durante o período Han (206 a.C. - 220 d.C.), a medicina chinesa foi formalizada como um sistema de ideias e registrada nos textos médicos clássicos. O mais importante entre os primeiros textos clássicos médicos é o *Nei ching*, o clássico da medicina interna, que apresenta de modo lúcido e atraente uma teoria do organismo humano, na saúde e na doença, juntamente com uma teoria da medicina[13].

Como em todas as outras tradições teóricas desenvolvidas na primitiva China, os conceitos de *yin* e *yang* são centrais. O universo inteiro, natural e social, encontra-se em estado de equilíbrio dinâmico, com todos os seus componentes oscilando entre os dois polos arquetípicos. O organismo humano é um microcosmo do universo; às suas partes são atribuídas qualidades *yin* e *yang*; assim, o lugar do indivíduo na grande ordem cósmica é firmemente estabelecido. Ao contrário dos pensadores gregos, os chineses não estavam muito interessados em relações causais, mas nos modelos sincrônicos de coisas e eventos. Joseph Needham chamou corretamente essa atitude de "pensamento correlativo". Segundo os chineses:

> As coisas comportaram-se de certas maneiras não necessariamente por causa de ações ou impulsões prévias de outras coisas, mas porque sua posição no universo cíclico em constante movimento era tal que elas foram dotadas de naturezas intrínsecas que tornaram esse seu comportamento inevitável. Se não se comportassem dessas maneiras particulares, perderiam suas posições em relação ao todo (o que as fez serem o que eram) e passariam a ser outras coisas que não elas próprias[14].

Esse modo correlativo e dinâmico de pensamento é básico para o sistema conceitual da medicina chinesa[15]. O indivíduo saudável e a sociedade saudável são partes integrantes de uma grande ordem padronizada, e a doença é a desarmonia no nível individual ou social. Os padrões cósmicos eram mapeados por meio de um complexo sistema de correspondências e associações que foi elaborado detalhadamente nos textos clássicos. Além do simbolismo *yin/yang*, os chineses usavam um sistema chamado *Wu hsing*, usualmente traduzido como os "cinco elementos", mas essa interpretação é demasiado estática. *Hsing* significa "agir" ou "fazer", e os cinco conceitos associados com madeira, fogo, terra, metal e água representam qualidades que se sucedem e se influenciam mutuamente numa ordem cíclica bem definida. Manfred Porkert traduziu *Wu hsing* como as "cinco fases evolutivas"[16], o que parece ser muito mais adequado para descrever a conotação dinâmica do termo chinês. Dessas cinco fases os chineses tiraram um sistema de correspondências que se estende a todo o universo. As estações, as influências atmosféricas, as cores, os sons, as partes do corpo, os estados emocionais, as relações sociais e muitos outros fenômenos foram todos classificados em cinco tipos relacionados com as cinco fases[17]. Quando a teoria das cinco fases se fundiu com os ciclos *yin/yang*, o resultado foi um sistema elaborado em que cada aspecto do universo era descrito como uma parte bem definida de um todo dinamicamente padronizado. Esse sistema formou a base teórica para o diagnóstico e o tratamento de doenças.

A ideia chinesa do corpo sempre foi predominantemente funcional e preocupada mais com as inter-relações de suas partes do que com a exatidão anatômica. Assim, o conceito chinês de um órgão físico refere-se a todo um sistema funcional, considerado em sua totalidade, paralelamente às partes aplicáveis do sistema de correspondências. Por exemplo, a ideia dos pulmões inclui não só os próprios pulmões, mas todo o aparelho respiratório, o nariz, a pele e as secreções associadas a esses órgãos. No sistema de correspondências, os pulmões estão associados ao mental, à cor branca, a um gosto picante, ao pesar e ao negativismo, e a várias outras qualidades e fenômenos.

A noção chinesa do corpo como um sistema indivisível de componentes inter-relacionados está, obviamente, muito mais próxima da moderna abordagem sistêmica do que do modelo cartesiano clássico; essa semelhança é reforçada pelo fato de os chineses verem a rede de relações que estudavam como algo intrinsecamente dinâmico. O organismo individual, à semelhança do cosmo como um todo, era visto como parte de um estado de contínuas, múltiplas e interdependentes flutuações, cujos padrões eram descritos em termos do fluxo de *ch'i*. O conceito de *ch'i*, que desempenhou um importante papel em quase todas as escolas chinesas de filosofia natural, subentende uma concepção inteiramente dinâmica da realidade. A palavra significa literalmente "gás" ou "éter", e era usada na antiga China para significar a energia ou o sopro vital que anima o cosmo. Mas nem um nem outro desses termos ocidentais descreve adequadamente o conceito. *Ch'i* não é uma substância, nem tem o significado puramente quantitativo do nosso conceito científico de energia. É usado na medicina chinesa de um modo muito sutil para descrever os vários padrões de fluxo e flutuação no organismo humano, assim como as trocas contínuas entre o organismo e seu meio ambiente. *Ch'i* não se refere ao fluxo de qualquer substância particular, mas parece representar, outrossim, o princípio de fluxo como tal, que, na concepção chinesa, é sempre cíclico.

O fluxo de *ch'i* mantém uma pessoa viva; os desequilíbrios e, portanto, as doenças ocorrem quando o *ch'i* não circula adequadamente. Existem percursos definidos de *ch'i*, chamados *ching-mo* e usualmente traduzidos como "meridianos", que estão associados com os órgãos primários, e aos quais são atribuídas qualidades *yin* e *yang*. Ao longo desses meridianos localizam-se as séries de pontos de pressão que podem ser usados para estimular os vários processos de fluxo no corpo. Do ponto de vista científico ocidental, existe hoje considerável documentação para mostrar que os pontos de pressão possuem uma resistência elétrica e uma termossensibilidade específicas, ao contrário de outras áreas da superfície do corpo, não tendo havido, porém, qualquer demonstração científica da existência de meridianos.

Na concepção chinesa de saúde, o equilíbrio é um conceito fundamental. Os clássicos afirmam que as doenças se tornam manifestas quando o corpo perde o equilíbrio e o *ch'i* não circula apropriadamente. São múltiplas as causas para tais desequilíbrios. Através de uma dieta sofrível, da falta de sono, de exercício, ou por se encontrar num estado de desarmonia com a família ou a sociedade, o corpo pode perder seu equilíbrio, e é em momentos como esse que ocorre a doença. Entre as causas externas, as mudanças sazonais recebem especial atenção, e suas influências sobre o corpo são descritas minuciosamente. As causas internas são atribuídas a desequilíbrios no estado emocional da pessoa, classificados e associados a órgãos internos específicos, de acordo com o sistema de correspondência.

A doença não é considerada um agente intruso, mas o resultado de um conjunto de causas que culminam em desarmonia e desequilíbrio. Entretanto, a natureza de todas as coisas, incluindo o organismo humano, é tal que existe uma tendência natural para se retornar a um estado dinâmico de equilíbrio. As flutuações entre equilíbrio e desequilíbrio são vistas como um processo natural que ocorre ao longo de todo o ciclo vital. Assim, os textos tradicionais não traçam uma linha divisória nítida entre saúde e doença. Tanto a saúde quanto a doença são consideradas naturais e partes de uma sequência contínua. São aspectos do mesmo processo, em que o organismo individual muda continuamente em relação ao meio ambiente inconstante.

Como a doença será, em dados momentos, inevitável no processo vital, a saúde perfeita não é o objetivo essencial do paciente ou do médico. A finalidade da medicina chinesa é, antes, realizar a melhor adaptação possível do indivíduo ao meio ambiente como um todo. Para se alcançar essa meta, o paciente desempenha um papel importante e ativo. Na concepção chinesa, o indivíduo é responsável pela manutenção de sua própria saúde e até, em grande parte, pela recuperação da saúde quando o organismo se desequilibra. O médico participa desse processo, mas o paciente é o principal responsável. É dever do indivíduo manter-se saudável, o que ele conseguirá se viver de acordo com as regras da sociedade e cuidar de seu corpo de um modo eminentemente prático.

É fácil perceber que um sistema de medicina que considere o equilíbrio e a harmonia com o meio ambiente a base da saúde enfatiza necessariamente as medidas preventivas. Com efeito, o papel principal dos médicos chineses sempre foi o de evitar o desequilíbrio de seus pacientes. Dizia-se que os médicos na China só costumavam ser pagos enquanto seus pacientes estivessem bem de saúde, e que os pagamentos cessavam quando eles adoeciam. Isso é provavelmente um exagero, mas os médicos chineses recusavam pacientes, de fato, quando seu estado atingia um certo grau de gravidade. Explica o *Nei ching*:

> Administrar remédios para doenças que já se desenvolveram [...] é comparável ao comportamento daquelas pessoas que começam a cavar um poço muito depois de terem ficado com sede, e daquelas que começam a fundir armas depois de já terem entrado na batalha. Não seriam essas providências excessivamente tardias[18]?

Esses conceitos e atitudes demonstram que o papel do médico é bem diferente daquele desempenhado no Ocidente. Na medicina ocidental, o médico que goza da mais alta reputação é o especialista, com um conhecimento detalhado sobre uma parte específica do corpo. Na medicina chinesa, o médico ideal é um sábio, que entende que todos os modelos do universo funcionam em conjunto; que trata dos pacientes individualmente; cujo diagnóstico não classifica o paciente como portador de uma doença específica, mas que registra o mais completamente possível o estado total da mente e do corpo do indivíduo e sua relação com o meio ambiente natural e social.

Para chegar a um quadro tão completo, os chineses desenvolveram métodos altamente refinados de observação e interrogatório para chegar ao diagnóstico do paciente, além de uma arte incomparável de tomada de pulso, que lhes permite determinar o fluxo detalhado de padrões de *ch'i* ao longo dos meridianos, e, com isso, o estado dinâmico do organismo todo[19]. Os médicos chineses tradicionais acreditam que esses métodos lhes permitem reconhecer desequilíbrios e, por conseguinte, possíveis problemas antes que estes se manifestem em sintomas que podem ser detectados através das técnicas ocidentais de diagnóstico.

O diagnóstico chinês tradicional é necessariamente um processo longo, do qual o paciente deve participar ativamente, contribuindo com informações consideráveis acerca de seu modo de vida. Idealmente, cada paciente é um caso único, que apresenta um grande número de variáveis a serem levadas em conta. Na prática, há sempre, provavelmente, uma tendência para classificações de acordo com certos tipos de sintomas, mas não se busca uma classificação precisa. O diagnóstico apoia-se maciçamente em juízos subjetivos do médico e do paciente, baseando-se num conjunto de dados qualitativos obtidos pelo médico através do uso de seus próprios sentidos – tato, ouvido e visão – e da estreita interação com o paciente.

Determinado o estado dinâmico do paciente em relação ao meio ambiente, o médico chinês tenta, então, restabelecer o equilíbrio e a harmonia. São usadas várias técnicas terapêuticas, todas planejadas para estimular o organismo do paciente de tal modo que ele siga sua própria tendência natural para voltar a um estado equilibrado. Assim, um dos princípios mais importantes da medicina chinesa é sempre administrar uma terapia a mais branda possível. Idealmente, todo o processo baseia-se numa contínua interação entre médico e paciente, em que o médico vai modificando seguidamente a terapia de acordo com as respostas do paciente.

Os medicamentos herbáceos são classificados de acordo com o sistema *yin/yang* e associados a cinco aromas básicos que, segundo a teoria das cinco fases, afetarão os correspondentes órgãos internos. Na prática, os medicamentos herbáceos raras vezes são administrados isoladamente; o mais usual é serem prescritos em misturas que refletem o padrão de *ch'i* do paciente. Massoterapia, moxibustão e acupuntura, todas essas técnicas recorrem aos pontos de pressão ao longo dos meridianos para influenciar o fluxo de *ch'i*. A moxibustão consiste em queimar pequenos cones da erva moxa pulverizada sobre o corpo nos pontos de pressão; no caso da acupuntura, agulhas de várias espessuras e comprimentos são inseridas nesses pontos. As agulhas podem ser usadas para estimular ou para sedar o corpo, dependendo de como são inseridas ou manipuladas. O que todas essas terapias têm em comum é que não visam tratar os sintomas da doença do paciente. Elas funcionam em nível mais fundamental para contra-atacar os desequilíbrios que são considerados a fonte da enfermidade.

Para aplicar nosso estudo do modelo médico chinês ao desenvolvimento de uma abordagem holística da saúde em nossa cultura, precisamos responder a duas perguntas: Em que medida o modelo chinês é holístico? Qual desses aspectos, caso haja algum, pode ser adaptado ao nosso contexto cultural? Quanto à primeira pergunta, é útil distinguir duas espécies de holismo[20]. Numa acepção um tanto limitada, o holismo na medicina significa que o organismo humano é visto como um sistema vivo cujos componentes estão todos interligados e interdependentes. Numa acepção mais ampla, a concepção holística reconhece também que esse sistema é parte integrante de sistemas maiores, o que subentende que o organismo individual está em interação contínua com seu meio ambiente físico e social, sendo constantemente afetado por ele, mas podendo também agir sobre ele e modificá-lo.

O sistema médico chinês é certamente holístico na primeira acepção. Seus praticantes acreditam que suas terapias não apenas eliminarão os principais sintomas da doença do paciente, mas afetarão o organismo inteiro, tratado por eles como um todo dinâmico. Na acepção mais ampla, entretanto, o sistema chinês só é holístico em teoria. A interdependência de organismo e meio ambiente é reconhecida no diagnóstico da doença e é discutida extensamente nos textos médicos clássicos, mas em geral é negligenciada no tocante à terapia. Os textos clássicos conferem peso igual às influências ambientais, às relações de família, aos problemas emocionais, etc., mas a maioria dos médicos de hoje não faz qualquer tentativa prática para lidar com os aspectos psicológicos e sociais da doença no plano terapêutico. Quando formulam seu diagnóstico, levam muito tempo conversando com os pacientes, sobre suas condições de trabalho, sua família e seus estados emocionais; porém, quando chegam à terapia, concentram-se em conselhos dietéticos, remédios herbáceos e acupuntura, restringindo-se às técnicas de manipulação dos processos internos do corpo. Não existe psicoterapia nem qualquer tentativa de aconselhar os pacientes sobre como poderiam mudar sua maneira de viver. O papel de eventos estressantes nas esferas psicológica e social é claramente reconhecido como fonte de doença, mas os médicos não acham que seja parte do processo terapêutico promover mudanças nesses níveis.

Até onde é possível discernir, essa atitude era também característica dos médicos chineses no passado. Os clássicos médicos são documentos ricos que expõem uma ampla concepção holística da natureza humana e da medicina, mas são obras teóricas escritas por médicos que eram, acima de tudo, estudiosos e não estavam muito envolvidos na cura de pacientes. Na prática, o sistema chinês provavelmente nunca foi muito holístico no que se refere aos aspectos psicológicos e sociais da doença. A relutância dos médicos em agir terapeuticamente, afetando, assim, a situação social do paciente, foi certamente um resultado da forte influência do confucionismo em todos os aspectos da vida chinesa. O sistema confucionista estava principalmente interessado em manter a ordem social vigente. A doença, na concepção confucionista, podia decorrer do ajustamento inadequado às regras e costumes da sociedade, mas a única maneira de um indivíduo ficar bom era mudar a si mesmo a fim de se ajustar à ordem social estabelecida. Essa atitude está tão profundamente enraizada na cultura do leste asiático, que ainda inspira a moderna terapia médica na China e no Japão.

Quais os aspectos da filosofia e da prática médica chinesas tradicionais que podem, portanto, ou devem ser incorporados à nossa própria estrutura de assistência à saúde? Para responder a esta pergunta, o estudo da prática médica no Japão contemporâneo é extremamente útil. Ele fornece uma oportunidade ímpar de se saber como os médicos japoneses modernos usam conceitos e práticas da medicina tradicional do leste asiático que não são muito diferentes dos empregados em nossa sociedade para tratar as doenças. Os japoneses adotaram espontaneamente a medicina ocidental há cerca de cem anos, mas agora estão revalorizando cada vez mais suas práticas tradicionais, que, acreditam eles, podem preencher muitas funções além das capacidades do modelo biomédico. Margaret Lock efetuou um detalhado estudo da medicina tradicional do leste asiático* no moderno Japão urbano, e concluiu que há um número crescente de médicos japoneses, conhecidos como doutores *kanpo***, que combinam técnicas orientais e ocidentais num sistema eficiente de assistência médica[21]. Embora muitos aspectos da medicina *kanpo* somente sejam eficazes no contexto cultural do Japão, outros podem muito bem ser adaptados à nossa cultura.

Uma diferença flagrante entre as abordagens oriental e ocidental da saúde é que na sociedade do leste asiático, em geral, o conhecimento subjetivo é altamente valorizado. Mesmo no moderno Japão científico, o valor da experiência subjetiva é reconhecido e o conhecimento subjetivo é considerado tão valioso quanto o pensamento dedutivo racional. Assim, os médicos japoneses podem aceitar juízos subjetivos – tanto os seus próprios quanto os de seus pacientes –, sem que vejam neles ameaças à sua competência médica ou à sua integridade pessoal. Uma consequência dessa atitude é uma nítida ausência de preocupação a respeito de quantificação, entre os médicos do leste asiático, amparada na consciência que eles possuem de que estão lidando com sistemas vivos, em fluxo contínuo, para

---

* Lock e outros autores usam o termo "medicina do leste asiático" para designar o sistema médico que era dominante até o século XIX entre as populações alfabetizadas da China, Coreia e Japão, e que é frequentemente citado como "medicina chinesa clássica" ou "medicina oriental". (N. do A.)

** *Kanpo* significa literalmente "método chinês"; refere-se ao sistema médico levado da China para o Japão no século VI. (N. do A.)

o que são consideradas suficientes as avaliações qualitativas. Por exemplo, os médicos *kanpo* não medem a temperatura dos pacientes, mas anotam as sensações subjetivas deles ao terem febre; os remédios de ervas são medidos muito rudimentarmente, em pequenas caixas, sem o uso de balanças e depois, misturados. Tampouco é medida a duração da terapia de acupuntura; ela é simplesmente determinada de acordo com a resposta do paciente sobre como se sente.

A avaliação apropriada do conhecimento subjetivo é algo que certamente poderíamos aprender com o Oriente. Desde Galileu, Descartes e Newton, nossa cultura tem estado tão obcecada com o conhecimento racional, a objetividade e a quantificação, que nos mostramos muito inseguros ao lidar com os valores e experiência humanos. Em medicina, a intuição e o conhecimento subjetivo são usados por todo bom médico, mas isso não é reconhecido na literatura profissional, nem é ensinado em nossas escolas médicas. Pelo contrário, segundo os critérios para admissão na maioria das escolas médicas, são rejeitados aqueles que têm maiores talentos para exercer intuitivamente a medicina.

Se adotarmos uma atitude mais equilibrada em relação ao conhecimento racional e intuitivo, será mais fácil incorporar ao nosso sistema de assistência à saúde alguns dos aspectos característicos tanto da medicina do leste asiático como de nossa própria tradição hipocrática. A principal diferença entre esse novo modelo de saúde e a abordagem do leste asiático será a integração de medidas psicológicas e sociais em nosso sistema de assistência à saúde. O aconselhamento psicológico e a psicoterapia não fazem parte da tradição do leste asiático, mas desempenham um papel importante em nossa cultura; os médicos do leste asiático tampouco se preocupam em mudar a situação social, embora reconheçam a importância dos problemas sociais no desenvolvimento da doença. Em nossa sociedade, entretanto, uma abordagem verdadeiramente holística reconhecerá que o meio ambiente criado por nosso sistema social e econômico, baseado na visão de mundo cartesiana, fragmentada e reducionista, tornou-se uma séria ameaça à nossa saúde. Uma abordagem ecológica da saúde só terá sentido, portanto, se for acompanhada de profundas mudanças em nossa tecnologia e em nossas estruturas sociais e econômicas.

A assistência à saúde na Europa e na América do Norte é praticada por um grande número de pessoas e organizações, incluindo médicos, enfermeiras, psicoterapeutas, psiquiatras, profissionais da saúde pública, assistentes sociais, quiropráticos, homeopatas, acupunturistas e vários praticantes "holísticos". Esses indivíduos e grupos agem de acordo com diferentes tipos de abordagem, baseados em diversos conceitos de saúde e de doença. Para integrá-los num sistema efetivo de assistência à saúde, baseado em concepções holísticas e ecológicas, será fundamental estabelecer uma base conceitual comum para se abordar a questão da saúde, de modo que todos esses grupos possam se comunicar e coordenar seus esforços.

Será necessário, também, definir o que é a saúde, pelo menos aproximadamente. Embora todos nós saibamos o que significa sentir-se saudável, é impossível definir precisamente tal estado; a saúde é uma experiência subjetiva, algo que pode ser conhecido intuitivamente, mas nunca descrito ou quantificado. Não obstante, podemos começar nossa definição dizendo que a saúde é um estado de bem-estar que se estabelece quando o organismo funciona de uma certa maneira. A descrição desse modo de funcionamento dependerá de como descrevemos o organismo e suas interações com o meio ambiente. Diferentes modelos de organismos vivos levarão a diferentes definições de saúde. Portanto, o conceito de saúde e os conceitos afins de mal-estar, doença e patologia não se referem a algo bem definido, mas são partes integrantes de modelos limitados e aproximados que refletem uma teia de relações entre múltiplos aspectos do complexo e fluido fenômeno da vida.

Uma vez percebida a relatividade e a natureza subjetiva do conceito de saúde, também se torna claro que as noções de saúde e de doença são fortemente influenciadas pelo contexto cultural em que elas ocorrem. O que é saudável e doente, normal e anormal, são e insano, varia de cultura para cultura. Além disso, o contexto cultural influencia o modo específico como as pessoas se comportam quando adoecem. De que forma comunicamos os nossos problemas de saúde, a maneira como apresentamos nossos sintomas, quando e a quem recorremos para que nos preste assistência, as explicações e medidas terapêuticas oferecidas pelo médico, o terapeuta, ou o curandeiro – tudo isso é fortemente afetado por nossa sociedade e nossa cultura[22]. Dir-se-ia, portanto, que uma nova estrutura para a saúde só pode ser efetiva se baseada em conceitos e ideias enraizados em nossa própria cultura, segundo a dinâmica de nossa evolução social e cultural.

Nos últimos trezentos anos, em nossa cultura, adotou-se a concepção do corpo humano como uma máquina, a ser analisado em termos de suas partes. A mente e o corpo estão separados, a doença é vista como um mau funcionamento de mecanismos biológicos, e a saúde é definida como a ausência de doença. Essa concepção agora está sendo lentamente eclipsada por uma concepção holística e ecológica do mundo, que não considera o universo uma máquina, mas um sistema vivo; essa nova concepção enfatiza a inter-relação e interdependência essenciais de todos os fenômenos e procura entender a natureza não só em termos de estruturas fundamentais, mas também em função de processos dinâmicos subjacentes. Diríamos que a concepção sistêmica dos organismos vivos pode fornecer a base ideal para uma nova abordagem da saúde e da assistência à saúde, que é inteiramente compatível com o novo paradigma, e mergulha suas raízes em nossa herança cultural. A concepção sistêmica de saúde é profundamente ecológica e, assim, está em harmonia com a tradição hipocrática em que se apoia a medicina ocidental. É uma concepção assente em noções científicas e expressa em termos de conceitos e símbolos que são parte de nossa linguagem cotidiana. Ao mesmo tempo, a nova estrutura leva em consideração, naturalmente, as dimensões espirituais da saúde; está, pois, em harmonia com as concepções de muitas tradições espirituais.

O pensamento sistêmico é pensamento de processo e, por conseguinte, a visão sistêmica encara a saúde em termos de um processo contínuo. Enquanto a maioria das definições, incluindo algumas recentemente propostas por seguidores da corrente holística, descreve a saúde como um estado estático de perfeito bem-estar, o conceito sistêmico de saúde subentende atividade e mudança contínuas, refletindo a resposta criativa do organismo aos desafios ambientais. Como a condição de uma pessoa depende sempre, em alto grau, de seu meio ambiente natural e social, não pode haver um nível absoluto de saúde que seja independente desse meio ambiente. As mudanças contínuas do organismo de uma pessoa em relação às variações ambientais incluirão naturalmente fases temporárias de saúde precária, sendo muitas vezes impossível traçar uma linha divisória nítida entre saúde e doença.

A saúde é realmente um fenômeno multidimensional, que envolve aspectos físicos, psicológicos e sociais, todos interdependentes. A representação comum de saúde e doença como extremos opostos de algo contínuo e unidimensional é muito enganadora. A doença física pode ser contrabalançada por uma atitude mental positiva e por um apoio social, de modo que o estado global seja de bem-estar. Por outro lado, problemas emocionais ou o isolamento social podem fazer uma pessoa sentir-se doente, apesar de seu bom estado físico. Essas múltiplas dimensões da saúde afetam-se mutuamente, de modo geral; a sensação de estar saudável ocorre quando tais dimensões estão bem equilibradas e integradas. A experiência de doença, do ponto de vista sistêmico, resulta de modelos de distúrbio que podem se manifestar em vários níveis do organismo, assim como nas várias interações entre o organismo e os sistemas mais vastos em que ele está inserido. Uma importante característica da abordagem sistêmica é a noção de ordem estratificada, envolvendo níveis de diferentes complexidades, tanto no âmbito dos organismos individuais, quanto no de sistemas sociais e ecológicos. Assim, a concepção sistêmica de saúde pode ser aplicada a diferentes níveis de sistemas, com os correspondentes níveis de saúde mutuamente interligados. Podemos discernir, em especial, três níveis interdependentes de saúde: individual, social e ecológico.

O que não é saudável para o indivíduo tampouco é saudável, geralmente, para a sociedade e para o ecossistema global.

A concepção sistêmica de saúde baseia-se na concepção sistêmica de vida. Os organismos vivos, como já vimos, são sistemas auto-organizadores que exibem um alto grau de estabilidade. Essa estabilidade é profundamente dinâmica e caracterizada por flutuações contínuas, múltiplas e interdependentes. Para ser saudável, tal sistema precisa ser flexível, dispor de um grande número de opções para a interação com seu meio ambiente. A flexibilidade de um sistema depende de quantas de suas variáveis se mantêm flutuando dentro de seus limites de tolerância: quanto mais dinâmico é o estado do organismo, maior será a sua flexibilidade. Seja qual for a natureza da flexibilidade – física, mental, social, tecnológica ou econômica –, é essencial para a capacidade do sistema que se adapte às mudanças ambientais. Perda de flexibilidade significa perda de saúde.

Essa noção de equilíbrio dinâmico é um conceito útil para definir saúde. "Dinâmico" é aqui de importância crucial, indicando que o equilíbrio necessário não é um equilíbrio estático, mas um modelo flexível de flutuações do tipo anteriormente descrito. A saúde, portanto, é uma experiência de bem-estar resultante de um equilíbrio dinâmico que envolve os aspectos físico e psicológico do organismo, assim como suas interações com o meio ambiente natural e social.

O conceito de saúde como equilíbrio dinâmico é compatível com a concepção sistêmica de vida e com muitos modelos tradicionais de saúde e cura, entre eles a tradição hipocrática e a tradição da medicina do leste asiático. Tal como nesses modelos tradicionais, o "equilíbrio dinâmico" reconhece as forças curativas inerentes a todo organismo vivo, a tendência inata do organismo para voltar ao estado de equilíbrio, ao ser perturbado. Pode fazê-lo retornando, mais ou menos, ao estado original através de vários processos de automanutenção, incluindo homeostase, adaptação, regeneração e autorrenovação. Exemplos desse fenômeno seriam as enfermidades menores que fazem parte de nossa vida cotidiana e geralmente se curam por si mesmas. Por outro lado, o organismo também pode passar por um processo de autotransformação e autotranscendência, envolvendo estágios de crise e transição, e resultando num estado inteiramente novo de equilíbrio. Importantes mudanças no estilo de vida de uma pessoa, induzidas por uma grave doença, são exemplos de tais respostas criativas que frequentemente deixam a pessoa num nível de saúde superior àquele de que usufruía antes do desafio. Isso sugere que períodos de saúde precária são estágios naturais na interação contínua entre o indivíduo e o meio ambiente. Estar em equilíbrio dinâmico significa passar por fases temporárias de doença, nas quais se pode aprender e crescer.

O equilíbrio natural dos organismos vivos inclui um equilíbrio entre suas tendências autoafirmativas e integrativas. Para ser saudável, um organismo tem que preservar sua autonomia individual, mas, ao mesmo tempo, estar apto a integrar-se harmoniosamente em sistemas mais vastos. Essa capacidade de integração está intimamente relacionada com a flexibilidade do organismo e com o conceito de equilíbrio dinâmico. A integração num nível sistêmico manifestar-se-á como equilíbrio num nível maior, tal como a integração harmoniosa de componentes individuais em sistemas maiores resulta no equilíbrio desses sistemas. A doença é, portanto, uma consequência de desequilíbrio e desarmonia, e pode, com muita frequência, ser vista como decorrente de uma falta de integração. Isso é particularmente verdadeiro para a doença mental, que resulta amiúde da falta de avaliação e integração da experiência sensorial.

A noção de doença como resultante de uma falta de integração parece ser especialmente aplicável às abordagens que tentam entender os organismos vivos em termos de padrões rítmicos. A partir dessa perspectiva, a sincronia torna-se uma importante medida de saúde. Os organismos individuais interagem e comunicam-se mutuamente mediante a sincronização de seus respectivos ritmos, integrando-se desse modo nos ritmos mais amplos de seu meio ambiente. Ser saudável significa, portanto, estar em sincronia consigo mesmo – física e mentalmente – e também com o mundo circundante. Quando uma pessoa não está em sincronia, o mais provável é que ocorra uma doença. Muitas tradições esotéricas associam a saúde à sincronia de ritmos e a cura, a uma certa ressonância entre o terapeuta e o paciente.

O conceito de estresse parece ser extremamente útil para descrever o desequilíbrio de um organismo. Embora seja relativamente novo na pesquisa médica[23], firmou-se na consciência coletiva e na linguagem de nossa cultura. O conceito de estresse também é completamente compatível com a visão sistêmica da vida, e só pode ser plenamente apreendido quando a sutil interação entre mente e corpo é percebida.

O estresse é um desequilíbrio do organismo em resposta a influências ambientais. O estresse temporário é um aspecto essencial da vida, uma vez que a interação contínua entre o organismo e seu meio ambiente envolve, frequentemente, perdas temporárias de flexibilidade. Isso ocorre quando o indivíduo percebe uma súbita ameaça, ou quando tem que se adaptar a súbitas mudanças no meio ambiente, ou, ainda, quando ele está sendo fortemente estimulado de alguma outra forma. Essas fases transitórias de desequilíbrio são parte integrante do modo como os organismos saudáveis interagem com seu meio ambiente, mas o estresse prolongado ou crônico pode ser pernicioso e desempenha um papel significativo no curso de muitas doenças[24].

Do ponto de vista sistêmico, o fenômeno do estresse ocorre quando uma ou diversas variáveis de um organismo são forçadas até seu limite extremo, o que induz a um aumento de rigidez em todo o sistema. Num organismo saudável, as outras variáveis conspirarão para que todo o sistema retome seu equilíbrio e restabeleça sua flexibilidade. O aspecto notável dessa resposta é que ela é bastante estereotipada. Os sintomas de estresse fisiológico – garganta apertada, pescoço tenso, respiração superficial, pulsação acelerada, etc. – são praticamente idênticos em animais e em seres humanos, e inteiramente independentes da fonte de estresse. Por constituírem a preparação do organismo para enfrentar o desafio, seja lutando, seja fugindo, o fenômeno é conhecido como a resposta de "luta ou fuga". Uma vez que o indivíduo tenha passado à ação, lutando ou fugindo, ele retornará a um estado de relaxamento e, finalmente, à homeostase. O bem conhecido "suspiro de alívio" é um exemplo de tal retorno ao estado de relaxamento.

Entretanto, quando a resposta de luta ou fuga é prolongada, e o indivíduo não pode passar à ação lutando ou fugindo, para livrar o organismo do estado de estresse, sua saúde é prejudicada. O desequilíbrio contínuo criado pelo estresse prolongado e inquebrantável pode gerar sintomas psicológicos e físicos – tensão muscular, indigestão, ansiedade, insônia – que resultarão em doença. O prolongamento do estresse redunda frequentemente em nossa incapacidade para integrar as respostas de nosso corpo a nossos hábitos culturais e a nossas regras sociais de comportamento. Tal como a maioria dos animais, reagimos a qualquer espécie de desafio mobilizando nosso organismo, em preparação ou para a luta física ou para a fuga física; mas, na maioria dos casos, essas reações deixaram de ser úteis. Numa intensa reunião de negócios, não podemos levar a melhor numa discussão agredindo fisicamente nosso antagonista, nem podemos fugir da situação. Sendo civilizados, tentamos enfrentar o desafio de um modo socialmente aceitável, mas as partes "velhas" de nosso cérebro continuam mobilizando o organismo para respostas físicas inadequadas. Se isso acontecer repetidas vezes, nós provavelmente adoeceremos; poderemos, nesse caso, contrair uma úlcera gástrica ou ter um ataque cardíaco.

Existe um elemento-chave no vínculo entre o estresse e a doença que ainda não é conhecido em todos os seus detalhes, mas que foi verificado por numerosos estudos: é o fato de que o estresse prolongado anula o sistema imunológico do corpo e suas defesas naturais contra infecções e outras doenças. O pleno reconhecimento desse fato ocasionará uma importante mudança na pesquisa médica, fazendo com que ela deixe de lado a preocupação com microrganismos e passe a estudar cuidadosamente o organismo hospedeiro e seu meio ambiente. Tal mudança é vital em nossos dias, visto que as doenças crônicas e degenerativas – que são características do nosso tempo e constituem as causas principais de morte e incapacidade – estão intimamente relacionadas com o estresse excessivo.

As fontes dessa sobrecarga de estresse são múltiplas. Elas podem originar-se dentro de um indivíduo, podem ser coletivamente geradas pela nossa sociedade e nossa cultura, ou podem estar presentes no meio ambiente físico. As situações estressantes decorrem não apenas de traumas emocionais pessoais, ansiedades e frustrações, como também do meio ambiente inseguro criado por nosso sistema social e econômico. O estresse, entretanto, não resulta somente de experiências negativas. Todos os eventos – positivos ou negativos, alegres ou tristes – que requerem que uma pessoa se adapte a mudanças rápidas e profundas são altamente estressantes. É deveras lamentável para nossa saúde que nossa cultura tenha produzido um ritmo acelerado de mudanças em todas as áreas, juntamente com numerosos riscos para a saúde física, mas não nos tenha ensinado como enfrentar o crescente volume de estresse com que nos deparamos.

O reconhecimento do papel do estresse no curso das doenças leva à importante ideia da doença como "forma de solução de problemas". Em virtude do condicionamento social e cultural, as pessoas consideram frequentemente impossível aliviar ou descarregar seu estresse de um modo saudável; preferem, portanto – consciente ou inconscientemente –, adoecer, como uma saída. A doença pode ser física ou mental, ou manifestar-se como comportamento violento e temerário, incluindo crimes, abuso de tóxicos, acidentes e suicídios, a que se pode licitamente dar o nome de doenças sociais. Todas essas "vias de fuga" são formas de saúde precária, sendo a doença física apenas uma das numerosas formas patológicas de enfrentar situações estressantes na vida. Por conseguinte, curar a doença não tornará necessariamente o paciente saudável. Se a fuga para uma determinada doença é eficazmente bloqueada por intervenção médica, enquanto a situação estressante persiste, isso pode meramente transferir a resposta da pessoa para um modo diferente, como a doença mental ou o comportamento antissocial, o que será igualmente patológico. Um enfoque holístico terá de encarar a saúde a partir dessa ampla perspectiva, distinguindo claramente as origens da doença e sua manifestação. Caso contrário, não terá muito sentido discorrer sobre terapias coroadas de êxito. Como disse um médico amigo meu, em poucas, mas veementes palavras: "Se você for capaz de reduzir a doença física, mas, ao mesmo tempo, aumentar a doença mental ou o crime, o que diabos você ganhou com isso?"

A ideia da doença como um meio de enfrentar situações estressantes na vida leva naturalmente à noção do significado de doença, ou da "mensagem" transmitida por uma determinada doença. Para se entender essa mensagem, a saúde precária deve ser considerada uma oportunidade para a introspecção, de modo que o problema original e as razões para a escolha de uma certa via de fuga possam ser levados a um nível consciente onde o problema possa ser resolvido. É aí que o aconselhamento psicológico e a psicoterapia podem desempenhar um importante papel, mesmo no tratamento de doenças físicas. Integrar as terapias físicas e psicológicas significará uma importante revolução na assistência à saúde, uma vez que demandará o pleno reconhecimento da interdependência entre mente e corpo na saúde e na doença.

Quando é adotada a visão sistêmica da mente, torna-se óbvio que qualquer doença tem aspectos mentais. Adoecer e curar-se são partes integrantes da auto-organização de um organismo, e, como a mente representa a dinâmica dessa auto-organização, os processos de adoecer e curar-se são essencialmente fenômenos mentais. Por ser a mentação um padrão de processos em múltiplos níveis, tendo a maioria deles lugar na esfera inconsciente, estamos agora plenamente cônscios de como ficamos e deixamos de ficar doentes, mas isso não altera o fato de que a doença é, em sua essência, um fenômeno mental.

A interação íntima entre processos físicos e mentais tem sido reconhecida ao longo dos tempos. Todos nós sabemos que expressamos as emoções através de gestos, inflexões, padrões respiratórios e movimentos diminutos, imperceptíveis a olhos não treinados. O modo preciso como os padrões físicos e psicológicos se interligam ainda é pouco entendido; assim, os médicos tendem a limitar-se ao modelo biomédico e a negligenciar os aspectos psicológicos da doença. Houve, entretanto, uma série de tentativas significativas para desenvolver uma abordagem unificada do sistema corpo/mente ao longo de toda a história da medicina ocidental. Várias décadas atrás, essas tentativas culminaram na formulação da medicina psicossomática como disciplina científica, preocupada especificamente com o estudo das relações entre os aspectos biológicos e psicológicos da saúde[25]. Esse novo ramo da medicina está hoje ganhando uma aceitação cada vez maior, especialmente com a consciência crescente da importância do estresse, e é muito provável que desempenhe um importante papel num futuro sistema holístico de assistência à saúde.

O termo "psicossomático" exige um certo esclarecimento. Na medicina convencional, era usado para referir-se a um distúrbio sem uma base orgânica claramente diagnosticada. Em virtude da forte tendência biomédica, os "distúrbios psicossomáticos" eram considerados muito mais imaginários do que reais. A nova acepção do termo é inteiramente diferente; deriva do reconhecimento de uma interdependência fundamental entre corpo e mente em todos os estágios de doença e saúde. Afirmar que um distúrbio tem causas puramente psicológicas seria tão reducionista quanto acreditar que existam doenças puramente orgânicas sem quaisquer componentes psicológicos. Pesquisadores e clínicos estão hoje cada vez mais conscientes de que praticamente todos os distúrbios são psicossomáticos, no sentido de que envolvem uma interação contínua de corpo e mente em sua origem, desenvolvimento e cura. Nas palavras de René Dubos: "Sejam quais forem suas causas precipitantes e suas manifestações, quase todas as doenças envolvem o corpo e a mente, e esses dois aspectos estão de tal forma inter-relacionados que não podem ser separados um do outro"[26]. Assim, o termo "distúrbio psicossomático" tornou-se redundante, embora se possa falar em medicina psicossomática*.

As manifestações de doença variarão de caso para caso, de sintomas quase puramente psicológicos para outros quase exclusivamente físicos. Quando os aspectos psicológicos predominam, a doença é usualmente denominada "doença mental". Contudo, doenças mentais envolvem sintomas físicos, e, em alguns casos, fatores biológicos e genéticos podem igualmente ser predominantes na causa do distúrbio. Por outro lado, a origem e o desenvolvimento de muitas doenças mentais dependem crucialmente da capacidade do indivíduo para interagir com seus familiares, amigos e outros grupos sociais. Essas doenças podem ser inteiramente compreendidas com a simples observação de como o organismo individual está inserido em seu ambiente social[27].

Além disso, tornou-se evidente que o papel da personalidade do paciente é um elemento crucial na geração de muitas doenças. De algum modo, o estresse prolongado parece ser canalizado através de uma determinada configuração da personalidade, dando origem a um distúrbio específico. O elo mais convincente entre personalidade e doença foi encontrado nas doenças cardíacas, e estão sendo estabelecidos vínculos hipotéticos para outras doenças importantes, sobretudo o câncer[28]. Esses resultados são extremamente significativos, porque assim que a personalidade do paciente entra no quadro clínico, a doença fica inseparavelmente vinculada a toda a sua psique, o que sugere a unificação das terapias física e psicológica.

Apesar da extensa literatura sobre o papel das influências psicológicas no desenvolvimento da doença, pouquíssimo trabalho foi realizado para explorar os métodos de alteração dessas influências. A chave para qualquer uma dessas

---

* O termo "saúde holística", que se tornou recentemente muito popular, também é redundante, uma vez que saúde já subentende totalidade; entretanto, pode-se falar em assistência holística à saúde. (N. do A.)

tentativas é a ideia de que as atitudes e os processos mentais não só desempenham um papel significativo no desenvolvimento de uma doença, como são também decisivos no processo de cura. A natureza psicossomática da doença subentende a possibilidade de autocura psicossomática. Essa ideia é fortemente corroborada pela recente descoberta do fenômeno do *biofeedback*, o qual mostrou que uma vasta gama de processos físicos pode ser influenciada pelos esforços mentais de uma pessoa[29].

O primeiro passo nesse tipo de autocura será o reconhecimento, pelos pacientes, de que eles participaram, consciente ou inconscientemente, da origem e desenvolvimento de sua doença, e que, por conseguinte, também poderão participar do processo de cura. Na prática, essa noção de participação do paciente, que subentende a ideia de responsabilidade por parte dele, é extremamente problemática e vigorosamente negada pela maioria dos pacientes. Condicionados como estão pela estrutura cartesiana, eles se recusam a considerar a possibilidade de que tenham participação em sua doença, associando essa ideia com julgamento moral e culpa. É importante esclarecer exatamente o que se entende por participação e responsabilidade do paciente.

No contexto de uma abordagem psicossomática, nossa participação no desenvolvimento de uma doença significa que fazemos certas escolhas para nos expormos a situações estressantes e, além disso, para reagirmos a esses estresses de determinadas maneiras. Essas escolhas são influenciadas pelos mesmos fatores que influenciam todas as escolhas que fazemos na vida. Elas são feitas muito mais inconsciente do que conscientemente, e dependerão de nossa personalidade, de várias restrições externas e do condicionamento social e cultural. Qualquer responsabilidade, portanto, só pode ser parcial. Tal como o conceito de livre-arbítrio, a noção de responsabilidade pessoal deve ser necessariamente limitada e relativa, e tanto o primeiro quanto a segunda não podem ser associados a valores morais absolutos. A finalidade do reconhecimento de participação em nossa doença não é a de nos sentirmos culpados a seu respeito, mas a de procedermos às mudanças necessárias e compreendermos que também podemos participar do processo de cura.

As atitudes mentais e as técnicas psicológicas são importantes meios para a prevenção e a cura de doenças. Uma atitude positiva combinada com técnicas específicas de redução do estresse terá um forte impacto positivo sobre o sistema corpo/mente, sendo frequentemente capaz de inverter o processo patológico, até mesmo de curar sérios distúrbios biológicos. As mesmas técnicas podem ser usadas para evitar a doença, empregadas no sentido de enfrentar o estresse excessivo antes da ocorrência de quaisquer danos sérios.

Uma prova impressionante do poder curativo causado apenas pelas expectativas positivas é fornecida pelo efeito do placebo, bastante conhecido. O placebo é um medicamento inócuo, dado ao paciente como se fosse um comprimido autêntico, a fim de que ele pense estar recebendo o remédio verdadeiro. Diversos estudos mostraram que 35 por cento dos pacientes apresentaram um "alívio satisfatório" quando receberam placebos em vez da medicação regular para uma vasta gama de problemas médicos[30]. Os placebos foram extraordinariamente bem-sucedidos na redução ou eliminação de sintomas físicos e produziram recuperações espetaculares no caso de doenças para as quais não se conhecia cura na medicina. O único ingrediente ativo nesses tratamentos parece ser a força poderosa das expectativas positivas do paciente, apoiadas pela interação com o terapeuta.

O efeito do placebo não está limitado à administração de pílulas, mas pode ser associado a qualquer forma de tratamento. Na verdade, é possível que desempenhe um papel significativo em toda e qualquer terapia. No jargão médico, o termo "placebo" tem sido usado para referir-se a qualquer aspecto do processo de cura que não se baseie na intervenção física ou farmacológica e, tal como o termo "psicossomático", contém frequentemente uma conotação pejorativa. Os médicos geralmente classificam as doenças cujas origens e desenvolvimento não puderam ser entendidos na estrutura biomédica como "psicossomáticas", e qualificam qualquer processo de cura induzido pelas expectativas positivas do paciente e por sua fé no médico e no tratamento de "efeito de placebo", ao passo que as autocuras sem qualquer intervenção médica são descritas como "remissões espontâneas". O significado real dessas três expressões é muito semelhante; referem-se todas elas aos poderes curativos da atitude mental do paciente.

A vontade do paciente de ficar bom e a confiança no tratamento são aspectos cruciais de qualquer terapia, desde os rituais xamanísticos de cura até os modernos procedimentos médicos. Como assinalou o escritor e editor Norman Cousins, "muitos estudiosos de medicina acreditam que a história da medicina é realmente a história do efeito de placebo"[31]. Por outro lado, as atitudes negativas do paciente, do médico ou da família podem produzir um "efeito de placebo inverso". A experiência tem mostrado, repetidamente, que os pacientes a quem é dito que têm apenas de seis a nove meses de vida não vivem, de fato, mais do que isso. Declarações desse gênero exercem um poderoso impacto sobre o sistema mente/corpo do paciente – elas parecem agir quase como um bruxedo; portanto, nunca devem ser feitas.

No passado, a autocura psicossomática sempre esteve associada à fé em algum tratamento – um medicamento, o poder de um curandeiro, talvez um milagre. Numa abordagem futura da saúde e da arte de curar, baseada no novo paradigma holístico, será possível reconhecer o potencial do indivíduo para a autocura direta, sem necessidade de quaisquer sucedâneos conceituais, como também o desenvolvimento de técnicas psicológicas que facilitem o processo de cura.

Estivemos construindo um modelo de doença holístico e dinâmico. Nele, a doença é uma consequência do desequilíbrio e da desarmonia, decorrendo frequentemente de uma falta de integração que pode se manifestar em vários níveis do organismo, sendo, assim, passível de gerar sintomas de natureza física, psicológica ou social. A doença é uma manifestação biológica de enfermidade, e o modelo distingue claramente entre origens da doença e processos patológicos. Acredita-se que o estresse excessivo contribui de um modo significativo para a origem e o desenvolvimento da maioria das doenças, manifestando-se no desequilíbrio inicial do organismo e, subsequentemente, sendo canalizado através de uma determinada configuração da personalidade para dar origem a distúrbios específicos. Um aspecto importante desse processo é o fato de que a enfermidade é frequentemente percebida, consciente ou inconscientemente, como uma saída para a situação estressante, representando as várias espécies de enfermidade diferentes vias de fuga. A cura da doença não fará necessariamente com que o paciente fique saudável, mas a enfermidade pode ser uma oportunidade para a introspecção que resolva a raiz do problema.

O desenvolvimento de uma enfermidade envolve a interação contínua entre processos físicos e mentais que se reforçam mutuamente através de uma complexa rede de laços de realimentação. Os diferentes tipos de doença, em qualquer estágio, apresentam-se como manifestações de processos psicossomáticos subjacentes que devem ser enfrentados no decorrer da terapia. Essa visão dinâmica da enfermidade reconhece especificamente a tendência inata do organismo para curar-se – isto é, para restabelecer-se num estado de equilíbrio –, o que pode incluir fases de crise e importantes transições vitais. Períodos de saúde precária, envolvendo sintomas de menor importância, são estágios normais e naturais que representam o meio de o organismo restabelecer o equilíbrio mediante a interrupção das atividades normais do indivíduo, forçando-o a uma mudança de ritmo. Por conseguinte, os sintomas associados a essas enfermidades menores geralmente desaparecem após alguns dias, seja ou não ministrado qualquer tratamento. As enfermidades mais sérias exigirão maiores esforços para que o equilíbrio seja restabelecido, incluindo geralmente a ajuda de um médico ou terapeuta, e o resultado dependerá fundamentalmente das atitudes mentais e das expectativas do paciente. As enfermidades graves, finalmente, exigirão um enfoque terapêutico que se ocupe não só dos aspectos físicos e psicológicos do distúrbio, mas também das mudanças no estilo de vida e na visão de mundo do paciente, que serão parte integrante do processo de cura.

Essas concepções de saúde e doença subentendem um certo número de diretrizes para a assistência à saúde e possibilitam que se esboce a estrutura básica para uma nova abordagem holística. A assistência à saúde consistirá em restaurar e manter o equilíbrio dinâmico de indivíduos, famílias e outros grupos sociais. Significará pessoas cuidando de sua própria saúde, individualmente, como uma sociedade, e com a ajuda de terapeutas. Essa espécie de assistência à saúde não pode ser simplesmente "fornecida", ela tem que ser praticada. Além disso, será importante considerar a interdependência de nossa saúde individual e a dos sistemas sociais e ecológicos em que estivermos inseridos. Se vivemos num bairro ou numa comunidade suscetíveis de gerar estresse, a situação não melhorará se nos mudarmos para outro lugar e deixarmos que outros fiquem à mercê dos fatores estressantes, embora nossa própria saúde possa melhorar. Analogamente, uma economia enferma não é melhorada elevando-se o nível de desemprego. Tais providências equivalem a controlar o estresse, empurrando-o simplesmente de um lado para outro – de uma família para outra, dos indivíduos para a sociedade e de volta para outros indivíduos, ou da sociedade para o ecossistema, de onde poderá retornar quarenta anos mais tarde, como no caso de Love Canal. A assistência à saúde em todos os níveis deverá equilibrar e resolver as situações estressantes através da ação individual e social.

Um futuro sistema de assistência à saúde consistirá, em primeiro lugar e acima de tudo, num sistema abrangente, efetivo e bem integrado de assistência preventiva. A manutenção da saúde será, em parte, uma questão individual e, em parte, uma questão coletiva, estando as duas, a maior parte do tempo, intimamente interligadas. A assistência à saúde individual baseia-se no reconhecimento de que a saúde dos seres humanos é determinada, acima de tudo, por seu comportamento, sua alimentação e a natureza de seu meio ambiente[32]. Como indivíduos, temos o poder e a responsabilidade de manter nosso organismo em equilíbrio, respeitando um certo número de regras simples de comportamento no que se refere ao sono, alimentos, exercícios e medicamentos. O papel dos terapeutas e profissionais de saúde será meramente o de nos auxiliarem no cumprimento dessas regras. No passado, essa espécie de assistência preventiva à saúde foi seriamente negligenciada em nossa sociedade, mas, recentemente, registrou-se uma mudança significativa de atitudes que gerou um poderoso movimento das bases, no sentido de promover saudáveis hábitos de vida – alimentos integrais, exercícios físicos, partos em casa, técnicas de relaxamento e meditação – e de enfatizar a responsabilidade de cada um pela sua saúde.

Se a aceitação da responsabilidade pessoal deverá ser crucial num futuro sistema de assistência holística à saúde, será igualmente decisivo reconhecer que essa responsabilidade está sujeita a sérias restrições. Os indivíduos só podem ser responsabilizados na medida em que têm a liberdade de cuidar de si mesmos, e essa liberdade é frequentemente cerceada por pesados condicionamentos sociais e culturais. Além disso, muitos problemas de saúde promanam de fatores econômicos e políticos que somente podem ser modificados coletivamente. A responsabilidade individual tem que ser acompanhada da responsabilidade social, e a assistência à saúde individual, de ações e programas sociais. "Assistência social à saúde" parece ser um termo apropriado para os programas e atividades coletivos dedicados à manutenção e à promoção da saúde.

A assistência social à saúde terá duas partes básicas – a educação para a saúde e a política da saúde –, as quais devem ser empreendidas simultaneamente e em estreita coordenação. O objetivo da educação para a saúde será fazer com que as pessoas entendam como seu comportamento e seu meio ambiente afetam sua saúde e ensiná-las a enfrentar o estresse em sua vida cotidiana. Programas abrangentes que enfatizem a educação sanitária podem ser integrados no sistema escolar e considerados de importância vital. Ao mesmo tempo, podem ser acompanhados de campanhas de educação sobre saúde pública através dos veículos de comunicação de massa, para contra-atacar os efeitos perniciosos da publicidade de produtos e estilos de vida nocivos. Um importante objetivo da educação sanitária será o de estimular a responsabilidade das grandes companhias. A comunidade empresarial precisa aprender muito mais sobre os riscos para a saúde resultantes de seus métodos de produção e de seus produtos. Terá que se preocupar e tomar providências quanto à saúde pública, tomar consciência dos custos para a manutenção da saúde gerados por suas atividades e formular uma política empresarial que esteja de acordo com esses objetivos[33].

Na área da saúde, a política a ser adotada pelo governo em vários níveis de administração consistirá numa legislação que estabeleça condições para a prevenção de doenças acompanhada também de uma política social que garanta as necessidades básicas das pessoas. As sugestões seguintes incluem algumas das muitas medidas necessárias visando assegurar um meio ambiente que encoraje e torne possível às pessoas levar um tipo de vida mais saudável:

- Restrições a toda publicidade de produtos prejudiciais à saúde.
- "Impostos de assistência à saúde" sobre indivíduos e empresas que gerem riscos para a saúde, a fim de que cubram os custos médicos que inevitavelmente decorrem desses riscos; por exemplo, poderiam ser taxadas as

empresas que causam poluição de vários tipos; poder-se-ia, também, cobrar impostos progressivos sobre bebidas alcoólicas, cigarros que contêm alcatrão e alimentos supérfluos e artificiais.
- Programas de ação social para melhorar a educação, os níveis de emprego, os direitos civis e a situação econômica de grande número de pessoas empobrecidas; essa política social é também uma política de saúde, pois afeta não só os indivíduos envolvidos, como também a saúde da sociedade como um todo.
- Desenvolvimento progressivo dos serviços de planejamento familiar, aconselhamento familiar, centros de assistência diurna, etc.; isso pode ser encarado como assistência preventiva à saúde mental.
- Desenvolvimento de uma política nutricional que forneça incentivos à indústria para produzir mais alimentos nutritivos, incluindo restrições aos artigos oferecidos em máquinas automáticas, e especificações nutricionais para os alimentos servidos em escolas, hospitais, prisões, cantinas de repartições públicas, etc.
- Legislação para apoiar e desenvolver métodos orgânicos de lavoura[34].

Um estudo cuidadoso dessas políticas sugeridas mostra que qualquer delas requer, em última análise, um diferente sistema social e econômico para que seja bem-sucedida. Não há como evitar a conclusão de que o atual sistema se tornou, por si mesmo, uma ameaça fundamental à nossa saúde. Não seremos capazes de aumentar, ou mesmo de manter, nossa saúde se não adotarmos profundas mudanças em nosso sistema de valores e em nossa organização social. Um médico que reconheceu isso com muita clareza foi Leon Eisenberg:

> Nossa prática diária com padecimentos humanos tornou-nos profundamente conscientes de que os problemas de má saúde decorrem, em grande parte, de falhas em nossas instituições políticas, econômicas e sociais. Replanejar todas essas instituições é o desafio central para o próximo século, e acena com promessas de melhora da saúde pública[35].

A reestruturação das instituições sociais requerida pela nova concepção holística de saúde será aplicada, em primeiro lugar, ao próprio sistema de assistência à saúde. Nossas instituições atuais de assistência à saúde baseiam-se na estreita abordagem biomédica para o tratamento de doenças, e estão organizadas de um modo tão fragmentado que se tornaram sumamente ineficazes e inflacionárias. Assinalou Kerr White: "Nunca será demais enfatizar o impacto negativo que nossos fragmentados, desorganizados e desequilibrados dispositivos de assistência à saúde exercem sobre o andamento da assistência fornecida neste país, e o impacto inflacionário que toda essa confusão tem sobre os seus custos"[36]. Precisamos de um sistema de assistência à saúde que seja receptivo e bem integrado, que preencha as necessidades dos indivíduos e das populações.

O primeiro e mais importante passo em direção a uma abordagem holística da terapia será conscientizar o paciente, o mais completamente possível, da natureza e da extensão de seu desequilíbrio. Isso significa que seus problemas terão de ser situados no amplo contexto de onde promanam, o que envolverá um cuidadoso exame dos múltiplos aspectos da enfermidade pelo terapeuta e pelo paciente. Só o reconhecimento desse contexto – da teia de padrões inter-relacionados que levam ao distúrbio – já é altamente terapêutico, porquanto diminui a ansiedade e proporciona esperança e autoconfiança, iniciando-se, assim, o processo de autocura. O aconselhamento psicológico desempenhará um importante papel nesse processo, e aqueles que administram a assistência primária à saúde devem possuir qualificações terapêuticas básicas tanto no nível físico como no psicológico. A principal finalidade do primeiro encontro entre o paciente e o clínico-geral, independentemente das medidas de emergência, será educar o paciente acerca da natureza e do significado da enfermidade e das possibilidades de mudança do tipo de vida que o levou à doença. De fato, é esse o papel original do "doutor", palavra que vem do latim *docere* ("ensinar").

Avaliar a contribuição relativa de fatores biológicos, psicológicos e sociais para a enfermidade de uma pessoa é a essência da arte e da ciência da clínica geral. Requer não só algum conhecimento básico de biologia humana, psicologia e ciência social, mas também experiência, sabedoria, compaixão e desvelo pelo paciente como ser humano. Os clínicos-gerais que prestam esse tipo de assistência não precisam ser doutores em medicina, nem peritos em qualquer das disciplinas científicas envolvidas, mas terão que ser sensíveis às múltiplas influências que afetam a saúde e a enfermidade e estar aptos a decidir quais dentre elas são as mais importantes, conhecidas e controláveis num caso particular. Se necessário, encaminharão o paciente a especialistas nas áreas pertinentes, mas, mesmo quando tais tratamentos especiais forem necessários, o objetivo da terapia será ainda a pessoa como um todo.

A finalidade básica de qualquer terapia será restabelecer o equilíbrio do paciente; como o modelo subjacente de saúde reconhece a tendência inata do organismo para curar-se, o terapeuta procurará interferir o mínimo possível e manter os tratamentos moderados tanto quanto possível. A cura será sempre feita pelo próprio sistema corpo/mente; o terapeuta apenas procurará reduzir o estresse excessivo, fortalecer o corpo, encorajar o paciente a desenvolver sua autoconfiança e uma atitude mental positiva, criando um ambiente mais propício à cura.

Tal abordagem da terapia será multidimensional, envolvendo tratamentos em vários níveis do sistema corpo/mente, o que irá exigir um esforço de equipe multidisciplinar. Os membros da equipe de saúde serão especialistas em vários campos, mas compartilharão da mesma concepção holística de saúde e de uma estrutura conceitual comum, o que lhes permitirá comunicar-se eficientemente e integrar seus esforços de maneira sistemática. Esse tipo de assistência à saúde requererá muitas qualificações novas em disciplinas que antes não estavam associadas à medicina, e tudo indica que será intelectualmente mais rica, mais estimulante e mais desafiadora do que uma prática médica que adere exclusivamente ao modelo biomédico.

A assistência primária aos pacientes antes descrita está sendo hoje vigorosamente advogada por enfermeiras que se encontram na vanguarda do movimento holístico de saúde. Essas enfermeiras, em número crescente, estão decidindo ser terapeutas independentes, em vez de meras assistentes de médicos, procurando orientar-se em sua prática por uma abordagem holística. Assim educadas e motivadas, essas profissionais serão as mais qualificadas para assumir as responsabilidades da clínica geral. Elas estarão aptas a fornecer a educação e o aconselhamento necessários à saúde e a avaliar a dinâmica da vida dos pacientes, o que pode servir de base para a assistência sanitária preventiva. Manterão contatos regulares com seus pacientes, para que os problemas possam ser detectados antes que se desenvolvam sintomas sérios, e visitarão os membros da comunidade para atender os pacientes dentro do contexto de sua situação profissional e familiar.

Em tal sistema, os médicos atuarão como especialistas. Receitarão medicamentos e farão intervenções cirúrgicas em casos de emergência, tratarão de ossos fraturados e darão toda a assistência médica nos casos em que o enfoque biomédico for apropriado e tiver chances de ser bem-sucedido. Mesmo nesses casos, entretanto, a enfermeira ainda desempenhará um importante papel, mantendo contato pessoal com o paciente e integrando os tratamentos especiais num todo significativo. Por exemplo, se a cirurgia for necessária, a enfermeira permanecerá com o paciente, escolherá o hospital apropriado, cooperará com o pessoal de enfermagem do hospital, apoiará psicologicamente o paciente e dar-lhe-á a assistência pós-operatória. Idealmente, ela conheceria seu paciente muito bem de consultas prévias e estaria disponível durante todo o procedimento, tal como o advogado que orienta um cliente no transcurso de um julgamento.

Essa nova assistência primária do tipo holístico pode, é claro, ser exercida também por médicos; parece que os estudantes de medicina têm se mostrado cada vez mais interessados em tal procedimento. Por outro lado, as enfermeiras poderão especializar-se – em massoterapia, fitoterapia, obstetrícia, saúde pública ou assistência social – além de sua prática geral. O importante é que dispomos agora de um grande número de enfermeiras altamente qualificadas que não podem usar todo o seu potencial no sistema atual, mas estão prontas para prestar assistência dentro de uma abordagem holística e humanística. Incorporar a enfermagem numa estrutura holística de assistência à saúde significará expandir o que já existe. Será a estratégia ideal no período de transição para o novo sistema.

A reorganização da assistência à saúde também poderá desencorajar as construções e o uso de instalações ineficientes e incompatíveis com a nova concepção de saúde[37]. Para mudar o atual sistema, que tem como base o hospital e o emprego intensivo de tecnologia, um primeiro passo útil pode ser, como sugeriu Victor Fuchs, a imposição de uma moratória a toda construção e expansão de hospitais, a fim de colocar sob controle os custos hospitalares, em permanente escalada[38]. Ao mesmo tempo, os hospitais serão gradualmente transformados em instituições mais eficientes e humanas, em ambientes confortáveis e terapêuticos, que adotem por modelo hotéis – e não fábricas ou oficinas mecânicas –, com alimentação sadia e nutritiva, membros da família incluídos na assistência ao paciente e outras sensíveis melhorias desse tipo.

Os medicamentos só serão usados em casos de emergência e, mesmo assim, tão parcimoniosa e especificamente quanto possível. Portanto, a assistência à saúde será emancipada da indústria farmacêutica, e médicos e farmacêuticos colaborarão na seleção, dentre os milhares de produtos que os laboratórios farmacêuticos despejam no mercado, das poucas dúzias de medicamentos básicos que, de acordo com os médicos experientes, são inteiramente adequados para uma assistência médica eficaz.

Essas mudanças serão possíveis somente com uma completa reorganização do ensino da medicina. Preparar os estudantes de medicina e outros profissionais dessa área para a nova abordagem holística exigirá uma considerável ampliação de sua base científica e uma atenção muito maior com as ciências do comportamento e a ecologia humana. Como sugeriu Howard Rasmussen, professor de bioquímica e medicina na Faculdade de Medicina da Universidade da Pensilvânia, um programa educacional que apresente um estudo multidisciplinar da natureza humana seria um curso introdutório ideal para os profissionais da saúde[39]. Tal curso, para tratar dos vários níveis de saúde individual e social, basear-se-ia na teoria geral dos sistemas e estudaria a condição humana na saúde e na doença, dentro de um contexto ecológico. Seria o alicerce para estudos médicos mais detalhados e dotaria todos os profissionais dessa área de uma linguagem comum, o que facilitaria a colaboração em futuras equipes de saúde. Ao mesmo tempo, haveria uma correspondente reorientação das prioridades de pesquisa, passando esta de uma excessiva ênfase na biologia celular e molecular para uma abordagem mais equilibrada.

A educação nas escolas de medicina concentrar-se-á muito mais na prática familiar e na medicina ambulatorial – isto é, na compreensão do paciente como uma pessoa viva e que pode se locomover. Preparará os estudantes para o trabalho em equipes de saúde, ajudando-os a entender a natureza multifacetada da saúde e, por conseguinte, os papéis interligados que os membros da equipe desempenham. Isso significa mudanças radicais. De fato, segundo Rasmussen, "só uma revolução pode restabelecer o equilíbrio e a importância da educação"[40].

Um sistema efetivo e bem integrado de assistência à saúde deve ser facilitado por incentivos financeiros que induzam os profissionais da área de saúde, as instituições de assistência à saúde e o público em geral a fazer escolhas adequadas e a implementar uma política apropriada. Nos Estados Unidos, isso incluirá, antes de mais nada, um sistema de seguro nacional de saúde que não seja dominado pelos interesses das grandes companhias e que forneça incentivos econômicos para a assistência holística à saúde, incluindo a educação e outras medidas preventivas[41]. Em conjunto com tal sistema, a legislação sobre o licenciamento de profissionais da área de saúde terá que ser revista, a fim de refletir esses novos princípios e dar ao público maior liberdade de escolha[42].

A mudança de paradigma na assistência à saúde envolverá a formulação de novos modelos conceituais, a criação de novas instituições e a implementação de uma nova política. No que se refere à organização e à política, é possível adotar desde já um certo número de medidas. Quanto aos modelos e técnicas terapêuticas, a situação é bem mais complicada. Ainda não existe um sistema bem estabelecido de terapias que corresponda à nova concepção de enfermidade como um fenômeno multidimensional e de múltiplos níveis. Entretanto, existe atualmente um certo número de modelos e procedimentos que parecem tratar com êxito dos vários aspectos da ausência de saúde. Parece, pois, que também neste caso uma abordagem *bootstrap* pode ser a estratégia mais apropriada. Consistiria em desenvolver um mosaico de modelos e técnicas terapêuticas de âmbito limitado que sejam compatíveis. O papel do clínico-geral ou da equipe de saúde consistiria em apurar que modelo ou enfoque seria mais adequado e eficiente para cada paciente. Ao mesmo tempo, pesquisadores e clínicos poderiam explorar esses modelos em maior profundidade, integrando-os finalmente num sistema coeso.

Já estão sendo desenvolvidos alguns modelos e técnicas terapêuticas que suplantam a estrutura biomédica e que são compatíveis com a concepção sistêmica de saúde. Alguns baseiam-se nas bem estabelecidas tradições ocidentais da arte de curar, outros são de origem mais recente, e a maioria deles não é levada muito a sério pelo *establishment* médico, por serem difíceis de entender em termos dos conceitos científicos clássicos.

Em primeiro lugar, numerosas abordagens não ortodoxas da saúde compartilham uma crença na existência de níveis de "energias sutis" ou "energias vitais", e veem a enfermidade como resultante de mudanças nesses níveis. Embora essas terapias tradicionais, por vezes chamadas de "medicina energética", envolvam uma variedade de técnicas, acredita-se que todas elas influenciem o organismo num nível mais fundamental do que aquele dos sintomas físicos ou psicológicos da enfermidade. Essa concepção é muito semelhante à da tradição médica chinesa, e o mesmo pode ser dito de numerosos conceitos tradicionalmente aceitos. Por exemplo, quando os homeopatas falam de "força vital", ou os terapeutas reichianos, de "bioenergia", usam esses termos num sentido que se avizinha muito do conceito chinês de *ch'i*. Os três conceitos não são idênticos, mas parecem referir-se à mesma realidade – uma realidade muito mais complexa que qualquer desses conceitos. A principal finalidade dessas terminologias é descrever os padrões de fluxo e flutuação no organismo humano. Também se acredita que há uma troca de "energia vital" entre o organismo e seu meio ambiente, e muitas tradições sustentam que essa energia pode ser transferida de um ser humano para outro pela imposição das mãos ou através de outras técnicas de cura "psíquica"[43].

As abordagens da "medicina energética" foram, em sua maioria, desenvolvidas quando a ciência era quase exclusivamente formulada em termos de conceitos mecanicistas, e os que as formularam não podem ser responsabilizados por usarem terminologias que hoje parecem vagas, simplistas ou obsoletas. Os fundadores e praticantes dessas tradições curativas possuíam frequentemente uma intuição notável da natureza da vida, da saúde e da doença, e muitos de seus conceitos são suscetíveis de, quando reformulados na linguagem da nova perspectiva sistêmica, ser extremamente úteis. Quando a auto-organização passa a ser vista como a essência dos organismos vivos, uma das principais tarefas das ciências da vida é estudar os processos padronizados dos sistemas auto-organizadores, assim como as energias envolvidas nesses processos. Os processos de sistemas físicos e químicos foram estudados extensamente, e as energias que lhes estão associadas são bem compreendidas. Em contrapartida, os processos dos sistemas auto-organizadores e suas energias associadas estão apenas começando a ser explorados e podem revelar fenômenos que até hoje não foram levados em consideração pela ciência ortodoxa.

Entretanto, o termo "energia", tal como é usado nos tradições de cura não ortodoxas, é algo problemático do ponto de vista científico. Pensa-se frequentemente que a "energia vital" é alguma espécie de substância que flui através do organismo e passa de um organismo para outro. De acordo com a ciência moderna, a energia não é uma substância, mas uma medida de atividade, de padrões dinâmicos[44]. Parece, pois, que para entendermos cientificamente os modelos de "medicina energética", devemos nos concentrar nos conceitos de fluxo, flutuação, vibração, ritmo, sincronia e ressonância, inteiramente compatíveis com a moderna concepção sistêmica. Não devemos considerar que conceitos como os de "corpos sutis" ou "energias sutis" se refiram a substâncias subjacentes, mas, sim, a metáforas que descrevem os padrões dinâmicos de auto-organização.

Uma das abordagens mais intrigantes dos padrões dinâmicos fundamentais do organismo humano é a da homeopatia. As raízes da filosofia homeopática remontam aos ensinamentos de Paracelso e Hipócrates, mas o sistema terapêutico formal foi fundado no final do século XVIII pelo médico alemão Samuel Hahnemann. Embora vigorosamente antagonizada pelas instituições médicas, a homeopatia propagou-se rapidamente no século XIX, tornando-se especialmente popular nos Estados Unidos, onde 15 por cento de todos os médicos eram homeopatas por volta de 1900. No século XX, o movimento teve de ceder terreno à moderna ciência biomédica e só muito recentemente conheceu um certo renascimento.

Na concepção homeopática, a enfermidade resulta de mudanças num padrão de energia ou "força vital", a qual é a base de todos os fenômenos físicos, emocionais e mentais, e é característica de cada indivíduo. A finalidade da terapia homeopática, tal como a da acupuntura, é estimular os níveis de energia da pessoa. A abordagem homeopática tradicional é puramente fenomenológica e, diferentemente da medicina chinesa, não possui uma teoria detalhada de padrões de energia; mas, em anos recentes, George Vithoulkas, talvez o mais articulado líder do moderno movimento homeopático, formulou os princípios de uma estrutura teórica[45]. Vithoulkas tentou identificar a força vital de Hahnemann com o campo eletromagnético do corpo, usando o termo "plano dinâmico" para indicar o nível fundamental em que a doença se origina. Em sua teoria, o plano dinâmico caracteriza-se por um padrão de vibrações que é único para cada indivíduo. Estímulos externos ou internos afetam o ritmo de vibração do organismo, e essas mudanças geram sintomas físicos, emocionais ou mentais.

Os homeopatas afirmam ser capazes de detectar desequilíbrios do organismo antes de ocorrerem quaisquer perturbações sérias, graças à observação de uma variedade de sintomas sutis: mudanças de comportamento, tais como a sensibilidade ao frio, o desejo de sal ou açúcar, os hábitos de dormir, etc. Esses sintomas sutis representam a reação do organismo a desequilíbrios no plano dinâmico. O diagnóstico homeopático visa estabelecer um conjunto, ou uma *Gestalt*, de sintomas que espelham a personalidade do paciente, e que é um reflexo do padrão de vibrações dessa pessoa. Isso é compatível com uma ideia fundamental da moderna medicina psicossomática, a ideia de que um desequilíbrio inicial do organismo é canalizado, através de uma configuração particular de personalidade, para produzir sintomas específicos.

A terapia homeopática consiste em combinar o padrão de sintomas característico do paciente com um padrão semelhante característico do remédio. Vithoulkas acredita que cada remédio está associado a um certo padrão de vibrações que constitui a sua própria essência. Quando o remédio é tomado, seu padrão de energia ressoa com o padrão de energia do paciente e, desse modo, induz o processo de cura. O fenômeno de ressonância parece ser fundamental na terapia homeopática, mas o que é que ressoa exatamente e como essa ressonância é ocasionada ainda não está bem compreendido. Os remédios homeopáticos são substâncias derivadas de animais, plantas e minerais, e são tomados em forma altamente diluída. A seleção do remédio correto baseia-se na lei dos semelhantes, de Hahnemann – "O semelhante cura o semelhante" –, a qual deu à homeopatia* seu nome. Segundo Hahnemann, qualquer substância que possa produzir um padrão total de sintomas num ser humano saudável pode curar esses mesmos sintomas numa pessoa doente. Os homeopatas afirmam que, literalmente, qualquer substância pode produzir, e curar, um vasto espectro de sintomas altamente individualizados, conhecidos como a "personalidade" do remédio.

A primeira parte, e talvez a mais importante, da prática homeopática consiste em "entender o caso homeopático". Cada entrevista é um processo único que exige do entrevistador um alto grau de intuição e sensibilidade. O objetivo é sentir a personalidade do paciente como uma entidade integrada, viva, e combinar sua própria essência com a do remédio. Vithoulkas diz que essa experiência deve surgir de uma íntima interação de terapeuta e paciente, a qual afetará profundamente a ambos:

> O encontro entre o paciente e o homeopata é uma interação íntima para ambos. [...] O médico [...] não é meramente um observador passivo, protegido por uma parede de objetividade. Cada paciente envolve o homeopata de um modo profundo e significativo. Devido à pró-

---

* Do grego *homeo*, "semelhante", e *pathos*, "sofrimento". (N. do A.)

pria natureza da homeopatia, o médico converte-se num participante íntimo da vida do paciente e é envolvido em todos os seus aspectos, sendo simultaneamente compassivo e sensível, bem como objetivo e acolhedor. [...] Quando a homeopatia é exercida com esse grau de envolvimento, ela estimula o crescimento tanto no médico quanto no paciente[46].

Essa descrição da entrevista homeopática, com sua forte ênfase na interação mútua entre terapeuta e paciente, lembra muito uma sessão intensa de psicoterapia, tal como é descrita, por exemplo, por Jung[47]. Com efeito, somos tentados a pensar se a ressonância crucial na terapia homeopática não é entre o paciente e o homeopata, sendo o remédio meramente uma muleta.

A ausência de qualquer explicação científica para a terapia homeopática é uma das principais razões por que continua sendo uma arte de curar sumamente controvertida. Entretanto, os novos avanços da medicina psicossomática e a abordagem sistêmica da saúde ajudarão a elucidar muitos dos princípios homeopáticos e poderão encorajar os médicos a reexaminar sua posição. A filosofia homeopática, com sua visão geral da doença, sua ênfase no tratamento individualizado e sua confiança básica no organismo humano, apresenta muitos aspectos importantes da assistência holística à saúde.

Uma escola de "medicina energética" que é de origem mais recente do que a homeopatia e tem tido uma forte influência sobre várias terapias é a terapia reichiana[48]. Wilhelm Reich iniciou-se como psicanalista e discípulo de Freud, mas, enquanto Freud e outros analistas se concentraram nos conteúdos psicológicos dos distúrbios mentais, Reich interessou-se pelo modo como esses distúrbios se manifestam fisicamente. À medida que a ênfase de seu tratamento ia se transferindo da psique para o corpo, Reich desenvolveu técnicas terapêuticas que envolviam o contato físico entre o terapeuta e o paciente – um profundo rompimento com a prática psicanalítica tradicional. Desde o começo de sua pesquisa médica, Reich mostrou-se profundamente interessado no papel da energia no funcionamento de organismos vivos, e uma das principais metas de seu trabalho psicanalítico foi associar o impulso sexual, ou libido, que Freud considerava uma força psicológica abstrata, à energia concreta que flui através do organismo físico. Esse enfoque levou Reich ao conceito de bioenergia, uma forma fundamental de energia que permeia e governa todo o organismo e que se manifesta tanto nas emoções quanto no fluxo de fluidos corporais e outros movimentos biofísicos. A bioenergia, segundo Reich, flui em movimentos ondulatórios e sua característica dinâmica básica é a pulsação. Toda a mobilização de processos de fluxo e emoções no organismo baseia-se numa mobilização de bioenergia.

Uma das descobertas fundamentais de Reich foi a de que atitudes e experiências emocionais podem dar origem a certos padrões musculares que bloqueiam o livre fluxo de energia. Esses bloqueios musculares, a que Reich chamava a "couraça do caráter", desenvolvem-se em quase todos os indivíduos adultos. Refletem nossa personalidade e encerram elementos-chaves de nossa história emocional, contidos na estrutura e no tecido dos nossos músculos. A tarefa central da terapia reichiana é destruir essa couraça muscular a fim de restabelecer a plena capacidade do organismo para a pulsação da bioenergia. Isso é feito com a ajuda da respiração profunda e de uma variedade de outras técnicas físicas, que visam ajudar os pacientes a expressarem-se mais através de seus corpos do que com palavras. Nesse processo, as experiências traumáticas passadas emergirão no nível do conhecimento consciente e serão resolvidas em conjunto com os correspondentes bloqueios musculares. O resultado ideal é o surgimento de um fenômeno que Reich denominou reflexo de orgasmo, e que ele considerou central para a dinâmica dos organismos vivos, transcendendo em muito a usual conotação sexual do termo. Escreve Reich: "No orgasmo, o organismo vivo nada mais é do que uma parte da natureza pulsante"[49].

É evidente que o conceito reichiano de bioenergia se aproxima muito do conceito chinês de *ch'i*. Tal como os chineses, Reich enfatizou a natureza cíclica dos processos de fluxo do organismo e, tal como os chineses, também considerou o fluxo de energia no corpo o reflexo de um processo que ocorre no universo em geral. Para ele, a bioenergia era uma manifestação especial de uma forma de energia cósmica a que chamou "orgônio". Reich viu essa energia orgônica como uma espécie de substância primordial, presente em toda parte na atmosfera e estendendo-se por todo o espaço, como o éter da física do século XIX. Tanto a matéria inanimada quanto a matéria viva, segundo Reich, derivam do orgônio, através de um complicado processo de diferenciação.

Esse conceito de orgônio é sem dúvida a parte mais controvertida do pensamento de Reich, e foi o que motivou seu isolamento da comunidade científica, a perseguição que sofreu e sua morte trágica[50]. Do ponto de vista da década de 1980, Wilhelm Reich foi um pioneiro no que se refere à mudança de paradigma. Teve ideias brilhantes, uma perspectiva cósmica e uma visão holística e dinâmica do mundo que superou largamente a ciência de seu tempo e não foi apreciada por seus contemporâneos. O modo de pensar de Reich, a que chamou "funcionalismo orgonômico", está de perfeito acordo com o pensamento de processo de nossa moderna teoria de sistemas, como mostra a seguinte passagem:

O pensamento funcional não tolera quaisquer condições estáticas. Pois todos os processos naturais estão em movimento, mesmo no caso de estruturas rígidas e formas imóveis. [...] Também a natureza 'flui' em cada uma de suas diversas funções, assim como em sua totalidade. [...] A natureza é funcional em todas as áreas e não apenas nas da matéria orgânica. Existem, é claro, leis mecânicas, mas os mecanismos da natureza são, em si mesmos, uma variante especial de processos funcionais[51].

Lamentavelmente, a linguagem da moderna biologia sistêmica ainda não existia para Reich, de modo que, algumas vezes, ele expressou sua teoria da matéria viva e sua cosmologia em termos que estavam enraizados no velho paradigma e eram um tanto inadequados. Ele não podia conceber o orgônio como uma medida de atividade orgânica, mas tinha que considerá-lo uma substância suscetível de ser detectada e acumulada; e, em suas tentativas para elucidar tal noção, citou numerosos fenômenos atmosféricos que têm maiores possibilidades de ser explicados em termos de processos convencionais, como ionização ou radiação ultravioleta[52]. Apesar desses problemas conceituais, as ideias básicas de Reich acerca da dinâmica da vida tiveram uma influência enorme e inspiraram terapeutas a desenvolver uma variedade de novas abordagens psicossomáticas. Se a teoria reichiana fosse reformulada na moderna linguagem sistêmica, sua importância para a pesquisa contemporânea e a prática terapêutica se tornaria bem mais clara.

Os modelos terapêuticos examinados no restante deste capítulo não endossam necessariamente a noção de padrões energéticos fundamentais, mas todos eles veem o organismo como um sistema dinâmico com aspectos físicos, bioquímicos e psicológicos inter-relacionados, que devem estar em equilíbrio para que o ser humano goze de boa saúde. Algumas das terapias dedicam-se aos aspectos físicos desse equilíbrio, lidando com o sistema muscular do corpo ou com outros elementos estruturais; outras influenciam o metabolismo do organismo; e outras, ainda, concentram-se no estabelecimento do equilíbrio através de técnicas psicológicas. Seja qual for a abordagem, todas essas terapias reconhecem a interdependência fundamental das manifestações biológicas, mentais e emocionais do organismo, sendo, portanto, coerentes.

As terapias que tentam facilitar a harmonia, o equilíbrio e a integração através de métodos físicos passaram recentemente a ser conhecidas como trabalho do corpo (*bodywork*). Lidam com o sistema nervoso, o sistema muscular e vários outros tecidos e com a interação e o movimento coordenado de todos esses componentes. A terapia de trabalho do corpo baseia-se na crença de que todas as nossas atividades, pensamentos e sentimentos refletem-se no organismo físico, manifestando-se em nossa postura e movimentos, nas tensões e em muitos outros sinais da "linguagem corporal". O corpo, como um todo, é um reflexo da psique; o trabalho com o corpo mudará a psique e vice-versa.

Como nas tradições filosóficas e religiosas orientais sempre houve a tendência de considerar a mente e o corpo como uma unidade, não surpreende que numerosas técnicas tenham sido desenvolvidas, no Oriente, para abordar a consciência a partir do nível físico. O significado terapêutico dessas abordagens meditativas está sendo cada vez mais observado no Ocidente, e muitos terapeutas ocidentais estão incorporando técnicas orientais de trabalho do corpo, como a ioga, o *taiji-quan* e o *aikido*, em seus tratamentos. Um aspecto importante dessas técnicas orientais, que também é fortemente enfatizado na terapia reichiana, é o papel fundamental da respiração como um elo entre os níveis consciente e inconsciente da mente. Nossos padrões de respiração refletem a dinâmica de todo o nosso sistema corpo/mente, e a respiração é a chave para nossas recordações emocionais. A prática de respiração adequada e o uso de várias técnicas respiratórias como instrumentos terapêuticos é, portanto, fundamental para muitas escolas de trabalho do corpo, tanto no Ocidente quanto no Oriente.

As manifestações dinâmicas do organismo humano – seus movimentos contínuos e os vários processos de fluxo e flutuação – envolvem, todas elas, o sistema muscular. Trabalhar o sistema muscular do corpo é perfeitamente adequado para se estudar e influenciar o equilíbrio fisiológico e psicológico. Estudos detalhados do organismo físico, a partir dessa perspectiva, mostram que as distinções convencionais entre nervos, músculos, pele e ossos são frequentemente muito artificiais e não refletem a realidade física. Todo o sistema muscular do organismo está coberto de tecidos conjuntivos que integram os músculos num todo funcional, e que não podem ser separados, física ou conceitualmente, do tecido muscular, das fibras nervosas e da pele. Segmentos desse tecido conjuntivo estão associados a diferentes órgãos, e vários distúrbios fisiológicos podem ser detectados e curados através de técnicas especiais de massagem do tecido conjuntivo.

Como o sistema muscular é um todo integrado, uma perturbação em qualquer de suas partes propagar-se-á a todo o sistema, e, como todas as funções corporais são sustentadas por músculos, cada enfraquecimento do equilíbrio do organismo refletir-se-á no sistema muscular de um modo específico. Um importante aspecto desse equilíbrio é o fluxo regular de corrente nervosa através de todo o corpo, que é onde se concentra o trabalho do quiroprático. De fato, os quiropráticos concentram-se ou trabalham o suporte estrutural do sistema nervoso ao longo da espinha dorsal. Por meio de ajustamentos manuais, envolvendo suaves manipulações de articulações e tecidos moles, eles podem realinhar vértebras deslocadas, e dessa maneira eliminar obstruções no fluxo nervoso que são suscetíveis de causar muitos e diferentes distúrbios. Da quiroprática resultou uma técnica especial de teste muscular, conhecida como cinesiologia* aplicada, que se converteu num valioso instrumento terapêutico; ela habilita os terapeutas a usar o sistema muscular como fonte de informação acerca de vários aspectos do estado de equilíbrio do organismo[53].

Influenciados pelas ideias pioneiras de Wilhelm Reich, por conceitos orientais e pelo moderno movimento de danças, numerosos terapeutas combinaram vários elementos dessas tradições para desenvolver técnicas de trabalho do corpo que se tornaram recentemente muito populares. Os principais fundadores dessas novas abordagens são Alexander Lowen ("bioenergética"), Frederick Alexander ("técnica de Alexander"), Moshe Feldenkrais ("integração funcional"), Ida Rolf ("integração estrutural") e Judith Aston ("padronização estrutural"). Além disso, foram desenvolvidas várias modalidades de massoterapia, muitas delas inspiradas em técnicas orientais como o *shiatsu* e a acupressura. Todas essas abordagens se baseiam na noção reichiana de que a tensão emocional se manifesta na forma de bloqueios na estrutura e no tecido musculares, mas diferem nos métodos empregados para desfazer esses bloqueios psicossomáticos[54]. Algumas escolas de trabalho do corpo baseiam-se numa única ideia, que é traduzida para um conjunto único de prescrições e manipulações; mas, idealmente, um terapeuta de trabalho do corpo deve estar familiarizado com cada uma dessas técnicas e não usar exclusivamente qualquer uma delas. Outro problema é que muitas escolas tendem a tratar os bloqueios musculares como entidades estáticas, associando emoções a posturas corporais de um modo um tanto rígido, sem perceberem o corpo em seu movimento no espaço e em suas relações com o meio ambiente.

Uma das abordagens mais sutis do trabalho do corpo e que se concentra precisamente nesse aspecto – o corpo movendo-se no espaço e interagindo com o seu meio ambiente – é praticada por terapeutas da dança e do movimento e, em particular, por uma escola de terapia do movimento baseada na obra de Rudolf Laban e aperfeiçoada por Irmgard Bartenieff[55]. Laban desenvolveu um método e uma terminologia para analisar o movimento humano que é aplicável a muitas disciplinas além da terapia, inclusive a antropologia, a arquitetura, a indústria, o teatro e a dança. O significado terapêutico desse método deriva da percepção de

---

* Cinesiologia, do grego *kinesis*, "movimento", é o estudo da anatomia humana em relação ao movimento. (N. do A.)

Laban de que todo movimento é funcional e expressivo ao mesmo tempo. Quaisquer que sejam as tarefas a que as pessoas se dediquem, elas também exprimirão algo acerca de si mesmas através de seus movimentos. O sistema de Laban trata explicitamente dessa qualidade expressiva do movimento e, assim, permite aos terapeutas do movimento reconhecer muitos detalhes sutis do estado físico e emocional de seus pacientes, observando cuidadosamente como eles se movimentam.

A escola Laban-Bartenieff de terapia do movimento presta especial atenção ao modo como os indivíduos interagem e se comunicam com o meio ambiente. Essa interação é vista em termos de complexos padrões rítmicos que se interpenetram de várias maneiras num constante fluxo e refluxo; a doença resultaria de uma falta de sincronia e integração nesses ritmos. A cura, nessa concepção, é induzida por um processo especial de interação de terapeuta e paciente, na qual os ritmos de ambos continuamente se sincronizam. Ao se comunicarem com seus pacientes através do movimento e estabelecerem uma espécie de ressonância, os terapeutas do movimento ajudam esses indivíduos a se integrar melhor, física e emocionalmente, em seu meio ambiente.

Outra abordagem importante do equilíbrio é através do metabolismo do organismo. O equilíbrio bioquímico pode ser influenciado mediante a alteração da dieta do indivíduo e pela administração de vários remédios na forma de ervas ou de medicamentos sintéticos. Na maioria das tradições médicas, essas três formas de tratamento não estão completamente separadas, e dir-se-ia que o mais apropriado seria adotar também esse critério no novo sistema de assistência holística à saúde. Terapia nutricional, remédios herbáceos e a prescrição de drogas farmacológicas afetam o equilíbrio bioquímico do corpo e constituem variações de uma só abordagem terapêutica. Reconhecendo a tendência inerente do organismo para recuperar o equilíbrio, o terapeuta holístico usará sempre o remédio mais moderado possível, começando com uma mudança do regime alimentar, passando aos remédios herbáceos, se necessários, para gerar o efeito desejado, e somente usando drogas sintéticas como último recurso e em emergências.

Embora a nutrição tenha sido sempre um importante fator no desenvolvimento de vários tipos de doença, ela é seriamente negligenciada na educação e prática médicas de hoje. A maioria dos médicos não está qualificada para prestar uma sólida orientação nutricional, e os artigos sobre nutrição publicados em revistas populares são, com frequência, extremamente confusos. Entretanto, os princípios básicos do aconselhamento nutricional são relativamente simples e deveriam ser conhecidos por todos os clínicos gerais[56].

A orientação e a terapia nutricionais estão intimamente relacionadas com um novo ramo da medicina conhecido como ecologia clínica, que, no final da década de 1940, se desenvolveu a partir do estudo das alergias; ela se ocupa do impacto dos alimentos e produtos químicos sobre nossa saúde e estado mental[57]. Os ecologistas clínicos descobriram que os alimentos comuns e os produtos químicos aparentemente inofensivos usados cotidianamente em nossos lares, escritórios e locais de trabalho podem causar problemas mentais, emocionais e físicos, desde dores de cabeça e depressões até dores nos músculos e articulações. Pacientes que se apresentam a seus médicos com múltiplos sintomas, físicos e psicológicos, frequentemente sofrem de tais alergias. O tratamento desses pacientes por ecologistas clínicos é um procedimento altamente individualizado, envolvendo a terapia nutricional e várias outras técnicas, com o propósito de identificar e eliminar as causas ambientais da enfermidade dos pacientes.

Tal como a orientação nutricional, a arte da medicina herbácea foi quase totalmente esquecida com o surgimento do modelo biomédico, e só muito recentemente se registrou um certo renascimento do uso terapêutico de ervas naturais. Esse desenvolvimento é encorajador, dado que o material natural e não refinado oriundo de plantas parece ser o melhor tipo de medicação oral; mas a medicina herbácea só pode ser bem-sucedida se a finalidade do tratamento for cuidar do organismo como um todo, em vez de tentar curar uma doença específica. Caso contrário, haverá invariavelmente a tendência para refinar compostos herbáceos a fim de isolar seus "ingredientes ativos", o que reduz significativamente o efeito terapêutico. As drogas farmacêuticas, que são com frequência os produtos finais desses processos de refinação, agem muito mais rapidamente sobre a bioquímica do corpo do que as misturas de ervas, mas também podem causar um choque muito maior no organismo e gerar, assim, numerosos efeitos colaterais que, de um modo geral, não ocorrem quando são usados remédios herbáceos não refinados[58].

O uso mais cuidadoso de drogas médicas ilustra o papel futuro da terapia biomédica como um todo. As realizações da moderna ciência médica não serão abandonadas, em absoluto; mas, na futura abordagem holística, as técnicas biomédicas desempenharão um papel muito mais restrito. Elas serão usadas para tratar dos aspectos físicos e biológicos da enfermidade, especialmente em emergências, mas sempre de um modo judicioso e em conjunto com o aconselhamento psicológico, técnicas de redução do estresse e outros métodos de assistência holística aos pacientes. A transição para o novo sistema terá de ser efetuada lenta e cuidadosamente, por causa do enorme poder simbólico da terapia biomédica em nossa cultura. A abordagem reducionista da doença, com sua forte ênfase nas drogas farmacêuticas e na cirurgia, será suplementada e finalmente substituída pelas novas terapias holísticas num processo gradual, à medida que nossas concepções coletivas de saúde e doença forem mudando e evoluindo.

O último grupo de técnicas terapêuticas que nos propusemos recapitular aborda o equilíbrio psicossomático através da mente. Englobando vários métodos de relaxamento e redução de tensões, essas técnicas têm fortes possibilidades de desempenhar um papel importante em todas as terapias futuras[59]. As atitudes atuais em relação ao relaxamento em nossa cultura são muito primárias. Muitas atividades que se pensa serem relaxantes – ver televisão, ler um livro, beber alguns drinques – não reduzem a tensão ou a ansiedade mental. O relaxamento profundo é um processo psicofisiológico que requer uma prática tão diligente quanto qualquer outra habilidade, e, para ser plenamente eficaz, tem que ser exercitado com regularidade. A respiração correta é um dos mais importantes aspectos do relaxamento e, portanto, um dos elementos mais vitais em todas as técnicas de redução do estresse.

A respiração regular e profunda e o relaxamento intenso são característicos das técnicas de meditação desenvolvidas em muitas culturas, mas, em especial, nas do Extremo Oriente, ao longo de milhares de anos. O interesse recente pelas tradições místicas levou um número crescente de ocidentais à prática regular da meditação, e foram realizados diversos estudos empíricos sobre os benefícios proporcionados à saúde por tal prática[60]. Como esses estudos indicam que a resposta do organismo humano à meditação é oposta à sua reação ao estresse, as técnicas meditativas terão provavelmente importantes aplicações clínicas no futuro.

Nos últimos cinquenta anos, várias técnicas de relaxamento profundo foram também desenvolvidas no Ocidente e têm sido usadas com êxito como instrumentos terapêuticos para o controle do estresse. Podem ser consideradas formas ocidentais de meditação, não relacionadas com qualquer tradição espiritual, mas resultantes da necessidade de tratar o estresse. Uma das mais abrangentes e bem-sucedidas dessas técnicas é o método conhecido como treinamento autógeno, que Johannes Schultz, um psiquiatra alemão, desenvolveu na década de 1930. É uma forma de auto-hipnose combinada com certos exercícios específicos destinados a integrar funções mentais e físicas, e a induzir profundos estados de relaxamento. Durante as fases iniciais, o treinamento autógeno enfatiza exercícios que se ocupam dos aspectos físicos do relaxamento, mas, uma vez dominados esses aspectos, o treinamento avança para aspectos psicológicos mais sutis, que, à semelhança da meditação, envolvem a experiência de estados não ordinários de consciência.

Quando o organismo está inteiramente relaxado, a pessoa consegue estabelecer contato com seu próprio inconsciente, a fim de obter informações importantes sobre seus problemas ou aspectos psicológicos de sua enfermidade. A comunicação da pessoa com seu próprio inconsciente ocorre através de uma linguagem altamente pessoal, visual e simbólica, semelhante à dos sonhos. Portanto, as imagens mentais e a visualização desempenham um papel central nas fases avançadas do treinamento autógeno, tal como acontece em muitas técnicas tradicionais de meditação. As técnicas de visualização também têm sido recentemente aplicadas de modo direto a enfermidades específicas, quase sempre com excelentes resultados.

A abordagem psicológica da redução e cura do estresse recebeu espetacular apoio de uma nova tecnologia conhecida como *biofeedback*[61]. É uma técnica que ajuda a pessoa a obter controle voluntário sobre funções corporais normalmente inconscientes, monitorando-as, ampliando eletronicamente seus resultados e expondo-os (*feeding them back*). Numerosas aplicações dessa técnica de *biofeedback* na última década do século XX demonstraram que uma vasta gama de funções fisiológicas autônomas, ou involuntárias – batidas cardíacas, temperatura do corpo, tensão muscular, pressão sanguínea, atividade das ondas cerebrais, entre outras – podem ser submetidas, desse modo, ao controle consciente. Muitos clínicos acreditam hoje que é possível obter um certo grau de controle voluntário sobre qualquer processo biológico suscetível de ser continuamente monitorado, amplificado e exposto.

O termo "controle voluntário" é, na realidade, um tanto inadequado para descrever a regulação de funções autônomas através do *biofeedback*. A ideia de que a mente controla o corpo baseia-se na divisão cartesiana e não corresponde às observações feitas na prática do *biofeedback*. O que se requer para essa forma sutil de autorregulação não é controle, mas, pelo contrário, um estado meditativo de profundo relaxamento em que todo o controle é abandonado. Num tal estado, os canais de comunicação entre as mentes consciente e inconsciente abrem-se e facilitam a integração de funções psicológicas e biológicas. Esse processo de comunicação tem frequentemente lugar através de imagens visuais e linguagem simbólica; foi esse papel das imagens visuais no *biofeedback* que levou numerosos terapeutas a usarem técnicas de visualização para o tratamento de enfermidades.

O *biofeedback* clínico pode ser usado em conjunto com muitas técnicas terapêuticas, físicas e psicológicas, para ensinar aos pacientes o relaxamento e o controle do estresse. É mais suscetível de convencer os ocidentais da unidade e da interdependência da mente e do corpo do que as técnicas orientais de meditação, e facilita a importante transferência da responsabilidade pela saúde e a doença do terapeuta para o paciente. O fato de os indivíduos poderem corrigir um determinado sintoma por si mesmos através do *biofeedback* reduzirá substancialmente, na maioria dos casos, seus sentimentos de impotência e reforçará uma atitude mental positiva, tão importante na cura.

Essas experiências mostraram o grande valor do *biofeedback* como instrumento terapêutico, mas ele não deve ser usado de um modo reducionista. Como se concentra na única função fisiológica que está sendo monitorada, o *biofeedback* não é uma alternativa para a meditação mais tradicional e técnicas de relaxamento. O estresse envolve diversos padrões de funções psicossomáticas, e a regulação de qualquer um deles não é, de modo geral, suficiente.

Por conseguinte, o *biofeedback* tem que ser complementado por métodos mais gerais de relaxamento para que seja totalmente eficaz. Estabelecer a combinação apropriada de técnicas de autorregulação e relaxamento é muito difícil e requer considerável soma de experiência.

Para concluir nosso exame da assistência holística à saúde, é apropriado falarmos sobre um novo modo de tratamento do câncer conhecido como a abordagem Simonton, que considero uma terapia holística por excelência. O câncer é um fenômeno típico, uma doença característica de nosso tempo, que ilustra, de maneira convincente, muitos dos pontos destacados neste capítulo. O desequilíbrio e a fragmentação que impregnam nossa cultura desempenham um papel importante no desenvolvimento do câncer, impedindo ao mesmo tempo que os pesquisadores médicos e os clínicos compreendam a doença ou a tratem com êxito. A estrutura conceitual e a terapia desenvolvidas pelo oncologista* de radiação Carl Simonton e pela psicoterapeuta Stephanie Matthews-Simonton são inteiramente compatíveis com as concepções de saúde e doença que estamos examinando, e têm implicações profundas para muitas áreas da saúde e da cura[62]. No momento, os Simontons veem seu trabalho como um estudo-piloto. Eles selecionam seus pacientes com extremo cuidado, porque querem ver até que ponto podem chegar com um reduzido número de indivíduos altamente motivados para entender a dinâmica básica do câncer. Quando tiverem atingido essa compreensão, aplicarão seus conhecimentos e recursos a um maior número de pacientes. Até agora, o tempo médio de sobrevida de seus pacientes é o dobro do registrado nas melhores instituições para tratamento do câncer e o triplo da média nacional nos Estados Unidos. Além disso, a qualidade de vida e os níveis de atividade desses homens e mulheres, que foram todos considerados clinicamente incuráveis, são absolutamente extraordinários.

A imagem popular do câncer foi condicionada pela visão fragmentada do mundo em nossa cultura, pela abordagem reducionista da nossa ciência e pelo

---

* Oncologia, do grego *onkos*, "massa", é o estudo de tumores. (N. do A.)

exercício da medicina orientado para o uso maciço de tecnologia. O câncer é visto como um forte e poderoso invasor que ataca o corpo a partir de fora. Parece não haver esperança de controlá-lo, e para a grande maioria das pessoas câncer é sinônimo de morte. O tratamento médico – radiação, quimioterapia, cirurgia ou uma combinação dessas técnicas – é drástico, negativo e danifica ainda mais o corpo. Os médicos estão cada vez mais propensos a ver o câncer como um distúrbio sistêmico, uma doença que, no início, é localizada, mas que tem a faculdade de se propagar e realmente envolve o corpo inteiro, e em que o tumor original é apenas a ponta do *iceberg*. Os pacientes, entretanto, insistem frequentemente em considerar seu próprio câncer um problema localizado, especialmente durante sua fase inicial. Veem o tumor como um objeto estranho e querem livrar-se dele o mais rapidamente possível e esquecer todo o episódio. A maioria dos pacientes está tão completamente condicionada em suas ideias, que se recusa a considerar o contexto mais amplo de sua enfermidade, sem perceber a interdependência de seus aspectos psicológicos e físicos. Para muitos pacientes cancerosos, seu corpo tornou-se um inimigo em quem não podem confiar e do qual se sentem inteiramente divorciados.

Um dos principais objetivos da abordagem Simonton é inverter a imagem popular do câncer, que não corresponde às conclusões da pesquisa atual. A moderna biologia celular mostrou que as células cancerosas não são fortes e potentes, mas, pelo contrário, fracas e confusas. Elas não invadem, atacam ou destroem, mas, simplesmente, se super-reproduzem. Um câncer principia com uma célula que contém informação genética incorreta, porque foi danificada por substâncias nocivas ou outras influências ambientais, ou simplesmente porque o organismo produziu ocasionalmente uma célula imperfeita. A informação defeituosa impede a célula de funcionar normalmente; e se essa célula reproduz outras com a mesma constituição genética incorreta, o resultado é um tumor composto de uma massa de células imperfeitas. As células normais se comunicam eficazmente com seu meio ambiente para determinar suas dimensões ótimas e sua taxa de reprodução, ao contrário do que acontece com a comunicação e a auto-organização das células malignas. Em consequência disso, crescem mais do que as células saudáveis e reproduzem-se a esmo. Além disso, a coesão normal entre as células pode se enfraquecer, e então as células malignas desprendem-se da massa original e viajam para outras partes do corpo, formando novos tumores – o que é conhecido como metástase. Num organismo saudável, o sistema imunológico reconhece as células anormais e as destrói, ou, pelo menos, as mantêm cercadas para que não possam propagar-se. Mas se, por alguma razão, o sistema imunológico não é suficientemente forte, a massa de células defeituosas continua a crescer. O câncer não é, portanto, um ataque vindo do exterior, mas um colapso interno.

Os mecanismos biológicos do crescimento canceroso deixam claro que a busca de suas causas tem que caminhar em duas direções. Por um lado, precisamos saber a causa da formação de células cancerosas; por outro, precisamos entender a causa do enfraquecimento do sistema imunológico do corpo. Muitos pesquisadores chegaram à conclusão, ao longo dos anos, de que as respostas a ambas essas questões consistem numa complexa rede de fatores genéticos, bioquímicos, ambientais e psicológicos interdependentes. Com o câncer, mais do que com qualquer outra doença, a tradicional prática biomédica de associar uma doença física a uma causa física específica não é apropriada. Mas como a maioria dos pesquisadores ainda trabalha dentro da estrutura biomédica, eles acham o fenômeno do câncer extremamente desconcertante. Carl Simonton assinalou: "O tratamento do câncer encontra-se hoje num estado de total confusão. Quase se parece com a própria doença: fragmentado e confuso"[63].

Os Simontons reconhecem plenamente o papel das substâncias e influências ambientais cancerígenas na formação de células cancerosas e defendem vigorosamente a implementação de uma política social apropriada para eliminar esses riscos para a saúde. Entretanto, concluíram também que nem as substâncias cancerígenas, nem a radiação ou a predisposição genética fornecem, por si e em si mesmas, uma explicação adequada para a causa do câncer. Nenhuma explicação para o câncer será completa sem uma resposta para esta questão crucial: o que impede que o sistema imunológico de uma pessoa, num determinado momento, reconheça e destrua células anormais, permitindo, assim, que elas cresçam e se convertam num tumor que ameaça a vida? Esta foi a questão em que os Simontons se concentraram, em suas pesquisas e na prática terapêutica; e eles concluíram que ela só pode ser respondida desde que sejam considerados, cuidadosamente, os aspectos mentais e emocionais da saúde e da doença.

O quadro emergente do câncer é compatível com o modelo geral de doença sobre o qual estivemos discorrendo. Um estado de desequilíbrio é gerado pelo estresse prolongado, que é canalizado através de uma determinada configuração da personalidade, dando origem a distúrbios específicos. No caso do câncer, as tensões cruciais parecem ser aquelas que ameaçam algum papel ou alguma relação central da identidade da pessoa, ou as que criam uma situação para a qual, aparentemente, não há escapatória. Numerosos estudos sugerem que essas tensões críticas ocorrem tipicamente de seis a dezoito meses antes do diagnóstico do câncer[64]. Elas são passíveis de gerar sentimentos de desespero, impotência e desesperança. Em virtude desses sentimentos, uma doença grave e até a morte podem tornar-se consciente ou inconscientemente aceitáveis como solução potencial.

Os Simontons e outros investigadores desenvolveram um modelo psicossomático de câncer que mostra como os estados psicológicos e físicos colaboram na instalação da doença. Embora muitos detalhes desse processo ainda precisem ser esclarecidos, tornou-se evidente que o estresse emocional tem dois efeitos principais: inibe o sistema imunológico do corpo e, ao mesmo tempo, acarreta desequilíbrios hormonais que resultam num aumento de produção de células anormais. Assim, estão criadas as condições ótimas para o crescimento do câncer. A produção de células malignas é incentivada precisamente na época em que o corpo é menos capaz de destruí-las.

No que se refere à configuração da personalidade, os estados emocionais do indivíduo parecem ser o elemento crucial no desenvolvimento do câncer. A ligação entre câncer e emoções vem sendo observada há centenas de anos, existindo hoje provas substanciais do significado de estados emocionais específicos. Estes são o resultado de uma biografia particular que parece ser característica dos pacientes com câncer. Perfis psicológicos de tais pacientes foram estabelecidos por numerosos pesquisadores, alguns dos quais são até capazes de prever a incidência do câncer com notável precisão, com base nesses perfis.

Lawrence LeShan estudou mais de quinhentos pacientes com câncer e identificou os seguintes componentes significativos em suas biografias[65]: sentimentos de isolamento, abandono e desespero durante a juventude, quando relações interpessoais intensas parecem ser difíceis ou perigosas; uma relação forte com uma pessoa ou grande satisfação com um papel no início da idade adulta, tornando-se o centro da vida do indivíduo; perda da relação ou do papel, resultando em desespero; interiorização do desespero, a ponto de os indivíduos serem incapazes de deixar outras pessoas saberem quando eles se sentem magoados, coléricos ou hostis. Esse padrão básico foi confirmado como típico de pacientes com câncer por numerosos pesquisadores.

A filosofia básica da abordagem Simonton afirma que o desenvolvimento do câncer envolve um certo número de processos psicológicos e biológicos interdependentes, que esses processos podem ser reconhecidos e compreendidos, e que a sequência de eventos que leva à doença pode ser invertida de modo a que o organismo se torne saudável novamente. Tal como em qualquer terapia holística, o primeiro passo no sentido de se iniciar o ciclo de cura consiste em conscientizar os pacientes do contexto mais amplo de sua enfermidade. O estabelecimento do contexto do câncer começa por se solicitar aos pacientes que identifiquem as principais tensões que ocorreram em sua vida de seis a dezoito meses antes do diagnóstico. A lista dessas tensões é, então, usada como base para se analisar a participação dos pacientes no desencadeamento de sua enfermidade. O objetivo do conceito de participação do paciente não é suscitar um sentimento de culpa, mas criar a base para a inversão do ciclo de processos psicossomáticos que culminaram na doença.

Enquanto os Simontons estão estabelecendo o contexto da enfermidade de um paciente, eles também fortalecem sua crença na eficácia do tratamento e na potência das defesas do corpo. O desenvolvimento dessa atitude positiva é crucial para todo o tratamento. Estudos realizados mostraram que a resposta do paciente ao tratamento depende mais de sua atitude do que da gravidade da doença. Uma vez gerados os sentimentos de esperança e expectativa, o organismo traduz esses sentimentos em processos biológicos, que começam a restaurar o equilíbrio e a revitalizar o sistema imunológico, utilizando os mesmos caminhos que foram usados no desenvolvimento da doença. A produção de células cancerosas decresce, enquanto o sistema imunológico se torna mais forte e mais eficiente para lidar com elas. Enquanto ocorre esse fortalecimento, a terapia física é usada em conjunto com a abordagem psicológica, a fim de ajudar o organismo a destruir as células malignas.

Os Simontons veem o câncer não como um problema meramente físico, mas como um problema da pessoa como um todo. Assim, a terapia por eles adotada não se concentra exclusivamente na doença, mas ocupa-se do ser humano total. É uma abordagem multidimensional que envolve várias estratégias de tratamento planejadas para iniciar e dar apoio ao processo psicossomático de cura. No nível biológico, a finalidade é dupla: destruir as células cancerosas e revitalizar o sistema imunológico. Além disso, usa-se o exercício físico regular para reduzir a tensão, aliviar a depressão e ajudar os pacientes a manter um contato mais estreito com seu próprio corpo. A experiência mostrou que os pacientes com câncer são capazes de uma atividade física muito maior do que a maioria das pessoas supõe.

A principal técnica de fortalecimento do sistema imunológico é um método de relaxamento e de formação de imagens mentais que os Simontons desenvolveram quando perceberam o importante papel das imagens visuais e da linguagem simbólica no *biofeedback*. A técnica Simonton consiste na prática regular de relaxamento e visualização, durante a qual o câncer e a ação do sistema imunológico são descritos na própria linguagem simbólica do paciente. Comprovou-se que essa técnica é um instrumento extremamente eficiente para fortalecer o sistema imunológico, com frequência resultando em reduções espetaculares ou na eliminação de tumores malignos. Além disso, o método de visualização é também uma excelente maneira de os pacientes se comunicarem com seu inconsciente. Os Simontons vêm trabalhando estreitamente com as imagens mentais de seus pacientes e aprenderam que elas dizem muito mais acerca dos sentimentos dos pacientes do que quaisquer explicações racionais.

Embora a técnica de visualização desempenhe um papel central na terapia Simonton, é importante enfatizar que a visualização e a terapia física não são suficientes, por si sós, para curar pacientes com câncer. Segundo os Simontons, a doença física é uma manifestação dos processos psicossomáticos subjacentes, que podem ser gerados por vários problemas psicológicos e sociais. Enquanto esses problemas não forem resolvidos, o paciente não ficará bom, ainda que o câncer possa temporariamente desaparecer. A fim de ajudarem os pacientes a resolver os problemas que estão na raiz de sua enfermidade, os Simontons fizeram do aconselhamento psicológico e da psicoterapia elementos essenciais de sua abordagem. A terapia tem usualmente lugar em sessões de grupo, nas quais os pacientes encontram apoio e encorajamento mútuos. Concentra-se nos problemas emocionais, mas não os separa dos padrões mais amplos da vida dos pacientes; assim, inclui geralmente aspectos sociais, culturais, filosóficos e espirituais.

Para a maioria dos pacientes com câncer, o impasse criado pela acumulação de eventos estressantes só pode ser superado se eles mudarem parte de seu sistema de crenças. A terapia Simonton mostra-lhes que sua situação parece irremediável apenas porque eles a interpretam de uma forma que limita suas respostas. Os pacientes são encorajados a explorar interpretações e respostas alternativas a fim de encontrarem um modo saudável de resolver a situação estressante. Assim, a terapia envolve um exame contínuo do sistema de crenças e da visão de mundo dos pacientes.

Lidar com a morte é uma parte integrante da terapia Simonton. Os pacientes tomam consciência da possibilidade de, em algum momento futuro, terem que chegar à decisão de que, para eles, é tempo de irem ao encontro da morte. A esses pacientes é assegurado o direito que têm de tomar tal decisão e garantida a promessa de que os terapeutas lhes darão apoio e solicitude durante a agonia, tanto quanto lhes deram na luta para recuperar a saúde. Ao lidar com a morte desse modo, uma tarefa importante consiste frequentemente em convencer a família a dar ao paciente permissão para morrer. Uma vez dada expressamente essa permissão – não apenas verbalmente, mas através do comportamento da família –, toda a perspectiva dessa morte é mudada. Como os Simontons assinalam a seus pacientes, quer a pessoa se recupere ou não do câncer, ela pode conseguir melhorar a qualidade de sua vida ou de sua morte.

A necessária confrontação com a morte dos pacientes com câncer toca no problema existencial fundamental, característico da condição humana. Os pacientes com câncer são, assim, levados naturalmente a considerar suas metas na vida, suas razões para viver e sua relação com o cosmo como um todo. Os Simontons não evitam qualquer dessas questões em sua terapia, e é por isso que sua abordagem se reveste de um valor tão exemplar para a assistência à saúde como um todo.

11. Jornadas para além do espaço e do tempo

Na concepção sistêmica de saúde, toda enfermidade é, em essência, um fenômeno mental, e, em muitos casos, o processo de adoecer é invertido do modo mais eficaz através de uma abordagem que integra terapias físicas e psicológicas. A estrutura conceitual subjacente a tal abordagem incluirá não só a nova biologia sistêmica, mas também uma nova psicologia sistêmica, ou seja, uma ciência da experiência e do comportamento humanos que percebe o organismo como um sistema dinâmico que envolve padrões fisiológicos e psicológicos interdependentes e está inserida nos mais amplos sistemas interagentes de dimensões físicas, sociais e culturais.

Carl Gustav Jung foi talvez o primeiro a estender a psicologia clássica a esses novos domínios. Ao romper com Freud, ele abandonou os modelos newtonianos de psicanálise e desenvolveu numerosos conceitos que são inteiramente compatíveis com os da física moderna e da teoria geral dos sistemas. Jung, que estava em contato estreito com muitos dos mais eminentes físicos de seu tempo, estava perfeitamente cônscio dessas semelhanças. Em uma de suas principais obras, *Aion*, encontramos a seguinte passagem profética:

> Mais cedo ou mais tarde, a física nuclear e a psicologia do inconsciente se aproximarão cada vez mais, já que ambas, independentemente uma da outra e a partir de direções opostas, avançam para território transcendente. [...] A psique não pode ser totalmente diferente da matéria, pois como poderia de outro modo movimentar a matéria? E a matéria não pode ser alheia à psique, pois de que outro modo poderia a matéria produzir a psique? Psique e matéria existem no mesmo mundo, e cada uma compartilha da outra, pois do contrário qualquer ação recíproca seria impossível. Portanto, se a pesquisa pudesse avançar o suficiente, chegaríamos a um acordo final entre os conceitos físicos e psicológicos. Nossas tentativas atuais podem ser arrojadas, mas acredito que estejam no rumo certo[1].

Com efeito, parece que a abordagem de Jung estava no rumo correto; de fato, muitas das divergências entre Freud e Jung ocorrem paralelamente às diferenças entre a física clássica e a moderna, entre o paradigma mecanicista e o holístico[2].

A teoria freudiana da mente baseava-se no conceito do organismo humano como uma complexa máquina biológica. Os processos psicológicos estavam profundamente enraizados na fisiologia e na bioquímica do corpo, obedecendo aos princípios da mecânica newtoniana[3]. A vida mental, na saúde e na doença, refletia a interação de forças instintivas no interior do organismo e seus choques com o mundo exterior. Ainda que as concepções de Freud sobre a dinâmica detalhada desses fenômenos tenham mudado com o correr do tempo, ele nunca abandonou a orientação cartesiana básica de sua teoria. Jung, em contrapartida, não estava tão interessado em explicar os fenômenos psicológicos em termos de mecanismos específicos; antes, tentou compreender a psique em sua totalidade, especialmente suas relações com o meio ambiente mais vasto.

As ideias de Jung acerca da dinâmica dos fenômenos mentais aproximaram-se bastante da concepção sistêmica. Ele via a psique como um sistema dinâmico autorregulador, caracterizado por flutuações entre polos opostos. Para descrever sua dinâmica usou o termo freudiano "libido", dando-lhe, porém, um significado muito diferente. Enquanto, para Freud, a libido era um impulso instintivo intimamente ligado à sexualidade, com propriedades semelhantes às de uma força na mecânica newtoniana, Jung concebeu a libido como uma "energia psíquica" geral, considerando-a uma manifestação da dinâmica básica da vida. Jung sabia muito bem estar usando o termo "libido" numa acepção muito semelhante àquela em que Reich usou "bioenergia"; Jung concentrou-se, porém, exclusivamente nos aspectos psicológicos do fenômeno:

> Seria provavelmente mais aconselhável considerar o processo psíquico simplesmente um processo vital. Desse modo, ampliamos o conceito mais estreito de energia psíquica para o mais abrangente de energia vital, o qual inclui a 'energia psíquica' como parte específica. Ganhamos assim a vantagem de poder acompanhar as relações quantitativas para além dos estreitos limites da psique e até a esfera das funções biológicas em geral. [...] Em vista do uso psicológico que pretendemos fazer dela, chamamos "libido" à nossa hipotética energia vital. [...] Ao adotar esse uso, não desejo, de forma alguma, frustrar os que trabalham no campo da bioenergética, mas admito livremente que adotei o termo "libido" com a intenção de usá-lo para os *nossos* fins; para os deles, um termo como "bioenergia" ou "energia vital" pode ser preferível[4].

Tal como no caso de Reich, é lamentável que a linguagem da moderna teoria de sistemas não existisse ainda no tempo de Jung. Em seu lugar, como Freud já fizera antes dele, Jung usou a estrutura da física clássica, muito menos apropriada para descrever o funcionamento dos organismos vivos[5]. Por conseguinte, a teoria junguiana da energia psíquica é, por vezes, algo confusa. Não obstante, ela é importante para as conquistas atuais em psicologia e psicoterapia, e seria ainda mais influente se fosse reformulada na moderna linguagem sistêmica.

A diferença fundamental entre as psicologias de Freud e de Jung está em suas respectivas concepções do inconsciente. Para Freud, o inconsciente era predominantemente de natureza pessoal, contendo elementos que nunca tinham sido conscientes e outros que foram esquecidos ou reprimidos. Jung reconheceu esses aspectos, mas acreditava que o inconsciente era muito mais do que isso. Considerou-o a própria fonte da consciência, sustentando que desde o início de nossa vida temos nosso inconsciente e não somos, ao nascer, uma *tabula rasa* como acreditava Freud. A mente consciente, segundo Jung, "promana de uma psique inconsciente, que é mais antiga do que ela e continua funcionando juntamente com ela ou mesmo apesar dela"[6]. Assim, Jung distinguiu duas esferas na psique inconsciente: um inconsciente pessoal, pertencente ao indivíduo, e um inconsciente coletivo, que representa um estrato mais profundo da psique, comum a toda a humanidade.

O conceito de Jung de inconsciente coletivo é o elemento que distingue sua psicologia da de Freud e de todas as outras. Subentende um vínculo entre o indivíduo e a humanidade como um todo – de fato, num certo sentido, entre o indivíduo e o cosmo inteiro – que não pode ser entendido dentro de uma estrutura mecanicista de pensamento, mas que é inteiramente compatível com a concepção sistêmica da mente. Em suas tentativas de descrever o inconsciente coletivo, Jung também usou conceitos surpreendentemente semelhantes aos que os físicos contemporâneos empregam em suas descrições dos fenômenos subatômicos. Para ele, o inconsciente é um processo, que envolve "padrões dinâmicos coletivamente presentes", a que chamou arquétipos[7]. Esses padrões, formados pelas experiências remotas da humanidade, refletem-se em sonhos, assim como nos motivos universais encontrados em mitos e contos de fadas no mundo inteiro. Os arquétipos, segundo Jung, são "formas sem conteúdo, representando meramente a possibilidade de um certo tipo de percepção e ação"[8]. Embora sejam relativamente distintas, essas formas universais estão inseridas numa teia de relações, na qual cada arquétipo, em última instância, envolve todos os outros.

Freud e Jung tinham um profundo interesse pela religião e a espiritualidade; mas Freud parecia obcecado pela necessidade de encontrar explicações racionais e científicas para as crenças e os comportamentos religiosos, enquanto a abordagem de Jung foi muito mais direta. Suas várias experiências religiosas pessoais convenceram-no da realidade da dimensão espiritual da vida. Jung passou a considerar a religião e a mitologia comparadas fontes inigualáveis de informação sobre o inconsciente coletivo, e concluiu que a espiritualidade genuína é parte integrante da psique humana.

A orientação espiritual de Jung deu-lhe uma ampla perspectiva da ciência e do conhecimento racional. Ele chegou à conclusão de que a abordagem racional é meramente uma das numerosas abordagens possíveis, e todas elas resultam em diferentes, mas igualmente válidas, descrições da realidade. Em sua teoria dos tipos psicológicos, Jung identificou quatro funções características da psique – sensação, pensamento, sentimento e intuição –, que se manifestam em diferentes graus em cada indivíduo. Os cientistas operam predominantemente a partir da função pensante, mas Jung estava muito consciente de que suas próprias explorações da psique humana tornavam necessário, por vezes, ir além do entendimento racional. Por exemplo, ele enfatizou repetidamente que o inconsciente coletivo e seus padrões, os arquétipos, desafiam uma definição precisa.

Ao transcender a estrutura racional da psicanálise, Jung também expandiu o enfoque determinista de Freud dos fenômenos mentais, ao postular que os padrões psicológicos estão ligados não só de modo causal, mas também não causalmente. Em particular, ele introduziu o termo "sincronicidade" para as conexões não causais entre as imagens simbólicas do mundo interior, psíquico, e os eventos ocorrentes na realidade externa[9]. Jung considerou essas conexões sincronísticas exemplos específicos de um estado de "ordem não causal" mais geral na mente e na matéria. Hoje, trinta anos depois, esse ponto de vista parece estar sendo corroborado por numerosas conquistas na física. A noção de ordem – ou, mais precisamente, de um estado de conexão ordenada – surgiu recentemente como um conceito central na física das partículas, e os físicos, hoje, estão fazendo uma distinção entre conexões causais (ou "locais") e não causais (ou "não locais")[10]. Ao mesmo tempo, modelos de matéria e modelos mentais são cada vez mais reconhecidos como reflexos recíprocos, o que sugere que o estudo da ordem, tanto no estado de conexão causal quanto no não causal, pode muito bem ser um caminho eficaz para explorar as relações entre as esferas interna e externa.

As ideias de Jung sobre a psique humana levaram-no a uma noção de doença mental que tem exercido grande influência sobre os psicoterapeutas em anos recentes. Para ele, a mente é como um sistema autorregulador ou, como diríamos hoje, auto-organizador, e a neurose, um processo pelo qual esse sistema tenta superar várias obstruções que o impedem de funcionar como um todo integrado. O papel do terapeuta, na opinião de Jung, é apoiar esse processo, que ele considerou parte de urna jornada psicológica pelo caminho que leva ao desenvolvimento pessoal ou à "individualização". O processo de individuação, segundo Jung, consiste na integração dos aspectos conscientes e inconscientes de nossa psique, o que envolverá encontros com os arquétipos do inconsciente coletivo e resultará, idealmente, na experiência de um novo centro da personalidade, a que Jung chamou o *self*.

As opiniões de Jung sobre o processo terapêutico refletem suas ideias acerca da doença mental. Ele acreditava que a psicoterapia devia fluir de um encontro pessoal entre o terapeuta e o paciente, envolvendo o ser total de ambos: "O tratamento, por nenhum artifício, poderá ser qualquer outro senão o produto da influência mútua, em que o ser total do médico, tanto quanto o do paciente, desempenha um papel"[11]. Esse processo envolve uma interação entre o inconsciente do terapeuta e o do paciente, motivo pelo qual Jung aconselhava os terapeutas a se comunicarem com seu próprio inconsciente ao lidarem com os pacientes:

> O terapeuta deve estar o tempo todo atento a si mesmo, vigiando o modo como está reagindo diante do paciente. Pois nós não reagimos somente com nossa consciência. Também devemos perguntar sempre a nós próprios: Como nosso inconsciente está vivendo esta situação? Cumpre-nos, portanto, observar nossos sonhos, prestar a máxima atenção e estudar a nós mesmos tão cuidadosamente quanto o fazemos com o paciente[12].

Por causa de suas ideias aparentemente esotéricas, sua ênfase na espiritualidade e seu interesse pelo misticismo, Jung não foi levado muito a sério nos círculos psicanalíticos. Com o reconhecimento de uma crescente compatibilidade e coerência entre a psicologia junguiana e a ciência moderna, essa atitude está condenada a mudar, podendo as ideias de Jung acerca do inconsciente humano, a dinâmica dos fenômenos psicológicos, a natureza da doença mental e o processo de psicoterapia exercer forte influência sobre a psicologia e a psicoterapia no futuro.

Em meados do século XX, muitas ideias importantes para as atuais conquistas da psicologia começaram a surgir nos Estados Unidos. Nas décadas de 1930 e 1940 havia duas escolas americanas distintas e antagônicas de psicologia. Enquanto o behaviorismo era o modelo mais popular nos meios universitários e acadêmicos, a psicanálise servia de base para a maior parte das psicoterapias. Durante a Segunda Guerra Mundial, a psicologia clínica se destacou como disciplina, abrindo um importante campo profissional; limitava-se, contudo, à aplicação de testes psicológicos e, tal como a engenharia e outras ciências aplicadas, a habilitação clínica estava subordinada ao treinamento científico básico[13]. Depois, em fins da década de 1940 e início da de 1950, os psicólogos clínicos desenvolveram modelos teóricos da psique e do comportamento humano acentuadamente diferentes tanto do modelo freudiano quanto do behaviorista, além de psicoterapias que diferiam da psicanálise.

Um dos movimentos mais vitais e entusiásticos que surgiram do descontentamento com a orientação mecanicista do pensamento psicológico é a escola de psicologia humanista, liderada por Abraham Maslow. Maslow rejeitou a ideia de Freud de que a humanidade é dominada por instintos inferiores, criticando-o por derivar suas teorias sobre o comportamento humano do estudo de indivíduos neuróticos e psicóticos. Segundo Maslow, as conclusões baseadas na observação do que existe de pior nos seres humanos, em vez do que há de melhor, estavam forçosamente destinadas a resultar numa visão distorcida da natureza humana. Escreveu ele: "Freud forneceu-nos a metade doente da psicologia e devemos agora preencher a metade saudável"[14]. A crítica de Maslow ao behaviorismo foi igualmente veemente. Ele se recusou a ver os seres humanos simplesmente como animais complexos que respondiam cegamente a estímulos ambientais, sublinhando a natureza problemática e o valor limitado da dependência maciça dos behavioristas com relação aos experimentos com animais. Reconheceu a utilidade da abordagem behaviorista para conhecermos as características que temos em comum com os animais, mas sua inabalável convicção era a de que tal abordagem era inútil quando se procurava entender capacidades como consciência, culpa, idealismo, humor, etc., que são especificamente humanas.

Para contra-atacar a tendência mecanicista do behaviorismo e a orientação médica da psicanálise, Maslow propôs como "terceira força" uma abordagem humanista da psicologia. Em vez de estudar o comportamento de ratos, pombos ou macacos, os psicólogos humanistas concentraram-se na experiência humana e afirmaram que sentimentos, desejos e esperanças são tão importantes numa teoria abrangente do comportamento humano quanto as influências externas. Maslow enfatizou que os seres humanos devem ser estudados como organismos integrais, e que esse estudo deve se concentrar especificamente em indivíduos saudáveis e nos aspectos positivos do comportamento humano: felicidade, satisfação, divertimento, paz de espírito, júbilo, êxtase. Tal como Jung, Maslow estava profundamente interessado no crescimento pessoal e no que chamou de "autorrealização". Em particular, empreendeu um estudo abrangente de indivíduos que apresentavam experiências transcendentes ou "culminantes" espontâneas, que ele considerava fases importantes no processo de autorrealização. Uma abordagem semelhante do crescimento humano foi defendida pelo psiquiatra italiano Roberto Assagioli; um dos pioneiros da psicanálise na Itália, ele superou posteriormente o modelo freudiano, desenvolvendo uma estrutura alternativa a que chamou psicossíntese[15].

Na psicoterapia, a orientação humanista encorajou os terapeutas a se afastarem do modelo biomédico, o que se refletiu numa sutil, mas significativa mudança de terminologia. Em vez de lidar com "pacientes", os terapeutas passaram a lidar com "clientes", e a interação entre terapeuta e cliente, em vez de ser dominada e manipulada pelo terapeuta, começou a ser vista como um encontro humano entre iguais. O grande inovador nesse campo foi Carl Rogers, que enfatizou a importância de se considerar o paciente de forma positiva e desenvolveu uma psicoterapia não diretiva, "centrada no paciente"[16]. A essência da abordagem humanista consiste em considerar o paciente uma pessoa capaz de crescer e se autorrealizar, e em reconhecer os potenciais inerentes a todo ser humano.

A partir da ideia de que a maioria dos homens e mulheres em nossa cultura se tornou excessivamente intelectual e se alienou de suas sensações e sentimentos, os psicoterapeutas concentraram-se não mais na análise intelectual, mas na experiência, desenvolvendo várias técnicas não verbais e físicas. Na década de 1960, surgiram várias técnicas desse tipo: percepção sensorial, grupos de encontro, sensibilização e muitas mais. Elas proliferaram especialmente na Califórnia; Esalen, na costa de Big Sur, tornou-se um centro extremamente influente das novas psicoterapias e escolas de trabalho do corpo, coletivamente referidas como movimento de potencial humano[17].

Enquanto os psicólogos humanistas criticavam a concepção de Freud da natureza humana por se basear excessivamente no estudo de indivíduos doentes, um outro grupo de psicólogos e psiquiatras encarava a falta de considerações sociais como a principal deficiência da psicanálise[18]. Assinalaram eles que a teoria de Freud não fornecia uma estrutura conceitual para as experiências compartilhadas pelos seres humanos, o que a impedia de se ocupar das relações interpessoais ou de uma dinâmica social mais ampla. Para ampliar o conceito de psicanálise, Harry Stack Sullivan enfatizou as relações interpessoais na teoria e na prática psiquiátricas. Sustentou que a personalidade humana não pode ser separada da rede de relações humanas em que está inserida e definiu explicitamente a psiquiatria como uma disciplina dedicada ao estudo das relações e interações pessoais. Uma outra escola social de psicanálise desenvolveu-se sob a liderança de Karen Horney, que realçou a importância de fatores culturais no desenvolvimento da neurose. Ela criticou Freud por não levar em conta os fatores sociais e culturais determinantes da doença mental e sublinhou a falta de perspectiva cultural das ideias freudianas sobre a psicologia feminina.

Essas novas orientações sociais conduziram a novas abordagens terapêuticas centradas na família e em outros grupos sociais, usando a dinâmica desses grupos para iniciar e apoiar o processo terapêutico. A terapia familiar baseia-se no pressuposto de que os distúrbios mentais do "paciente identificado" refletem uma doença do sistema familiar inteiro, devendo, portanto, ser tratados no contexto da família. O movimento da terapia familiar iniciou-se na década de 1950 e representa hoje uma das mais inovadoras e bem-sucedidas abordagens terapêuticas. Incorporou explicitamente alguns dos novos conceitos sistêmicos de saúde e doença[19].

A terapia de grupo vinha sendo praticada de várias formas há muitas décadas, mas limitava-se às interações verbais, até que os psicólogos humanistas aplicaram suas novas técnicas de comunicação não verbal, descarga emocional e expressão física ao processo de grupo. Rogers exerceu grande influência sobre o desenvolvimento desse novo tipo de terapia de grupo, empregando nele sua abordagem centrada no paciente e estabelecendo a relação entre terapeuta e paciente como base para as relações dentro do grupo[20]. A finalidade desses grupos, usualmente referidos como "grupos de encontro", não se limitava à terapia. Muitos grupos de encontro reuniam-se com o propósito explícito de autoexploração e crescimento pessoal.

Em meados da década de 1960, era comumente entendido que a ênfase central da psicologia humanista, na teoria e na prática, incidia sobre a autorrealização. Durante o rápido desenvolvimento subsequente da disciplina, tornou-se cada vez mais óbvio que um novo movimento estava crescendo no seio da orientação humanista, que se preocupava especificamente com os aspectos espirituais, transcendentes ou místicos da autorrealização. Após várias discussões de natureza conceitual, os líderes desse movimento deram-lhe o nome de psicologia transpessoal, um termo criado por Abraham Maslow e Stanislav Grof[21].

A psicologia transpessoal ocupa-se, direta ou indiretamente, do reconhecimento, da compreensão e da realização de estados não ordinários, místicos ou "transpessoais" da consciência, assim como das condições psicológicas que representam barreiras para tais realizações transpessoais. Seus interesses aproximam-se muito, portanto, dos das tradições espirituais; de fato, numerosos psicólogos transpessoais estão trabalhando em sistemas conceituais que pretendem unir e integrar a psicologia na busca espiritual[22]. Eles colocaram-se numa posição que difere radicalmente da adotada pelas mais importantes escolas de psicologia ocidentais, as quais são propensas a considerar qualquer forma de religião ou espiritualidade como baseada em superstições primitivas, aberrações patológicas ou falsas crenças a respeito da realidade, inculcadas pelo sistema familiar e a cultura. A notável exceção, é claro, foi Jung, que reconheceu a espiritualidade como um aspecto integral da natureza humana e uma força vital na vida humana.

A partir dessas escolas e movimentos psicológicos que se desenvolveram nos Estados Unidos e na Europa, está surgindo uma nova psicologia, compatível com a visão sistêmica de vida e que se harmoniza com as concepções defendidas pelas tradições espirituais. A nova psicologia ainda está longe de ser uma teoria completa, desenvolvendo-se até agora na forma de modelos, ideias e técnicas terapêuticas vagamente interligados. Esses estudos estão sendo desenvolvidos, em grande parte, fora de nossas instituições acadêmicas, pois a maioria permanece excessivamente vinculada ao paradigma cartesiano para que possa apreciar as novas ideias.

Tal como em todas as outras disciplinas, a abordagem sistêmica da nova psicologia tem uma perspectiva holística e dinâmica. A concepção holística, frequentemente associada, em psicologia, ao princípio da *Gestalt*, sustenta que as propriedades e funções da psique não podem ser entendidas se reduzidas a elementos isolados, tal como o organismo físico não pode ser completamente entendido se analisado em termos de suas partes. A visão fragmentada da realidade não só é um obstáculo para a compreensão da mente, mas é também um aspecto característico da doença mental. A experiência salutar de uma pessoa é uma experiência de todo o seu organismo, corpo e mente, e as doenças mentais surgem frequentemente de uma falha da integração dos vários componentes desse organismo. Deste ponto de vista, a divisão cartesiana entre corpo e mente e a separação conceitual entre os indivíduos e seu meio ambiente parecem ser sintomas de uma doença mental coletiva compartilhada pela maior parte da cultura ocidental, como são, de fato, frequentemente percebidos por outras culturas.

A nova psicologia considera o organismo humano um todo integrado que envolve padrões físicos e psicológicos interdependentes. Embora psicólogos e psicoterapeutas se ocupem predominantemente de fenômenos mentais, eles insistem em que estes só podem ser entendidos no contexto de todo o sistema corpo/mente. Por conseguinte, a base conceitual da psicologia também deve ser compatível com a da biologia. Na ciência clássica, a estrutura cartesiana tornou difícil a comunicação entre psicólogos e biólogos, e dir-se-ia que eles não podiam aprender muita coisa uns com os outros. Havia barreiras análogas entre psicoterapeutas e médicos. Mas a abordagem sistêmica fornece uma estrutura comum para a compreensão de manifestações biológicas e psicológicas do organismo humano na saúde e na doença, quadro que é suscetível de acarretar um intercâmbio mutuamente estimulante entre biólogos e psicólogos. Significa também que, se é este o momento para os médicos atentarem mais detalhadamente para os aspectos psicológicos da doença, também o é para os psicoterapeutas aumentarem seus conhecimentos sobre a biologia humana.

Tal como na nova biologia de sistemas, o foco da psicologia está se transferindo agora das estruturas psicológicas para os processos subjacentes. A psique humana é vista como um sistema dinâmico que envolve uma variedade de funções associadas pelos teóricos de sistemas ao fenômeno de auto-organização. Na esteira de Jung e Reich, muitos psicólogos e psicoterapeutas passaram a conceber a dinâmica mental em termos de um fluxo de energia, acreditando também que essa dinâmica reflete uma inteligência intrínseca – o equivalente ao conceito sistêmico de mentação – que habilita a psique não só a criar a doença mental, mas também a curar-se. Ademais, o crescimento interior e a autorrealização são considerados essenciais à dinâmica da psique humana, em pleno acordo com a ênfase na autotranscendência na visão sistêmica de vida.

Um outro aspecto importante da nova psicologia é o crescente reconhecimento de que a situação psicológica de um indivíduo não pode ser separada do seu meio ambiente emocional, social e cultural. Os psicoterapeutas estão adquirindo consciência de que o sofrimento mental se origina frequentemente no colapso das relações sociais. Assim, verificou-se uma tendência gradual para passar das terapias individuais para as terapias de grupo e de família. Um tipo especial de terapia de grupo, que não foi desenvolvido por psicoterapeutas, mas resultou do movimento das mulheres, é praticado por grupos promotores de consciência política[23]. A finalidade desses grupos é integrar o pessoal e o político mediante a elucidação do contexto político de experiências pessoais. O processo terapêutico em tais grupos é frequentemente iniciado fazendo-se, simplesmente, com que os participantes adquiram consciência de que compartilham dos mesmos problemas porque esses problemas são gerados pela sociedade em que vivem.

Uma das mais excitantes conquistas da psicologia contemporânea é uma adaptação da abordagem *bootstrap* à compreensão da psique humana[24]. No passado, as escolas de psicologia propuseram teorias da personalidade e sistemas de terapia, que diferiam radicalmente em suas concepções de como a mente humana funciona na saúde e na doença. Caracteristicamente, essas escolas limitaram-se a uma estreita faixa de fenômenos psicológicos – a sexualidade, o trauma do nascimento, problemas existenciais, a dinâmica familiar, etc. Alguns psicólogos estão agora salientando que nenhuma dessas abordagens está errada, mas que cada uma delas se concentra primeiro numa determinada parte de um espectro geral da consciência e, depois, tenta estender a compreensão dessa parte a toda a psique. De acordo com a abordagem *bootstrap*, pode não haver uma teoria capaz de explicar o espectro total de fenômenos psicológicos. Tal como os físicos, os psicólogos podem ter que se contentar com uma rede de modelos interligados, usando diferentes linguagens para descrever distintos aspectos e níveis de realidade. Assim como usamos diferentes mapas quando viajamos para diferentes partes do mundo, usaríamos diferentes modelos conceituais em nossas jornadas para além do espaço e do tempo, através do mundo interior da psique.

Um dos sistemas mais abrangentes para integrar diferentes escolas psicológicas é a psicologia de espectro, proposta por Ken Wilber[25]. Ela unifica numerosas abordagens, ocidentais e orientais, num espectro de modelos e teorias psicológicas que reflete o espectro da consciência humana. Cada um dos níveis, ou faixas, desse espectro caracteriza-se por um diferente senso de identidade, indo da suprema identidade da consciência cósmica até a identidade drasticamente limitada do ego. Tal como em qualquer espectro, as várias faixas exibem infinitas tonalidades e gradações, fundindo-se gradualmente umas nas outras. Não obstante, podem ser percebidos vários níveis importantes de consciência. Wilber distingue, basicamente, quatro níveis, que são associados a correspondentes níveis de psicoterapia: o nível do ego, o nível biossocial, o nível existencial e o nível transpessoal.

No nível do ego, a pessoa não se identifica com o organismo total, mas apenas com alguma representação mental do organismo, conhecida como autoimagem ou ego. Pensa-se que esse *self* desencarnado existe dentro do corpo; assim, as pessoas dizem "Eu *tenho* um corpo", em vez de "Eu *sou* um corpo". Em certas circunstâncias, tal experiência fragmentada do próprio *self* pode ser ainda mais distorcida pela alienação de certas facetas do ego, que podem ser reprimidas ou projetadas em outras pessoas ou no meio ambiente. A dinâmica desses fenômenos é minuciosamente descrita na psicologia freudiana.

Wilber chama o segundo nível da consciência em importância de "biossocial" porque representa aspectos do meio ambiente social de uma pessoa – relações de família, tradições culturais e crenças –, que estão mapeados no organismo biológico e afetam profundamente as percepções e o comportamento da pessoa. A influência preponderante de padrões sociais e culturais sobre o senso de identidade do indivíduo tem sido extensamente estudada por psicólogos voltados para o social, antropólogos e outros cientistas sociais.

O nível existencial é o nível do organismo total, caracterizado por um senso de identidade que envolve uma consciência do sistema corpo/mente como um todo integrado, auto-organizador. O estudo dessa espécie de autoconsciência e a exploração de todo o seu potencial é o objetivo da psicologia humanista e de várias psicologias existenciais. No nível existencial, o dualismo entre corpo e mente foi superado, mas dois outros dualismos subsistem: o dualismo sujeito *versus* objeto, ou *self versus* "o outro", e o de vida *versus* morte. As questões e os problemas decorrentes desses dualismos são uma importante preocupação das psicologias existenciais, mas não podem ser resolvidos no nível existencial. Sua resolução requer um estado mental em que os problemas existenciais individuais sejam percebidos em seu contexto cósmico. Tal percepção surge no nível transpessoal da consciência.

As experiências transpessoais envolvem uma expansão da consciência para além das fronteiras convencionais do organismo e, correspondentemente, um senso mais amplo de identidade. Elas podem também envolver percepções do meio ambiente que transcendem as limitações usuais da percepção sensorial[26]. O nível transpessoal é o nível do inconsciente coletivo e dos fenômenos que lhe estão associados, tal como são descritos na psicologia junguiana. É uma forma de consciência em que o indivíduo se sente vinculado ao cosmo como um todo e pode, assim, ser identificado com o conceito tradicional de espírito humano. Essa forma de consciência transcende frequentemente o raciocínio lógico e a análise intelectual, aproximando-se da experiência mística direta da realidade. A linguagem da mitologia, a qual é muito menos restringida pela lógica e pelo senso comum, é frequentemente mais apropriada para descrever fenômenos transpessoais do que a linguagem fatual. Como escreveu o pensador indiano Ananda Coomaraswamy, "o mito consubstancia a maior aproximação da verdade absoluta que pode ser formulada em palavras"[27].

Na extremidade do espectro da consciência, as faixas transpessoais fundem-se no nível do Espírito (*Mind*), de acordo com a denominação de Wilber. É o nível da consciência cósmica, em que a pessoa se identifica com o universo inteiro. Podemos *perceber* a realidade última em todos os níveis transpessoais, mas só nos *tornamos* essa realidade no nível do Espírito. A percepção consciente, nesse nível, corresponde ao verdadeiro estado místico, no qual todas as fronteiras e dualismos foram transcendidos e toda a individualidade se dissolve na unicidade universal, indiferenciada. O nível do Espírito tem sido a preocupação preponderante das tradições místicas e espirituais do Oriente e do Ocidente. Embora muitas dessas tradições estejam cônscias dos outros níveis e os tenham, com frequência, descrito e mapeado em grandes detalhes, elas sempre enfatizaram que as identidades associadas a todos os níveis de consciência são ilusórias, exceto quando se trata do nível final do Espírito, no qual a pessoa encontra sua identidade suprema.

Outro mapa da consciência, o qual é plenamente compatível com a psicologia de espectro de Wilber, foi desenvolvido através de uma abordagem muito diferente por Stanislav Grof. Enquanto Wilber abordou o estudo da consciência como psicólogo e filósofo, derivando parcialmente seus *insights* de sua prática meditativa, Grof abordou-o como psiquiatra, baseando seus modelos em muitos anos de experiência clínica. Durante dezessete anos, as pesquisas clínicas de Grof dedicaram-se à psicoterapia, com o uso do LSD e outras substâncias psicodélicas. Nesse período, ele realizou cerca de 3 mil sessões psicodélicas e estudou os registros de quase 2 mil sessões conduzidas por seus colegas na Europa e nos Estados Unidos[28]. Mais tarde, as controvérsias públicas em torno do LSD e as resultantes restrições legais levaram Grof a abandonar sua prática de terapia psicodélica e a desenvolver técnicas terapêuticas que induzem estados semelhantes sem o uso de drogas.

As extensas observações de Grof sobre experiências psicodélicas convenceram-no de que o LSD é um catalisador ou amplificador inespecífico dos processos mentais, e que traz para a superfície vários elementos das profundezas do inconsciente. Uma pessoa que toma LSD não vivencia uma psicose tóxica, como muitos psiquiatras acreditavam nos primeiros dias de pesquisa, mas empreende uma jornada nos domínios normalmente inconscientes da psique. Portanto, a pesquisa psicodélica, segundo Grof, não é o estudo de efeitos especiais induzidos por substâncias psicoativas, mas o estudo da mente humana com a ajuda de poderosos facilitadores químicos. Escreve ele: "Não parece exagerado nem impróprio comparar seu significado potencial para a psiquiatria e a psicologia com o do microscópio para a medicina ou o do telescópio para a astronomia"[29].

A ideia de que as substâncias psicodélicas atuam meramente como amplificadores dos processos mentais é corroborada pelo fato de que os fenômenos observados na terapia com LSD não são absolutamente excepcionais e limitados à experimentação psicodélica. Muitos deles têm sido observados na prática meditativa, na hipnose e nas novas terapias experimentais. Com base em muitos anos de observações cuidadosas desse gênero, com e sem o uso de psicodélicos, Grof construiu o que chama de uma cartografia do inconsciente, um mapa de fenômenos mentais, o qual mostra grandes semelhanças com o espectro da consciência, de Wilber. A cartografia de Grof abrange três domínios principais: o domínio de experiências psicodinâmicas, associadas a eventos da vida passada e presente de uma pessoa; o domínio das experiências perinatais*, relacionadas com os fenômenos biológicos envolvidos no processo de nascimento; e o domínio das experiências transpessoais, que vão além das fronteiras individuais.

---

* "Perinatal", do grego *peri*, "movimento em torno", e do latim *natal*, "nascimento", é um termo médico que se refere aos fenômenos que cercam o processo do nascimento. (N. do A.)

O nível psicodinâmico é claramente autobiográfico e individual na origem, envolvendo recordações de eventos emocionalmente importantes e conflitos não resolvidos de vários períodos da biografia do indivíduo. As experiências psicodinâmicas incluem a dinâmica e os conflitos psicossexuais descritos por Freud, e podem ser entendidas, em grande medida, em termos dos princípios psicanalíticos básicos. Grof, no entanto, acrescentou um interessante conceito à estrutura freudiana. De acordo com as suas observações, as experiências nesse domínio tendem a ocorrer em constelações mnêmicas específicas, a que chama sistemas COEX (sistemas de experiência condensada)[30]. Um sistema COEX compõe-se de recordações de diferentes períodos da vida da pessoa, que possuem um tema básico semelhante, ou contêm elementos similares, e são acompanhadas por uma forte carga emocional da mesma qualidade. As inter-relações detalhadas entre os elementos constituintes de um sistema COEX estão, na maioria dos casos, em concordância básica com o pensamento freudiano.

O domínio das experiências perinatais é a parte mais fascinante e mais original da cartografia de Grof. Exibe uma variedade de ricos e complexos padrões experimentais relacionados com os problemas do nascimento biológico. As experiências perinatais envolvem uma revivescência extremamente realista e autêntica de várias fases do processo de nascimento de uma pessoa – a serena bem-aventurança da existência no ventre, na união primordial com a mãe, assim como as perturbações desse estado pacífico por substâncias químicas tóxicas e contrações musculares; a situação de "sem saída" da primeira fase do parto, quando o colo do útero ainda está fechado, enquanto as contrações uterinas repercutem no feto, criando uma situação claustrofóbica acompanhada de intenso desconforto físico; a propulsão através do canal natalino, envolvendo uma luta enorme pela sobrevivência sob pressões esmagadoras, frequentemente com um elevado grau de sufocação; e, finalmente, o súbito alívio e relaxamento, o primeiro fôlego, e o corte do cordão umbilical completando a separação física da mãe.

Em experiências perinatais, as sensações e os sentimentos associados ao processo de nascimento podem ser revividos de um modo direto e realista, e também podem surgir na forma de experiências simbólicas, visionárias. Por exemplo, a experiência de enormes tensões, que é característica de luta no canal de nascimento, é acompanhada frequentemente de visões de lutas titânicas, desastres naturais, sequências sadomasoquistas e várias imagens de destruição e autodestruição. Para facilitar uma compreensão da grande complexidade dos sintomas físicos, imagens mentais e padrões experimentais, Grof agrupou-os em quatro conjuntos, chamados matrizes perinatais, que correspondem a estágios consecutivos do processo de nascimento[31]. Detalhados estudos das inter-relações dos vários elementos dessas matrizes resultaram em profundos *insights* sobre muitas condições e padrões psicológicos de experiência humana.

Um dos aspectos mais impressionantes do domínio perinatal é a estreita relação entre as experiências de nascimento e morte. O encontro com o sofrimento e a luta e aniquilação de todos os pontos de referência prévios no processo de nascimento avizinham-se tanto da experiência de morte que Grof se refere frequentemente a todo o fenômeno como a experiência da morte-renascimento. Com efeito, as visões associadas a essa experiência envolvem com frequência símbolos de morte, podendo os sintomas físicos correspondentes provocar sentimentos de uma crise existencial fundamental tão intensa que pode ser confundida com a agonia real. O nível perinatal do inconsciente é, pois, o nível de nascimento e morte, um domínio de experiências existenciais que exercem uma influência crucial sobre a nossa vida mental e emocional. Escreve Grof: "Nascimento e morte parecem ser o alfa e o ômega da existência humana, e qualquer sistema psicológico que não os incorpore permanece superficial e incompleto"[32].

O encontro experimental com o nascimento e a morte no transcurso da psicoterapia equivale frequentemente a uma verdadeira crise existencial, forçando as pessoas a examinar seriamente o significado de suas vidas e os valores que as inspiram. Ambições mundanas, impulsos competitivos, a ânsia de *status*, poder ou bens materiais, tudo tende a dissipar-se quando visto contra o pano de fundo da morte iminente. É como escreveu Carlos Castañeda, ao descrever os ensinamentos do feiticeiro *yaki* Don Juan: "Uma quantidade imensa de mesquinhez é abandonada quando a tua morte te acena ou a entrevês num breve relance. [...] A morte é a única conselheira sábia que possuímos"[33].

A única maneira de superar o dilema existencial da condição humana é, em última instância, transcendê-lo, vivendo a nossa existência dentro do mais amplo contexto cósmico. Isso é conseguido no domínio transpessoal, o último domínio importante da cartografia do inconsciente elaborada por Grof. As experiências transpessoais parecem oferecer profundos *insights* sobre a natureza e importância da dimensão espiritual da consciência. À semelhança das experiências psicodinâmicas e perinatais, elas tendem a ocorrer em conjuntos temáticos, mas sua organização é muito mais difícil de descrever em linguagem fatual, como Jung e numerosos místicos enfatizaram, porque a base lógica de nossa linguagem é seriamente desafiada por essas experiências. Em especial, as experiências transpessoais podem envolver os chamados fenômenos paranormais, ou psíquicos, notoriamente difíceis de interpretar dentro da estrutura de pensamento racional e da análise científica. De fato, parece existir uma relação complementar entre fenômenos psíquicos e o método científico. Os fenômenos psíquicos parecem manifestar-se em toda a sua pujança somente fora dos limites do pensamento analítico, e diminuir progressivamente à medida que sua observação e análise vão ficando cada vez mais científicas[34].

Os modelos de Wilber e Grof indicam que a compreensão essencial da consciência humana se situa muito além de palavras e conceitos. Isso suscita a importante questão quanto a ser realmente possível formular enunciados científicos sobre a natureza da consciência; e, além disso, como a consciência é de interesse central para a psicologia, se a psicologia deve ser considerada uma ciência. As respostas dependem, obviamente, da definição que se der de ciência. Tradicionalmente, a ciência está associada à medição e a enunciados quantitativos, desde que Galileu baniu a qualidade da esfera do conhecimento científico; e a maioria dos cientistas ainda hoje adota esse ponto de vista. O filósofo e matemático Alfred North Whitehead expressa a essência do método científico na seguinte regra: "Procure os elementos mensuráveis entre os fenômenos que estiver estudando e depois procure as relações entre essas medidas de quantidades físicas"[35].

Uma ciência interessada somente na quantidade e baseada apenas na medição é inerentemente incapaz de lidar com a experiência, a qualidade ou os valores. Ela será, portanto, inadequada, para compreender a natureza da consciência, uma vez que a consciência é um aspecto central do nosso mundo interior e, assim, antes de mais nada, uma experiência. Com efeito, Grof e Wilber descrevem seus mapas da consciência em termos de domínios da experiência. Quanto mais os cientistas insistem em enunciados quantitativos, menos eles são capazes de descrever a natureza da consciência. Em psicologia, o caso extremo é dado pelo behaviorismo, que trata exclusivamente de funções mensuráveis e tipos de comportamento, e, por conseguinte, não pode formular qualquer enunciado acerca da consciência, negando, de fato, até mesmo a sua existência.

A questão, portanto, será: pode haver uma ciência que não se baseie exclusivamente na medição, uma compreensão da realidade que inclua qualidade e experiência e que, no entanto, possa ainda ser chamada científica? Acredito que tal entendimento é, de fato, possível. A ciência, em minha opinião, não precisa ficar restrita a medições e análises quantitativas. Estou preparado para chamar de científica qualquer abordagem do conhecimento que satisfaça duas condições: todo conhecimento deve basear-se na observação sistemática e expressar-se em termos de modelos autocoerentes, mas limitados e aproximados. Esses requisitos – a base empírica e o processo de construção de modelos – representam, em minha opinião, os dois elementos essenciais do método científico. Outros aspectos, como a quantificação ou o uso da matemática, são frequentemente desejáveis, mas não fundamentais.

O processo de construção de modelos é formado de uma rede logicamente coerente de conceitos para interligar os dados observados. Na ciência clássica, os dados eram quantidades, obtidas através de medições, e os modelos conceituais eram expressos, sempre que possível, em linguagem matemática. A finalidade da quantificação era dupla: conseguir precisão e garantir a objetividade científica mediante a eliminação de qualquer referência ao observador. A teoria quântica mudou consideravelmente a concepção clássica de ciência ao revelar o papel crucial da consciência do observador no processo de observação e ao invalidar, assim, a ideia de uma descrição objetiva da natureza[36]. Não obstante, a teoria quântica ainda é baseada na medição e constitui, de fato, a mais quantitativa de todas as disciplinas científicas, pois reduz todas as propriedades dos átomos a conjuntos de números inteiros[37]. Os físicos quânticos não podem, portanto, formular quaisquer enunciados acerca da natureza da consciência dentro da estrutura de sua ciência, embora a consciência humana seja reconhecida como parte inseparável dessa estrutura.

Uma verdadeira ciência da consciência ocupar-se-á mais com qualidades do que com quantidades, e basear-se-á mais na experiência compartilhada do que nas medições verificáveis. Os tipos de experiência que constituem os dados de tal ciência não podem ser quantificados ou analisados em seus elementos fundamentais, sendo sempre subjetivos, em graus variáveis. Por outro lado, os modelos conceituais que interligam os dados devem ser logicamente coerentes, como todos os modelos científicos, podendo até incluir elementos quantitativos. Os mapas da consciência de Grof e Wilber são excelentes exemplos desse novo tipo de abordagem científica. Eles são característicos de uma nova psicologia, uma ciência que quantificará seus enunciados sempre que esse método for apropriado, mas estará também apta a lidar com qualidades e valores baseados na experiência humana.

A nova abordagem *bootstrap*, ou sistêmica, da psicologia inclui uma concepção de doença mental que é inteiramente compatível com as noções gerais de saúde e doença descritas no capítulo anterior. Como todas as doenças, a doença mental também é vista como um fenômeno multidimensional que envolve aspectos físicos, psicológicos e sociais interdependentes. Quando Freud desenvolveu a psicanálise, os distúrbios nervosos conhecidos como neuroses eram para ele a questão central, mas, desde então, a atenção dos psiquiatras transferiu-se para as perturbações mais sérias, denominadas psicoses, especialmente para a ampla categoria de graves distúrbios mentais que foram designados, um tanto arbitrariamente, como esquizofrenia*. Diferentemente das neuroses, essas doenças mentais ultrapassam largamente o nível psicodinâmico e só podem ser plenamente entendidas se forem levados em conta os domínios biossocial, existencial e transpessoal da psique. Essa abordagem em múltiplos níveis é certamente necessária, uma vez que metade de todos os leitos hospitalares para pacientes mentalmente enfermos nos Estados Unidos está ocupada por pessoas consideradas esquizofrênicas[38].

A maioria dos tratamentos psiquiátricos atuais ocupa-se de mecanismos biomédicos associados a um distúrbio mental específico, e com tal procedimento têm sido muito bem-sucedidos na supressão de sintomas com o uso de drogas psicoativas. Essa abordagem não ajudou os psiquiatras a entender melhor a doença mental, nem permitiu a seus pacientes resolver os problemas subjacentes. Em virtude dessas deficiências da abordagem biomédica, nos últimos 25 anos numerosos psiquiatras e psicólogos desenvolveram uma visão sistêmica dos distúrbios psicóticos que leva em conta as múltiplas facetas da doença mental; essa visão é social e existencial.

O insucesso na avaliação, por uma pessoa, de sua própria percepção e experiência da realidade, e na integração destas numa visão coerente do mundo parece ser um fator primordial no diagnóstico de uma séria doença mental. Na prática psiquiátrica atual, muitas pessoas são diagnosticadas como psicóticas não com base em seu comportamento, mas com base no conteúdo de suas experiências. Essas experiências são, caracteristicamente, de natureza transpessoal e estão em flagrante contradição com todo o senso comum e com a clássica visão de mundo ocidental. Entretanto, muitas delas são bem conhecidas dos místicos, ocorrem frequentemente na meditação profunda e também podem ser induzidas facilmente por vários outros métodos. A nova definição do que é normal e do que é patológico não se baseia no conteúdo ou na natureza das experiências de uma pessoa, mas no modo como são por ela manipuladas e no grau em que a pessoa é capaz de integrar em sua vida essas experiências incomuns. Pesquisas realizadas por psicólogos humanistas e transpessoais mostraram que a ocorrência espontânea de experiências incomuns da realidade é muito mais frequente do que a psiquiatria convencional suspeita[39]. A integração harmoniosa dessas experiências é, portanto, crucial para a saúde mental, e o apoio compreensivo e a assistência nesse processo, baseados num entendimento do espectro total da consciência humana, são de importância vital no tratamento de muitas formas de doença mental.

---

* Do grego *skhizein*, "dividir", e *phren*, "mente". (N. do A.)

A incapacidade de algumas pessoas para integrar experiências transpessoais é frequentemente agravada por um meio ambiente hostil. Imersas num mundo de símbolos e mitos, elas se sentem isoladas e incapazes de comunicar a natureza de sua experiência. O medo desse isolamento pode ser tão esmagador que causa uma onda de pânico existencial, e é esse pânico, mais do que qualquer outra coisa, que produz muitos dos sinais de "insanidade"[40]. O sentimento de isolamento e a expectativa de hostilidade são ainda mais acentuados pelo tratamento psiquiátrico, que envolve frequentemente um exame degradante, um diagnóstico estigmatizante e hospitalização forçada, invalidando por completo a pessoa como ser humano. Como assinalou um pesquisador em recente estudo dos efeitos psicológicos das instituições psiquiátricas, "nem os dados episódicos nem os dados 'concretos' podem transmitir a sensação esmagadora de impotência que invade o indivíduo que é continuamente exposto à despersonalização do hospital psiquiátrico"[41].

Entre as experiências que as pessoas psicóticas não conseguem integrar, parecem desempenhar um papel crucial aquelas que se relacionam com seu meio ambiente social. Recentes e importantes avanços na compreensão da esquizofrenia basearam-se no reconhecimento de que o distúrbio não pode ser entendido se for focalizado em pacientes individuais, mas tem, pelo contrário, de ser percebido no contexto de suas relações com outras pessoas. Numerosos estudos de famílias de esquizofrênicos mostraram que a pessoa diagnosticada como psicótica faz parte, quase sem exceção, de uma rede de padrões extremamente perturbados de comunicação no seio da família[42]. A doença manifestada pelo "paciente identificado" é realmente um distúrbio de todo o sistema familiar.

A característica central dos padrões de comunicação de famílias de esquizofrênicos diagnosticados foi identificada por Gregory Bateson como uma situação de "duplo vínculo"[43]. Bateson apurou que o comportamento rotulado de esquizofrênico representa uma estratégia especial que uma pessoa inventa a fim de viver numa situação insustentável. Essa pessoa defronta-se com uma situação, na família, que parece colocá-la numa posição insustentável, numa situação em que a pessoa "não pode vencer", seja o que for que ela faça. Por exemplo, mensagens verbais e não verbais contraditórias, de um dos pais ou dos dois, podem provocar na criança a situação de duplo vínculo, pois ambas as espécies de mensagens implicam punição ou ameaça à sua segurança emocional. Quando essas situações ocorrem repetidamente, a estrutura de duplo vínculo pode converter-se numa expectativa habitual na vida mental da criança, gerando o aparecimento de experiências e comportamentos esquizofrênicos. Isso não quer dizer que todas as pessoas se tornem esquizofrênicas em tal situação. O que faz exatamente uma pessoa tornar-se psicótica enquanto uma outra permanece normal nas mesmas circunstâncias externas é uma questão complexa, podendo envolver fatores bioquímicos e genéticos que ainda não estão bem explicados. Em particular, os efeitos da nutrição sobre a saúde mental necessitam de uma exploração mais profunda.

R. D. Laing assinalou que a estratégia planejada pelo chamado esquizofrênico pode ser frequentemente reconhecida como uma resposta apropriada ao severo estresse social, representando os esforços desesperados da pessoa para manter sua integridade em face de pressões paradoxais e contraditórias. Laing ampliou essa observação a uma crítica eloquente da sociedade como um todo, na qual ele considera a condição de alienação, de estar adormecido, inconsciente, "fora de si", como a condição da pessoa normal[44]. Tais homens e mulheres "normalmente" alienados são tidos na conta de mentalmente sãos, diz Laing, pelo simples fato de que agem mais ou menos como todo mundo, ao passo que outras formas de alienação, que não se harmonizam com a predominante, são rotuladas de psicóticas pela maioria "normal". Laing oferece a seguinte observação:

> Hoje, uma criança nascida no Reino Unido tem dez vezes mais probabilidades de ser admitida num hospital psiquiátrico do que numa universidade. [...] Isso pode ser interpretado como uma indicação de que estamos conduzindo nossas crianças à loucura com mais eficácia do que as estamos realmente educando. Talvez seja o nosso método de educá-las que as está levando à loucura[45].

Laing expõe sucintamente o papel dual de fatores culturais no desenvolvimento da doença mental. Por um lado, a cultura gera uma grande parcela da ansiedade, que culmina num comportamento psicótico; por outro, fixa as normas para o que é considerado são. Em nossa cultura, os critérios usados para definir saúde mental – senso de identidade, imagem, reconhecimento do tempo e do espaço, percepção do meio ambiente, etc. – requerem que as percepções e concepções de uma pessoa sejam compatíveis com a estrutura cartesiana-newtoniana. A visão cartesiana do mundo não é meramente a principal estrutura, mas é considerada a única descrição acurada da realidade. Essa atitude restritiva reflete-se na tendência dos profissionais ligados à saúde mental de usar sistemas de diagnósticos bastante rígidos. Os perigos de tal condicionamento cultural estão bem ilustrados num experimento recente em que oito voluntários foram admitidos em várias instituições psiquiátricas americanas, ao declarar que estavam ouvindo vozes[46]. Esses pseudopacientes viram-se irrevogavelmente rotulados de esquizofrênicos, apesar de seu comportamento subsequente ser perfeitamente normal. Ironicamente, muitos dos outros internos não tardaram em reconhecer que os pseudopacientes eram pessoas normais, mas o pessoal do hospital foi incapaz de reconhecer o comportamento normal deles, uma vez que já tinham sido considerados psicóticos.

Dir-se-ia que o conceito de saúde mental deve incluir uma integração harmoniosa das formas cartesiana e transpessoal de percepção e experiência. Perceber a realidade exclusivamente no modo transpessoal é incompatível com o funcionamento adequado e a sobrevivência no mundo cotidiano. Vivenciar uma mistura incoerente de ambas as formas de percepção sem poder integrá-las é psicótico. Mas estar limitado unicamente à forma cartesiana de percepção também é loucura; é a loucura da nossa cultura dominante.

Uma pessoa que age exclusivamente segundo a maneira cartesiana pode estar livre de sintomas manifestos, mas não pode ser considerada mentalmente saudável. Alguns indivíduos levam tipicamente uma vida egocêntrica, competitiva, orientada para determinadas metas. Excessivamente preocupados com seu passado e o futuro, estão propensos a ter uma consciência limitada do presente e, assim, uma capacidade limitada para se satisfazer com as atividades ordinárias da vida cotidiana. Concentram-se na manipulação do mundo externo e medem seu padrão de vida pela quantidade de bens materiais, ao passo que se tornam cada vez mais alienados de seu mundo interior e incapazes de apreciar o processo da vida. Para as pessoas cuja existência é dominada por esse tipo de experiência, nenhum nível de riqueza, poder ou fama trará satisfação genuína; são, por isso, invadidas por um sentimento de insignificância, futilidade e até de absurdo, que nenhum tipo de êxito externo poderá dissipar.

Os sintomas dessa loucura cultural preponderam em todas as nossas instituições acadêmicas, empresariais e políticas, sendo a corrida das armas nucleares talvez a mais psicótica de suas manifestações. A integração da forma cartesiana de percepção numa perspectiva ecológica e transpessoal mais ampla tornou-se agora uma tarefa urgente, a ser executada em todos os níveis individuais e sociais. A saúde mental genuína envolveria uma interação equilibrada de ambos os tipos de experiência, um modo de vida em que a identificação do indivíduo com o seu ego é mais lúdica e experimental do que absoluta e imperativa, ao passo que a preocupação com os bens materiais é mais pragmática do que obsessiva. Tal modo de ser seria caracterizado por uma atitude afirmativa em face da vida, uma ênfase no momento presente e uma profunda consciência da dimensão espiritual da existência. Com efeito, essas atitudes e esses valores foram enfatizados ao longo dos tempos por santos e sábios que vivenciaram a realidade de maneira transpessoal. É um fato bem conhecido que as experiências desses místicos são, com frequência, muito semelhantes às dos esquizofrênicos. Entretanto, os místicos não são loucos, porque sabem como integrar suas experiências transpessoais a suas formas ordinárias de consciência. Na profunda metáfora de Laing: "Místicos e esquizofrênicos encontram-se no mesmo oceano, mas os místicos nadam, ao passo que os esquizofrênicos se afogam"[47].

A concepção de doença mental como um fenômeno multidimensional que pode envolver todo o espectro da consciência subentende uma abordagem correspondente, em múltiplos níveis, da psicoterapia. Usando as linguagens de diferentes escolas – freudiana, junguiana, reichiana, rogeriana, lainguiana e outras – para descrever diferentes facetas da psique, os psicoterapeutas devem estar aptos a integrar essas escolas numa estrutura coerente para interpretar toda a gama de fenômenos encontrados no processo terapêutico. Os terapeutas sabem que diferentes pacientes exibirão diferentes sintomas que, com frequência, requerem distintas terminologias. Jung, por exemplo, escreveu em sua autobiografia: "Em minha opinião, ao lidarmos com indivíduos, somente a compreensão individual servirá. Necessitamos de uma linguagem diferente para cada paciente. Numa análise, posso ser ouvido falando o dialeto adleriano, numa outra, o freudiano"[48]. Com efeito, o mesmo paciente passa frequentemente por diferentes fases no transcurso da terapia, cada uma caracterizada por diferentes sintomas e um diferente senso de identidade. Quando o trabalho terapêutico num nível da consciência resultou numa melhor integração, o indivíduo poderá descobrir-se espontaneamente num outro nível. A nova estrutura tornará muito mais fácil, ao tratar de tais casos, aplicar todo um espectro de terapias à medida que o paciente se desloca ao longo do espectro da consciência.

No nível psicodinâmico ou do ego, os sintomas patológicos parecem resultar de um colapso de comunicação entre várias facetas conscientes e inconscientes da psique. O principal objetivo das terapias no nível do ego é integrar essas facetas, sanar a divisão entre a consciência do ego e o inconsciente e, assim, levar o paciente a adquirir um senso mais completo de identidade. Para interpretar a multidão de experiências no nível psicodinâmico, a teoria freudiana parece oferecer a estrutura ideal. Permite ao terapeuta e ao paciente compreenderem a manifestação de várias dinâmicas psicossexuais, regressões à infância, a revivescência de traumas psicossexuais e muitos outros fenômenos de natureza claramente autobiográfica. Entretanto, o modelo freudiano está limitado ao domínio psicodinâmico e é comprovadamente inadequado quando emergem experiências existenciais e transpessoais mais profundas. Tampouco pode lidar com as origens sociais de problemas individuais, que são frequentemente fundamentais. O contexto social é enfatizado por numerosas abordagens que se ocupam, na terminologia de Wilber, do domínio biossocial da consciência. Nas terapias socialmente orientadas, os problemas e os sintomas do paciente são vistos como decorrentes do tipo de relações entre o indivíduo e outras pessoas, e de suas interações com grupos e instituições sociais. Análise transacional, terapia de família e várias formas de terapia de grupo, incluindo aquelas com orientações políticas, explícitas, usam esse enfoque.

Enquanto as terapias que operam no nível do ego visam expandir o senso de identidade da pessoa integrando várias facetas inconscientes da psique, aquelas que atuam em nível existencial vão um passo além. Elas tratam da integração de corpo e mente, e sua finalidade é a autorrealização do ser humano total. As abordagens terapêuticas desse tipo não são psicoterapias no sentido estrito do termo, uma vez que envolvem frequentemente uma combinação de técnicas psicológicas e físicas. Os exemplos incluem a terapia gestáltica, a terapia reichiana e as várias terapias de trabalho do corpo. Muitas destas envolvem poderosas estimulações do organismo total, o que resulta frequentemente em profundas experiências relacionadas com o nascimento e a morte, os dois mais importantes fenômenos existenciais. As matrizes perinatais de Grof representam uma abrangente estrutura conceitual para interpretar experiências existenciais desse tipo.

No nível transpessoal, finalmente, o objetivo da terapia é ajudar os pacientes a integrar suas experiências transpessoais com suas formas ordinárias de consciência no processo de crescimento interior e desenvolvimento espiritual. Os modelos conceituais que se ocupam do domínio transpessoal incluem a psicologia analítica de Jung, a psicologia do ser, de Maslow, e a psicossíntese de Assagioli. Na extremidade profunda do domínio transpessoal da consciência, a que Wilber chama o nível do Espírito, os objetivos da terapia transpessoal fundem-se com os da prática espiritual.

A ideia de que o organismo humano possui uma tendência inerente para curar-se e para evoluir é uma questão tão central para a psicoterapia quanto para qualquer outra terapia. Na abordagem sistêmica, o terapeuta visa, em primeiro lugar, iniciar o processo de cura ajudando o paciente a ficar num estado em que se tornam ativas as forças curativas naturais. Todas as escolas contemporâneas de psicoterapia parecem compartilhar dessa noção de um estado curativo especial. Algumas chamam-na de fenômeno de ressonância, outras falam de "energização" do organismo, e a maioria dos terapeutas concorda que é praticamente impossível descrever com exatidão o que acontece nesses momentos cruciais. Assim, Laing assinala: "Os momentos realmente decisivos em psicoterapia, como todo paciente ou terapeuta que alguma vez os vivenciou sabe, são imprevisíveis, únicos, inesquecíveis, sempre irrepetíveis e frequentemente indescritíveis"[49].

As doenças mentais envolvem amiúde o surgimento espontâneo de experiências incomuns. Em tais casos, nenhuma técnica especial se faz necessária para iniciar o processo de cura, e a melhor abordagem terapêutica consiste em criar um ambiente de compreensão e apoio que permita que essas experiências ocorram. Isso foi praticado com muito êxito com esquizofrênicos em comunidades terapêuticas, por exemplo, na Inglaterra, por Laing, e na Califórnia, por John Perry[50]. Os terapeutas que usam tal abordagem têm observado frequentemente que o drama vivencial que é parte do processo de cura parece desenrolar-se numa sequência ordenada de eventos que pode ser interpretada como uma viagem através do mundo interior do esquizofrênico. Eis como Bateson descreveu a situação:

> Dir-se-ia que, uma vez precipitado na psicose, o paciente tem um percurso a cobrir. É como se ele tivesse empreendido uma viagem de descoberta que só será concluída com o seu regresso ao mundo normal, ao qual ele volta com *insights* diferentes daqueles apresentados pelos habitantes que nunca fizeram tal viagem. Uma vez iniciado, um episódio esquizofrênico parece ter um curso tão definido quanto uma cerimônia de iniciação[51].

Tem sido frequentemente assinalado que nossos hospitais psiquiátricos são inteiramente inadequados para lidar com viagens psicóticas desse tipo. O que precisamos, segundo Laing, é de "um cerimonial de iniciação através do qual a pessoa seja guiada, com total encorajamento e sanção social para penetrar no espaço e tempo interiores, por pessoas que aí estiveram e daí regressaram"[52].

Em muitos casos de doença mental, a resistência à mudança é tão forte que se torna necessário usar técnicas específicas para estimular o organismo – alguma forma de catalisador para induzir o processo de cura. Tais catalisadores podem ser farmacológicos, ou podem ser técnicas físicas ou psicológicas; um dos mais importantes catalisadores será sempre a personalidade do terapeuta. Uma vez iniciado o processo terapêutico, o papel do terapeuta consiste em facilitar as experiências que vão surgindo e em ajudar o cliente a vencer resistências. O desenrolar total de padrões experimentais pode ser extremamente dramático e desafiador para o paciente e o terapeuta, mas os iniciadores dessa abordagem experimental acreditam que se deve encorajar e apoiar o processo terapêutico, seja qual for a forma e a intensidade que ele assuma. A motivação deles para assim procederem baseia-se na ideia de que os sintomas de doença mental representam elementos congelados de um padrão experimental que precisa ser completado e totalmente integrado, se quisermos que os sintomas desapareçam. Em vez de suprimir sintomas com drogas psicoativas, as novas terapias ativam e intensificam esses sintomas para ocasionar sua total experiência, integração consciente e resolução final.

Um grande número de novas técnicas terapêuticas foi desenvolvido para mobilizar a energia bloqueada e transformar sintomas em experiências. Em contraste com as abordagens tradicionais, que se limitavam predominantemente às interações verbais entre terapeuta e paciente, as novas terapias encorajam a expressão não verbal e enfatizam a experiência direta, envolvendo todo o organismo. Daí serem muitas vezes citadas como terapias experimentais. A natureza elementar e a intensidade dos padrões experimentais subjacentes nos sintomas manifestos convenceram a maioria dos praticantes das novas terapias de que as probabilidades de influenciar drasticamente o sistema psicossomático apenas pelos canais verbais são muitíssimo remotas; assim, é dada grande ênfase às abordagens terapêuticas que combinam técnicas psicológicas e físicas.

Muitos terapeutas acreditam que um dos mais importantes eventos em psicoterapia é uma certa ressonância entre o inconsciente do paciente e do terapeuta. Tal ressonância será sumamente poderosa se o terapeuta e o paciente estiverem dispostos a deixar de lado seus papéis, suas máscaras, defesas e quaisquer outras barreiras erguidas entre eles, para que o encontro terapêutico se torne, como o descreveu Laing, um "encontro autêntico entre seres humanos"[53]. Talvez o primeiro a perceber a psicoterapia desse modo tenha sido Jung, que enfatizou vigorosamente a influência mútua entre terapeuta e cliente e comparou esse relacionamento com uma simbiose alquímica. Mais recentemente, Carl Rogers afirmou a necessidade de criar uma atmosfera especial de apoio para intensificar a experiência do paciente e o potencial de autorrealização. Rogers sugeriu que terapeuta e paciente devem estar num estado de intensa comunhão consciente, concentrando-se o terapeuta totalmente na experiência do paciente e considerando profundamente todas as expressões verbais e não verbais a partir de uma posição de empatia e respeito incondicional.

Uma das mais populares abordagens entre as novas terapias experimentais é a desenvolvida por Fritz Perls e conhecida como terapia gestáltica[54]. Compartilha com a psicologia gestaltista do pressuposto básico de que os seres humanos não percebem as coisas como elementos isolados e sem relação entre si, mas organizam-nas durante o processo perceptivo em totalidades significativas. Assim, a orientação da terapia gestáltica é explicitamente holística; enfatiza a tendência, própria de todos os indivíduos, para integrar suas experiências e realizar-se em harmonia com seu meio ambiente. Os sintomas psicológicos representam elementos bloqueados da experiência, e a finalidade da terapia é facilitar o processo de integração pessoal, ajudando o paciente a completar a *Gestalt* experimental.

Para liberar as experiências bloqueadas do paciente, o terapeuta gestáltico deve dirigir a atenção para vários padrões de comunicação, interpessoais e internos, com a finalidade de intensificar a consciência do paciente quanto aos detalhados processos físicos e emocionais envolvidos. Esse aguçamento da consciência tem o propósito de tornar possível o estado especial em que padrões experimentais se tornam fluidos e o organismo inicia o processo de autocura e integração. A ênfase não é colocada na interpretação de problemas, nem na consideração de eventos passados, mas incide sobre a experiência de traumas e conflitos no momento presente. O trabalho individual é frequentemente realizado dentro do contexto de um grupo, e muitos terapeutas gestálticos estão combinando abordagens psicológicas com alguma forma de trabalho do corpo. Essa abordagem em múltiplos níveis parece encorajar profundas experiências existenciais e, ocasionalmente, até transpessoais.

O modo mais poderoso de ativar experiências oriundas de todos os níveis do inconsciente, e historicamente uma das mais antigas formas de terapia experimental, é o uso terapêutico de psicodélicos. Os princípios básicos e os aspectos práticos da terapia psicodélica foram minuciosamente expostos por Stanislav Grof[55], com vistas às suas possíveis aplicações futuras quando forem abrandadas as restrições legais causadas pelo abuso generalizado do LSD. Além disso, podem ser usadas várias abordagens neorreichianas para energizar o organismo, de modo similar, através de manipulações físicas.

O próprio Grof, com sua esposa Christina, integrou a hiperaeração, a música evocativa e o trabalho do corpo num método terapêutico que pode induzir experiências surpreendentemente intensas após um período relativamente curto de respiração rápida e profunda[56]. O princípio básico é encorajar o cliente a concentrar-se na respiração e em outros processos físicos no interior do corpo, e a desligar-se ao máximo de toda análise intelectual, entregando-se às sensações e emoções. Na maioria dos casos, a respiração e a música levaram, por si sós, à resolução bem-sucedida dos problemas detectados. As questões residuais, se houver, são manipuladas através do trabalho do corpo, durante o qual o terapeuta procura facilitar experiências ampliando os sintomas e sensações manifestos e ajudando a descobrir formas apropriadas de expressá-los – através de sons, movimentos, posturas ou quaisquer outros meios não verbais. Depois de experimentar esse método por muitos anos, Grof convenceu-se de que ele representa uma das mais promissoras abordagens para a psicoterapia e a autoexploração.

Outra forma de terapia experimental, que é essencialmente uma abordagem neorreichiana, é a terapia primal, desenvolvida por Arthur Janov[57]. Baseia-se na ideia de que as neuroses são tipos simbólicos de comportamento que representam as defesas da pessoa contra a excessiva dor associada a traumas da infância. O objetivo consiste em superar as defesas e elaborar até o fim as dores primais, vivenciando-as totalmente, ao mesmo tempo em que são revividas as recordações dos eventos que as causaram. O principal método de indução dessas experiências é o "grito primal", um som involuntário, profundo e impetuoso que expressa numa forma condensada a reação da pessoa a traumas passados. Segundo Janov, sucessivas camadas de dor bloqueada podem ser gradualmente eliminadas desse modo, por sessões repetidas de gritos primais.

Embora as entusiásticas declarações iniciais de Janov sobre a eficácia de seu método não tenham resistido ao teste do tempo, a terapia primal representa uma abordagem experimental extremamente poderosa. Lamentavelmente, o sistema conceitual de Janov não é suficientemente amplo para explicar as experiências transpessoais que sua técnica é suscetível de desencadear. Por essa razão, vários praticantes da terapia primal dissociaram-se recentemente de Janov e formaram escolas alternativas, que continuam usando as técnicas básicas de Janov, mas procuram formular uma estrutura teórica mais compreensível.

Os modernos psicoterapeutas avançaram claramente muito além do modelo biomédico de onde a psicoterapia originalmente emergiu. O processo terapêutico já deixou de ser visto como um tratamento de doenças, para ser considerado uma aventura de autoexploração. O terapeuta não desempenha um papel dominante, mas torna-se o facilitador de um processo em que o paciente é o principal protagonista e tem plena responsabilidade. O terapeuta cria um ambiente propício à autoexploração e atua como um guia, enquanto esse processo se desenrola. Para assumir tal papel, os psicoterapeutas necessitam de qualidades muito diferentes das requeridas na psiquiatria convencional. O treinamento médico pode ser útil, mas não é suficiente, de forma alguma; e até mesmo o conhecimento de técnicas terapêuticas específicas não é essencial, uma vez que estas podem ser adquiridas num prazo relativamente curto. Os atributos essenciais de um bom psicoterapeuta são qualidades pessoais, como o calor humano e a autenticidade, a capacidade de ouvir e mostrar empatia e a disposição para participar das experiências intensas de outra pessoa. Além disso, é vital o próprio estágio de autorrealização e conhecimento experimental de todo o espectro de consciência por parte do terapeuta.

A estratégia básica da nova psicoterapia experimental requer, para que sejam obtidos os melhores resultados terapêuticos, que tanto o terapeuta quanto o paciente deixem de lado, tanto quanto seja possível, suas respectivas estruturas conceituais, as previsões, os pressentimentos e as expectativas, durante todo o processo experimental. Ambos devem se mostrar abertos e ousados, prontos para seguir o fluxo de experiência com uma confiança profunda em que o organismo descobrirá seu próprio caminho para curar-se e evoluir. A experiência demonstrou que, se o terapeuta estiver disposto a encorajar e apoiar tal jornada curativa mesmo sem compreendê-la totalmente, e o paciente pronto para aventurar-se em território desconhecido, eles serão recompensados por extraordinárias realizações terapêuticas[58]. Completada a experiência, eles poderão tentar analisar o que aconteceu, caso se sintam inclinados a fazê-lo, mas devem compreender que tal análise e conceituação, ainda que intelectualmente estimulante, terá muito pouca importância terapêutica. De modo geral, os terapeutas observaram que, quanto mais completa é uma experiência, menos análise e interpretação são requeridas. Um padrão experimental completo, ou *Gestalt*, tende a ser autoevidente e autovalidante para a pessoa cuja psique o produz. Portanto, a conversação que se segue a uma sessão terapêutica consistirá numa feliz experiência de participação, em vez de uma luta penosa para se entender o que aconteceu.

Ao se aventurarem a fundo nos domínios existenciais e transpessoais da consciência humana, os psicoterapeutas terão que estar preparados para enfrentar experiências às vezes tão incomuns, que desafiam qualquer tentativa de explicação racional[59]. Experiências de natureza tão extraordinária são relativamente raras, mas até as formas mais brandas de experiência existencial e transpessoal apresentarão sérios desafios às estruturas conceituais convencionais dos psicoterapeutas e de seus pacientes, e a resistência intelectual às experiências emergentes tenderá a impedir o processo curativo. A adesão obstinada a uma concepção mecanicista da realidade, a uma noção linear de tempo ou a um conceito limitado de causa e efeito, pode converter-se num poderoso mecanismo de defesa contra o surgimento de experiências transpessoais e interferir, portanto, no processo terapêutico. Como assinalou Grof, o obstáculo fundamental às terapias experimentais já não é de natureza emocional ou física, mas assume a forma de uma barreira cognitiva[60]. Os praticantes de psicoterapias experimentais serão, pois, muito mais bem-sucedidos se estiverem familiarizados com o novo paradigma que está agora emergindo da física moderna, da biologia sistêmica e da psicologia transpessoal, a fim de que possam oferecer aos seus pacientes não só poderosas estimulações de experiências, mas também uma correspondente expansão cognitiva.

12. A passagem para a Idade Solar

A visão sistêmica da vida é uma base apropriada tanto para as ciências do comportamento e da vida quanto para as ciências sociais e, especialmente, a economia. A aplicação de conceitos sistêmicos para descrever processos e atividades econômicos é particularmente urgente porque praticamente todos os nossos problemas econômicos atuais são problemas sistêmicos que já não podem ser entendidos dentro do âmbito da visão de mundo da ciência cartesiana.

Os economistas convencionais, sejam neoclássicos, marxistas, keynesianos ou pós-keynesianos, carecem geralmente de uma perspectiva ecológica. Os economistas tendem a dissociar a economia do contexto ecológico em que ela está inserida e a descrevê-la em termos de modelos teóricos simplistas e altamente irrealistas. A maioria de seus conceitos básicos, estreitamente definidos e usados sem o pertinente contexto ecológico, já não é apropriada para mapear as atividades econômicas num mundo fundamentalmente interdependente.

A situação é ainda agravada pelo fato de a maioria dos economistas, num esforço mal orientado em busca do rigor científico, evitar explicitamente reconhecer o sistema de valores em que seus modelos se baseiam e tacitamente aceitar o conjunto de valores altamente desequilibrado que domina nossa cultura e está consubstanciado em nossas instituições sociais. Esses valores levaram a uma exagerada ênfase na tecnologia pesada, no consumo perdulário e na rápida exploração dos recursos naturais, tudo motivado pela persistente obsessão com o crescimento. O crescimento econômico, tecnológico e institucional indiferenciado ainda é visto pela maioria dos economistas como o sinal de uma economia "saudável", embora esteja causando hoje desastres ecológicos, crimes empresariais generalizados, desintegração social e uma probabilidade sempre crescente de guerra nuclear.

Paradoxalmente, os economistas são, de modo geral, incapazes de adotar uma visão dinâmica, apesar de sua insistência no crescimento. Tendem a congelar a economia arbitrariamente em sua estrutura institucional atual, em lugar de a verem como um sistema em contínua mudança e evolução, dependente dos sistemas ecológicos e sociais cambiantes em que ela está inserida. As teorias econômicas de hoje perpetuam configurações passadas de poder e distribuição desigual de riqueza, no seio de economias nacionais e entre os países desenvolvidos e o Terceiro Mundo. As companhias gigantescas dominam as cenas nacionais e a global, seu poderio econômico e político impregna praticamente todas as facetas da vida pública, enquanto alguns economistas ainda parecem acreditar na existência dos mercados livres e da concorrência perfeita de Adam Smith. Muitas dessas companhias gigantescas são agora instituições obsoletas que geram tecnologias poluidoras e socialmente desintegradoras, e empatam capitais, energia e recursos, incapazes de adaptar seus usos às novas necessidades de nosso tempo.

A abordagem sistêmica da economia possibilitará introduzir alguma ordem no presente caos conceitual, proporcionando aos economistas uma perspectiva ecológica que se faz urgentemente necessária. De acordo com a concepção sistêmica, a economia é um sistema vivo composto de seres humanos e organizações sociais em contínua ação entre si e com os ecossistemas circundantes de que nossas vidas dependem. Tal como os organismos individuais, os ecossistemas são sistemas auto-organizadores e autorreguladores em que animais, plantas, microrganismos e substâncias inanimadas estão ligados através de uma teia complexa de interdependências que envolvem a permuta de matéria e energia em ciclos contínuos. As relações lineares de causa e efeito só ocorrem muito raramente nesses ecossistemas, e os modelos lineares não são muito úteis para descrever as interdependências funcionais dos sistemas sociais e econômicos neles inseridos e sua tecnologia. O reconhecimento da natureza não linear de toda a dinâmica de sistemas é a própria essência da consciência ecológica, a essência da "sabedoria sistêmica", como a chama Bateson[1]. Esse tipo de sabedoria é característico das culturas tradicionais, não alfabetizadas, mas foi tristemente negligenciado em nossa sociedade super-racional e mecanizada.

A sabedoria sistêmica baseia-se num profundo respeito pela sabedoria da natureza, a qual é totalmente compatível com os *insights* da ecologia moderna. Nosso meio ambiente natural consiste em ecossistemas habitados por incontáveis organismos que coevoluíram durante bilhões de anos, usando e reciclando continuamente as mesmas moléculas de solo, água e ar. Os princípios organizadores desses ecossistemas devem ser considerados superiores aos das tecnologias humanas baseadas em invenções recentes e, com muita frequência, em projeções lineares a curto prazo. O respeito pela sabedoria da natureza é ainda corroborado pelo *insight* de que a dinâmica da auto-organização em ecossistemas é basicamente a mesma que a dos organismos humanos, o que nos força a compreender que nosso meio ambiente natural é não só vivo, mas também inteligente. A inteligência dos ecossistemas, em contraste com tantas instituições humanas, manifesta-se na tendência predominante para estabelecer relações de cooperação que facilitam a integração harmoniosa de componentes sistêmicos em todos os níveis de organização.

O estado de interligação não linear dos sistemas vivos sugere imediatamente duas importantes regras para a administração de sistemas sociais e econômicos. Em primeiro lugar, há uma dimensão ótima para cada estrutura, organização e instituição, e a maximização de qualquer variável – lucro, eficiência ou PNB, por exemplo – destruirá inevitavelmente o sistema maior. Em segundo lugar, quanto mais uma economia se baseia na reciclagem contínua de seus recursos naturais, mais está em harmonia com o meio ambiente circundante. Nosso planeta está hoje tão densamente povoado que praticamente todos os sistemas econômicos são interligados e interdependentes; os mais importantes problemas de hoje são problemas globais. As escolhas sociais vitais com que nos defrontamos já não são locais – opções entre mais estradas, escolas e hospitais –, nem afetam meramente uma pequena parcela da população. São escolhas entre princípios de auto-organização – centralização ou descentralização, intensidade de capital ou intensidade de trabalho, tecnologia pesada ou tecnologia branda – que afetam a sobrevivência da humanidade como um todo.

Ao efetuar essas escolhas, será útil ter em mente que a interação dinâmica de tendências complementares é uma outra característica importante dos sistemas auto-organizadores. Como assinalou E. F. Schumacher, "o ponto crucial da vida econômica – e, na verdade, da vida em geral – é que ela requer constantemente a reconciliação viva de opostos que, em lógica estrita, são irreconciliáveis"[2]. O estado de interligação global de nossos problemas e a virtude das empresas descentralizadas, em pequena escala, representam um desses pares de opostos complementares. A necessidade de equilibrar os dois encontrou eloquente expressão no *slogan* "Pense globalmente, atue localmente!"

Um segundo *insight* facilitado pela abordagem sistêmica é a compreensão de que a dinâmica de uma economia, como a de qualquer outro sistema vivo, é suscetível de ser dominada por flutuações. Com efeito, numerosos padrões econômicos cíclicos, com diferentes periodicidades, foram recentemente observados e analisados, além das oscilações a curto prazo estudadas por Keynes. Jay Forrester e seu Grupo de Dinâmica de Sistemas identificaram três ciclos distintos: um ciclo de cinco a sete anos, que é muito pouco influenciado por mudanças nas taxas de juros e outras manipulações keynesianas, mas que, por outro lado, reflete a interação entre emprego e balanços; um ciclo de dezoito anos, relacionado com o processo de investimento; e um ciclo de cinquenta anos, que, segundo Forrester, tem o mais forte efeito sobre o comportamento da economia, mas é de natureza inteiramente diferente, refletindo a evolução das tecnologias, tais como estradas de ferro, automóveis e computadores[3].

Outro exemplo de importantes flutuações econômicas é o conhecido ciclo de crescimento e declínio, os contínuos colapso e construção de estruturas que envolvem a reciclagem de todas as partes componentes. Hazel Henderson registrou a lição a ser extraída desse fenômeno básico da vida: "Assim como a decomposição das folhas do ano passado fornece o húmus para o novo crescimento na primavera seguinte, algumas instituições devem declinar e desintegrar-se para que seus componentes de capital, terra e talentos humanos possam ser usados para criar novas organizações"[4].

De acordo com a concepção sistêmica, uma economia, como qualquer sistema vivo, será saudável se estiver num estado de equilíbrio dinâmico, caracterizado por flutuações contínuas de suas variáveis. Para realizar e manter esse sistema econômico saudável é crucial preservar a flexibilidade ecológica de nosso meio ambiente natural, assim como criar a flexibilidade social necessária à adaptação a mudanças ambientais. Para Bateson, "a flexibilidade social é um recurso tão precioso quanto o petróleo"[5]. Além disso, necessitaremos de muito maior flexibilidade de ideias, porque os padrões econômicos mudam e evoluem continuamente e, por conseguinte, não podem ser descritos de modo adequado, exceto numa estrutura conceitual que seja, ela própria, capaz de mudar e evoluir.

Para se descrever a economia apropriadamente, em seu contexto social e ecológico, os conceitos básicos e as variáveis das teorias econômicas devem estar relacionados com aqueles que são usados para descrever sistemas sociais e ecológicos. Isso implica que a tarefa de mapear a economia exigirá uma abordagem multidisciplinar. Ela não pode mais ficar unicamente entregue aos economistas, mas deve ser suplementada por contribuições da ecologia, sociologia, ciência política, antropologia, psicologia e outras disciplinas. Tal como os profissionais da área da saúde, os investigadores dos fenômenos econômicos precisam trabalhar em equipes multidisciplinares, usando diferentes métodos e perspectivas, e concentrando-se em diferentes níveis sistêmicos, a fim de elucidarem os diferentes aspectos e implicações das atividades econômicas. Tal abordagem multidisciplinar das análises econômicas já é visível em certo número de livros recentes escritos por não economistas sobre assuntos que antes pertenciam exclusivamente ao domínio da ciência econômica. Contribuições inovadoras desse tipo incluem as de Richard Barnet (cientista político), Barry Commoner (biólogo), Jay Forrester (analista de sistemas), Hazel Henderson (futuróloga), Francês Moore Lappé (socióloga),

Amory Lovins (físico), Howard Odum (engenheiro) e Theodore Roszak (historiador), para citar apenas alguns[6].

Como foi assinalado por Kenneth Boulding, Hazel Henderson e muitos outros, a necessidade de abordagens multidisciplinares para nossos atuais problemas econômicos requer o fim da economia como a base predominante da política nacional. A economia é suscetível de permanecer como disciplina apropriada para fins contábeis e várias análises de microáreas, mas seus métodos já não são adequados para o exame de processos macroeconômicos. Um novo papel importante para a economia será o de estimar, tão precisamente quanto possível, os custos sociais e ambientais das atividades econômicas – em dinheiro, saúde ou segurança –, a fim de incorporá-los às contas de empresas privadas e públicas. Espera-se que os economistas identifiquem as relações entre as atividades específicas nos setores privados da economia e os custos sociais gerados por essas atividades no setor público. Por exemplo, o novo método contabilístico envolveria a transferência para as companhias de cigarros de uma considerável parcela dos custos médicos envolvidos no hábito de fumar, e, para as destilarias, de uma porção correspondente dos custos sociais do alcoolismo. O trabalho sobre novos modelos econômicos desse tipo está atualmente em curso e culminará, finalmente, numa redefinição do Produto Nacional Bruto e de outros conceitos afins. De fato, os economistas japoneses já começaram a reformulação do seu PNB em termos de um novo indicador em que os custos sociais são deduzidos[7].

Os modelos macroeconômicos terão que ser estudados dentro de uma estrutura baseada na abordagem sistêmica e que se utilize de um novo conjunto de conceitos e variáveis. Um dos principais erros de todas as escolas atuais de pensamento econômico é sua insistência em usar a moeda como a única variável para medir a eficiência dos processos de produção e distribuição. Com esse critério único, os economistas desprezam o importante fato de que a maioria das atividades econômicas do mundo consiste em sistemas informais de troca e produção baseadas no valor de uso, e em disposições recíprocas para a partilha de bens e serviços, ocorrendo tudo isso fora das economias monetárias[8]. À medida que um número cada vez maior dessas atividades – trabalhos domésticos, puericultura, assistência aos velhos e enfermos – se torna monetarizado e institucionalizado, os valores que permitem às pessoas fornecer serviços umas às outras gratuitamente acabam distorcidos; dissolve-se a coesão social e cultural, e a economia, o que não é surpreendente, passa a apresentar uma "produtividade declinante". Esse processo é acelerado pelo fato de que todo conceito de moeda está ficando cada vez mais abstrato e desligado das realidades econômicas. Enquanto no sistema bancário e financeiro global de hoje as unidades de moeda podem ser distorcidas quase por capricho pelo poder das grandes instituições, o uso generalizado de cartões de crédito, bancos eletrônicos e sistemas de transferência de fundos por computador, além de muitos outros instrumentos da moderna tecnologia da informática e da comunicação, provocou um aumento dos níveis de complexidade, tornando quase impossível usar o dinheiro como um acurado sistema de controle das transações econômicas do mundo real[9].

Na nova estrutura conceitual, a energia, tão essencial a todos os processos industriais, será uma das mais importantes variáveis para medir as atividades econômicas. Como os países industriais com tipos de vida semelhantes mostram crescentes disparidades no consumo de energia, estão começando a ser levantadas naturalmente questões sobre sua eficiência relativa na conversão de energia. A elaboração de modelos energéticos, que teve como pioneiro o ecologista e engenheiro Howard Odum, agora está sendo desenvolvida em muitos países, graças a cientistas imaginativos de várias disciplinas[10]. Apesar de muitos problemas por resolver e de diferenças de métodos, o mapeamento de fluxos de energia está se tornando rapidamente um método mais confiável para análises macroeconômicas do que as abordagens monetárias convencionais.

A medição da eficiência dos processos de produção em termos de energia líquida, a qual está sendo hoje amplamente aceita, sugere a entropia – uma quantidade relacionada com a dissipação de energia[11] – como uma outra variável importante para a análise de fenômenos econômicos. O conceito de entropia foi introduzido na teoria econômica por Nicholas Georgescu-Roegen, cuja obra tem sido descrita como a primeira reformulação abrangente da economia desde Marx e Keynes[12]. Segundo Georgescu-Roegen, a dissipação de energia, tal como é descrita pela segunda lei da termodinâmica, é importante tanto para o desempenho de máquinas a vapor como para o funcionamento de uma economia. Assim como a eficiência termodinâmica de máquinas é limitada pelo atrito e por outras formas de dissipação de energia, também os processos de produção nas sociedades industriais produzirão inevitavelmente atritos sociais e dissiparão parte da energia e dos recursos da economia em atividades improdutivas.

Henderson sublinhou que a dissipação de energia atingiu tais proporções em muitas das sociedades industriais avançadas de hoje, que os custos de atividades improdutivas – manutenção de tecnologias complexas, administração de vastas burocracias, mediação de conflitos, controle da criminalidade, proteção dos consumidores e do meio ambiente, etc. – absorvem uma parcela cada vez maior do PNB e, portanto, levam a inflação a índices sempre crescentes. Henderson criou o termo "estado de entropia" para o estágio de desenvolvimento econômico em que os custos de coordenação e manutenção burocráticas excedem a capacidade produtiva da sociedade, e todo o sistema soçobra sob seu próprio peso e complexidade[13]. Para evitar um futuro tão sombrio será necessário julgar as necessidades e tecnologias econômicas não em termos de eficiência econômica estritamente definida, mas em termos de eficiência termodinâmica, o que equivale a uma radical mudança de prioridades. Por exemplo, uma análise econômica em termos de energia e entropia deixa claro que os atuais gastos militares sustentam as atividades mais dissipativas e intensamente consumidoras de energia de que os seres humanos são capazes, na medida em que convertem diretamente em desperdício e destruição grandes quantidades de energia e materiais armazenados, sem satisfazer quaisquer necessidades humanas básicas.

Tal como os conceitos de eficiência e PNB, os de produtividade e lucro terão que ser também definidos dentro de um amplo contexto ecológico e relacionados com as duas variáveis básicas de energia e entropia. Entretanto, ao fazê-lo, será importante ter em mente que, embora a entropia seja extremamente útil como variável para análises econômicas, a estrutura da termodinâmica clássica em que ela se originou é muito limitada. Especificamente, não é adequado para descrever sistemas vivos, auto-organizadores – sejam eles organismos individuais, sistemas sociais ou ecossistemas –, para os quais a teoria de Prigogin fornece uma descrição muito mais apropriada[14]. Recentes análises econômicas em termos de entropia consideraram, por vezes, erroneamente a segunda lei da termodinâmica, como se esta fosse uma lei absoluta da natureza[15], e têm que ser modificadas a fim de se tornarem compatíveis com a nova teoria da auto-organização. Por exemplo, o conceito de complexidade tecnológica e organizacional terá que ser refinado e relacionado com o estado dinâmico do sistema em consideração. Segundo Erich Jantsch, a complexidade de um sistema só é limitada se ele for rígido, inflexível e isolado do meio ambiente[16]. Os sistemas auto-organizadores em contínua interação com o meio ambiente são capazes de aumentar tremendamente sua complexidade, abandonando a estabilidade estrutural em favor da flexibilidade e da evolução sem limites. Logo, a eficiência de nossas tecnologias e instituições sociais dependerá não só de sua complexidade, mas também de sua flexibilidade e de seu potencial de mudança.

Quando adotamos uma perspectiva ecológica e usamos os conceitos apropriados para analisar processos econômicos, torna-se evidente que nossa economia, nossas instituições sociais e nosso meio ambiente natural estão seriamente desequilibrados. Nossa obsessão com o crescimento e a expansão levou-nos a maximizar um número excessivo de variáveis por períodos prolongados – PNB, lucros, o tamanho das cidades e das instituições sociais, etc. –, e o resultado foi uma perda geral de flexibilidade. Tal como em organismos individuais, esse desequilíbrio e a ausência de flexibilidade podem ser descritos em termos de estresse, e os vários aspectos de nossa crise podem ser considerados os múltiplos sintomas desse estresse social e ecológico. Para restabelecer um equilíbrio saudável, teremos de repor aquelas variáveis que foram sobrecarregadas em níveis controláveis. Isso incluirá, entre muitas outras medidas, a descentralização de populações e atividades industriais, o desmantelamento das companhias gigantescas e de outras instituições sociais, a redistribuição de riqueza e a criação de tecnologias flexíveis e preservadoras de recursos. Como em todo e qualquer sistema auto-organizador, a recuperação do equilíbrio e da flexibilidade pode ser efetivamente conseguida através da autotranscendência – avançando-se de um estado de instabilidade ou crise para novas formas de organização.

O crescimento indiferenciado tende a caminhar de mãos dadas com a fragmentação, a confusão e o colapso geral da comunicação. Os mesmos fenômenos são característicos do câncer em nível celular, sendo o termo "crescimento canceroso" muito apropriado para o crescimento excessivo de nossas cidades, tecnologias e instituições sociais. Como existe uma interação contínua entre indivíduos e seu meio ambiente natural e social, as consequências desse crescimento canceroso são perniciosas para homens e mulheres, assim como para a economia e o ecossistema. O restabelecimento do equilíbrio social e ecológico também contribuirá para melhorar a saúde no plano individual. Roszak assim resumiu a interdependência entre o bem-estar individual e o do ecossistema planetário: "As necessidades do planeta são as necessidades da pessoa [...] os direitos da pessoa são os direitos do planeta"[17].

O restabelecimento do equilíbrio e da flexibilidade em nossas economias, tecnologias e instituições sociais só será possível se for acompanhado por uma profunda mudança de valores. Contrariamente às crenças convencionais, os sistemas de valores e a ética não são periféricos em relação à ciência e à tecnologia, mas constituem sua própria base e força propulsora. Por conseguinte, a mudança para um sistema social e econômico equilibrado exigirá uma correspondente mudança de valores – da autoafirmação e da competição para a cooperação e a justiça social, da expansão para a conservação, da aquisição material para o crescimento interior. Aqueles que começaram a realizar essa mudança descobriram que ela não é restritiva, mas, pelo contrário, libertadora e enriquecedora. Como escreveu Walter Weisskopf em seu livro *Alienation and economics**, as dimensões fundamentais de

---

* "Alienação e economia." (N. do T.)

escassez na vida humana não são econômicas, mas existenciais[18]. Estão relacionadas com nossas necessidades de lazer e contemplação, paz de espírito, amor, vida gregária e autorrealização, as quais são todas satisfeitas em graus muito superiores pelo novo sistema de valores.

Como o nosso atual estado de desequilíbrio é, em grande parte, uma consequência do crescimento indiferenciado, a questão de escala desempenhará um papel central na reorganização de nossas estruturas econômicas e sociais. O critério de escala tem que ser a comparação com as dimensões humanas. O que é vasto, rápido ou congestionado demais, em comparação com as dimensões humanas, é grande demais. As pessoas que têm de lidar com estruturas, organizações ou empresas de dimensões tão inumanas sentir-se-ão invariavelmente ameaçadas, alienadas, oprimidas, despojadas de sua individualidade, e isso afetará de modo muito significativo a qualidade de sua vida. A importância da escala está ficando cada vez mais evidente, até de um ponto de vista estritamente econômico, na medida em que um número cada vez maior de grandes empresas é prejudicado por uma excessiva centralização e por vulnerabilidade de tecnologias complexas, interligadas. A energia calorífica desperdiçada pelas grandes usinas elétricas norte-americanas, nos processos de geração e transmissão para os pontos de consumo, seria mais do que suficiente para aquecer todas as casas nos Estados Unidos[19]. Analogamente, os custos crescentes de transporte de mercadorias através do país não demorarão muito a tornar possível que empresas regionais e locais voltem a competir com as companhias de âmbito nacional. Ao mesmo tempo, a criação de tecnologias descentralizadas, em pequena escala, será a única solução para o problema da excessiva regulamentação federal, que se tornou uma das mais perturbadoras consequências do crescimento indiferenciado.

No processo de descentralização, muitas das grandes companhias norte-americanas, obsoletas, consumidoras vorazes de recursos, terão forçosamente que passar por transformações profundas e, em alguns casos, fechar as portas. É necessitaremos de uma nova estrutura legal para esclarecer e redefinir a natureza da empresa privada e a responsabilidade da pessoa jurídica. Em todas essas considerações, a tarefa mais importante será atingir o equilíbrio. Nem tudo precisa ser descentralizado. Alguns grandes sistemas, como a telefonia e outros sistemas de comunicação, devem ser mantidos; outros, como o transporte de massa, precisam crescer. Mas todo esse crescimento deve ser limitado, mantendo-se um equilíbrio dinâmico entre crescimento e declínio, para que o sistema como um todo permaneça flexível e aberto a mudanças.

Entre os muitos exemplos de crescimento excessivo, a expansão das cidades é uma das maiores ameaças ao equilíbrio social e ecológico; a desurbanização será, portanto, um aspecto crucial do retorno a uma escala mais humana. Como argumentou Roszak, de forma convincente, o processo de desurbanização não é algo que precise ser imposto; basta apenas que se lhe permita acontecer[20]. Numerosas pesquisas de opinião mostraram que apenas uma pequena minoria de habitantes citadinos vive na metrópole porque gosta. A maioria esmagadora prefere as pequenas cidades do interior, as áreas residenciais suburbanas ou as fazendas, mas não dispõe de meios para isso. O que precisamos fazer, portanto, é refrear o crescimento das cidades, criar incentivos econômicos adequados, tecnologias e programas de assistência que permitam às pessoas que assim o desejem passar da vida urbana para a rural.

Considerações análogas são aplicáveis à descentralização do poder político. Durante a segunda metade do século XX tornou-se cada vez mais evidente que a nação-Estado já não é viável como unidade eficaz de governo. É grande demais para os problemas de suas populações locais e, ao mesmo tempo, confinada por conceitos excessivamente estreitos para os problemas de interdependência global. Os governos nacionais altamente centralizados de hoje não são capazes de atuar localmente nem de pensar globalmente. Assim, a descentralização política e o desenvolvimento regional tornaram-se necessidades urgentes de todos os grandes países. Essa descentralização do poder econômico e político terá de incluir a redistribuição da produção e da riqueza, para que haja um equilíbrio entre alimentos e populações dentro dos países e entre as nações industriais e o Terceiro Mundo. Finalmente, no nível planetário, o reconhecimento de que não podemos "gerir" o planeta, mas temos que nos integrar harmoniosamente em seus múltiplos sistemas auto-organizadores exige uma nova ética planetária e novas formas de organização política.

Regressar a uma escala mais humana não significará um retorno ao passado, mas exigirá, pelo contrário, o desenvolvimento de novas e engenhosas formas de tecnologia e organização social. Grande parte de nossa tecnologia convencional, consumidora intensiva de recursos e altamente centralizada, é hoje obsoleta. Energia nuclear, carros de alto consumo de gasolina, agricultura subsidiada pelo petróleo, instrumentos computadorizados de diagnóstico e muitos outros empreendimentos de alta tecnologia são antiecológicos, inflacionários e perniciosos para a saúde. Embora essas tecnologias envolvam frequentemente as mais recentes descobertas na eletrônica, na química e em outros campos da ciência moderna, o contexto em que são desenvolvidas e aplicadas é o da concepção cartesiana da realidade. Elas devem ser substituídas por novas formas de tecnologia, que incorporem princípios ecológicos e sejam compatíveis com o novo sistema de valores.

Muitas dessas tecnologias alternativas já estão sendo desenvolvidas. Tendem a ser descentralizadas e a operar em pequena escala, a ser sensíveis às condições locais e planejadas para aumentar a autossuficiência, propiciando, assim, um grau máximo de flexibilidade. São frequentemente qualificadas de tecnologias brandas, porque seu impacto sobre o meio ambiente é substancialmente reduzido pelo uso de recursos renováveis e por uma constante reciclagem de materiais. Coletores de energia solar, geradores eólicos, lavoura orgânica, produção e processamento regional e local de alimentos, e reciclagem de produtos residuais, são exemplos de tais tecnologias brandas. Em vez de se basearem nos princípios e valores da ciência cartesiana, elas incorporam os princípios observados nos ecossistemas naturais; refletem, pois, a sabedoria sistêmica. Como observou Schumacher, "a sabedoria exige uma nova orientação da ciência e da tecnologia para o orgânico, o moderado, o não violento, o elegante e o belo"[21]. Tal redirecionamento da tecnologia oferece enormes oportunidades para a criatividade, o espírito empreendedor e a iniciativa da humanidade. As novas tecnologias não são, em absoluto, menos sofisticadas do que as antigas, mas seu refinamento é de uma espécie diferente. Aumentar a complexidade deixando simplesmente que tudo cresça não é difícil, mas recuperar elegância e flexibilidade requer sabedoria e visão criativa.

À medida que os nossos recursos físicos se tornam mais escassos, também se evidencia que devemos investir mais nas pessoas – o único recurso que possuímos em abundância. Com efeito, a consciência ecológica torna óbvio que temos de conservar nossos recursos físicos e desenvolver nossos recursos humanos. Em outras palavras, o equilíbrio ecológico requer o pleno emprego. É isso, precisamente, o que novas tecnologias facilitam. Operando em pequena escala e sendo descentralizadas, elas tendem a se tornar consumidoras intensivas de mão de obra, ajudando, portanto, a estabelecer um sistema econômico não inflacionário e ambientalmente benigno.

A mudança de tecnologias pesadas para brandas é mais urgentemente necessária nas áreas relacionadas com a produção de energia. Como foi enfatizado num capítulo anterior[22], as raízes mais profundas de nossa atual crise energética situam-se nos modelos de produção e consumo perdulário que se tornaram característicos de nossa sociedade. Para resolver a crise não necessitamos de mais energia, o que apenas agravaria nossos problemas, mas de profundas mudanças em nossos valores, atitudes e estilos de vida. Entretanto, ao mesmo tempo em que perseguimos essa meta a longo prazo, também precisamos mudar nossa produção de energia dos recursos não renováveis para os renováveis, e das tecnologias pesadas para as brandas, a fim de alcançarmos o equilíbrio ecológico. A política energética da maioria dos países industrializados reflete o que Amory Lovins, físico e consultor energético de numerosas organizações, chamou o "caminho da energia pesada" (*hard energy path*)[23], em que a energia é produzida a partir de recursos não renováveis – petróleo, gás natural, carvão e urânio – por meio de tecnologias altamente centralizadas, que são rigidamente programadas, antieconômicas e nocivas à saúde. A energia nuclear é, de longe, o componente mais perigoso do caminho da energia pesada[24]. Ao mesmo tempo, está se convertendo rapidamente na mais ineficaz e antieconômica fonte energética. Um eminente técnico em investimentos em empresas de serviços públicos concluiu uma investigação minuciosa da indústria nuclear com a seguinte e arrasadora declaração: "A conclusão a que podemos chegar é que, de um ponto de vista estritamente econômico, confiar na fissão nuclear como fonte primária de nossos suprimentos de energia estável constituirá uma loucura econômica em escala sem paralelo em toda a história"[25].

À medida que a opção nuclear está ficando cada vez mais irrealista e a maciça dependência dos países industrializados em relação ao petróleo aumenta o risco de confrontações militares, governos e representantes da indústria energética estão procurando ansiosamente numerosas alternativas. Assim fazendo, entretanto, eles ainda se apegam cegamente aos princípios obsoletos do caminho da energia pesada. A produção de combustíveis sintéticos a partir do carvão e do xisto betuminoso, que tem sido vigorosamente incentivada nestes últimos tempos, envolve ainda uma outra tecnologia que consome um excesso de recursos, é extremamente antieconômica e causa perturbações ambientais em grande escala. Fala-se com frequência na fusão nuclear, mas ela é por demais incerta para ser uma solução aceitável. Além disso, parece estar na mira da indústria nuclear principalmente com o propósito de produzir plutônio, que seria depois usado em reatores de fissão[26]. Todas essas formas de produção energética requerem maciços investimentos de capital e usinas centralizadas com tecnologias complexas. São ineficientes e altamente inflacionárias e não criam um número significativo de empregos. As medidas de conservação e a energia solar poderiam gerar um número de empregos muitas vezes superior àquele oferecido pela indústria nuclear, enquanto cada nova usina de eletricidade elimina cerca de 4 mil empregos líquidos[27].

A única saída para a crise energética é adotar um "caminho de energia branda" (*soft energy path*), o que, no pensamento de Lovins, tem três componentes principais: conservação de energia através de um consumo mais racional, utilização inteligente das atuais fontes de energia não renovável como "combustíveis de ponte" durante o período de transição, e rápido desenvolvimento de tecnologias brandas para a produção energética a partir de fontes renováveis. Essa tríplice abordagem, além de ambientalmente benigna e ecologicamente equilibrada, seria também a política energética mais eficiente e mais barata. Um estudo recente da

Harvard Business School afirmou categoricamente que melhorias na eficiência de consumo e tecnologias brandas são as mais econômicas de todas as fontes de energia disponíveis, além de fornecerem mais e melhores empregos do que qualquer uma das outras opções[28]. O caminho da energia branda deve ser adotado sem mais demora. Como o papel dos combustíveis fósseis como ponte para as novas fontes energéticas renováveis é um elemento vital da transição necessária, será crucial iniciar o processo de transição enquanto ainda dispomos de suficientes combustíveis fósseis para assegurar uma passagem sem tropeços.

A longo prazo, a maior conservação de energia será conseguida com o abandono de nossos atuais modelos nocivos e antieconômicos de produção e consumo, em favor de um modo de vida ecologicamente harmonioso. Mas enquanto tem lugar essa profunda mudança, enormes poupanças energéticas podem ser obtidas melhorando-se a eficiência do consumo de energia em toda a economia. Isso pode ser feito desde já, por meio das tecnologias existentes, ao mesmo tempo em que se mantêm os níveis atuais de atividade econômica. De fato, a conservação é nossa melhor fonte de energia a curto prazo, superando todos os combustíveis convencionais combinados. Isso foi espetacularmente confirmado pela observação de que, no período de 1973 a 1978, 95 por cento de todos os novos suprimentos de energia na Europa provieram de um consumo mais eficiente. Assim, milhões de medidas de conservação individual adicionaram ao suprimento quase vinte vezes mais energia do que todas as outras novas fontes combinadas, incluindo todo o programa nuclear europeu. Durante o mesmo período, os Estados Unidos, sem se empenharem muito, obtiveram 72 por cento de seus novos suprimentos de energia através de medidas de conservação – duas vezes e meia mais energia do que a de todas as outras novas fontes[29].

Uma importante parte do consumo mais eficiente de energia consiste em utilizar o tipo apropriado para cada tarefa, o que significa aplicar o tipo de energia que permite a execução dessa tarefa do modo mais barato e eficaz. Nos Estados Unidos, a demanda de energia está assim distribuída: 58 por cento para aquecimento e refrigeração, 34 por cento para combustíveis líquidos movimentarem veículos e apenas 8 por cento para os usos especiais que requerem eletricidade. Essa energia elétrica é, de longe, a mais dispendiosa, e a eletricidade fornecida por uma nova usina custa cerca do triplo do preço do óleo cru em 1980, fixado pela Organização dos Países Exportadores de Petróleo. Assim, a eletricidade é flagrantemente desperdiçada no que se refere à maioria de nossas necessidades energéticas; e como já produzimos mais do que podemos consumir apropriadamente, a construção de novas usinas elétricas centralizadas aumentaria drasticamente a ineficiência de todo o sistema. Como diz Lovins, "discutir sobre que espécie de nova usina elétrica deve ser construída é como sair para comprar mobiliário antigo de estilo [...] para queimar no fogão"[30]. Não é de mais eletricidade que precisamos, mas de uma maior variedade de fontes energéticas que possam harmonizar-se mais adequadamente com nossas necessidades.

Uma vez que usamos mais da metade de nosso suprimento energético para aquecimento, as maiores economias podem ser conseguidas mediante o isolamento térmico mais eficiente de nossos edifícios. É hoje tecnicamente possível e altamente efetivo, no tocante aos custos, construir edifícios tão bem calafetados que praticamente dispensem o aquecimento de seu interior, mesmo em climas frios; e pode-se dizer que muitos edifícios existentes estão bem perto desse padrão. Outro importante meio de aumentar a eficiência do consumo energético é a chamada cogeração de calor e eletricidade úteis. Um cogerador é um dispositivo que aproveita o calor produzido na geração de eletricidade, em vez de o lançar perdulariamente no meio ambiente. Qualquer máquina que produza movimento queimando um combustível também pode ser usada como um cogerador. Instalado num edifício, pode operar eficientemente os sistemas de aquecimento e refrigeração e, ao mesmo tempo, fazer funcionar seus aparelhos elétricos. Desse modo, a energia contida no combustível pode se tornar útil com até 90 por cento de eficiência, ao passo que a geração convencional de eletricidade usaria, no máximo, apenas 30 ou 40 por cento da energia do combustível[31]. Numerosos estudos recentes apuraram que o efeito combinado da cogeração e do isolamento aperfeiçoado, a par de uma maior eficiência em carros e máquinas, resultaria numa economia de energia de 30 ou 40 por cento sem quaisquer mudanças em nossos padrões de vida e atividades econômicas[32].

A longo prazo, necessitamos de uma fonte energética que seja renovável, economicamente eficiente e ambientalmente benigna. A energia solar é a única espécie de energia que satisfaz a todos esses requisitos. O Sol tem sido a principal fonte de energia do planeta há bilhões de anos, e a vida, em sua miríade de formas, tornou-se primorosamente adaptada à energia solar durante o longo curso da evolução planetária. Toda a energia que usamos, exceto a nuclear, representa alguma forma de energia solar armazenada. Quer queimemos madeira, carvão, petróleo ou gás, usamos energia originalmente irradiada para a Terra a partir do Sol e convertida quimicamente através da fotossíntese. O vento que impele os barcos a vela e impulsiona os moinhos de vento é um fluxo de ar causado pelo movimento ascendente de outras massas de ar aquecidas pelo Sol. A queda-d'água que aciona nossas turbinas é parte do ciclo contínuo de água sustentado por radiação solar. Assim, praticamente todas as nossas fontes energéticas fornecem-nos energia solar sob uma ou outra forma. Entretanto, nem todas essas formas de energia são renováveis. No atual debate energético, a expressão "energia solar" é usada mais especificamente em referência às formas de energia que provêm de fontes inexauríveis ou renováveis. A energia solar, nesse sentido, está acessível em formas tão variadas quanto o próprio planeta[33]. Em áreas florestais está presente como combustível sólido (madeira); em áreas agrícolas, como combustível líquido ou gasoso (álcool ou metano derivados de plantas); em regiões montanhosas, como energia hidrelétrica, e em lugares onde venta muito, como energia gerada pelo vento; em áreas ensolaradas, pode ser transformada em eletricidade por células fotovoltaicas, e em quase toda parte pode ser captada como calor direto.

A maioria dessas formas de energia solar foi explorada por sociedades humanas ao longo dos tempos por meio de tecnologias que o próprio tempo consagrou. O Departamento de Energia dos Estados Unidos adora chamar a energia solar de uma "exótica" nova fonte energética, mas, de fato, a transição solar não requer quaisquer inovações tecnológicas vultuosas. Ela envolve simplesmente a integração judiciosa de processos agrícolas e tecnológicos usados já há muito tempo em muitos setores de atividade de uma sociedade moderna. Contrariamente a uma concepção errônea muito divulgada, o problema do armazenamento de energia dessas fontes renováveis já foi resolvido, e numerosos estudos mostraram que as tecnologias brandas existentes são suficientes para satisfazer todas as nossas necessidades energéticas a longo prazo[34]. De fato, muitas delas já estão sendo usadas com êxito por comunidades conscientes do poder solar. A característica mais evidente dessas tecnologias é sua natureza descentralizada. Como a energia irradiada do Sol se difunde por todo o planeta, usinas centralizadas de energia solar não teriam sentido algum, por serem inerentemente antieconômicas[35]. As mais eficientes tecnologias de aproveitamento da energia solar envolvem dispositivos em pequena escala, a serem usados por comunidades locais, o que gera uma grande variedade de empregos e só apresenta efeitos benignos. Recorda-nos Barry Commoner: "Quando uma bomba falha num dispositivo solar, não há necessidade de chamar o presidente para visitar o local a fim de aplacar o medo de uma catástrofe"[36].

Um dos principais argumentos contra a energia solar diz que ela não é economicamente competitiva com as fontes de energia convencional. Isso não é verdade. Certas formas de energia solar já são competitivas; outras podem sê-lo em poucos anos. Isso pode ser comprovado até mesmo sem que se questione a estreita noção de competitividade econômica, que despreza a maioria dos custos sociais gerados pela produção de energia convencional. Uma forma de energia solar que já pode ser utilizada com grande vantagem é o aquecimento solar. Tanto pode ser "passiva", quando o próprio edifício capta e armazena o calor, quanto "ativa", quando são usados coletores solares especiais. A energia proveniente do Sol também pode ser empregada para refrigerar edifícios durante o verão. Os sistemas de aquecimento e refrigeração solar foram desenvolvidos intensamente nos últimos anos, e representam hoje uma indústria vibrante e em rápida expansão, conforme documentado no relatório da Harvard Business School: "Muitas pessoas ainda supõem que a energia solar seja algo para o futuro, à espera de um decisivo avanço tecnológico. Essa suposição representa um grande equívoco, *pois o aquecimento solar ativo e passivo é uma alternativa aqui e agora para fontes energéticas convencionais*"[37].

Outra tecnologia solar com grande potencial é a produção local de eletricidade por meio de células fotovoltaicas[38]. Uma célula fotovoltaica* é um dispositivo silencioso e imóvel que converte a luz solar em eletricidade. A principal matéria-prima usada na sua construção é o silício, que está presente em abundância na areia comum, sendo os processos de manufatura semelhantes aos usados pela indústria de semicondutores para construir transistores e circuitos integrados (*chips*). No momento, as células fotovoltaicas ainda são demasiado caras para uso residencial, mas o mesmo ocorria com os transistores, no início. De fato, a indústria fotovoltaica está passando agora pelos mesmos estágios da indústria de semicondutores duas décadas atrás. Quando os programas espaciais e militares americanos precisaram de equipamento eletrônico leve, investimentos federais maciços acarretaram uma grande redução dos custos de produção. Foi esse o começo da indústria que está agora produzindo milhões de rádios transistorizados, calculadoras de bolso e relógios digitais de baixo custo.

Do mesmo modo, as células fotovoltaicas foram usadas primeiramente para fornecer eletricidade aos satélites espaciais em órbita, e eram muito caras nessa época. Desde então seus custos caíram drasticamente, embora seu mercado ainda seja bastante restrito. Para que elas se tornem competitivas com a eletricidade convencional, é necessária uma nova redução de custos para 500 dólares por quilowatt – cerca de um décimo do seu preço atual –, o que poderia ser facilmente conseguido com um substancial investimento federal na tecnologia fotovoltaica. Um estudo recente pela Federal Energy Administration estimou que a requerida redução de preço para 500 dólares por quilowatt seria obtida com uma encomenda governamental de 152 mil quilowatts de células fotovoltaicas a serem fornecidas num prazo de cinco anos, pelo preço total de menos de meio bilhão de dó-

---

* O termo "fotovoltaico" refere-se à geração de uma voltagem elétrica, o que ocorre quando a luz incide sobre a célula. (N. do A.)

lares[39]. Essa estimativa compara-se mais do que favoravelmente com os 2 bilhões de dólares de verbas federais destinadas ao reator nuclear regenerador (*bruder*) de Clinch River, que produz eletricidade a um custo estimado de 5 mil dólares por quilowatt[40]. Obviamente, um importante investimento de fundos públicos na tecnologia fotovoltaica propulsionaria o desenvolvimento de uma indústria gigantesca, capaz de produzir eletricidade de um modo eficiente e benigno, para grande benefício de todos os consumidores. Outras estimativas semelhantes mostraram que a geração de eletricidade pelo vento poderia ser iniciada quase imediatamente, a custos economicamente competitivos, se fossem investidas verbas suficientes na tecnologia eólica[41].

Essas conquistas ocasionariam mudanças estruturais fundamentais na indústria de serviços de utilidade pública, uma vez que os geradores fotovoltaicos e eólicos, tal como o aquecimento solar, são usados com a máxima eficiência *in loco*, sem a necessidade de usinas centralizadas. O poder político das companhias de serviços públicos, relutantes em renunciar ao monopólio na produção de eletricidade, é hoje o principal obstáculo ao rápido desenvolvimento das novas tecnologias solares.

Qualquer programa realista de energia solar terá de produzir combustível líquido suficiente para abastecer aviões e, pelo menos, parte de nosso transporte terrestre, e combustível líquido ou gasoso para ser usado em cogeradores onde o suprimento local de energia solar for inadequado. A tecnologia solar de mais fácil acesso para a obtenção desses combustíveis é também a mais antiga – a produção de energia a partir da biomassa. O termo "biomassa" refere-se à matéria orgânica produzida por plantas verdes, que representam energia solar armazenada. Essa energia não só pode ser recuperada sob a forma de calor, queimando-se o material, como pode também ser convertida em combustíveis líquidos ou gasosos, destilando-se álcool de cereais ou frutos fermentados, ou captando-se o metano que as bactérias geram a partir de esterco, lixo ou esgotos. Esses dois combustíveis podem ser usados para acionar motores de combustão interna sem provocar qualquer poluição, e por métodos bem conhecidos e relativamente simples. O maior centro de produção de álcool a partir da biomassa é o Brasil, onde toda a gasolina contém até 20 por cento de álcool; e geradores simples de metano, produzindo combustível a partir de esterco e esgotos, têm sido construídos aos milhões na Índia e na China[42].

De todas as tecnologias solares, a produção de metano – um componente importante do gás natural – com a ajuda da atividade bacteriana parece ser a que mais se aproxima dos princípios observados em ecossistemas naturais. Envolve a cooperação de outros organismos – um aspecto característico de toda a vida – e pode ser usada com muita eficácia para reciclar lixos, esgotos e lodo subaquático, que constituem alguns dos nossos maiores poluentes. O resíduo orgânico da produção de metano é um excelente fertilizante, perfeitamente adequado para substituir pelo menos parte de nossos fertilizantes sintéticos, consumidores de recursos e poluidores. Tal como outras formas de energia solar, a biomassa está largamente dispersa, sendo portanto apropriada para a produção local, em pequena escala, de combustível.

Neste ponto, cumpre ter em mente que a produção de combustíveis líquidos a partir de produtos agrícolas não alimentará nosso sistema de transportes em seu nível atual. Para tanto, seria imprescindível uma produção maciça de álcool a partir da agricultura, o que significaria o uso irresponsável do solo, pois isso causaria sua rápida erosão, como argumentou Wes Jackson de forma convincente[43]. Embora a biomassa seja um recurso renovável, o solo onde ela cresce não o é. Certamente podemos esperar uma significativa produção de álcool a partir da biomassa, incluindo o cultivo de plantas para esse fim, mas um programa maciço de álcool para alimentar as necessidades atuais de combustível líquido esgotaria nossos solos no mesmo ritmo em que estamos hoje exaurindo o carvão, o petróleo e outros recursos naturais. A saída para esse dilema será um completo replanejamento de nosso sistema de transportes, especialmente nos Estados Unidos, em conjunto com muitos outros aspectos de nosso estilo de vida perdulário e dilapidador de recursos. Isso não significará reduzir nossos padrões de vida. Pelo contrário, melhorará a qualidade de nossas vidas.

Os competentes estudos de nossas opções energéticas anteriormente citadas mostram que está aberto o caminho para um futuro solar. Embora significativos avanços tecnológicos sejam esperados em muitas áreas, não temos que esperar por quaisquer progressos tecnológicos decisivos para dar início a essa transição histórica. O que mais necessitamos é de uma acurada informação pública acerca do potencial da energia solar, a par de uma correspondente política social e econômica que facilite a passagem para a era solar. Barry Commoner traçou um detalhado roteiro para substituir a maioria das fontes de energia não renováveis nos Estados Unidos por energia solar num prazo de cinquenta anos[44]. Sua proposta não pressupõe quaisquer inovações tecnológicas de vulto nem depende de quaisquer medidas drásticas de conservação de energia. Qualquer um desses dois caminhos, que terão quase certamente que ser trilhados, encurtaria e facilitaria de maneira significativa o período de transição.

A chave da proposta de Commoner para a transição solar está no papel do gás natural como principal combustível de ponte. A ideia básica é expandir a atual rede de produção e distribuição de gás natural e, depois, substituir gradualmente o gás natural por metano solar. Para tanto, usinas geradoras de metano seriam construídas onde quer que houvesse biomassa suficiente – na forma de lixo e esgoto, nas cidades; de culturas, esterco e resíduos agrícolas, em áreas de lavoura; de madeira, em regiões florestais; de algas marinhas, ao longo das costas, etc. Tal como o gás natural, o metano solar poderia ser facilmente armazenado como reserva de combustível para equilibrar as opções naturais de outras fontes de energia solar, e também seria usado para a cogeração de calor e eletricidade, a fim de conservar a energia e reduzir a poluição ambiental. Os cogeradores poderiam ser facilmente produzidos em grande escala pela indústria automobilística, como a Fiat já começou a fazer na Itália. A transição do gás natural para o metano solar seria tão fácil que passaria praticamente despercebida. De fato, ela já está em curso em algumas partes dos Estados Unidos, como Chicago.

De acordo com o plano geral proposto por Commoner, o qual, é claro, é apenas um dos muitos planos possíveis, a fase inicial da transição consistiria em instalar geradores alimentados a gás natural, onde quer que fosse possível, e em construir redes mais extensas de distribuição de gás para abastecê-los. Ao mesmo tempo, ampliar-se-ia o aquecimento solar ativo e passivo, o álcool produzido a partir de resíduos de certas plantas começaria a substituir a gasolina, e quantidades crescentes de metano solar, produzido a partir da biomassa, seriam adicionadas ao gás natural na rede ampliada de encanamentos. No prazo de alguns anos, o uso de células fotovoltaicas e de geradores eólicos expandir-se-ia de maneira significativa, enquanto a produção total de energia solar aumentaria gradualmente, até constituir cerca de 20 por cento da provisão energética total depois dos primeiros 25 anos. Nesse estágio, a meio caminho do período de transição, a energia solar e o gás natural somados responderiam por pouco mais da metade do orçamento energético total dos Estados Unidos, o que possibilitaria eliminar completamente a dependência da energia nuclear. Durante a segunda metade da transição, a produção de petróleo e carvão seria gradualmente reduzida a zero e a produção de gás natural cairia para cerca de metade de sua taxa atual. Nesse ponto, o sistema seria 90 por cento solar, aproximadamente. Nos anos subsequentes, a contribuição de 10 por cento de gás natural poderia ser eliminada, mas seria importante manter essa fonte energética como combustível de apoio para compensar irregularidades devidas a inesperadas flutuações climáticas. Para executar toda a transição, de acordo com as estimativas de Commoner, os Estados Unidos necessitariam de um suprimento de gás natural equivalente a cerca de 250 bilhões de barris de petróleo num período de cinquenta anos, o que representa uma quantidade que varia entre 10 e 30 por cento das reservas estimadas de gás natural nos Estados Unidos[45].

Os principais obstáculos para a transição solar não são técnicos, mas políticos. A mudança de recursos não renováveis para recursos renováveis forçará as companhias petrolíferas a abandonar seus papéis dominantes na economia mundial e a alterar suas funções de maneira fundamental. Uma solução, sugerida por Commoner, seria converter aquelas companhias que desejarem permanecer no ramo do petróleo e do gás natural em empresas de serviços de utilidade pública, enquanto as maiores companhias petrolíferas tratariam de investir em projetos mais promissores, como muitas delas já começaram a fazer. Problemas semelhantes surgirão em outros setores industriais à medida que a transição solar for gerando choques entre interesses sociais e privados. O caminho da energia branda beneficiaria, sem dúvida, a esmagadora maioria dos usuários de energia, mas uma passagem razoavelmente tranquila para a era solar só será possível se formos capazes, como sociedade, de colocar os benefícios sociais a longo prazo acima dos ganhos particulares a curto prazo.

A transição para a idade solar está realmente a caminho, agora, não apenas em termos de novas tecnologias, mas, num sentido mais amplo, como transformação profunda de toda a nossa sociedade e cultura. A mudança do paradigma mecanicista para o ecológico não é algo que acontecerá no futuro. Está acontecendo neste preciso momento em nossas ciências, em nossas atitudes e valores individuais e coletivos e em nossos modelos de organização social. O novo paradigma é mais bem entendido por indivíduos e pequenas comunidades do que por grandes instituições sociais e acadêmicas, que tendem frequentemente a manter-se presas ao pensamento cartesiano. Para facilitar a transformação cultural, será necessário, portanto, reestruturar nosso sistema de informação e educação, para que os novos conhecimentos possam ser apresentados e discutidos de forma apropriada.

Uma certa reestruturação da informação já está sendo realizada com êxito por movimentos de cidadãos e associações e por numerosas redes alternativas. Entretanto, para que a nova consciência ecológica passe a fazer parte de nossa consciência coletiva, ela terá que ser transmitida, em última instância, através dos meios de comunicação de massa. Estes são atualmente dominados pelo mundo dos grandes negócios, em especial nos Estados Unidos, e seu conteúdo é devidamente censurado[46]. O direito de acesso do público aos veículos de comunicação de massa será, por conseguinte, um aspecto importante da mudança social em curso. Uma vez que tenhamos conseguido reformar os veículos de comunicação de massa, poderemos então decidir o que precisa ser comunicado e como usar eficazmente esses veículos para construir nosso futuro. Isso significa que também os jornalistas deverão mudar, e seu modo de pensar, fragmentário, deverá tornar-se holístico, desenvolvendo uma nova ética profissional baseada na consciência social e ecológica. Em vez de se concentrar em apresentações sensacionalistas de acontecimentos aberrantes, violentos e destrutivos, repórteres e editores terão que analisar os padrões sociais e culturais complexos que formam o contexto desses acontecimentos, assim como noticiar as atividades pacíficas, construtivas e integrativas que ocorrem em nossa cultura. Prova de que esse tipo maduro de jornalismo é socialmente benéfico e pode ser também um bom negócio é o número crescente de veículos alternativos de informação que promovem novos valores e estilos de vida[47].

Uma parte importante da necessária reestruturação da informação consistirá no cerceamento e na reorganização da publicidade. Como os anúncios de produtos tendem a obscurecer os custos sociais gerados pelos padrões de consumo que eles estimulam, é vital que seja concedido "tempo igual" à informação fornecida por grupos de defesa do consumidor e do meio ambiente. Além disso, as restrições legais à publicidade de produtos nocivos à saúde, supérfluos e consumidores vorazes de recursos seriam o método mais eficaz de reduzir a inflação e caminhar ao encontro de um tipo de vida ecologicamente harmonioso.

Finalmente, a reestruturação da informação e do conhecimento envolverá uma transformação profunda de nosso sistema educacional. Com efeito, essa transformação também está em curso. Está ocorrendo muito menos em nossas instituições acadêmicas do que entre a população em geral, na luta por uma educação espontânea de adultos, empreendida pelos movimentos sociais que surgiram nas décadas de 1960 e 1970. Nos Estados Unidos, muitos desses movimentos vingaram, apesar da previsão de sua morte precoce, e os valores e estilos de vida que eles pregam estão sendo adotados por um número cada vez maior de pessoas. Embora esses movimentos não consigam, por vezes, comunicar-se e cooperar uns com os outros, todos eles caminham no mesmo sentido. Em suas preocupações com a justiça social, o equilíbrio ecológico, a autorrealização e a espiritualidade, eles enfatizam diferentes aspectos da nova visão da realidade que está gradualmente surgindo[48].

A última década assistiu a uma proliferação de movimentos civis reunidos em torno de questões sociais e ambientais, na esteira dos esforços pioneiros de Ralph Nader. Em anos recentes, verificou-se uma ampla convergência desses movimentos e uma tendência para ir além de questões isoladas e visar à defesa de interesses sistêmicos fundamentais. Muitas organizações preocupam-se especialmente com a responsabilidade das grandes empresas e com a influência que elas exercem sobre a política governamental. A força política desses movimentos de cidadãos é considerável, e as pesquisas de opinião mostraram que a maioria esmagadora da população considera-os uma força social positiva[49]. Estreitamente relacionadas com seus esforços estão as atividades de numerosas organizações que formam, em seu conjunto, o chamado movimento ecológico. Esses grupos mantêm centros de informação e publicam circulares que divulgam notícias sobre proteção ambiental, lavoura orgânica, reciclagem de lixos e outras preocupações ecológicas. Alguns fornecem também assistência prática no desenvolvimento e na aplicação de tecnologias brandas, e muitos deles pertencem a alianças e coalizões antinucleares.

Os movimentos civis e de consumidores são também as fontes de contraeconomias nascentes, baseadas em estilos de vida descentralizados, cooperativos e ecologicamente harmoniosos, envolvendo o intercâmbio de qualificações profissionais e de bens e serviços produzidos em casa. Essas economias alternativas – também conhecidas como economias "informais", "duais" ou "conviviais" – não podem ser planejadas a partir de um centro ou instaladas, mas têm que crescer e desenvolver-se organicamente, o que usualmente envolve uma grande soma de experimentação pragmática e requer considerável flexibilidade social e cultural. Modelos interessantes e significativos de contraeconomias surgiram, desse modo, nos Estados Unidos, Canadá, Reino Unido, países escandinavos, Holanda, Japão, Austrália e Nova Zelândia[50].

A nova ênfase dada às economias duais baseia-se na ideia de que esses setores informais, cooperativos e não monetarizados são predominantes nas economias do mundo, e de que os setores institucionalizados e monetarizados resultaram daqueles e assentam neles suas bases, e não o inverso. Esse fato pode ser documentado mesmo nos países industrializados, embora a tendência das estatísticas econômicas torne quase impossível realizar tal análise[51]. É claramente necessário a qualquer sociedade moderna possuir setores formais e informais em sua economia, mas a nossa exagerada ênfase no dinheiro – dólares, ienes, rublos – para medir a eficiência econômica criou gigantescos desequilíbrios e está ameaçando agora destruir os setores informais. Para contrariar essa tendência, é cada vez maior o número de pessoas que estão tentando abandonar a economia monetarizada, trabalhando apenas algumas horas por semana a fim de ganhar um mínimo de dinheiro, e adotando modos de vida mais comunitários, recíprocos e cooperativos para satisfazer suas outras necessidades não monetárias. Registra-se um interesse crescente por economias domésticas baseadas mais no valor de uso do que no valor de mercado, e um significativo aumento no número de pessoas que optaram pelo trabalho autônomo. As economias domésticas são idealmente adequadas ao desenvolvimento de tecnologias brandas em pequena escala e à prática de vários ofícios que estão agora renascendo em muitos países. Todas essas atividades promovem a autonomia e a segurança de famílias, comunidades e bairros, e aumentam a coesão e a estabilidade sociais.

Outra importante contribuição para a reorganização de modelos econômicos provém dos movimentos de participação dos trabalhadores e de autogestão, muito atuantes no Canadá e em vários países europeus. O primeiro modelo bem-sucedido de autogestão de trabalhadores foi desenvolvido na Iugoslávia, e inspirou, desde então, experiências semelhantes na Suécia, Alemanha e outros países da Europa ocidental. Nos Estados Unidos e no Japão, a ideia de que os trabalhadores devem participar da administração das empresas em que trabalham está ganhando terreno mais lentamente, em virtude das diferentes tradições políticas desses países, mas está começando, mesmo aí, a ser aceita[52]. Obedecendo ao princípio de pensar globalmente e atuar localmente, temos agora a possibilidade ímpar de sintetizar e adaptar às nossas necessidades as estratégias de comunidades criativas existentes em todo o mundo – desde o modelo chinês de desenvolvimento comunitário autossuficiente e dos valores e estilos de vida tradicionais de numerosas comunidades no Terceiro Mundo, até o modelo iugoslavo de autogestão dos trabalhadores e as economias informais que estão sendo hoje desenvolvidas nos Estados Unidos e em muitos outros países.

A nova visão da realidade é uma visão ecológica num sentido que vai muito além das preocupações imediatas com a proteção ambiental. Para enfatizar esse significado mais profundo de ecologia, filósofos e cientistas começaram a fazer uma distinção entre "ecologia profunda" e "ambientalismo superficial"[53]. Enquanto o ambientalismo superficial se preocupa com o controle e a administração mais eficientes do meio ambiente natural em benefício do "homem", o movimento da ecologia profunda exigirá mudanças radicais em nossa percepção do papel dos seres humanos no ecossistema planetário. Em suma, requer uma nova base filosófica e religiosa.

A ecologia profunda é apoiada pela ciência moderna e, em especial, pela nova abordagem sistêmica, mas tem suas raízes numa percepção da realidade que transcende a estrutura científica e atinge a consciência intuitiva da unicidade de toda a vida, a interdependência de suas múltiplas manifestações e seus ciclos de mudança e transformação. Quando o conceito de espírito humano é entendido nesse sentido[54], como o modo de consciência pelo qual o indivíduo se sente vinculado ao cosmo como um todo, torna-se claro que a consciência ecológica é verdadeiramente espiritual. De fato, a ideia do indivíduo vinculado ao cosmo expressa-se na raiz latina da palavra "religião", *religare* ("ligar fortemente"), assim como no sânscrito *yoga*, que significa "união".

A estrutura filosófica e espiritual da ecologia profunda não é algo inteiramente novo, mas foi exposta muitas vezes ao longo da história humana. Entre as grandes tradições espirituais, o taoismo oferece uma das mais profundas e belas expressões de sabedoria ecológica[55], ao enfatizar a unicidade fundamental e a natureza dinâmica de todos os fenômenos naturais e sociais. Assim, está no Huainan-tseu: "Aqueles que seguem a ordem natural fluem na corrente do *tao*"[56].

Enquanto esses princípios ecológicos eram expostos até pelos mais antigos sábios taoistas, uma filosofia muito semelhante de fluxo e mudança estava sendo ensinada por Heráclito na antiga Grécia[57]. Mais tarde, o místico cristão São Francisco teve pontos de vista e uma ética que eram profundamente ecológicos e apresentavam um desafio revolucionário à concepção judaico-cristã tradicional de "homem" e natureza. A sabedoria da ecologia profunda também é evidente em muitas obras da filosofia ocidental, incluindo as de Baruch Spinoza e Martin Heidegger. É encontrada em toda a cultura americana nativa e foi expressa por poetas, desde Walt Whitman a Gary Snyder. Foi argumentado, inclusive, que as maiores obras da literatura mundial, como a *Divina comédia*, de Dante, estão estruturadas de acordo com os princípios ecológicos observados na natureza[58].

Portanto, o movimento da ecologia profunda não propõe uma filosofia inteiramente nova, mas está revivendo uma consciência que é parte integrante de nossa herança cultural. O que é novo, talvez, seja a ampliação da visão ecológica num nível planetário, apoiada pela poderosa experiência dos astronautas e expressa em imagens como "nave espacial Terra" e "toda a Terra", assim como na nova máxima, "Pense globalmente e atue localmente". Essa nova consciência está sendo elaborada especificamente por numerosos indivíduos, grupos e redes, mas uma significativa mudança de valores foi também observada em grandes setores da população em geral, uma mudança do consumo material para a simplicidade voluntária, do crescimento econômico e tecnológico para o crescimento e desenvolvimento interiores. Em 1976, um estudo feito pelo Stanford Research Institute estimou que entre 4 e 5 milhões de americanos adultos tinham reduzido drasticamente suas rendas e abandonado suas antigas posições na economia de consumo, a favor de um estilo de vida que englobava o princípio da simplicidade voluntária[59]. O SRI estimou ainda que de 8 a 10 milhões de americanos adultos viviam de acordo com alguns, mas não com todos os princípios da simplicidade voluntária – consumo frugal, consciência ecológica e preocupação com o crescimento pessoal interior. Essa mudança de valores veio a ser depois confirmada por várias pesquisas de opinião e foi largamente debatida nos meios de comunicação de massa. Em outros países, como o Canadá, o tema da simplicidade voluntária manifestou-se oficialmente[60], assim como na Califórnia, nos discursos do governador Jerry Brown.

A mudança do crescimento material para o crescimento interior está sendo promovida pelo movimento do potencial humano, o movimento holístico da saúde, o movimento feminista e vários movimentos espirituais. Enquanto os economistas veem as necessidades humanas em função de aquisições materiais e postulam que essas necessidades são, em princípio, insaciáveis, os psicólogos humanistas concentraram-se nas necessidades não materiais de autorrealização, altruísmo e relações interpessoais ditadas pelo amor. Assim fazendo, eles traçaram uma imagem radicalmente diferente da natureza humana, que os psicólogos transpessoais ampliaram ao enfatizar o valor de uma compreensão direta, experimental, da unicidade com toda a família humana e com o cosmo em geral. Ao mesmo tempo, o movimento holístico da saúde está assinalando o impacto do sistema materialista de valores sobre nosso bem-estar e pregando atitudes e hábitos de vida saudáveis, em conjunto com uma nova base conceitual e novos enfoques práticos de assistência à saúde.

As forças que promovem as novas ideias sobre saúde e cura trabalham dentro e fora do sistema médico. Nos Estados Unidos, Canadá e Europa, os médicos estão formando associações e realizando conferências para debater os méritos da medicina holística. Em consequência dessas discussões, os médicos estão tentando eliminar cirurgias, receitas e testes diagnósticos desnecessários, reconhecendo que esse será o caminho mais eficaz para reduzir os custos da saúde. Outros estão defendendo a recuperação da integridade da profissão médica, obtendo suas informações acerca de medicamentos de fontes independentes da indústria farmacêutica, por exemplo, através da assinatura de boletins independentes de informações médicas e do estabelecimento de ligações mais estreitas com os farmacêuticos.

Quanto à organização da assistência à saúde, verifica-se agora uma forte tendência para a descentralização e a clínica geral, com um verdadeiro renascimento da assistência primária na Europa e América do Norte nestes últimos anos. A ênfase na prática de família tornou-se muito mais forte nas escolas de medicina, onde uma nova geração de estudantes se dá conta de que a assistência primária à saúde, motivada pela prevenção de enfermidades e uma conscientização de suas origens ambientais e sociais, produz maior satisfação humana e é também intelectualmente mais desafiadora e mais gratificante do que a abordagem biomédica. Ao mesmo tempo, deu-se uma revitalização da medicina psicossomática, gerada pelo reconhecimento do papel crucial do estresse na deflagração e no curso de doenças, e numerosos projetos de pesquisas estão se concentrando na interação de corpo e mente, na saúde e na doença.

Com esse crescente interesse pelo mais amplo contexto da saúde, as instituições e os profissionais não médicos da saúde puderam melhorar seu *status* e aumentar sua influência. As enfermeiras, que há muito perceberam as deficiências da abordagem biomédica, estão ampliando seu papel na assistência à saúde e lutando pelo pleno reconhecimento de suas qualificações como profissionais e educadoras sanitárias. Também estão investigando várias técnicas terapêuticas não ortodoxas, numa tentativa de desenvolvimento de uma abordagem verdadeiramente holística da assistência primária. As organizações de saúde pública empenhadas na prevenção e educação na área da saúde estão acrescendo e conquistando o reconhecimento em círculos médicos. Além disso, alguns governos já manifestam um novo interesse na prevenção de doenças e na preservação da saúde, e vários organismos governamentais estão sendo criados para estudar o desenvolvimento da assistência holística à saúde.

A mais importante de todas as forças nessa revolução da assistência à saúde é um forte movimento de indivíduos comuns e organizações recém-formadas, descontentes com o sistema de assistência médica existente. Tal movimento das bases empreendeu uma extensa exploração de abordagens alternativas, incluindo: a promoção de hábitos saudáveis de vida, combinada com o reconhecimento da responsabilidade pessoal pela saúde e do potencial do indivíduo para a autocura; um forte interesse pelas artes tradicionais de cura, de várias culturas, que integram as abordagens física e psicológica da saúde; e a formação de centros de assistência holística à saúde, muitos deles efetuando experiências com terapias não ortodoxas e esotéricas.

A mudança para o sistema de valores que o movimento holístico da saúde, o movimento do potencial humano e o movimento ecológico defendem é ainda apoiada por um certo número de movimentos espirituais que reenfatizam a busca de um significado e a dimensão espiritual da vida. Alguns indivíduos e organizações entre esses movimentos da "Nova Idade" (New Age) têm mostrado claros sinais de exploração, fraude, sexismo e excessiva expansão econômica, muito semelhantes aos observados no mundo das grandes empresas, mas essas aberrações são manifestações transitórias de nossa transformação cultural e não devem impedir-nos de apreciar a natureza genuína da atual mudança de valores. Como sublinhou Roszak, devemos distinguir entre a autenticidade das necessidades das pessoas e a inadequação das abordagens que podem ser oferecidas para satisfazer essas necessidades[61].

A essência espiritual da visão ecológica parece encontrar sua expressão ideal na espiritualidade feminista advogada pelo movimento das mulheres, como seria de se esperar do parentesco natural entre feminismo e ecologia, enraizado na antiquíssima identificação da mulher com a natureza[62]. A espiritualidade feminista baseia-se na consciência da unicidade de todas as formas vivas e de seus ritmos cíclicos de nascimento e morte, refletindo assim uma atitude para com a vida que é profundamente ecológica. Como numerosas autoras feministas recentemente assinalaram, a imagem de uma deidade feminina parece consubstanciar essa espécie de espiritualidade mais fielmente do que um deus masculino. Com efeito, o culto da Deusa antecede o de divindades masculinas em muitas culturas, incluindo a nossa, e também pode ter estado intimamente relacionado com o misticismo da natureza da antiga tradição taoista[63].

Segundo Beatrice Bruteau, podem-se interpretar as diferentes imagens do Divino como um reflexo de soluções diferentes para o problema metafísico fundamental de "o Uno e os Muitos"[64]. O deus masculino representa tipicamente o Uno, que pode existir sozinho, independente e absoluto, ao passo que os Muitos existem somente na vontade de Deus, dependentes e relativos. Na sociedade humana, tal situação é exemplificada pela convencional relação pai-filho. A paternidade, como sublinha Bruteau, caracteriza-se pela separação. O pai em momento nenhum está fisicamente unido ao filho, e a relação tende a ser a de confrontação e amor condicional. Quando essa imagem do pai é aplicada a Deus, ela evoca naturalmente as noções de obediência, lealdade e fé, e inclui, com frequência, alguma imagem de desafio, com subsequentes prêmio ou punição.

A imagem da Deusa, por outro lado, segundo Bruteau, representa uma solução do problema Uno/Muitos em termos de união e mútua consubstanciação, com o Uno manifesto nos Muitos e os Muitos habitando no seio do Uno. Em tal relação, que não é imposta ou alcançada, mas organicamente dada, não existe qualquer sentido de oposição entre Deus e o mundo. Sua relação é caracterizada por harmonia, ternura e afeição, em vez de desafio e drama. Tal imagem é claramente maternal, refletindo o amor incondicional da mãe, em que ela e o filho estão fisicamente unidos e participam juntos da vida.

Com o renascimento da imagem da Deusa, o movimento feminista está criando também uma nova autoimagem para as mulheres, juntamente com novas formas e um novo sistema de valores. Assim, a espiritualidade feminista terá uma influência profunda tanto sobre a religião e a filosofia como sobre nossa vida social e política[65]. Uma das contribuições mais radicais que os homens podem oferecer para o desenvolvimento da consciência feminista coletiva será envolverem-se plenamente na criação dos filhos desde o momento do nascimento, para que eles possam crescer com a experiência do potencial humano total que é inerente às mulheres e aos homens. John Lennon, sempre um passo à frente do seu tempo, fez justamente isso nos últimos cinco anos de sua vida.

À medida que os homens forem se tornando mais ativos como pais, a plena participação das mulheres em todas as áreas da vida pública, que será indubitavelmente conseguida no futuro, está fadada a ocasionar mudanças de profundo alcance em nossas atitudes e em nosso comportamento. Assim, o movimento feminista continuará a afirmar-se como uma das mais fortes correntes culturais de nosso tempo. Sua meta final é nada menos do que uma completa redefinição da natureza humana, o que terá o mais profundo efeito sobre a evolução de nossa cultura.

As imagens estereotipadas convencionais da natureza humana são hoje contestadas não só pelo movimento feminista, mas também por um grande número de movimentos de libertação étnica que se opõem à opressão das minorias através do preconceito étnico e do racismo. O protesto desses movimentos é ampliado pelas lutas de muitas outras espécies de minorias – homossexuais, pessoas idosas, mães solteiras, deficientes físicos e muitas mais –, que têm sido estigmatizadas por papéis sociais e identidades rigidamente atribuídos. As raízes desses protestos situam-se na década de 1960, aquela que presenciou o surgimento simultâneo de vários e poderosos movimentos sociais que começaram a questionar a autoridade. Enquanto os líderes dos direitos civis exigiam que os cidadãos negros fossem incluídos no processo político, o movimento da livre expressão exigia o mesmo para os estudantes. Ao mesmo tempo, o movimento das mulheres contestava a autoridade patriarcal e os psicólogos humanistas abalavam a autoridade de médicos e terapeutas.

Hoje, um questionamento análogo da autoridade está sendo iniciado em nível global, quando países do Terceiro Mundo desafiam a noção convencional de que são "menos desenvolvidos" do que os países industrializados. Seus líderes percebem, com uma clareza cada vez maior, a crise multifacetada do hemisfério norte, e estão resistindo às tentativas do mundo industrializado para exportar seus problemas para o hemisfério sul. Alguns líderes do Terceiro Mundo estão discutindo como os países do hemisfério sul poderiam desvincular-se e desenvolver suas próprias tecnologias e padrões econômicos nativos. Outros propuseram que se mudasse a definição de "desenvolvimento", passando a designar não mais o desenvolvimento da produção industrial e a distribuição de bens materiais, mas o desenvolvimento dos seres humanos[66].

Como o feminismo é uma força importante em nossa transformação cultural, especialmente na América do Norte e na Europa, é provável que o movimento das mulheres desempenhe um importante papel na aglutinação de vários movimentos sociais. Com efeito, poderá tornar-se o catalisador que permita aos vários movimentos fluir juntos durante a década de 1980. Hoje, muitos desses movimentos ainda atuam separadamente, sem se aperceberem de como seus objetivos se inter-relacionam; mas numerosas coalizões significativas começaram a se formar recentemente. Não surpreende que as mulheres estejam desempenhando importantes papéis nos contatos entre grupos de defesa ambiental, grupos de defesa dos consumidores, movimentos de libertação étnica e organizações feministas. Helen Caldicott, que ajudou a dotar o movimento antinuclear de uma sólida base científica, assim como de um sentimento de urgência e compaixão, e Hazel Henderson, que analisou lucidamente as deficiências da estrutura cartesiana no atual pensamento econômico, são exemplos de mulheres em posição de destaque que estão forjando valiosas coalizões.

As novas alianças e coalizões, que já interligam centenas de grupos e redes, visam ser não hierárquicas, não burocráticas e não violentas. Algumas delas funcionam muito eficazmente em todo o mundo. Um exemplo de tal coalizão em escala mundial é a grande campanha da Anistia Internacional pelos direitos humanos. Essas novas e eficazes organizações demonstram como a implementação, em escala mundial, de funções vitais, como a proteção ambiental ou a luta pela justiça econômica, pode ser realizada através da coordenação das ações locais e regionais, baseadas em princípios globais unanimemente aceitos. As várias redes e coalizões ainda não se afirmaram decisivamente na arena política, mas, desde que fundamentem melhor sua nova visão da realidade, chegar-se-á a um ponto crítico de consciência que lhes permitirá fundir-se em novos partidos políticos. Os membros desses partidos, alguns deles já em formação em vários países, incluirão ambientalistas, grupos de defesa do consumidor, feministas, minorias étnicas e todos aqueles para quem a economia das grandes empresas já não funciona. Juntos, eles representam claramente uma maioria vitoriosa numa época em que a grande maioria dos eleitores está tão desencantada que nem sequer se dá ao trabalho de ir depositar seu voto nas urnas. Ao reconduzir ao processo eleitoral essa população não votante, as novas coalizões devem estar aptas a converter a mudança de paradigma em realidade política.

Tais previsões poderão parecer um tanto idealistas, especialmente em vista da atual guinada política para a direita nos Estados Unidos e das cruzadas dos fundamentalistas cristãos, que pregam noções medievais de realidade. Mas quando atentamos para a situação a partir de uma ampla perspectiva evolutiva, esses fenômenos tornam-se compreensíveis como aspectos inevitáveis da transformação cultural. No padrão regular de ascensão, apogeu, declínio e desintegração, que parece ser característico da evolução cultural, o declínio ocorre quando uma cultura se tornou excessivamente rígida – em suas tecnologias, ideias e organização social – para enfrentar o desafio das situações em mudança[67]. Essa perda de flexibilidade é acompanhada de uma perda geral de harmonia, levando à eclosão de discórdia e ao caos social. Durante o processo de declínio e desintegração, as instituições sociais dominantes ainda impõem seus pontos de vista obsoletos, mas estão se desintegrando gradualmente, enquanto novas minorias criativas enfrentam os novos desafios com engenho e crescente confiança.

Esse processo de transformação cultural, representado esquematicamente no diagrama a seguir, é o que estamos agora observando em nossa sociedade. Os partidos democrata e republicano, assim como as tradicionais esquerda e direita na maioria dos países europeus, a Chrysler Corporation, a Maioria Moral e a maior parte de nossas instituições acadêmicas, participam todos da cultura declinante. Estão em processo de desintegração. Os movimentos sociais das décadas de 1960 e 1970 representam a cultura nascente, que agora está pronta para passar à era solar. Enquanto a transformação está ocorrendo, a cultura declinante recusa-se a mudar, aferrando-se cada vez mais obstinada e rigidamente a suas ideias obsoletas; as instituições sociais dominantes tampouco cederão seus papéis de protagonistas às novas forças culturais. Mas seu declínio continuará inevitavelmente, e elas acabarão por desintegrar-se, ao mesmo tempo que a cultura nascente continuará ascendendo e assumirá finalmente seu papel de liderança. Ao aproximar-se o ponto de mutação, a compreensão de que mudanças evolutivas dessa magnitude não podem ser impedidas por atividades políticas a curto prazo fornece a nossa mais sólida esperança para o futuro.

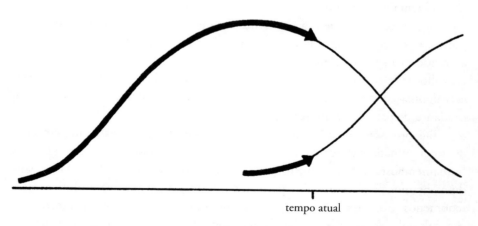

Representação esquemática das culturas nascentes e declinantes
no atual processo de transformação cultural.

Notas*

1. A INVERSÃO DA SITUAÇÃO

1. Ver Rothschild (1980).
2. Ver *Mother Jones,* julho de 1979.
3. Ver Sivard (1979).
4. Ver capítulo 8.
5. Ver capítulo 8.
6. Citado em Ehrlich e Ehrlich (1972), p. 147.
7. *Ibid.,* capítulo 7.
8. Fuchs (1974), p. 42.
9. *Washington Post,* 20 de maio de 1979.
10. Ver Harman (1977).
11. Este gráfico não pretende dar uma representação exata das civilizações indicadas, mas foi desenhado meramente para ilustrar seus padrões gerais de desenvolvimento. Foram usadas datas aproximadas para o início, a culminação e o fim de cada civilização, mas a cada curva foi dada altura igual e arbitrária. Todas as curvas foram deslocadas verticalmente para se garantir a clareza.
12. Toynbee (1972).
13. Para referências, ver *ibid.,* p. 89.
14. Ver Henderson (1981).
15. Para uma discussão abrangente das múltiplas facetas do patriarcado, ver Rich (1977).
16. *Ibid.,* p. 40.
17. Para uma análise extensa de paradigmas e mudanças de paradigma, ver Kuhn (1970).
18. Sorokin (1937-41).
19. *Ibid.,* vol. 4, pp. 775 e ss.
20. Mumford (1956).
21. *I Ching,* comentários sobre o hexagrama "O momento culminante", Wilhelm (1968), p. 97.
22. Para uma análise extremamente lúcida da dialética materialista que mostra semelhanças notáveis com o antigo pensamento chinês, sem jamais reconhecê-las, ver o famoso ensaio "Da contradição", de Mao Tsé-tung; Mao (1968).
23. Ver Barzun (1958), p. 186.
24. Wang Ch'ung, citado em Capra (1975), p. 106.
25. Porkert (1974), pp. 9 e ss. Para uma boa introdução, ver Porkert (1979).
26. Ver Goleman (1978) para uma revisão das pesquisas recentes sobre diferenças sexuais.
27. Ver Merchant (1980), p. 13.
28. Citado em Capra (1975), p. 114.
29. Wilhelm (1960), p. 18.
30. Citado em Capra (1975), p. 117.
31. Citado *ibid.*
32. Merchant (1980), p. xvii.
33. Ver Dubos (1968), p. 34.

---

* A informação completa sobre as publicações correspondentes a estas citações será encontrada na bibliografia.

34. Ver capítulo 9.
35. Koestler (1978), p. 57.
36. Ver Mumford (1970).
37. Roszak (1969).
38. Toynbee (1972), p. 228.
39. Citado em Capra (1975), p. 28.

2. A MÁQUINA DO MUNDO NEWTONIANA

1. Citado em Randall (1976), p. 237.
2. Ver, por exemplo, Crosland (1971), p. 99.
3. Laing (1982).
4. Huai-nan-tseu, citado em Capra (1975), p. 117.
5. Para referências a essas metáforas baconianas, ver Merchant (1980), p. 169.
6. Este ponto foi convincentemente discutido por Carolyn Merchant, *ibid.*
7. Russell (1961), p. 542.
8. Ver Vrooman (1970), pp. 54-60.
9. Citado *ibid.*, p. 51.
10. Citado em Garber (1978).
11. Citado *ibid.*
12. Citado em Vrooman (1970), p. 120.
13. Citado em Garber (1978).
14. *Ibid.*
15. Citado em Sommers (1978).
16. Heisenberg (1962), p. 81.
17. Merchant (1980), p. 3.
18. Citado em Randall (1976), p. 224.
19. Citado em Rodis-Lewis (1978).
20. Citado *ibid.*
21. Citado em Vrooman (1970), p. 258.
22. Citado em Capra (1975), p. 56.
23. Citado em Randall (1976), p. 263.
24. Keynes (1951).
25. Citado em Capra (1975), p. 55.
26. *Ibid.*
27. *Ibid.*, p. 56.
28. Citado em Vrooman (1970), p. 189.
29. Ver Capra (1975), p. 59.
30. Citado em Randall (1976), p. 486.
31. Bateson (1972), p. 427.

3. A NOVA FÍSICA

1. W. Heisenberg, citado em Capra (1975), p. 50.
2. W. Heisenberg, citado *ibid.*, p. 67.
3. W. Heisenberg, citado *ibid.*, p. 53.
4. A. Einstein, citado *ibid.*, p. 42.
5. Ver capítulo 9.
6. Para uma definição e uma descrição concisas de misticismo, ver Stace (1960), capítulo 1.
7. Atualmente, algumas propriedades das partículas subatômicas, como carga elétrica ou momento magnético, parecem ser independentes da situação experimental. Entretanto, conquistas recentes na física das partículas, que examinaremos mais adiante, indicam que também essas propriedades podem depender da nossa estrutura de observação e medição.

8. Ver Capra (1975), p. 160.
9. N. Bohr, citado *ibid.*, p. 137.
10. W. Heisenberg, citado *ibid.*, p. 139.
11. Stapp (1971).
12. Bateson (1979), p. 17.
13. Sou devedor a Henry Stapp de uma discussão sobre este ponto; ver também Stapp (1972).
14. Ver Schilpp (1951); ver também Stapp (1972).
15. Ver Bohm (1951), pp. 614 e ss.
16. Ver Stapp (1971); para um exame das implicações do teorema de Bell em relação à filosofia de A. N. Whitehead, ver Stapp (1979).
17. A seguinte exposição é baseada no estudo abrangente do experimento EPR realizado por David Bohm em Bohm (1951), pp. 614 e ss.
18. Stapp (1971).
19. Ver Bohm (1951), p. 167.
20. Bohm (1951), pp. 169 e ss.
21. Jeans (1930).
22. Para uma análise mais detalhada desse fenômeno e de sua relação com o princípio de incerteza, ver Capra (1975), p. 192.
23. As interações das partículas subatômicas entram em quatro categorias básicas com forças acentuadamente diferentes: interações fortes, eletromagnéticas, fracas e gravitacionais; ver Capra (1975), pp. 228 e ss.
24. Ver Capra (1975) para um exame mais detalhado da teoria quântica dos campos e da teoria da matriz S.
25. *Ibid.*, pp. 286 e ss.
26. G. F. Chew, citado *ibid.*, p. 295.
27. Ver Capra (1979a).
28. Bohm (1980).
29. A holografia é uma técnica de fotografia sem lentes baseada na propriedade de interferência de ondas luminosas. À "imagem" resultante dá-se o nome de holograma; ver Collier (1968). Para uma abrangente introdução não técnica ao assunto, ver Outwater e Van Hamersveld (1974).

4. A CONCEPÇÃO MECANICISTA DA VIDA

1. Citado em Dubos (1968), p. 76.
2. Handler (1970), p. 55.
3. Weiss (1971), p. 267.
4. Dubos (1968), p. 117.
5. Um pequeno número de cientistas, a maioria deles da geração mais antiga, tentou abordar os problemas biológicos dentro de uma estrutura mais ampla, holística ou sistêmica. Os escritos que considero mais inspiradores são os de Gregory Bateson (1972, 1979), George Coghill, tal como foram analisados por Herrick (1949), René Dubos (1959, 1965, 1968, 1976, 1979), Lewis Thomas (1975, 1978, 1979) e Paul Weiss (1971, 1973).
6. Para uma introdução à história da biologia, incluindo uma extensa bibliografia, ver Magner (1979), na qual se baseou grande parte da exposição que se segue.
7. La Mettrie (1960); a passagem citada é minha própria tradução do original francês.
8. Needham (1928).
9. *Ibid.*, p. 90.
10. *Ibid.*, p. 66.
11. *Ibid.*, p. 86.
12. Citado em Magner (1979), p. 330.
13. Citado em Dubos (1968).
14. Cannon (1939).
15. Ver capítulo 9 para mais detalhes.
16. Podemos assinalar, entretanto, que o fenômeno recentemente descoberto de "genes saltadores", tecnicamente conhecidos como elementos genéticos transpositores (ver Cohen e Shapiro, 1980), pode representar um aspecto lamarckiano da evolução.

17. Citado em Magner (1979), p. 357.
18. Ver capítulo 9. O próprio Darwin enfatizou que, embora visse a seleção natural como o mais importante mecanismo evolutivo, ela não era, em absoluto, o único; ver Gould e Lewontin (1979).
19. Monod (1971), p. 122.
20. Wilson (1975).
21. Ver Caplan (1978).
22. Citado em Randall (1976), p. 479.
23. Citado *ibid.,* p. 480.
24. Ver Ruesch (1978).
25. Para uma análise não técnica do desenvolvimento histórico da biologia molecular, ver Stent (1969), capítulos 1-4.
26. Ver Judson (1979).
27. Por exemplo, Bohr sugeriu que nosso conhecimento de uma célula, enquanto ser vivo, pode ser complementar ao conhecimento completo de sua estrutura molecular.
28. Citado em Judson (1979), p. 218.
29. Weiss (1971), p. 270.
30. Ver Stent (1969), p. 10.
31. Citado em Judson (1979), p. 209.
32. Citado *ibid.,* p. 220.

5. O MODELO BIOMÉDICO

1. Engel (1977).
2. Ver capítulo 9 para a concepção sistêmica dos organismos vivos, e capítulo 11 para a correspondente concepção sistêmica de saúde.
3. Ver Dubos (1979).
4. Ver Dunn (1976).
5. Ver Corea (1977); Ehrenreich e English (1978); ver também Rich (1977), pp. 117 e ss.
6. Ver Vrooman (1970), pp. 173 e ss.
7. Ver capítulo 10 para um exame mais detalhado da homeopatia.
8. Dubos (1976), pp. xxvii-xxxix. As seguintes citações de declarações de Pasteur são extraídas dessa fonte. Algumas delas são traduções minhas dos originais franceses.
9. Ver capítulo 6.
10. Ver, por exemplo, Knowles (1977a).
11. Ver Dubos (1965), pp. 369 e ss.
12. Ver "Development of medical technology", *Report of the United States Congress Office of Technology Assessment*, agosto de 1976.
13. Ver capítulo 10.
14. Ver Knowles (1977b).
15. Ver Richmond (1977).
16. Ver Fuchs (1974), pp. 31 e ss.
17. Ver Knowles (1977a); as declarações citadas estão nas pp. 7 (Knowles), 87 (Rogers), 29 (Callahan), 37 (Thomas) e 105 (Wildavsky).
18. Ver Fuchs (1974), pp. 104 e ss.
19. McKeown (1976).
20. Ver Dubos (1968), p. 78.
21. Ver capítulo 7 para um exame da relação entre taxas de natalidade e padrões de vida.
22. Ver Haggerty (1979).
23. Para exemplo de uma crítica concisa e profunda, proveniente do seio da profissão médica, ver Holman (1976).
24. Esta análise focaliza a assistência à saúde nos Estados Unidos, mas tendências semelhantes podem ser observadas no Canadá e na maioria dos países europeus.
25. Ver Illich (1977).
26. Frederickson (1977).

27. Ver, por exemplo, Seldin (1977).
28. Knowles (1977b).
29. Ver Simonton, Simonton e Creighton (1978), p. 56; para um estudo detalhado da abordagem mente-corpo do câncer que os Simontons desenvolveram, ver capítulo 10.
30. Ver Melzack (1973).
31. L. Shlain, comunicação particular, 1979.
32. Ver capítulo 11.
33. Szasz (1961).
34. Dubos (1959).
35. Ver Feifel (1967).
36. Ver Kübler-Ross (1969, 1975); Cohen (1979).
37. Ver Powles (1979).
38. Ver Shortt (1979).
39. Thomas (1977).
40. Ver ref. 12.
41. Ver Holman (1976).
42. Ver Culliton (1978).
43. *Ibid.;* ver também Bunker, Hinkley e McDermott (1978).
44. Ver Illich (1977), p. 23.
45. Ver Tancredi e Barondess (1978).
46. Thomas (1979), pp. 168 e ss.
47. McKeown (1976), p. 128.
48. Ver Dubos (1968), pp. 74 e ss.
49. Ver Cassell (1976); Kleinman, Eisenberg e Good (1978).
50. Ver Kleinman, Eisenberg e Good (1978).
51. Ver capítulo 10.
52. Thomas (1975), p. 88.
53. Ver Dubos (1965), p. 134.
54. Thomas (1975), p. 90.
55. Ver Dubos (1965), pp. 171 e ss.
56. Ver Thomas (1978).
57. Ver Fuchs (1974), p. 120.
58. Ver Holman (1976).
59. Ver Lock (1980), p. 136.
60. Ver Corea (1977); Ehrenreich e English (1978).
61. Ver Fuchs (1974), p. 56.
62. Ver Ehrenreich e English (1978), pp. 74 e ss.
63. Ver Seldin (1977).
64. Ver David E. Rogers (1977).
65. Ver Eisenberg (1977).
66. David E. Rogers (1977).
67. Ver Fuchs (1974), pp. 70 e ss.
68. May (1978).
69. Ver Knowles (1977b).
70. Ver capítulo 8.

6. A PSICOLOGIA NEWTONIANA

1. Ver, por exemplo, Murphy e Kovach (1972).
2. Para uma breve introdução às tradições místicas orientais, ver Capra (1975), capítulos 5-9.
3. Ver Wilber (1977), pp. 164 e ss.
4. Ver Fromm, Suzuki e De Martino (1960); Watts (1961); Rama, Ballentine e Weinstock (1976).
5. Ver capítulo 2.
6. Para uma análise da relação entre a teoria leibniziana das mônadas e a teoria *bootstrap* das partículas subatômicas, ver Capra (1975), pp. 298 e ss.

413

7. James (1991), p. 242.
8. Ver Murphy-Kovach (1972), p. 238.
9. Watson (1970), p. ix.
10. Watson (1914), p. 27.
11. Citado em Capra (1975), p. 300.
12. Ver capítulo 2.
13. Ver Murphy-Kovach (1972), p. 320.
14. Skinner (1953), pp. 30-31.
15. Weiss (1971), p. 264.
16. Skinner (1975), p. 3.
17. Ver Murphy-Kovach (1972), p. 278.
18. Freud (1914), p. 78.
19. Ver Murphy-Kovach (1972), p. 282.
20. A relação entre psicanálise e física foi explorada detalhadamente por D. C. Levin num estudo abrangente em que se baseia grande parte das considerações seguintes; ver Levin (1977).
21. Freud (1921), pp. 178 e ss.
22. Ver capítulo 2.
23. Ver, por exemplo, Fenichel (1945).
24. Ver Levin (1977) para uma análise mais detalhada deste curioso paralelo entre as teorias de Newton e de Freud.
25. Freud (1933), p. 80.
26. Freud (1938), p. 181.
27. Freud (1926), pp. 224 e ss.
28. Ver Murphy-Kovach (1972), pp. 296-297.
29. Ver Strouse (1974).
30. Freud (1926), p. 212.
31. Ver capítulo 10.
32. Ver capítulo 11.
33. Ver Deikman (1978).

7. O IMPASSE DA ECONOMIA

1. Henderson (1978).
2. Ver Weiss (1973), p. 71.
3. Navarro (1977), p. x.
4. Schumacher (1975), p. 46.
5. *Ibid.,* pp. 53 e ss.
6. Citado por Myrdal (1973), p. 149.
7. Ver Henderson (1978), p. 78.
8. Ver Myrdal (1973), p. 150.
9. *Washington Post,* 20 de maio de 1979.
10. Para referências a essas pesquisas de opinião, ver Henderson (1978), pp. 13, 155.
11. *Harvard Business Review*, dezembro de 1975.
12. Citado por Henderson (1978), p. 63.
13. Citado *ibid.*
14. Citado na *Fortune,* 11 de setembro de 1978.
15. Entrevista no *Washington Post,* 4 de novembro de 1979.
16. Ver Madden (1972).
17. Ver capítulo 1.
18. Ver Polanyi (1968).
19. Ver Polanyi (1944), p. 50.
20. Weber (1958).
21. As referências às obras desses autores estão enumeradas na bibliografia.
22. Ver Henderson (1981).
23. Ver Rich (1977), p. 100.
24. Citado em Routh (1975), p. 45.

25. Ver capítulo 2.
26. Ver Soule (1952), p. 51.
27. Ver Dickinson (1974), pp. 79-81.
28. Lucia F. Dunn, comunicação particular, 1980.
29. Ver Henderson (1978), p. 94.
30. *Ibid.*, p. 76.
31. Ver Kapp (1971).
32. Heilbroner (1978).
33. Marx (1888), p. 109.
34. Heilbroner (1980), p. 134.
35. Marx (1891), pp. 317 e ss.
36. Ver Sombart (1976).
37. Ver Harrington (1976), p. 85.
38. *Ibid.*, p. 106.
39. Citado *ibid.*, p. 126.
40. Marx (1844), p. 58.
41. Harrington (1976), p. 77.
42. Marx (1844), p. 61.
43. Marx (1970), p. 254.
44. Citado por Heilbroner (1980), p. 148.
45. Ver Marx (1844), pp. 93 e ss.
46. Keynes (1934), p. 249.
47. Ver Henderson (1978), p. 36.
48. Citado *ibid.*, p. 3.
49. Ver Horney (1937); Galbraith (1958).
50. Hubbert (1974).
51. Ver Commoner (1980).
52. Ver capítulo 7.
53. Ver Goldsen (1977); Mander (1978).
54. Ver Rothschild (1980).
55. Ver Aldridge (1978), pp. 14 e ss.
56. Henderson (1978), p. 158.
57. Schumacher (1975), p. 146.
58. Theodore Roszak, em seu livro *Person/Planet,* forneceu um amplo e eloquente exame da natureza e das consequências do crescimento institucional, concentrando-se especialmente no crescimento das cidades; ver Roszak (1978), pp. 241 e ss.
59. Ver Navarro (1977), p. 153; ver também Schwartz (1980).
60. Walter B. Wriston, entrevista na *The New Yorker,* 5 de janeiro de 1981.
61. A investigação das atividades criminosas em empresas foi uma das principais finalidades da revista *Mother Jones,* com sede em San Francisco. Para relatos sobre práticas empresariais no Terceiro Mundo, ver, por exemplo, os números de agosto de 1977 (as agroempresas e a fome no mundo), dezembro de 1977 (o escândalo das mamadeiras) e novembro de 1979 ("despejo" de produtos perigosos).
62. Ver, por exemplo, Grossman e Daneker (1979).
63. Roszak (1978), p. 33.
64. Ver Navarro (1977), p. 83.
65. Ver Henderson (1978), p. 73.
66. Citado por Navarro (1977), pp. 137 e ss.
67. *Wall Street Journal,* 5 de agosto de 1975.
68. Ver Galbraith (1979).
69. Para uma descrição concisa da história do debate entre ecologistas e economistas, ver Henderson (1978), pp. 63 e ss.
70. Henderson (1978), p. 319.
71. Citado por Commoner (1979), p. 72.
72. Ver capítulo 12.
73. Ver Robertson (1979), pp. 88 e ss.; ver também Roszak (1978), pp. 205 e ss.
74. Ver Burns (1975), p. 23.

75. Roszak (1978), p. 220.
76. Ver Henderson (1981).
77. Ver capítulo 12.

8. O LADO SOMBRIO DO CRESCIMENTO

1. Brown (1980).
2. *Ibid.*, pp. 294-298.
3. Ver Dumanoski (1980).
4. Ver capítulo 12 para uma análise da necessidade e viabilidade da transição para a energia solar.
5. Ellsberg (1980).
6. Citado em Sivard (1979), p. 14.
7. Aldridge (1978).
8. *Ibid.*, pp. 71 e ss.
9. Para uma breve, mas abrangente análise de toda a questão da energia nuclear, ver Caldicott (1978); para uma exposição mais detalhada dos argumentos contra o uso de energia nuclear, ver Nader e Abbotts (1977).
10. Ver Woollard e Young (1979).
11. Ver Ellsberg (1980).
12. Ver Nader e Abbotts (1977), p. 80.
13. Para um exame detalhado dessas questões, ver Nader e Abbotts (1977).
14. *Ibid.*, p. 365.
15. Ver, por exemplo, Airola (1971).
16. Ver Winikoff (1978).
17. Ver Illich (1977), p. 63.
18. Ver Silverman e Lee (1974), p. 293.
19. Ver Fuchs (1974), p. 109.
20. Ver Woodman (1977).
21. Ver Bekkanen (1976).
22. Ver Woodman (1977).
23. Ver Hughes e Brewin (1980); ver também Mosher (1976).
24. Ver Brooke (1976).
25. Ver Woodman (1977).
26. Ver Commoner (1977), p. 152.
27. Citado por Berry (1977), p. 66.
28. Ver Zwerdling (1977).
29. Commoner (1977), p. 161.
30. *Ibid.*
31. *Ibid.*, p. 163.
32. Ver Zwerdling (1977).
33. Jackson (1980), p. 69.
34. Citado por Berry (1977), p. 61.
35. Ver Zwerdling (1977).
36. Ver Weir e Shapiro (1981).
37. Moore Lappé e Collins (1977a); para resumos de suas teses, ver Moore Lappé e Collins (1977b, c). Minha análise das agroempresas e da fome mundial acompanha de perto esses dois artigos.
38. Ver Culliton (1978).
39. Citado por Navarro (1977), p. 161.

9. A CONCEPÇÃO SISTÊMICA DA VIDA

1. Para uma breve introdução ao pensamento sistêmico, ver Laszlo (1972b); para tratamentos mais extensos, ver Von Bertalanffy (1968) e Laszlo (1972a).
2. O estudo de transações antecede realmente a teoria geral dos sistemas; ver Dewey e Bentley (1949), pp. 103 e ss.

3. Weiss (1971), p. 284.
4. *Ibid.*, pp. 225 e ss.
5. Ver Jantsch (1980).
6. Weiss (1973), p. 25.
7. Prigogin (1980).
8. Ver Laszlo (1972), p. 42.
9. Ver Bateson (1972), pp. 351 e ss.
10. Thomas (1975), p. 86.
11. Ver, por exemplo, Locke (1974).
12. Ver capítulo 4.
13. Ver Goreau, Goreau e Goreau (1979).
14. Ver Thomas (1975), pp. 26 e ss., 102 e ss.
15. Ver Dubos (1968), pp. 7 e ss.
16. Ver Thomas (1975), p. 83.
17. *Ibid.*, p. 6.
18. *Ibid.*, p. 9.
19. Ver capítulo 1.
20. Ver Laszlo (1972), p. 67.
21. Para um exame do pensamento hierárquico como fenômeno vinculado à cultura, ver Maruyama (1967, 1979); para uma crítica feminista das hierarquias, ver Dodson Gray (1979).
22. Weiss (1971), p. 276.
23. Thomas (1975), p. 113.
24. L. Shlain, conferência no College of Marin, Kenfield, Califórnia, 23 de janeiro de 1979.
25. Ver Lovelock (1979); para uma análise do mito original de Gaia, ver Spretnak (1981a).
26. Jantsch (1980).
27. Ver capítulo 4.
28. Ver Jantsch (1980), p. 48.
29. A relação dessa indeterminação com a imprevisibilidade de eventos individuais na física atômica e com as chamadas conexões não locais entre tais eventos (ver capítulo 3) ainda está por ser explorada.
30. Laszlo (1972), p. 51.
31. Ver Bateson (1972), p. 451.
32. Livingston (1978), p. 4.
33. Jantsch (1980), p. 75.
34. Ver *Ibid.*, pp. 121 e ss.
35. Bateson (1979), pp. 92 e ss.
36. G. Bateson, comunicação particular, 1979.
37. Ver Herrick (1949), pp. 195 e ss.
38. Ver capítulo 11.
39. Jantsch (1980), p. 308.
40. Para uma crítica recente, ver o número especial da *Scientific American,* setembro de 1979.
41. Ver Jantsch (1980), p. 61.
42. Ver Kinsbourne (1978).
43. Ver Russell (1979).
44. O fato de que mantive a descrição convencional do domínio psicológico como um mundo "interior" não deve ser interpretado no sentido de que está localizado em algum lugar no interior do corpo. Refere-se a uma forma de mentação que transcende espaço e tempo e não pode, por conseguinte, ser associada a qualquer localização.
45. Ver Dubos (1968), p. 47; ver também Herrick (1949).
46. Ver Livingston (1963).
47. Ver capítulo 11.
48. Ver, por exemplo, Edelman e Mountcastle (1978), p. 74.
49. Ver Capra (1975), p. 29.
50. Para testemunhos de experiências transpessoais, ver, por exemplo, Bucke (1969); para um exame mais detalhado das limitações da atual estrutura científica no tocante à consciência, ver capítulo 11.
51. Onslow-Ford (1964), p. 36.

52. Ver Jantsch (1980), pp. 165 e ss.
53. Citado em Koestler (1978), p. 9.
54. Ver Leonard (1981), pp. 48 e ss.
55. Pribram (1977, 1979).
56. Ver capítulo 3.
57. Ver capítulo 3.
58. Ver Capra (1975), p. 292.
59. Ver *Re-Vision*, número especial sobre as teorias holográficas de Karl Pribram e David Bohm, verão/outono de 1978; ver também o número especial de *Dromenon*, primavera/verão de 1980.
60. Ver Leonard (1981), pp. 14 e ss.
61. Ver Towers (1968, 1977).

10. HOLISMO E SAÚDE

1. Ver, por exemplo, Eliade (1964).
2. Ver Glick (1977).
3. Ver Janzen (1978).
4. Lévi-Strauss (1967), pp. 181 e ss.
5. Ver Graves (1975), vol. I, p. 176.
6. Ver Spretnak (1981a).
7. Ver Dubos (1968), p. 55.
8. Ver, por exemplo, Meier (1949); para uma detalhada descrição do ritual asclepiano, ver Edelstein e Edelstein (1945).
9. Ver Dubos (1968), pp. 56 e ss.
10. Dubos (1979b).
11. Dubos (1968), p. 58.
12. Ver Capra (1975), p. 102.
13. Ver Veith (1972).
14. Needham (1962), p. 279.
15. Para uma introdução à filosofia da medicina clássica chinesa, ver Porkert (1979).
16. *Ibid.*
17. Para uma extensa lista dessas correspondências, ver Lock (1980), p. 32.
18. Ver Veith (1972), p. 105.
19. Para uma detalhada explicação de algumas das muitas qualidades de pulso reconhecidas por médicos chineses, ver Manaka (1972), apêndice C.
20. Ver Lock (1980), p. 217.
21. Lock (1980).
22. Ver Kleinman, Eisenberg e Good (1978).
23. Ver Selye (1974).
24. Para uma extensa análise da natureza do estresse e seu papel em várias doenças, ver Pelletier (1977).
25. Para um panorama geral da história e do estado atual da medicina psicossomática, ver Lipowski (1977).
26. Ver Dubos (1968), p. 64.
27. Ver capítulo 11.
28. Ver Pelletier (1977), p. 42.
29. Ver adiante para mais detalhes.
30. Ver Cousins (1977).
31. *Ibid.*
32. Ver Knowles (1977b).
33. Ver White (1978).
34. Para mais detalhes, ver Knowles (1977b) e White (1978).
35. Eisenberg (1977).
36. White (1978).
37. Ver White (1978).
38. Fuchs (1974), p. 104.

39. Rasmussen (1975).
40. *Ibid.*
41. Para uma breve descrição de um tal plano nacional de seguro de saúde, ver White (1978).
42. Ver Fuchs (1974), p. 76.
43. Para uma revisão das várias tradições de cura psíquica e sua relação com a moderna medicina psicossomática e a psicoterapia, ver Krippner (1979); para recentes abordagens experimentais da cura pela imposição das mãos, ver Krieger (1975) e Grad (1979).
44. Ver capítulo 3; em particular, a transferência de energia está sempre associada a uma transferência de matéria (partículas ou grupos de partículas). Nos fenômenos envolvendo as chamadas conexões não locais, nenhuma energia é transferida.
45. Vithoulkas (1980).
46. *Ibid.*, p. 140.
47. Ver capítulo 11.
48. Reich (1979); ver especialmente o capítulo intitulado "The expressive language of the living", pp. 136-182.
49. *Ibid.*, p. 177.
50. Ver Mann (1973), pp. 24-25.
51. Reich (1979), pp. 279 e ss.
52. Ver Mann (1973), pp. 270 e ss.
53. Ver Thie (1973).
54. Para uma bibliografia anotada da literatura sobre trabalho do corpo, ver Popenoe (1977), pp. 17-53.
55. Ver Bartenieff (1980).
56. Ver capítulo 8.
57. Ver Randolph e Moss (1980).
58. Ver capítulo 5.
59. Para um exame mais detalhado dessas técnicas, ver Pelletier (1977).
60. *Ibid.*, pp. 197 e ss.
61. Ver Green e Green (1977).
62. Para uma descrição detalhada da abordagem Simonton, ver Simonton, Matthews-Simonton e Creighton (1978).
63. C. Simonton, comunicação particular, 1978.
64. Ver Simonton, Matthews-Simonton e Creighton (1978), pp. 57 e ss.
65. LeShan (1977), pp. 49 e ss.

11. JORNADAS PARA ALÉM DO ESPAÇO E DO TEMPO

1. Jung (1951a), p. 261.
2. Para uma breve introdução à psicologia de Jung, ver Fordham (1972).
3. Ver capítulo 6.
4. Jung (1928), p. 17.
5. Em seu ensaio "Sobre a energia física", *ibid.*, Jung traça numerosas analogias com a física clássica. Em particular, ele introduz o conceito de entropia no contexto da termodinâmica de Boltzmann, o que é inteiramente inadequado para descrever organismos vivos.
6. Jung (1939), p. 71.
7. Jung (1965), p. 352.
8. Jung (1936), p. 48; para uma interessante extensão do conceito de formas arquetípicas a números e a outras estruturas matemáticas, ver Von Franz (1974), pp. 15 e ss.
9. Jung (1951b).
10. Ver capítulo 3.
11. Jung (1929), p. 71.
12. Jung (1965), p. 133.
13. Ver Murphy e Kovach (1972), p. 432.
14. Maslow (1962), p. 5.
15. Assagioli (1965).
16. Carl Rogers (1951).

17. Para uma brilhante descrição da história variegada do Esalen Institute, ver Tomkins (1976).
18. Ver Murphy e Kovach (1972), pp. 298 e ss.
19. Ver, por exemplo, Goldenberg e Goldenberg (1980).
20. Carl Rogers (1970).
21. Ver Sutich (1976).
22. Ver Walsh e Vaughn (1980); ver também Pelletier e Garfield (1976).
23. Ver Mander e Rush (1974); ver também Roszak (1978), pp. 16 e ss.
24. S. Grof, *Journeys beyond the brain* ["Jornadas para além do cérebro"], manuscrito inédito.
25. Wilber (1977); para uma breve introdução, ver Wilber (1975).
26. Ver Grof (1976), pp. 154 e ss.
27. Citado em Capra (1975), p. 43.
28. Grof (1976).
29. *Ibid.*, pp. 32 e ss.
30. *Ibid.*, pp. 46 e ss.
31. *Ibid.*, pp. 101 e ss.
32. S. Grof, *Journeys beyond the brain,* manuscrito inédito.
33. Castañeda (1972), p. 55.
34. Ver Capra (1979b).
35. Whitehead (1926), p. 66.
36. Ver capítulo 3.
37. Ver Capra (1975), p. 71.
38. Ver Berger, Hamburg e Hamburg (1977).
39. Ver, por exemplo, Maslow (1964) e McCready (1976), pp. 129 e ss.
40. Ver Perry (1974), pp. 8 e ss.
41. Rosenhan (1973).
42. Ver Laing (1978), p. 114.
43. Bateson (1972), pp. 201 e ss.
44. Laing (1978), p. 28.
45. *Ibid.*, p. 104.
46. Ver Rosenhan (1973).
47. R. D. Laing, comunicação particular, 1978.
48. Jung (1965), p. 131.
49. Laing (1978), p. 56.
50. Ver Laing (1972); Perry (1974), pp. 149 e ss.
51. Citado por Laing (1978), p. 118.
52. *Ibid.*, p. 128.
53. *Ibid.*, p. 46.
54. Perls (1969).
55. Grof (1980).
56. *Ibid.*
57. Janov (1970).
58. Grof, *Journeys beyond the brain,* manuscrito inédito.
59. Para exemplo impressionante de uma experiência sumamente extraordinária e, ao mesmo tempo, eminentemente terapêutica desse gênero, ver Laing (1982).
60. Grof, *Journeys beyond the brain,* manuscrito inédito.

12. A PASSAGEM PARA A IDADE SOLAR

1. Bateson (1972), p. 434.
2. Schumacher (1975), p. 258.
3. Forrester (1980).
4. Henderson (1978), p. 226.
5. Bateson (1972), p. 497.
6. Ver a bibliografia para referências a livros por esses autores.

7. Ver Henderson (1978), p. 52.
8. Ver Henderson (1981).
9. *Ibid.*
10. Odum (1971).
11. Ver capítulo 2.
12. Georgescu-Roegen (1971).
13. Henderson (1978), p. 83.
14. Ver capítulo 9.
15. Ver, por exemplo, Rifkin (1980).
16. Jantsch (1980), p. 255.
17. Roszak (1978), p. xxx.
18. Weisskopf (1971), p. 24.
19. Ver Cook (1971).
20. Roszak (1978), pp. 254 e ss.
21. Schumacher (1975), p. 34.
22. Ver capítulo 8.
23. Lovins (1977); para um resumo mais recente e atualizado, ver Lovins (1980).
24. Ver capítulo 8.
25. Citado por Commoner (1979), p. 46.
26. Ver *Mother Jones,* setembro/outubro de 1979.
27. Ver Lovins (1977), p. 9; Grossman e Daneker (1979).
28. Stobaugh e Yergin (1979).
29. Ver Lovins (1980).
30. *Ibid.*
31. Ver Commoner (1979), p. 56.
32. Ver, por exemplo, Stobaugh e Yergin (1979), p. 167.
33. Ver Commoner (1979), p. 54.
34. Ver Lovins (1978).
35. Ver Commoner (1979), p. 44.
36. *Ibid.,* p. 64.
37. Stobaugh e Yergin (1979), p. 238.
38. *Ibid.,* pp. 258 e ss.
39. Ver Commoner (1979), p. 36.
40. Ver Stobaugh e Yergin (1979), p. 262.
41. Ver Commoner (1979), p. 38.
42. *Ibid.,* pp. 41 e ss.
43. Jackson (1980), pp. 62 e ss.
44. Commoner (1979), pp. 58 e ss.
45. *Ibid.,* p. 62.
46. Ver capítulo 7.
47. Ver Henderson (1978), p. 387.
48. Para uma lista de pessoas e organizações que promovem ativamente as ideias, valores e atividades discutidas nos parágrafos seguintes, ver Robertson (1979), pp. 135 e ss.; para uma extensa análise de várias redes educacionais informais, ver Ferguson (1980).
49. Ver Henderson (1978), p. 359.
50. *Ibid.,* pp. 387 e ss.
51. Ver Huber (1979).
52. Ver Henderson (1978), p. 391.
53. Ver Sessions (1981).
54. Ver capítulo 11.
55. Ver capítulo 9; para um exame mais detalhado dos princípios taoistas, ver Capra (1975), pp. 113 e ss.
56. Citado em Capra (1975), p. 117.
57. *Ibid.,* p. 116.
58. Ver Meeker (1980).
59. Ver *Co-Evolutionary Quarterly,* verão de 1979; ver também Elgin (1981).

60. Ver Henderson (1978), p. 395.
61. Roszak (1978), p. xxiv.
62. Ver capítulo 1.
63. Ver Stone (1976), para uma história do culto da Deusa e sua supressão, Spretnak (1981a), para uma análise da mitologia grega pré-patriarcal da Deusa, e Chen (1974), para um exame da possível ligação entre o taoismo e a espiritualidade da Deusa.
64. Bruteau (1974).
65. Ver Spretnak (1981b).
66. Ver Henderson (1980).
67. Ver capítulo 1.

Bibliografia

Airola, Paavo: *Are you confused?*, Health Plus, Phoenix, Arizona, 1971.
Aldridge, Robert C.: *The counterforce syndrome*, Institute for Policy Studies, Washington, D.C., 1978.
Assagioli, Roberto: *Psychosynthesis*, Viking, Nova York, 1965.

Barnet, Richard J. e Muller, Ronald E.: *Global reach: the power of the multinational corporations*, Simon & Schuster, Nova York, 1979.
Bartenieff, Irmgard: *Body movement: coping with the environment*, Gordon & Breach, Nova York, 1980.
Barzun, Jacques: *Darwin, Marx, Wagner*, Doubleday/Anchor, Nova York, 1958.
Bateson, Gregory: *Steps to an ecology of mind*, Ballantine, Nova York, 1972.
------------: *Mind and nature*, Dutton, Nova York, 1979.
Bekkanen, John: "The impact of promotion on physician's prescribing patterns", *Journal of Drug Issues*, inverno, 1976.
Berger, Philip, Hamburg, Beatrix e Hamburg, David: "Mental health: progress and problems", *in* Knowles, John H. (org.): *Doing better and feeling worse*, Norton, Nova York, 1977.
Berry, Wendell: *The unsettling of America*, Sierra Club, San Francisco, 1977.
Bertalanffy, Ludwig von: *General systems theory*, Braziller, Nova York, 1968.
Bohm, David: *Quantum theory*, Prentice-Hall, Nova York, 1951.
------------: *Wholeness and the implicate order*, Routledge & Kegan Paul, Londres, 1980.
Boulding, Kenneth E.: *Beyond economics*, University of Michigan Press, Ann Arbor, 1968.
Brooke, Paul: "Promotional parameters: a preliminary examination of promotional expenditures", *Journal of Drug Issues*, inverno, 1976.
Brown, Michael: *Laying waste*, Pantheon, Nova York, 1980.
Bruteau, Beatrice: "The image of the Virgin-Mother", *in* Plaskov, J. e Romero, J. A. (orgs.): *Women and religion*, Scholar Press, Missoula, Mont., 1974.
Bucke, Richard: *Cosmic consciousness*, Dutton, Nova York, 1969.
Bunker J., Hinkley, D. e McDermott, W.: "Surgical innovation and its evaluation", *Science*, 26 de maio, 1978.
Burns, Scott: *Home Inc.*, Doubleday, Nova York, 1975.

Caldicott, Helen: *Nuclear madness*, Autumn Press, Brookline, Massachusetts, 1978.
Cannon, Walter: *The wisdom of the body*, Norton, Nova York, 1939.
Caplan, Arthur L. (org.): *The sociobiology debate*, Harper & Grow, Nova York, 1978.
Capra, Fritjof: *O tao da física*, Cultrix, São Paulo, 1995. [Edição original em inglês: 1975]
------------: "Quark physics without quarks: a review of recent developments in S-Matrix theory", *American Journal of Physics*, janeiro, 1979a.
------------: "Can science explain physic phenomena?", *Re-Vision*, inverno/primavera, 1979b.
Cassell, Eric J.: "Illness and disease", *Hastings Center Report*, abril, 1976.
Castañeda, Carlos: *Journey to Ixtlan*, Simon & Schuster, Nova York, 1972.
Chen, Ellen Marie: "Tao as the great mother and the influence of motherly love in the shaping of Chinese philosophy", *History of Religions*, agosto, 1974.
Cohen, Kenneth P.: *Hospice: prescription for terminal care*, Aspen, Germantown, Md., 1979.
Cohen, Stanley N. e Shapiro, James: "Transposable genetic elements", *Scientific American*, fevereiro, 1980.

Collier, Robert J.: "Holography and integral photography", *Physics Today*, julho, 1968.
Commoner, Barry: *The poverty of power*, Bantam, Nova York, 1977.
-------------: The politics of energy. *Knopf, Nova York*, 1979.
-------------: "How poverty breeds overpopulation", *in* Arditti, Rita, Brennan, Pat e Cavrak, Steve: *Science and Liberation*, South End Press, Boston, 1980.
Cook, Earl: "The flow of energy in an industrial society", *Scientific American*, setembro, 1971.
Corea, Gena: *The hidden malpractice*, Morrow, Nova York, 1977.
Cousins, Norman: "The mysterious placebo", *Saturday Review*, 1º de outubro, 1977.
Crosland, M. P. (org.): *The science of matter*, Penguin, Baltimore, 1971.
Culliton, B. J.: "Health care economics: the high cost of getting well", *Science*, 26 de maio, 1978.

Deikman, Arthur: "Comments on the GAP report on mysticism", *AHP Newsletter*, San Francisco, janeiro, 1978.
Dewey, John e Bentley, Artur F.: *Knowing and the known*, Beacon Press, Boston, 1949.
Dickson, David: *Alternative technology*, Fontana, Londres, 1974.
Dodson Gray, Elizabeth: *Why the green nigger?*, Roundtable Press, Wellesley, Massachusetts, 1979.
Dubos, René: *Mirage of health*, Harper, Nova York, 1959.
-------------: *Man adapting*, Yale University Press, New Haven, 1965.
-------------: Man, medicine and environment, *Praeger*, Nova York, 1968.
-------------: *Louis Pasteur*, Scribner, Nova York, 1976. Introdução à edição de 1976.
-------------: Prefácio para Sobel, David S. (org.): *Ways of health*, Harcourt Brace Jovanovich, Nova York, 1979a.
-------------: "Hippocrates in modem dress", *in* Sobel, David S.: *Ways of health*, Harcourt Brace Jovanovich, Nova York, 1979b.
Dumanoski, Dianne: "Acid rain", *Sierra*, The Sierra Club Bulletin, maio/junho, 1980.
Dunn, Fred L.: "Traditional Asian medicine and cosmopolitan medicine as adaptative systems", *in* Leslie, Charles (org.): *Asian medical systems*, University of California Press, Berkeley, 1976.

Edelman, Gerald e Mountcastle, Vernon: *The mindful brain*, MIT Press, Cambridge, Massachusetts, 1978.
Edelstein, Emma J. e Edelstein, Ludwig: *Asclepius*, John Hopkins University Press, Baltimore, 1945.
Ehrenreich, Barbara e English, Deidre: *For her own good*, Doubleday, Nova York, 1978.
Ehrlich, Paul R. e Ehrlich, Anna H.: *Population resources environment*, Freeman, San Francisco, 1972.
Eisenberg, Leon: "The search for care", *in* Knowles, John H. (org.): *Doing better and feeling worse*, Norton, Nova York, 1977.
Elgin, Duane: *Voluntary simplicity*, Morrow, Nova York, 1981.
Eliade, Mircea: *Shamanism*, Princeton University Press, Princeton, 1964.
Ellsberg, Daniel: Entrevista em *Not Man Apart*, Friends on the Earth, San Francisco, fevereiro, 1980.
Engel, George L.: "The need for a new medical model: a challenge for biomedicine", *Science*, 8 de abril, 1977.

Feifel, Herman: "Physicians considerer death", *Proceedings of the American Psychological Association*, 1967.
Fenichel, Otto: *The psychoanalytic theory of neurosis*, Norton, Nova York, 1945.
Ferguson, Marilyn: *The aquarian conspiracy*, Tarcher, Los Angeles, 1980.
Fordham, Frieda: An introduction to Jung's psychology, *Penguin*, 1972.
Forrester, Jay W.: *World dynamics*, Wright Allen, Cambridge, Massachusetts, 1971.
-------------: "Innovations and the economic long wave", *Planning Review*, novembro, 1980.
Franz, Marie-Louise von: *Number and time*, Rider, Londres, 1974.
Frederickson, Donald S.: "Health and the search for new knowledge", *in* Knowles, John H. (org.): *Doing better and feeling worse*, Norton, Nova York, 1977.
Freud, Sigmund: "On narcissism", *in* Strachey, James (org.): *Standard edition of the complete works of Sigmund Freud*, vol. 14, Hogarth Press, Nova York, 1914.
-------------: "Psychoanalysis and telepathy", *SE*, vol. 18, 1921.
-------------: "The question of lay analysis", *SE*, vol. 20, 1926.
-------------: "Dissection of the psychical personality", *SE*, vol. 22, 1933.
-------------: "An outline of psychoanalysis", *SE*, vol. 23, 1938.
Fromm, Erich: *To have or to be?*, Harper & Row, Nova York, 1976.
Fromm, Erich, Suzuki, D. T. e De Martino, Richard: *Zen buddhism and psychoanalysis*, Harper & Row, Nova York, 1960.

Fuchs, Victor R.: *Who shall live?*, Basic Books, Nova York, 1974.

Galbraith, John Kenneth: *The affluent society*, Houghton Mifflin, Boston, 1958.
------------: *The nature of mass poverty*, Harvard University Press, Cambridge, Massachusetts, 1979.
Garber, Daniel: "Science and certainty in Descartes", *in* Hooker, Michael (org.): *Descartes*, John Hopkins University Press, Baltimore, 1978.
Georgescu-Roegen, Nicholas: *The entropy law and the economic process*, Harvard University Press, Cambridge, Massachusetts, 1971.
Glick, Leonard B.: "Medicine as an ethnographic category: the gimi of the New Guinea highlands", *in* Landy, David (org.): *Culture, disease, and healing: studies in medical anthropology*, MacMillan, Nova York, 1977.
Goldenberg, Irene e Goldenberg, Herbert: *Family therapy: an overview*, Brooks/Cole, Belmont, Califórnia, 1980.
Goldsen, Rose: *The snow and Tell Machine*, Dial, Nova York, 1977.
Goleman, Daniel: "Special abilities of the sexes: do they begin in the brain?", *Psychology Today*, novembro, 1978.
Goreau, Thomas F., Goreau, Nora I. e Goreau, Thomas J.: "Corals and coral reefs", *Scientific American*, agosto, 1979.
Gould, S. J. e Lewontin, R. C.: "The spandrels of San Marco and the panglossian paradigm: a critique of the adaptionist programme", *Proceedings of the Royal Society*, Londres, 21 de setembro, 1979.
Grad, Bernard: "Healing by the laying on of hands: a review of experiments", *in* Sobel, David: *Ways of health*, Harcourt Brace Jovanovich, Nova York, 1979.
Graves, Robert: *The Greek myths*, 2 vols., Penguin.
Green, Elmer e Green, Alyce: *Beyond biofeedback*, Delacorte Press, San Francisco, 1977.
Grof, Stanislav: *Realms of the human unconscious*, Dutton, Nova York, 1976.
------------: *LSD psychotherapy*, Hunter House, Pomona, Califórnia, 1980.
------------: "Journeys beyond the brain", manuscrito inédito.
Grossman, Richard e Danecker, Gail: *Energy, jobs and the economy*, Alyson Publications, Boston, 1979.

Haggerty, Robert J.: "The boundaries of health care", *in* Sobel, David (org.): *Ways of health*, Harcourt Brace Jovanovich, Nova York, 1979.
Handler, Philip (org.): *Biology and the future of man*, Oxford University Press, Nova York, 1970.
Harman, Willis W.: "The coming transformation", *The Futurist*, abril, 1977.
Harrington, Michael: *The twilight of capitalism*, Simon & Schuster, Nova York, 1976.
Heilbroner, Robert: "Inescapable Marx", *The New York Review of Books*, 29 de junho, 1978.
------------: The worldly philosophers, *Simon & Schuster*, Nova York, 1980.
Heisenberg, Werner: *Physics and philosophy*, Harper & Row, Nova York, 1962.
Henderson, Hazel: *Creating alternative futures*, Putnam, Nova York, 1978.
------------: "The last shall be first, 1980's style", *Christian Science Monitor*, 16 de maio, 1980.
------------: The politics of the Solar Age, *Doubleday/Anchor*, Nova York, 1981.
Herrick, C. Judson: *George Ellett Coghill: naturalist and philosopher*, University of Chicago Press, Chicago, 1949.
Holman, Halsted R.: "The 'excelence' deception in medicine", *Hospital Practice*, abril, 1976.
Horney, Karen: *The neurotic personality of our time*, Norton, Nova York, 1937.
Huber, Joseph (org.): *Anders Arbeiten – Anders Wirtschaften*, Fischer, Frankfurt, Alemanha, 1979.
Hubert, M. King: "World energy resources", *Proceedings of the Tenth Commonwealth Mining and Metallurgical Congress*, Ottawa, Canadá, 1974.
Hughes, Richard e Brewin, Robert: *The tranquilizing of America*, Harcourt Brace Jovanovich, Nova York, 1980.

Illich, Ivan: *Medical nemesis*, Bantam, Nova York, 1977.

Jackson, Wes: *New roots for agriculture*, Friends of the Earth, San Francisco, 1980.
James, William: *As variedades da experiência religiosa*, Cultrix, São Paulo, 1991. [Edição original em inglês: 1961]
Janov, Arthur: *The primal scream*, Dell, Nova York, 1970.
Jantsch, Erich: *The self-organizing universe*, Pergamon, Nova York, 1980.
Janzen, John M.: *The quest for therapy in lower Zaire*, University of California Press, Berkeley, 1978.
Jeans, James: *The mysterious universe*, Macmillan, Nova York, 1930.
Jerison, Harry J.: *Evolution of the brain and intelligence*, Academic Press, Nova York, 1973.
Judson, Horace Freeland: *The eighth day of creation*, Simon & Schuster, Nova York, 1979.

Jung, Carl Gustav: "On psychic energy", *in* Read, Herbert, Fordham, Michael e Adler, Gerhard (orgs.): *The collected works of Carl G. Jung*, vol. 8, Princeton University Press, Princeton, 1928.
————: "Problems of modern psychotherapy", *CW*, vol. 16, 1929.
————: "The concept of the collective unconscious", *CW*, vol. 9, i, 1936.
————: "Conscious, unconscious and individuation", *CW*, vol. 9, i, 1939.
————: "Aion", *CW*, vol. 9, ii, 1951a.
————: "On synchronicity", *CW*, vol. 8, 1951b.
————: Memories, dreams, reflections, *Random House*/Vintage, Nova York, 1965.

Kapp, Karl William: *Social cost of private enterprise*, Schoken, Nova York, 1971.
Keynes, John Maynard: *General theory of employment, interest and money*, Harcourt Brace, Nova York, 1934.
————: "Newton the man", *in Essays in biography*, Hart-Davis, Londres, 1951.
Kinsbourne, Marcel (org.): *Asymmetrical function of the brain*, Cambridge University Press, Nova York, 1978.
Kleinman, Arthur, Eisenberg, Leon e Good, Byron: "Culture, illness and care", *Annals of Internal Medicine*, fevereiro, 1978.
Knowles, John H. (org.): *Doing better and feeling worse*, Norton, Nova York, 1977a.
————: "The responsibility of the individual", *in* Knowles, John H. (org.): *Doing better and feeling worse*, Norton, Nova York, 1977b.
Koestler, Arthur: *Janus*, Hutchington, Londres, 1978.
Krieger, Dolores: "Therapeutic touch: the imprimatur of nursing", *American Journal of Nursing*, maio, 1975.
Krippner, Stanley: "Psychic healing and psychotherapy", *Journal of Indian Psychology*, vol. 1, 1979.
Kügler-Ross, Elisabeth: *On death and dying*, Macmillan, Nova York, 1969.
————: Death: the final stage of growth, *Prentice-Hall*, Englewood Cliffs, N. J., 1975.
Kuhn, Thomas S.: *The structure of scientific revolutions*, University of Chicago Press, Chicago, 1970.

Laing, R. D.: "Metanoia: some experiences at Kingsley Hall", *in* Ruitenbeek, H. M. (org.): *Going crazy: the radical therapy of R. D. Laing and others*, Bantam, Nova York, 1972.
————: The politics of experience, *Ballantine*, Nova York, 1978.
————: The voice of experience, *Pantheon*, Nova York, 1982.
La Mettrie: *L'homme machine – a study in the origins of an idea*, org. por Vartaian, A., Princeton University Press, Princeton, 1960.
Laszlo, Ervin: *Introduction to systems philosophy*, Harper Torchbooks, Nova York, 1972a.
————: The systems view of the world, *Braziller*, Nova York, 1972b.
Leonard, George: *The silent pulse*, Bantam, Nova York, 1981.
LeShan, Lawrence L.: *You can fight for your life*, Evan, Nova York, 1977.
Levin, D. C.: "Physics and psychoanalysis: an epistemological study", ensaio inédito, 1977.
Lévi-Strauss, Claude: *Structural anthropology*, Doubleday, Nova York, 1967.
Lipowski, Z. J.: "Psychosomatic medicine in the seventies: an overview", *The American Journal of Psychiatry*, março, 1977.
Livingston, Robert B.: "Perception and commitment", *Bulletin of the Atomic Scientists*, fevereiro, 1963.
————: Sensory, perception, and behavior, *Raven Press*, Nova York, 1978.
Lock, Margaret M.: *East Asian medicine in urban Japan*, University of California Press, Berkeley, 1980.
Locke, David Millard: *Viruses*, Crown, Nova York, 1974.
Lovelock, J. E.: *Gaia*, Oxford University Press, Nova York, 1979.
Lovins, Amory B.: *Soft energy paths*, Harper & Row, Nova York, 1977.
————: "Soft energy technologies", *Annual Review of Energy*, 1978.
————: "Soft energy paths", *AHP Newsletter*, junho, San Francisco, 1980.

Madden, Carl H.: *Clash of culture: management in an age of changing values*, National Planning Association, Washington, D. C., 1972.
Magner, Lois N.: *History of the life sciences*, Dekker, Nova York, 1979.
Manaka, Yoshio: *The layman's guide to acupuncture*, John Weatherhill, Nova York, 1972.
Mander, Anica e Rush, Anne Kent: *Feminism as therapy*, Random House, Nova York, 1974.
Mander, Jerry: Four arguments for the elimination of television, *Morrow*, Nova York, 1978.
Mann, W. Edward: *Orgone, Reich and Eros*, Simon & Schuster, Nova York, 1973.

Mao, Zedong: *Four essays on philosophy*, Foreign Language Press, Beijing, 1968.
Maruyama, Magoroh: "The Navaho philosophy: an esthetic ethic of mutuality", *Mental Hygiene*, abril, 1967.
------------: "Mindscapes: the limits to thought", *World Future Society Bulletin*, setembro/outubro, 1979.
Marx, Karl: "Economic and philosophic manuscripts", *in* Tucker, Robert C. (org.): *The Marx-Engels Reader*, Norton, Nova York, 1972.
------------: *Theses on Feuerbach, ibid.*, 1888.
------------: *Capital, ibid.*, 1891.
------------: *Das Kapital.* Edição resumida. Henry Regnery, Chicago, 1970.
Maslow, Abraham: *Toward a psychology of being*, Van Nostrand Reinhold, 1962.
------------: *Religions, values, peak experiences*, Viking, Nova York, 1964.
May, Scott: "On my medical education: seeking a balance in medicine", *Medical Self-Care*, outono, 1978.
McCready, William C.: *The ultimate values of the American population*, Sage Publications, Beverly Hills, Califórnia, 1976.
McKown, Thomas: *The role of medicine: mirage or nemesis*, Nuffield Provincial Hospital Trust, Londres, 1976.
Meeker, Joseph W.: *The comedy of survival*, Guild of Tutors Press, Los Angeles, 1980.
Meier, Carl Alfred: *Antike Inkubation und Moderne Psychotherapie*, Rascher, Zurique, 1949.
Melzack, Ronald: *The puzzle of pain*, Penguin, 1973.
Merchant, Carolyn: *The death of nature*, Harper & Row, Nova York, 1980.
Misher, Elissa Henderson: "Portrayal of women in drug advertising: a medical betrayal", *Journal of Drug Issues*, inverno, 1976.
Monod, Jacques: *Chance and necessity*, Knopf, Nova York, 1971.
Moore Lappé, Frances e Collins, Joseph: *Food first: beyond the myth of scarcity*, Houghton Mifflin, Nova York, 1977a.
------------: "Six myths of world hunger", *New West*, junho, 1977b.
------------: "Still hungry after all these years", *Mother Jones*, agosto, 1977c.
Mumford, Lewis: *The transformations of man*, Harper, Nova York, 1956.
------------: "Closing statement", *in* Disch, Robert (org.): *The ecological conscience*, Prentice-Hall, Nova York, 1970.
Murphy, Gardner e Kovach, Joseph K.: *Historical introduction to modern psychology*, Harcourt Brace Jovanovich, Nova York, 1972.
Myrdal, Gunnar: *Against the stream*, Pantheon, Nova York, 1973.

Nader, Ralph e Abbots, John: *The menace of atomic energy*, Norton, Nova York, 1977.
Navarro, Vicente: *Medicine under capitalism*, Prodist, Nova York, 1977.
Needham, Joseph: *Man a machine*, Norton, Nova York, 1928.
------------: *Science and civilization in China*, vol. 2, Cambridge University Press, Cambridge, 1962.

Odum, Howard: *Environment, power and society*, Wiley Interscience, Nova York, 1971.
Onslow-Ford, Gordon: *Painting in the instant*, Thames & Hudson, 1964.
Outwater, Christopher e Hamersveld, Eric van: *Practical holography*, Pentangle Press, Beverly Hills, Califórnia, 1974.

Pelletier, Kenneth R.: *Mind as healer, mind as slayer*, Delta, Nova York, 1977.
Pelletier, Kenneth R. e Garfield, Charles: *Consciousness: East and West*, Harper & Row, Nova York, 1976.
Perls, Fritz: *Gestalt therapy verbatim*, Bantam, Nova York, 1969.
Perry, John Weir: *The far side of madness*, Prentice-Hall, Englewood Cliffs, N. J., 1974.
Polanyi, Karl: *The great transformation*, Rinehart, Nova York, 1944.
------------: *Primitive, archaic and modern economics*, Doubleday/Anchor, Nova York, 1968.
Popenoe, Cris: *Wellness*, Yes!, Washington, D. C., 1977.
Porkert, Manfred: *The theoretical foundations of Chinese medicine*, MIT Press, Cambridge, Massachusetts, 1974.
------------: "Chinese medicine, a traditional healing science", *in* Sobel, David (org.): *Ways of health*, Harcourt Brace Jovanovich, Nova York, 1979.
Powles, John: "On the limitations of modern medicine", *in* Sobel, David (org.): *Ways of health*, Harcourt Brace Jovanovich, Nova York, 1979.
Pribram, Karl H.: "Holonomy and structure in the organization of perception", *in* Nicholas, John M. (org.): *Images, perception and knowledge*, Reidel, Dordrecht-Holland, 1977.

------------: "Holographic memory". Entrevista feita por Daniel Goleman: *Psychology Today*, fevereiro, 1979.
Prigogin, Iliá: *From being to becoming*, Reeman, San Francisco, 1980.

Rama, Swami, Ballentine, Rudolf e Weinstock, Allan: *Yoga and psychotherapy*, Himalaya Institute, Glenview, Ill., 1976.
Randall, John Herman: *The making of the modern mind*, Columbia University Press, Nova York, 1976.
Randolph, T. G. e Moss, R.W.: *An alternative approach to allergies*, Lippincott & Crowell, Nova York, 1980.
Rasmussen, Howard: "Medical education – revolution or reaction", *Pharos*, abril, 1975.
Reich, Wilhelm: *Selected writings*, Farrar, Straus & Giroux, Nova York, 1979.
Rich, Adrienne: *Of woman born*, Bantam, Nova York, 1977.
Richmond, Julius B.: "The needs of children", *in* Knowles, John H. (org.): *Doing better and feeling worse*, Norton, Nova York, 1977.
Rifkin, Jeremy: *Entropy*, Viking, Nova York, 1980.
Robertson, James: *The sane alternative*, River Basin Publishing Company, St. Paul, Minn., 1979.
Rodis-Lewis, Geneviève: "Limitations of the mechanical model in the cartesian conception of the organism", *in* Hooker, Michael (org.): *Descartes*, Johns Hopkins University Press, Baltimore, 1978.
Rogers, Carl: *Client-centered therapy*, Houghton Mifflin, Boston, 1951.
------------: *On encounter groups*, Harper & Row, Nova York, 1970.
Rogers, David E.: "The challenge of primary care", *in* Knowles, John H. (org.): *Doing better and feeling worse*, Norton, Nova York, 1977.
Rosenham, D. L.: "On being sane in insane places", *Science*, 19 de janeiro, 1973.
Roszak, Teodore: *The making of a counter culture*, Doubleday/ Anchor, Nova York, 1969.
------------: *Person/Planet*, Doubleday/Anchor, Nova York, 1978.
Rothschild, Emma: "Boom and bust", *New York Review of Books*, 3 de abril, 1980.
Routh, Guy: *The origin of economic ideas*, Macmillan, Nova York, 1975.
Ruesch, Hans: *Slaughter of the innocent*, Bantam, Nova York, 1978.
Russell, Bertrand: *History of Western philosophy*, Allen & Unwin, Londres, 1961.
Russell, Peter: *The brain book*, Dutton, Nova York, 1979.

Schilpp, Paul Arthur (org.): *Albert Einstein: philosopher-scientist*, Tudor, Nova York, 1951.
Schumacher, E. F.: *Small is beautiful*, Harper & Row, Nova York, 1975.
Schwartz, Charles: "Scholars for dollars", *in* Arditti, Rita, Brennan, Pat e Cavrak, Steve (orgs.): *Science and liberation*, South End Press, Boston, 1980.
Seldin Donald W.: "The medical model: biomedical science as the basis of medicine", *in Beyond Tomorrow*, Rockefeller University Press, Nova York, 1977.
Selye, Hans: *Stress without distress*, Lippincott, Nova York, 1974.
Sessions, George: "Shallow and deep ecology: a review of the philosophical literature", *in* Schultz, B. e Hughes, D. (orgs.): *Ecological consciousness*, University Press of America, Lanham, Md., 1981.
Shortt, S. E. D.: "Psychiatric illness in physicians", *CMA Journal*, 4 de agosto, 1979.
Silverman, Milton e Lee, Philip R.: *Pills, profits and politics*, University of California Press, Berkeley, 1974.
Simonton, O. Carl, Matthews-Simonton, Stephanie e Creighton, James: *Getting well again*, Tarcher, Los Angeles, 1978.
Sivard, Ruth Leger: *World military and social expenditures*, World Priorities, Leesburg, Virgínia, box 1003, 1979.
Skinner, B. F.: *Science and human behavior*, Macmillan, Nova York, 1953.
------------: *Beyond freedom and dignity*, Bantam, Nova York, 1975.
Sombart, Werner: *Why is there no socialism in the United States?*, International Arts and Sciences Press, White Plains, Nova York, 1976.
Sommers, Fred: "Dualism in Descartes: the logical ground", *in* Hooker, Michael (org.): *Descartes*, Johns Hopkins University, Baltimore, 1978.
Sorokin, Pitirim A.: *Social and cultural dynamics*, 4 vols., American Book Company, Nova York, 1937-41.
Soule, George Henry: *Ideas of the great economists*, Viking, Nova York, 1952.
Spretnak, Charlene: *Lost goddesses of early Greece*, Beacon Press, Boston, 1981a.
------------: *The politics of women's spirituality*, Doubleday/ Anchor, Nova York, 1981b.
Stace, Walter T.: *The teachings of the mystics*, New American Library, Nova York, 1960.
Stapp, Henry Pierce: "S-Matrix interpretation of quantum theory", *Physical Review D*, 15 de março, 1971.

------------: "The Copenhagen interpretation", *American Journal of Physics*, agosto, 1972.
------------: "Whiteheadian approach to quantum theory and the generalized Bell's theorem", *Foundations of Physics*, fevereiro, 1979.
Stent, Gunther S.: *The coming of the Golden Age*, Natural History Press, Nova York, 1969.
Stobaugh, Robert e Yergin, Daniel (orgs.): *Energy future: report of the energy project at the Harvard Business School*, Ballantine, Nova York, 1979.
Stone, Merlin: *When God was a woman*, Harcourt Brace Jovanovich, Nova York, 1976.
Strouse, Jean (org.): *Women & analysis*, Grossman, Nova York, 1974.
Sutich, Anthony: "The emergence of the transpersonal orientation: a personal account", *Journal of Transpersonal Psychology*, 1, 1976.
Szasz, Thomas: *The myth of mental illness*, Hoeber-Harper, Nova York, 1961.

Tancredi, Laurence R. e Barondess, Jeremiah A.: "The problem of defensive medicine", *Science*, 26 de maio, 1978.
Thie, John F.: *Touch for health*, DeVorss, Marina del Rey, Califórnia, 1973.
Thomas, Lewis: *The lives of a cell*, Bantam, Nova York, 1975.
------------: "On the science and technology of medicine", *in* Knowles, John H. (org.): *Doing better and feeling worse*, Norton, Nova York, 1977.
------------: Entrevista à *New Yorker*, 2 de janeiro, 1978.
------------: The Medusa and the snail, *Viking*, Nova York, 1979.
Tomkins, Calvin: "New paradigms", *New Yorker*, 5 de janeiro, 1976.
Towers, Bernard: "Man in evolution: the Teilhardian synthesis", *Technology and Society*, setembro, 1968.
------------: "Toward an evolutionary ethic", *Teilhard Review*, outubro, 1977.
Toynbee, Arnold: *A study of history*, Oxford University Press, Nova York, 1972.

Veith, Ilza: *The yellow emperor's classic of internal medicine*, University of California Press, Berkeley, 1972.
Vithoulkas, George: *The science of homeopathy*, Grove, Nova York, 1980.
Vrooman, Jack Rochford: *René Descartes*, Putnam, Nova York, 1970.

Walsh, Roger N. e Vaughn, Frances (orgs.): *Beyond ego*, Tarcher, Los Angeles, 1980.
Ward, Barbara: *Progress for a small planet*, Norton, Nova York, 1979.
Watson, John B.: *Behavior*, Holt, Nova York, 1914.
------------: *Behaviorism*, Norton, Nova York, 1970.
Watts, Alan W.: *Psychotherapy East and West*, Pantheon, Nova York, 1961.
Weber, Max: The protestant ethic and the spirit of capitalism, *Scribner*, Nova York, 1958.
Weir, David e Shapiro, Mark: *Circle of poison*, Institute for Food and Development Policy, San Francisco, 1981.
Weiss, Paul A.: *Within the gates of science and beyond*, Hafner, Nova York, 1971.
------------: *The science of life*, Futura, Mount Kisco, Nova York, 1973.
Weisskopf, Walter A.: *Alienation and economics*, Dutton, Nova York, 1971.
White, Kerr L.: "Ill health and its amelioration: individual and collective choices", *in* Carlson, Rick J. (org.): *Future directions in health care: a new public policy*, Ballinger, Cambridge, Massachusetts, 1978.
Whitehead, Alfred North: *Science and the modern world*, Macmillan, Nova York, 1926.
Wilber, Ken: "Psychologia perennis: the spectrum of consciousness, *Journal of Transpersonal Psychology*, n° 2, 1975.
------------: The spectrum of consciousness, *Theosophical Pu*blishing House, Wheaton, Ill., 1977.
Wilhelm, Hellmut: *Change*, Harper Torchbooks, Nova York, 1960.
Wilhelm, Richard: *The I Ching*, Routledge & Kegan Paul, Londres, 1968.
Wilson, E. O.: *Sociobiology*, Harvard University Press, Cambridge, Massachusetts, 1975.
Winikoff, Beverly: "Diet change and public policy", *in* Carlson, Rick, J. (org.): *Future directions in health care: a new public policy*, Ballinger, Cambridge, Massachusetts, 1978.
Woodman, Joseph: "The unhealthiest alliance", *New Age*, outubro, 1977.
Woollard, Robert e Young, Eric R. (orgs.): *Health dangers of the nuclear fuel chain and low-level ionizing radiation: a bibliography/literature review*, Physicians for Social Responsibility, Watertown, Massachusetts 02172, box 144, 1979.

Zwerdling, Daniel: "The day of the locust", *Mother Jones*, agosto, 1977.

Leia também

O TAO DA FÍSICA

Uma análise dos paralelos entre a Física Moderna e o Misticismo Oriental

EDIÇÃO COMEMORATIVA DE 35 ANOS

Fritjof Capra

Este livro analisa as semelhanças – notadas recentemente, mas ainda não discutidas em toda a sua profundidade – entre os conceitos subjacentes à Física Moderna e as ideias básicas do Misticismo Oriental. Com base em gráficos e em fotografias, o autor explica de maneira concisa as teorias da Física atômica e subatômica, a teoria da relatividade e a astrofísica, de modo a incluir as mais recentes pesquisas, e relata a visão de um mundo que emerge dessas teorias para as tradições místicas do Hinduísmo, do Budismo, do Taoismo, do Zen e do I Ching.

O autor, que é pesquisador e conferencista experiente, tem o dom notável de explicar os conceitos da física em linguagem acessível aos leigos. Ele transporta o leitor, numa viagem fascinante, ao mundo dos átomos e de seus componentes. De seu texto, surge o quadro do mundo material não como uma máquina composta de uma infinidade de objetos, mas como um todo harmonioso e "orgânico", cujas partes são determinadas pelas suas correlações. O universo físico moderno, bem como a mística oriental estão envolvidos numa contínua dança cósmica, formando um sistema de componentes inseparáveis, correlacionados e em constante movimento, do qual o observador é parte. Tal sistema reflete a realidade do mundo da percepção sensorial, que envolve espaços de dimensões mais elevadas e transcende a linguagem corrente e o raciocínio lógico.

Esta edição especial celebra o 35º aniversário da publicação original e nos mostra por meio de um novo prefácio do autor e um novo capítulo no fim do livro, intitulado "A Nova Física Revisitada", que nenhum dos desenvolvimentos recentes na Física Moderna invalidou qualquer coisa que Fritjof Capra tenha escrito há mais de trinta anos. Na verdade, a maior parte deles foi antecipada na edição original desta soberba obra sobre o novo paradigma científico, abordado aqui com maestria por um dos maiores pensadores sistêmicos do mundo.